공무원 합격을 위한

해커스공무원의 특별 혜택

해커스공무원 스타강사의 기출문제 무료 특강

해커스공무원(gosi.Hackers.com) 접속 후 로그인 ▶ 상단의 [무료강좌] ▶ [기출문제 해설특강]에서 이용

다회독에 최적화된 **회독 학습 점검표 · 회독용 답안지**

해커스공무원(gosi.Hackers.com) 접속 후 로그인 ▶ 상단의 [교재정보 → 무료 학습 자료]
▶ 회독 학습 점검표 · 회독용 답안지 다운로드

온라인 단과강의 **20% 할인쿠폰**

92CC936EBA8D533P

해커스공무원(gosi.Hackers.com) 접속 후 로그인 ▶ 상단의 [나의 강의실] ▶ [쿠폰등록] ▶ 쿠폰번호 입력 후 이용

* 이용 기한: 2021년 12월 31일까지(등록 후 7일간 사용 가능)

해커스 회독증강 **5만원 할인쿠폰**

CCF45BA5C86569YN

해커스공무원(gosi.Hackers.com) 접속 후 로그인 ▶ 상단의 [나의 강의실] ▶ [쿠폰등록] ▶ 쿠폰번호 입력 후 이용

* 이용 기한: 2021년 12월 31일까지(등록 후 7일간 사용 가능) | * 월간 학습지 회독증강 행정학/행정법총론 개별상품은 할인쿠폰 할인대상에서 제외

쿠폰 이용 안내

1. 쿠폰은 사이트 로그인 후 1회에 한해 등록이 가능하며, 최초로 쿠폰을 인증한 후에는 별도의 추가 인증이 필요하지 않습니다.
2. 쿠폰은 현금이나 포인트로 변환 혹은 환불되지 않습니다.
3. 기타 쿠폰 관련 문의는 고객센터(1588-4055)로 연락 주시거나 1:1 문의 게시판을 이용해주시기 바랍니다.

해커스공무원

11개년 기출문제집

쉬운 행정학

1권

해커스공무원

조철현

약력

제52회 행정고시 합격
한양대학교 정책학과 박사과정

현 | 해커스공무원 행정학 강의
현 | 해커스공무원 면접 강의
전 | 법무부 보호법제과 사무관
전 | 법무부 법무연수원 교수요원
전 | 행정고등고시 출제 검토위원
전 | 국가직공무원 공채, 경채 면접위원

저서

해커스공무원 쉬운 행정학, 해커스패스
해커스공무원 11개년 기출문제집 쉬운 행정학, 해커스패스
해커스공무원 면접마스터, 해커스패스

2021년 대비 최신개정판
상세한 해설을 담은 공무원 기출문제집!

해커스공무원 11개년 기출문제집 쉬운 행정학 1권

개정 3판 1쇄 발행 2020년 11월 4일

지은이	조철현
펴낸곳	해커스패스
펴낸이	해커스공무원 출판팀
주소	서울특별시 강남구 강남대로 428 해커스공무원
고객센터	02-598-5000
교재 관련 문의	gosi@hackerspass.com 해커스공무원 사이트(gosi.Hackers.com) 교재 Q&A 게시판
학원 강의 및 동영상강의	gosi.Hackers.com
ISBN	1권 979-11-6454-840-8 (14350) 세트 979-11-6454-839-2 (14350)
Serial Number	03-01-01

서문

기출문제는 공무원 행정학의 방대한 양을 효율적으로 학습하기 위해 가장 좋은 수단입니다. 이제까지 누적된 기출문제를 학습하면서 반복 출제되는 이론과 유형 등을 알고, 스스로 학습의 범위와 방향을 명확하게 설정할 수 있습니다. 또, 더 나아가 문제 해결 능력까지 키울 수 있기 때문입니다.

〈2021 해커스공무원 11개년 기출문제집 쉬운 행정학〉은 행정학 학습의 기본이 되는 기출문제를 효과적으로 학습할 수 있도록 다음과 같은 특징을 가지고 있습니다.

첫째, 출제 경향을 분석하여 엄선한 104개의 THEME에 기출문제를 수록하였습니다.

공무원 행정학의 필수 이론과 출제 경향을 체계적으로 학습할 수 있도록 핵심 THEME 104개를 선별하여 배치하였습니다. THEME별로 재출제 가능성이 높은 기출문제만을 엄선하여 수록함으로써 기출문제를 효과적으로 학습하고 행정학 이론을 다시 한번 복습할 수 있습니다.

둘째, 문제풀이 과정에서 이론까지 복습할 수 있도록 상세한 해설을 수록하였습니다.

정답 지문에 대한 해설뿐만 아니라 정답 외 지문에 대한 해설 및 관련이론, 법령까지 상세하게 제시하였습니다. 이를 통해 이론학습의 연장선상에서 기출문제를 학습할 수 있으며, 문제풀이만으로도 깊이 있는 학습이 가능합니다.

셋째, 개편되는 공무원 행정학 시험에 대비할 수 있도록 실전모의고사 4회분을 수록하였습니다.

2021년부터 7급 국가직에서 행정학 과목은 25문항이 출제될 예정이며, 2022년부터 9급 행정학개론은 일반행정직에서 필수과목으로 전환되는 등 공무원 행정학 과목은 많은 변화를 앞에 두고 있습니다. 이에 본 교재는 개편되는 공무원 행정학 시험에 대비할 수 있도록 9급 실전모의고사 2회분, 7급 실전모의고사 2회분을 수록하였습니다. 학습 말미 실전모의고사를 풀어봄으로써 앞으로의 출제 경향을 미리 확인하고, 시간 안배 등 실전을 미리 경험해볼 수 있습니다.

넷째, 기출문제를 여러 번 학습할 수 있도록 다양한 학습장치를 제공합니다.

많은 합격생들이 '기출문제의 다회독'을 합격비법으로 꼽는 만큼, 기출문제를 여러 번 학습하는 것은 매우 중요합니다. 따라서 본 교재는 기출문제를 3회독 이상 학습할 수 있도록 회독 학습 점검표, 회독용 답안지, 회독 체크 박스 등 다양한 학습장치를 제공합니다. 이를 통해 각자의 학습 과정과 수준에 맞게 교재를 여러 방면으로 활용할 수 있습니다.

더불어, 공무원 시험 전문 사이트인 해커스공무원(gosi.Hackers.com)에서 교재 학습 중 궁금한 점을 나누고 다양한 무료 학습 자료를 함께 이용하여 학습 효과를 극대화할 수 있습니다.

부디 〈2021 해커스공무원 11개년 기출문제집 쉬운 행정학〉과 함께 공무원 행정학 시험의 고득점을 달성하고 합격을 향해 한걸음 더 나아가시기를 바랍니다.

조철현

차례

1권

2권

PART 4 인사행정론

CHAPTER 1 인사행정의 기초이론 및 제도

CHAPTER 2 공직의 분류

CHAPTER 3 인적자원관리(임용, 능력발전, 사기부여)

CHAPTER 4 공무원의 근무규율과 인사행정개혁

PART 5 재무행정론

CHAPTER 1 국가재정의 기초이론

CHAPTER 2 예산결정이론

CHAPTER 3 예산제도의 발달과 개혁

CHAPTER 4 예산과정

PART 6 행정환류론

CHAPTER 1 행정책임과 행정통제

CHAPTER 2 행정개혁론

CHAPTER 3 정보화와 행정

PART 7 지방행정론

CHAPTER 1 지방행정의 기초이론

CHAPTER 2 지방행정의 조직

CHAPTER 3 지방자치단체의 사무

CHAPTER 4 지방자치단체와 국가의 관계

CHAPTER 5 지방자치와 주민참여

CHAPTER 6 지방자치단체의 재정

실전모의고사 (책속의 책)

이 책의 구성

문제해결 능력 향상을 위한 단계별 구성

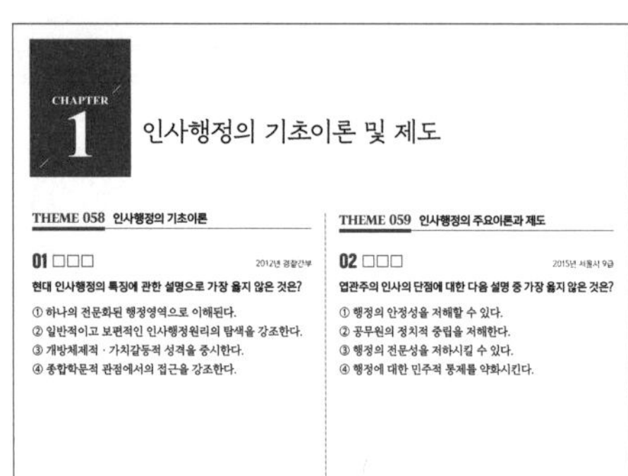

STEP 1 기출문제로 문제 해결 능력 키우기

공무원 행정학에서 자주 출제되는 개념들을 핵심 THEME 104개로 정리하여 이를 PART별로 구분하였습니다. 또한 공무원 행정학 시험의 기출문제 중 퀄리티가 좋은 문제들을 엄선한 후, 이를 학습 흐름에 따라 THEME별로 배치하였습니다. 이를 통해 본격적인 학습 전 각 PART에서 자주 출제되거나 중요한 THEME를 미리 파악할 수 있고, 주요 개념들이 반복·응용되어 재차 출제되는 공무원 행정학의 출제경향에 적극적으로 대비가 가능합니다.

▼

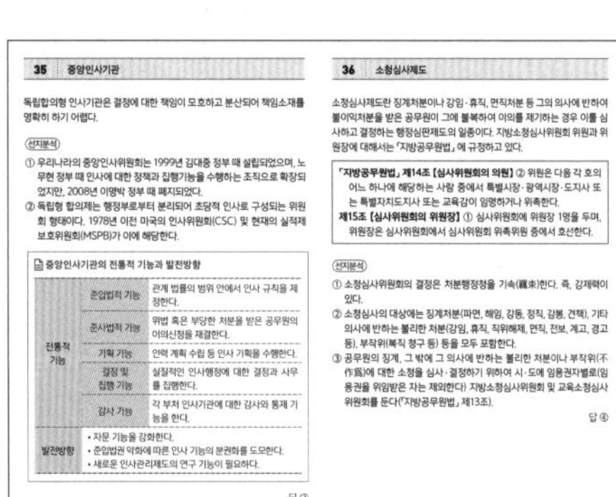

STEP 2 상세한 해설을 통해 다시 한 번 이론 학습하기

교재에 수록된 모든 문제마다 문제의 핵심이 되는 출제포인트를 명시하였습니다. 이를 통해 각 문제가 묻고 있는 이론과 본인이 취약한 부분을 한눈에 파악하여 빠르게 보완할 수 있습니다. 또한 문제 풀이와 동시에 행정학의 이론을 요약·정리할 수 있도록 모든 문제의 하단에 관련 이론과 주요 법령 등을 비롯한 상세한 해설을 수록하였습니다. 해설을 통해 방대한 분량의 행정학 내용 중 시험에서 주로 묻는 핵심 개념들이 무엇인지 확인하고, 학습하였던 이론의 내용을 다시 한 번 복습할 수 있습니다.

▼

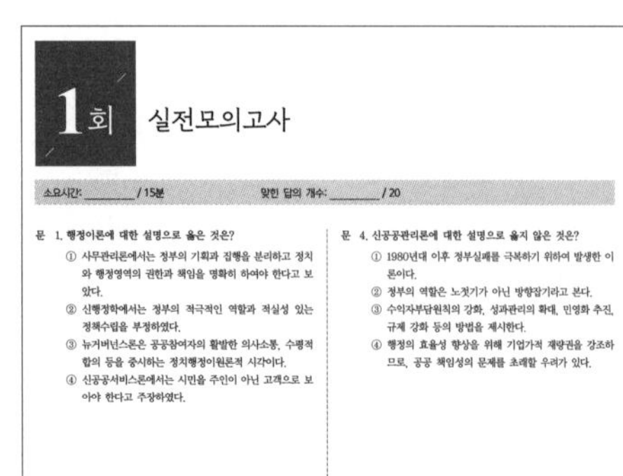

STEP 3 실전모의고사를 통해 실전 감각 높이기

국가직 7급 행정학은 2021년부터 25문항이 출제되고, 9급 행정학개론은 2022년부터 일반행정직에서 필수과목이 되는 등 앞으로 공무원 시험에서 행정학의 비중이 커지면서 시험의 난이도가 상승하고 변별력 있는 문제가 다수 출제될 것으로 예상됩니다. 따라서 개편되는 시험에 미리 대비할 수 있도록 예상문제로 구성한 실전모의고사 20문항 2회분, 25문항 2회분을 수록하였습니다. 다양한 예상문제와 고난이도 문제들을 학습하며 변별력 있는 문제들을 대비하고, 25문항으로 구성된 국가직 7급 대비 실전모의고사를 통해 개편되는 시험 유형에 적응하며 실전 연습을 할 수 있습니다.

정답의 근거와 오답의 원인, 관련이론까지 짚어주는 정답 및 해설

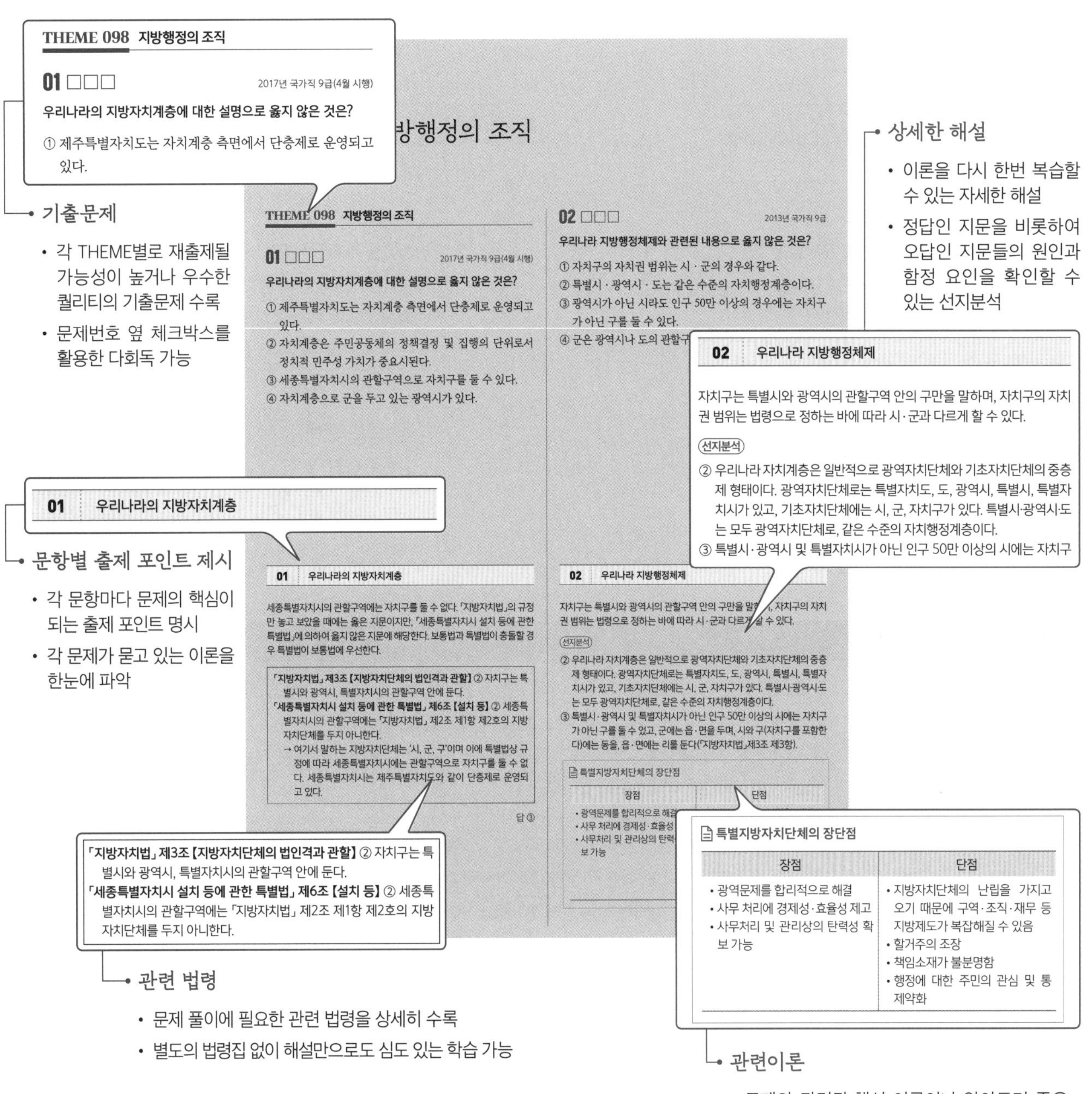

기출문제
- 각 THEME별로 재출제될 가능성이 높거나 우수한 퀄리티의 기출문제 수록
- 문제번호 옆 체크박스를 활용한 다회독 가능

문항별 출제 포인트 제시
- 각 문항마다 문제의 핵심이 되는 출제 포인트 명시
- 각 문제가 묻고 있는 이론을 한눈에 파악

관련 법령
- 문제 풀이에 필요한 관련 법령을 상세히 수록
- 별도의 법령집 없이 해설만으로도 심도 있는 학습 가능

상세한 해설
- 이론을 다시 한번 복습할 수 있는 자세한 해설
- 정답인 지문을 비롯하여 오답인 지문들의 원인과 함정 요인을 확인할 수 있는 선지분석

관련이론
- 문제와 관련된 핵심 이론이나 알아두면 좋은 배경이론 등을 제시
- 주요 개념을 다양한 시각에서 폭넓게 학습

스스로 완성하는 회독 학습 전략

셀프 체크를 통한 만점 학습 전략

모든 문제마다 문제 번호 옆에 회독 체크 박스를 수록하였습니다. 셀프 체크를 통해 3회독 이상 기출문제를 분석할 수 있고, 각 회독마다 체크 기준에 따라 채점 결과를 표시한다면 공무원 시험 분량의 범위를 좁힐 수 있을 뿐만 아니라 자신의 약점과 강점을 쉽게 파악할 수 있습니다. 또한 셀프 체크한 내용을 바탕으로 그에 맞는 학습 전략을 세운다면 보다 효율적으로 기출문제를 학습할 수 있습니다.

셀프 체크

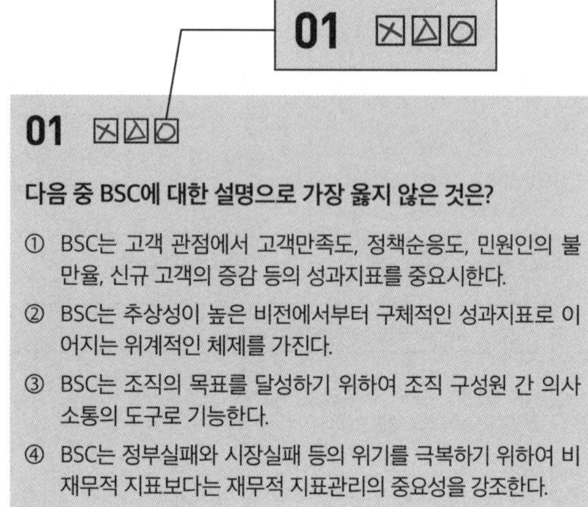
01 ☒◬◙

다음 중 BSC에 대한 설명으로 가장 옳지 않은 것은?

① BSC는 고객 관점에서 고객만족도, 정책순응도, 민원인의 불만율, 신규 고객의 증감 등의 성과지표를 중요시한다.
② BSC는 추상성이 높은 비전에서부터 구체적인 성과지표로 이어지는 위계적인 체제를 가진다.
③ BSC는 조직의 목표를 달성하기 위하여 조직 구성원 간 의사소통의 도구로 기능한다.
④ BSC는 정부실패와 시장실패 등의 위기를 극복하기 위하여 비재무적 지표보다는 재무적 지표관리의 중요성을 강조한다.

셀프 체크	체크 기준
O	• 출제의도를 정확히 파악한 경우 • 관련 개념 및 이론을 완벽히 이해한 경우
△	• 정답을 추측해서 맞힌 경우 • 정답 외 선지에 대하여 분석하지 못하는 경우 • 출제 개념에 대하여 부연설명을 못하는 경우 • 문제 풀이에 많은 시간을 소요한 경우 • 보충학습이 필요하다고 판단되는 경우
X	• 출제의도 및 핵심 내용을 알지 못하여 틀린 경우 • 실수로 틀린 경우

만점 학습 전략

셀프 체크	학습 전략
O (맞힌 문제)	O 표시를 한 해당 문제뿐만 아니라 여러 유형의 문제를 풀어봄으로써 개념과 이론이 어떻게 응용 또는 변형되어 출제되는지를 파악합니다. 또한 다음 회독 때에 개념과 이론이 헷갈리거나 해당 문제를 틀리지 않도록 해설을 참고하여 주요 내용을 정리하는 것이 좋습니다. 정리한 내용을 바탕으로 개념이나 이론을 완벽히 이해하여 난도가 높은 문제에 대비하도록 합니다.
△ (헷갈렸거나 추측해서 맞힌 문제)	△ 표시를 한 문제는 문제 풀이 과정에서 놓친 부분이 무엇인지를 정확히 파악하는 것이 중요합니다. 출제의도를 파악하고 해당 문제에 적용된 개념이나 이론을 이해해야 합니다. 문제의 해설이나 기본서를 활용하여 관련된 개념과 이론을 학습한 후, 해당 문제를 바로 다시 풀어보는 방법도 좋습니다. 또한 같은 실수를 반복하지 않도록 정답 외의 선지도 분석하여야 합니다. 다음 회독 점검 때에도 동일한 방법으로 각각의 문제에 접근하여 출제 방식과 유형에 익숙해지도록 연습하고, 헷갈리거나 정답을 추측하는 문제의 양을 줄여나가는 것이 좋습니다.
X (틀린 문제)	X 표시를 한 문제의 경우 기본서, 문제의 해설, 회독 학습 점검표 등을 활용하여 관련 개념 및 주요 이론을 정확하게 이해하여야 합니다. 주요 내용을 단순히 암기하는 것이 아니라 마인드맵으로 관련 개념을 정리하거나 주요 이론을 표의 형태로 비교하는 등 효율적으로 학습할 필요가 있습니다. 취약한 부분을 완벽히 보완하여야만 다음 회독 때에는 해당 문제를 다시 틀리거나 헷갈리지 않고 정확하게 풀 수 있습니다.

약점을 극복하는 회독 학습 점검

회독 학습 점검표는 <2021 해커스공무원 11개년 기출문제집 쉬운 행정학>의 단원별로 자신의 학습 상태를 점검하고, 약점을 파악할 수 있는 부가자료입니다. 각 문제마다 표시한 셀프 체크 내용을 바탕으로 취약한 단원, 시험에 출제 빈도가 높은 단원, 추가로 더 학습해야 할 단원들을 아래의 회독 학습 점검표를 통해 체계적으로 분석해 볼 수 있습니다. 분석한 내용을 바탕으로 이론을 복습하거나 맞춤 학습 플랜을 계획하는 데 참고할 수 있습니다.

* 회독 학습 점검표는 [해커스공무원 사이트(gosi.Hackers.com) > 교재 > 무료 학습 자료]에서 다운받으실 수 있습니다.

회독 학습 점검표

❶ 단원명	
❷ 학습 다짐	

❸

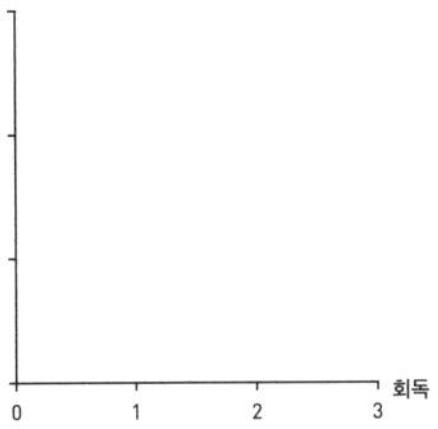

❹

(단위: 개)

채점	○	△	X
1회독			
2회독			
3회독			

구분	1회독	2회독	3회독
❺ 학습 기간			
❻ 다시 풀어야 할 문제			
❼ 취약 개념 또는 이론			

❶ 단원명
점검할 단원명을 기재합니다.

❷ 학습 다짐
자신만의 단원별 학습 다짐을 기재합니다.

❸ 셀프 체크 그래프
셀프 체크한 내용에 따라 그래프를 작성합니다. 회독별 학습 성과를 한눈에 확인할 수 있습니다.

❹ 셀프 체크표
셀프 체크한 내용를 표로 작성합니다. 회독별 학습 상태를 분석할 수 있습니다.

❺ 학습 기간
회독별 학습 기간을 기재합니다.

❻ 다시 풀어야 할 문제
틀렸거나 많이 어렵게 느껴진 문제 등 스스로 다시 풀어 볼 필요가 있다고 판단한 문제의 번호를 기재합니다.

❼ 취약 개념 또는 이론
취약한 개념 또는 이론을 기재합니다. 회독별로 누적된 개념을 확인함으로써 취약한 부분을 반복학습 하였는지 혹은 다시 보충학습을 해야 하는지를 파악할 수 있습니다.

스스로 세워보는 맞춤 학습 플랜

기출문제는 어떻게 학습해야 효율적일까요? 감을 못 잡겠어요.

해커스
공무원

기출문제를 다회독함으로써 시험에 출제되는 이론의 범위를 확인하고, 문제가 어떻게 변형·응용되는지에 대한 파악이 필요해요. 따라서 기출문제는 각 회독마다 전략을 세워 구체적인 학습 기간을 설정한 후에 회독하시기를 추천합니다. 다음 페이지에 해커스공무원이 제안하는 40일(1회독), 14일(2·3회독) 동안의 3회독 학습 방법과 플랜이 있으니 참고해 주세요!

같은 기출문제를 3회독 이상씩 해야 하는 이유가 있나요?

해커스
공무원

기본서 학습 단계에서 전체적인 흐름과 기본적인 개념을 숙지했다면, 기출문제 풀이 단계는 그 동안 공부했던 내용을 점검하고, 자신의 실력을 파악할 수 있는 시기예요. 특히 행정학은 총 7개의 단원으로, 각각의 단원을 대학에서 전공 수업으로 들을 경우 한 학기 이상이 소요될 만큼 양이 방대하기 때문에 기출문제를 여러 번 회독하여 자주 나오는 이론 위주로 학습범위를 줄여 나가는 것이 아주 중요해요!

그렇군요! 기출문제 회독이 매우 중요하겠네요. 그런데 기출문제를 반복하여 풀다 보니, 문제를 정확히 알고 푸는 것인지, 외워서 푸는 것인지 의문이 들어요.

해커스
공무원

맞아요. 회독 수가 늘어날수록 분명히 그런 생각이 들 거예요. 그럴 땐 아래와 같이 하나의 기출문제를 다양한 각도와 방법으로 접근해보세요!

1. A4 용지 등에 <2021 해커스공무원 11개년 기출문제집 쉬운 행정학>의 THEME를 적으면서 지금까지 자신이 공부한 내용 정리하기
2. 각 회독마다 어려운 지문이나 부족한 이론에 대한 나만의 단권화 노트 만들기
3. 해커스공무원이 제공하는 회독용 답안지와 회독 학습 점검표를 통해 실전 감각 키우기

* 회독용 답안지와 회독 학습 점검표는 [해커스공무원 사이트(gosi.Hackers.com) > 교재 > 무료 학습 자료]에서 다운받으실 수 있습니다.

해커스공무원이 제안하는 학습 플랜

* 14일 학습 플랜 때 PART 복습은 진행하지 않습니다.

나는 _____월 _____일까지 〈2021 해커스공무원 11개년 기출문제집 쉬운 행정학〉을 끝내겠습니다!

14일 학습 플랜	40일 학습 플랜	학습 THEME
DAY 1	DAY 1	THEME 001~005
	DAY 2	THEME 006~008
	DAY 3	THEME 009~013
DAY 2	DAY 4	THEME 014~016
	DAY 5	THEME 017~019
	DAY 6	THEME 020~023
DAY 3	DAY 7	PART 1 행정학의 기초이론 복습
	DAY 8	THEME 024~027
	DAY 9	THEME 028~031
DAY 4	DAY 10	THEME 032~034
	DAY 11	THEME 035~037
	DAY 12	PART 2 정책학 복습
DAY 5	DAY 13	THEME 038~041
	DAY 14	THEME 042~045
	DAY 15	THEME 046~049
DAY 6	DAY 16	THEME 050~053
	DAY 17	THEME 054~057
	DAY 18	PART 3 행정조직론 복습
DAY 7	DAY 19	THEME 058~060
	DAY 20	THEME 061~063
	DAY 21	THEME 064~066
DAY 8	DAY 22	THEME 067~069
	DAY 23	THEME 070~073
	DAY 24	PART 4 인사행정론 복습
DAY 9	DAY 25	THEME 074~076
	DAY 26	THEME 077~079
	DAY 27	THEME 080~082
DAY 10	DAY 28	THEME 083~085
	DAY 29	THEME 086~088
	DAY 30	PART 5 재무행정론 복습
DAY 11	DAY 31	THEME 089~091
	DAY 32	THEME 092~095
	DAY 33	PART 6 행정환류론 복습
DAY 12	DAY 34	THEME 096~098
	DAY 35	THEME 099~101
	DAY 36	THEME 102~104
DAY 13	DAY 37	PART 7 지방행정론 복습
	DAY 38	실전모의고사 1~2회
	DAY 39	실전모의고사 3~4회
DAY 14	DAY 40	전체 복습

스스로 세워보는 맞춤 학습 플랜

스스로 세워보는 40일 완성 학습 플랜

1회독

1회독 때에는 '내가 학습한 이론이 주로 이러한 형식의 문제로 출제되는구나!'를 익힌다는 생각으로 접근하시는 것이 좋습니다. 예를 들어 '직위분류제'라는 개념을 학습하였다면, 기출문제에서는 주로 '직위분류제의 장점, 등장배경, 계급제와의 차이점' 등을 묻고 있다는 사실에 주안점을 두고 학습하기 바랍니다.

* 학습한 THEME만큼 형광펜으로 색칠하거나 X 등으로 표시해보세요.

1	2	3	4	5	6	7	8	9	10	11	12	13
14	15	16	17	18	19	20	21	22	23	24	25	26
27	28	29	30	31	32	33	34	35	36	37	38	39
40	41	42	43	44	45	46	47	48	49	50	51	52
53	54	55	56	57	58	59	60	61	62	63	64	65
66	67	68	69	70	71	72	73	74	75	76	77	78
79	80	81	82	83	84	85	86	87	88	89	90	91
92	93	94	95	96	97	98	99	100	101	102	103	104

학습 날짜	순공 시간	학습 THEME	학습 날짜	순공 시간	학습 THEME
__월 __일	__H __M		__월 __일	__H __M	
__월 __일	__H __M		__월 __일	__H __M	
__월 __일	__H __M		__월 __일	__H __M	
__월 __일	__H __M		__월 __일	__H __M	
__월 __일	__H __M		__월 __일	__H __M	
__월 __일	__H __M		__월 __일	__H __M	
__월 __일	__H __M		__월 __일	__H __M	
__월 __일	__H __M		__월 __일	__H __M	
__월 __일	__H __M		__월 __일	__H __M	
__월 __일	__H __M		__월 __일	__H __M	
__월 __일	__H __M		__월 __일	__H __M	
__월 __일	__H __M		__월 __일	__H __M	
__월 __일	__H __M		__월 __일	__H __M	
__월 __일	__H __M		__월 __일	__H __M	
__월 __일	__H __M		__월 __일	__H __M	
__월 __일	__H __M		__월 __일	__H __M	
__월 __일	__H __M		__월 __일	__H __M	
__월 __일	__H __M		__월 __일	__H __M	
__월 __일	__H __M		__월 __일	__H __M	
__월 __일	__H __M		__월 __일	__H __M	

스스로 세워보는 14일 완성 학습 플랜

2회독

실전과 동일한 마음가짐으로 기출문제를 풀어보는 단계입니다. 또한 단순히 문제를 풀어보는 것에 그치지 않고, 더 나아가 각각의 지문이 왜 옳은지, 옳지 않다면 어느 부분이 잘못되었는지를 꼼꼼히 따져가며 학습하기 바랍니다.

* 학습한 THEME만큼 형광펜으로 색칠하거나 X 등으로 표시해보세요.

1	2	3	4	5	6	7	8	9	10	11	12	13
14	15	16	17	18	19	20	21	22	23	24	25	26
27	28	29	30	31	32	33	34	35	36	37	38	39
40	41	42	43	44	45	46	47	48	49	50	51	52
53	54	55	56	57	58	59	60	61	62	63	64	65
66	67	68	69	70	71	72	73	74	75	76	77	78
79	80	81	82	83	84	85	86	87	88	89	90	91
92	93	94	95	96	97	98	99	100	101	102	103	104

학습 날짜	순공 시간	학습 THEME	학습 날짜	순공 시간	학습 THEME
__월 __일	__H __M		__월 __일	__H __M	
__월 __일	__H __M		__월 __일	__H __M	
__월 __일	__H __M		__월 __일	__H __M	
__월 __일	__H __M		__월 __일	__H __M	
__월 __일	__H __M		__월 __일	__H __M	
__월 __일	__H __M		__월 __일	__H __M	
__월 __일	__H __M		__월 __일	__H __M	

3회독

만약 기출문제에서 A이론의 장점을 설명하였다면 추후에는 A이론의 대두배경, 단점, 특징 등이 출제될 수 있으므로 3회독 때에는 기출문제를 출제자의 시선에서 바라보고, 이를 변형하여 학습하는 연습이 필요합니다. 즉, 기출지문을 중심으로 이론 학습의 범위를 넓혀나가며 학습을 완성하시기 바랍니다.

* 학습한 THEME만큼 형광펜으로 색칠하거나 X 등으로 표시해보세요.

1	2	3	4	5	6	7	8	9	10	11	12	13
14	15	16	17	18	19	20	21	22	23	24	25	26
27	28	29	30	31	32	33	34	35	36	37	38	39
40	41	42	43	44	45	46	47	48	49	50	51	52
53	54	55	56	57	58	59	60	61	62	63	64	65
66	67	68	69	70	71	72	73	74	75	76	77	78
79	80	81	82	83	84	85	86	87	88	89	90	91
92	93	94	95	96	97	98	99	100	101	102	103	104

학습 날짜	순공 시간	학습 THEME	학습 날짜	순공 시간	학습 THEME
__월 __일	__H __M		__월 __일	__H __M	
__월 __일	__H __M		__월 __일	__H __M	
__월 __일	__H __M		__월 __일	__H __M	
__월 __일	__H __M		__월 __일	__H __M	
__월 __일	__H __M		__월 __일	__H __M	
__월 __일	__H __M		__월 __일	__H __M	
__월 __일	__H __M		__월 __일	__H __M	

PART 1

행정학의 기초이론

행정과 행정학의 발달

THEME 001 행정의 본질

01 □□□

2019년 서울시 7급(2월 추가)

윌슨(Wilson)의 「행정의 연구(The Study of Administration)」에 대한 설명으로 가장 옳지 않은 것은?

① 19세기 말엽 미국 정부의 규모가 그 이전과 비교도 안 될 정도로 커지고, 행정의 수요가 급증한 상황에서 행정학 연구의 중요성을 역설하였다.

② 19세기 말엽 미국 내 정경유착과 보스 중심의 타락한 정당정치로 인하여 부패가 극심한 상황에서 행정이 정치로부터 독립해야 한다고 주장하였다.

③ 윌슨은 행정의 전문성을 강조하면서, 정치와 행정의 분리와 함께 행정의 영역(field of administration)을 비즈니스의 영역(field of business)으로 규정하기도 하였다.

④ 윌슨은 행정의 본질을 의사결정과 이에 따른 집행의 효과성을 높이는 것으로 파악하고 있으며, 근본적으로 효율적인 정부가 되어 돈과 비용을 덜 들여야 한다고 주장하였다.

02 □□□

2018년 지방직 9급

행정이론의 패러다임과 추구하는 가치를 바르게 연결한 것은?

① 행정관리론 – 절약과 능률성

② 신행정론 – 형평성과 탈규제

③ 신공공관리론 – 경쟁과 민주성

④ 뉴거버넌스론 – 대응성과 효율성

01 윌슨(Wilson)의 「행정의 연구」

윌슨(Wilson)은 행정의 본질을 의사결정이 아닌 정책, 법률 등 결정된 의사를 효과적으로 집행하는 것으로 파악하였으며, 그 결과 정부는 효율적인 정부가 되어 돈과 비용을 덜 들여야 한다고 주장하였다.

(선지분석)

① 19세기 말엽 미국 정부의 규모가 확대되고 대륙횡단철도 건설, 도시화의 진전 등으로 인한 행정의 수요가 급증한 상황에서, 윌슨(Wilson)은 이를 능률적으로 관리하기 위한 행정(학) 연구에 대한 중요성을 역설하였다.

② 윌슨은 행정이 정치로부터 독립하여 사행정(경영)과 유사한 형태로 연구를 진행하여야 한다고 보았다.

③ 윌슨의 입장은 공사행정일원론적 입장이다.

답 ④

02 행정이론

행정관리론은 19세기 말 전개된 기업경영의 과학화 경향에 따라 능률성을 최우선 가치로 삼은 고전적 관리이론으로, 행정을 기본적으로 관리 또는 집행으로 인식하고 기계적 능률과 절약을 강조하였다. 기계부품을 잘 설계하고 배치하는 것이 능률적이듯이, 조직에서도 사람을 적절히 배치하고 관리하는 것이 능률적인 것이라고 보았다.

(선지분석)

② 신행정론은 1960년대 말 미국 사회의 격동기에 사회문제를 해결하기 위하여 등장한 이론으로, 형평성을 중시하고 정부개입을 통한 규제를 찬성하였다.

③ 신공공관리론은 신자유주의에 바탕을 두고 정치행정이원론에 입각하여 행정의 시장화를 강조하였고, 효율성과 성과를 중시하지만 민주성을 저해할 소지가 크다.

④ 뉴거버넌스론은 신공공관리론과 비교하였을 때 상대적으로 효율성보다는 민주성과 대응성을 더 중시한 모형이다.

답 ①

03 □□□

2016년 국가직 7급

행정학의 발달과정에 대한 설명으로 옳지 않은 것은?

① 1960년대 신행정학은 행정학의 실천적 성격과 적실성을 회복하기 위해 정책지향적인 행정학을 강조했다.

② 사이먼(Simon)은 인간행태에 연구의 초점을 두었고 행정이론의 과학화에 기여하였다.

③ 애플비(Appleby)는 정치는 국가의 의지를 표명하고 정책을 구현하는 것이며 행정은 이를 실천하는 것으로 정치와 행정의 차이를 명확히 구별했다.

④ 미국행정학은 테일러(Taylor)의 과학적 관리법에 근거를 둔 조직이론으로부터 영향을 받았다.

04 □□□

2015년 국회직 8급

다음 중 미국행정학의 특징을 시대적 순서대로 나열한 것은?

ㄱ. 가치중립적인 관리론보다는 민주적 가치 규범에 입각한 정책연구를 지향한다.
ㄴ. 행정학은 이론과 법칙을 정립하는 데 목적을 두어야 하며 사실판단의 문제를 연구대상으로 삼아야 한다.
ㄷ. 과업별로 가장 효율적인 표준시간과 동작을 정해서 수행할 필요가 있다.
ㄹ. 정부는 공공재의 생산 · 공급자이며 국민을 만족시킬 수 있는 최선의 제도적 장치를 설계해야 한다.
ㅁ. 조직 구성원의 생산성은 조직의 관리통제보다는 조직 구성원 간의 관계에 더 많은 영향을 받는다.

① ㄴ - ㄷ - ㄱ - ㄹ - ㅁ
② ㄴ - ㄷ - ㅁ - ㄱ - ㄹ
③ ㄷ - ㅁ - ㄱ - ㄹ - ㄴ
④ ㄷ - ㅁ - ㄴ - ㄱ - ㄹ
⑤ ㄷ - ㅁ - ㄴ - ㄹ - ㄱ

03 행정학의 발달과정

애플비(Appleby)가 아니라 굿노(Goodnow)의 주장이다. 굿노(Goodnow)는 정치행정이원론자이며 『정치와 행정(Politics and Administration)』에서 정치는 정책을 결정하고, 행정은 이를 실천(집행)하는 것으로 명확하게 분리하였다. 애플비(Appleby)는 『정책과 행정』에서 정치와 행정의 과정은 연속적 · 순환적이므로 결합적 관계를 형성해야 한다고 주장한 정치행정일원론자이다.

선지분석

① 신행정학은 사회문제를 해결하지 못하는 행태주의의 한계에서 벗어나, 행정이 사회문제를 해결하기 위해 적극적으로 노력해야 한다며 행정의 적실성을 주장하였다.

② 사이먼(Simon)은 개별행위자의 의견, 태도, 개성, 물리적 행동 등 구체적인 인간행태 연구에 초점두었고, 행정연구의 이론화 및 과학화에 기여하였다.

④ 과학적 관리론의 발달은 미국 행정학의 발달 요인이며, 테일러(Taylor) 등은 과학적 관리론을 연구하여 능률적 행정학 및 행정의 과학화에 기여하였다.

답 ③

04 미국행정학의 특징

미국행정학의 특징을 시대적 순서대로 나열하면 ㄷ - ㅁ - ㄴ - ㄱ - ㄹ이다.
ㄷ. 1910년대 테일러(Taylor)의 과학적 관리론에 대한 설명이다.
ㅁ. 1930년대 메이요(Mayo)의 인간관계론에 대한 설명이다.
ㄴ. 1940년대 사이먼(Simon)의 행정행태론에 대한 설명이다.
ㄱ. 1970년대 왈도(Waldo)의 신행정론에 대한 설명이다.
ㄹ. 1970년대 오스트롬(Ostrom)의 공공선택론에 대한 설명이다.

답 ④

05 □□□

2015년 국회직 9급

다음 중 행정학의 학문적 특성에 대한 설명으로 가장 옳지 않은 것은?

① 행정학은 원인과 결과의 규칙성을 발견하는 기술성을 중시하는 학문이다.
② 행정학은 전문직업적 성격을 포함한다.
③ 행정학은 실천적이고 도구적 성격이 강한 응용학문이다.
④ 행정학은 종합학문적 성격을 지니고 있어 정체성에 대한 논란이 지속적으로 제기되어 왔다.
⑤ 행정학의 연구에서 가치와 사실을 구분할 수 있어도 가치판단 문제를 완전히 배제할 수는 없다.

06 □□□

2013년 행정사

행정(학)에 관한 설명으로 옳지 않은 것은?

① 행정은 민주성, 능률성, 합법성, 효과성, 형평성 등을 추구한다.
② 행정학은 행정현상의 과학화를 목적으로 하기 때문에 이론과 실제를 분리하여 연구하는 학문이다.
③ 행정학은 시민사회, 정치집단, 시장과의 상호작용 속에서 공공가치의 달성을 위해 정부가 수행하는 정책이나 관리활동에 대한 지식과 이론을 연구대상으로 한다.
④ 좁은 의미의 행정은 행정부의 구조와 공무원을 포함한 정부 관료제를 중심으로 이루어지는 활동을 말한다.
⑤ 행정학은 정치학, 경제학, 경영학, 사회학, 법학, 심리학 등의 이론과 지식을 접목하여 사용하고 있다.

05 행정학의 학문적 특성

원인과 결과의 규칙성을 발견하는 것은 기술성이 아닌 과학성이다. 기술성은 이론을 실제로 처방하는 과정에 초점을 맞춘다.

과학성과 기술성

구분	과학성	기술성
연구방법	논리실증주의	문제해결 기법 탐구
목적	설명성·인과성·객관성	실제적 처방
이론	정치행정이원론 (공사행정일원론)	정치행정일원론 (공사행정이원론)
학자	사이먼(Simon), 란다우(Landau)	왈도(Waldo), 세이어(Sayre)

답 ①

06 행정과 행정학

행정학은 행정현상을 진단하고 그에 따른 처방을 제시하는 학문이다. 따라서 이론(과학성)과 실제(처방성)를 통합하여 연구한다.

선지분석

① 행정이 추구하는 가치는 시간과 장소에 따라 민주성, 능률성, 합법성, 효과성 형평성 등으로 다양하다.
③ 현대적 의미에서의 행정학은 정부만이 연구대상이 아니며, 시민사회, 정치집단, 시장과의 상호작용(거버넌스) 속에서 공공가치의 달성을 위하여 정부가 수행하는 정책이나 관리활동에 대한 지식과 이론을 연구대상으로 한다.
④ 좁은 의미의 행정은 행정부의 구조와 공무원을 포함한 정부관료제를 중심으로 이루어지는 활동을 말한다. 넓은 의미의 행정은 정부관료제뿐만 아니라 시민단체, 시장 등이 공익을 위하여 협력하는 거버넌스를 말한다.
⑤ 행정학은 설립시기가 최근이며 그 역사가 짧아, 정치학, 경제학, 경영학, 사회학, 법학, 심리학 등 다양한 사회과학의 이론과 지식을 접목하여 사용하는 복합적 응용학문이다.

답 ②

07 □□□

2009년 지방직 7급

다음에서 설명하고 있는 행정학의 성격은?

> 제2차 세계대전 후 미국은 저개발국가에 경제 원조와 함께 미국의 행정이론에 바탕을 둔 제도나 기술을 지원했다. 그러나 저개발국가의 정치제도나 사회문화적 환경이 미국과 달라 새로 도입한 각종 행정제도가 소기의 성과를 거두지 못하는 경우가 많았다. 선진국의 행정이론이 모든 국가에 적용 가능하다고 전제하는 것은 무리가 있기 때문에 외국의 행정이론을 도입하는 경우 사전에 충분한 검토가 필요하다.

① 행정학의 기술성과 과학성
② 행정학의 보편성과 특수성
③ 행정학의 가치판단성과 가치중립성
④ 행정학의 전문성과 일반성

08 □□□

2020년 국가직 9급

정치행정이원론에 대한 설명으로 옳은 것은?

① 정당정치 개입으로부터 자유로운 행정 영역을 강조하였다.
② 1930년대 뉴딜정책은 정치행정이원론이 등장하게 된 중요 배경이다.
③ 과학적 관리론과 행정개혁운동은 정치행정이원론의 한계를 지적하였다.
④ 정치행정이원론을 대표하는 애플비(Appleby)는 정치와 행정이 단절적이라고 보았다.

07 행정학의 성격

제시문은 행정학의 보편성과 특수성에 대한 사례이다.

보편성과 특수성

구분	내용
보편성	• 행정현상에 시대나 상황을 초월하여 존재하는 일반적 법칙이 있다고 보는 입장 • 행정문제의 해결을 위해서 선진국의 제도를 고찰하고 도입하려는 것 • 행정현상의 보편적 인과법칙과 일정한 경향성 강조
특수성	• 역사적·시대적 상황에 따라 행정은 달라진다고 보는 입장 • 각 국가의 특수한 문화적 맥락과 환경 등이 고려되어야 함 • 외국제도 도입 시 상황의 유사성 여부를 고려하는 이유

답 ②

08 정치행정이원론

정당정치의 개입으로부터 자유로운 행정 영역을 강조한 입장은 실적주의이다. 실적주의는 엽관주의의 폐해를 극복하기 위하여 행정이 정치로부터 독립해야 함을 주장한 정치행정이원론적 입장이다.

선지분석

② 1930년대 뉴딜정책은 경제대공황을 극복하기 위한 행정의 적극적 역할을 강조하는 입장으로, 행정이 정책결정의 역할까지 수행해야 한다고 주장하므로 정치행정일원론적 입장이다.
③ 과학적 관리론은 정치행정이원론적 입장이므로, 정치행정이원론의 한계를 지적하였다고 볼 수 없다.
④ 애플비(Appleby)는 『정책과 행정(1949)』에서 정치와 행정의 과정은 연속적이고 순환적이므로, 결합적 관계를 형성해야 한다고 주장한 정치행정일원론자이다.

답 ①

09 □□□

2019년 서울시 9급

정치행정일원론에 대한 설명으로 가장 옳지 않은 것은?

① 공공조직의 관리자들은 정책결정자를 위한 지원, 정보제공의 역할만을 수행한다.
② 공공조직의 관리자들은 정책을 구체화하면서 정책결정 기능을 수행한다.
③ 공공조직의 관리자들이 수집, 분석, 제시하는 정보가 가치판단적인 요소를 내포한다.
④ 행정의 파급효과는 정치적인 요소를 내포한다.

09 정치행정일원론

공공조직의 관리자들이 정책결정자를 위한 지원, 정보제공의 역할만을 수행하는 입장은 정치행정이원론적 입장이다.

선지분석

② 정치행정일원론의 입장에 의하면 공공조직의 관리자(행정인, 정책집행자)들이 실제 정책집행 현장에서 정책을 구체화하면서 정책결정의 기능을 수행하기도 한다.
③ 정치행정일원론의 입장에 의하면 공공조직의 관리자(행정인, 정책집행자)들이 수집, 분석, 제시하는 정보도 가치중립적인 관리 요소에 국한된 것이 아니라 가치판단적인 요소를 내포하게 된다.
④ 행정학의 시작은 정치와 행정을 분리하는 정치행정이원론적 입장이었지만, 행정의 가치지향적 결정기능이 강조되면서 현대의 행정은 기본적으로 정치와 행정을 연속과정이자 통합과정으로 보는 정치행정일원론적 입장이다.

답 ①

THEME 003 행정의 기능

10 □□□

2020년 지방직 9급

작은 정부를 적극적으로 옹호하는 것은?

① 행정권 우월화를 인정하는 정치행정일원론
② 경제공황 극복을 위한 뉴딜정책
③ 사회복지 프로그램의 확대
④ 신공공관리론

10 작은정부

신공공관리론은 오일쇼크, 스태그플레이션 등과 같은 정부실패에 대한 대책이다. 정부의 기능을 축소하고 행정에 경영의 이념을 도입하자고 주장하므로 작은 정부를 옹호한다.

선지분석

① 정치행정일원론은 행정의 적극적 개입을 중시하는 이론이므로 큰 정부를 옹호한다.
② 뉴딜정책은 경제공황 극복을 위해 정부가 적극적으로 개입한 수정자본주의 정책으로, 행정의 적극적 역할을 강조한다. 또한 테네시강 유역 개발공사, 실업자 구제활동 원조 등을 통해 재정지출을 확대하였으므로 큰 정부와 관련이 있다.
③ 사회복지 프로그램에 지출되는 비용으로 정부의 재정지출이 확대되므로 큰 정부와 관련이 있다.

답 ④

11 □□□

2011년 서울시 9급

진보주의 정부관을 설명하고 있는 내용 중 가장 적절하지 않은 것은?

① 소극적 자유 선호
② 공익목적의 정부규제 강화 강조
③ 조세를 통한 소득재분배 강조
④ 효율과 공정에 대한 자유시장의 잠재력 인정
⑤ 소외집단을 위한 정부정책 선호

12 □□□

2011년 경찰간부

다음 중 진보주의, 보수주의 정부관에 대한 설명으로 가장 옳은 것은?

① 진보주의 정부관은 합리적이고 이기적인 경제인의 인간관을 전제로 한다.
② 보수주의 정부관은 자유를 옹호하며, 정부의 개입을 허용한다.
③ 진보주의 정부관은 효율성과 공정성, 번영에 대한 자유시장의 잠재력을 인정한다.
④ 보수주의자의 정의는 행복의 극대화, 공동선과 시민의 미덕을 강조한다.

11 진보주의 정부관

진보주의 정부는 적극적 자유를 선호한다. 소극적 자유를 선호하는 것은 보수주의 정부관의 특징이다.

선지분석

④ 진보주의 정부관도 자유시장의 잠재력은 인정한다. 다만, 자유시장이 실패할 가능성이 높기 때문에 정부의 개입이 필요하다고 본다.

진보주의 정부관과 보수주의 정부관의 비교

구분	진보주의 정부관	보수주의 정부관
이데올로기	좌파	우파
인간관	경제인관 부정	경제인관 인정
자유	적극적 자유	소극적 자유
평등	결과의 평등 (실질적 평등)	기회의 평등 (형식적 평등)
시장	자유시장의 잠재력 인정, 문제발생 시 정부 개입	자유시장의 자율성 강조, 정부 개입 반대
정책방향	소외집단을 위한 정부의 적극적 개입 선호	선호하지 않음
정부규제	시장실패 치료를 위한 정부규제 선호	자유시장 신뢰, 규제를 선호하지 않음
재분배정책	선호	선호하지 않음
이념	공평성 (수직적 공평)	효율성 (수평적 공평)

답 ①

12 진보주의, 보수주의 정부관

진보주의 정부관은 효율성과 공정성, 번영에 대한 자유시장의 잠재력은 인정하지만, 시장의 결함 등으로 인한 시장실패 시 정부의 개입에 집중한다.

선지분석

① 진보주의 정부관은 합리적이고 이기적인 경제인의 인간관을 부정하며, 오류의 가능성이 있는 인간관을 전제로 한다.
② 보수주의 정부관은 자유를 옹호하며, 정부의 간섭이나 개입을 반대한다.
④ 행복의 극대화, 공동선과 시민의 미덕을 강조하는 것은 진보주의 정부관의 내용이다.

답 ③

13 □□□

2013년 국회직 8급

정치와 행정에 대한 다음 <보기>의 설명 중 옳은 것은 모두 몇 개인가?

> <보기>
>
> ㄱ. 전통적으로 민주주의 정치체제에서 정치는 가치개입적 행위이며, 행정은 가치중립적 행위이다.
>
> ㄴ. 정치는 효율성을 확보하는 과정인 데 반해, 행정은 민주성을 확보하는 과정이다.
>
> ㄷ. 정치행정일원론에서 행정의 정치적 기능이란 정책형성 기능을 의미한다.
>
> ㄹ. 1960년대 발전행정론이 대두하면서 기존의 행정우위론과 대비되는 정치우위론의 입장에서 새일원론이 제기되었다.
>
> ㅁ. 사이먼(Simon) 등 행태주의 학자들은 행정의 정책결정 기능을 인정한다는 점에서 기존의 이원론과는 구분된다.

① 1개
② 2개
③ 3개
④ 4개
⑤ 5개

14 □□□

2014년 국가직 9급

경영과 구분되는 행정의 속성이라고 보기 어려운 것은?

① 행정은 사익이 아닌 공익을 우선적으로 추구한다.
② 행정은 모든 시민을 평등하게 대우하여야 한다.
③ 행정조직 구성원은 원칙상 법령에 의해 신분이 보장된다.
④ 행정은 효과적인 업무수행을 위해 관리성이 강조된다.

13 행정과 정치

ㄱ, ㄷ, ㅁ이 옳은 설명이므로 3개이다.

선지분석

ㄴ. 정치는 민주성을 확보하는 과정인 데 반해, 행정은 효율성을 확보하는 과정이다.
ㄹ. 1960년대 발전행정론이 대두하면서 기존의 정치우위론과는 대비되는 행정우위론의 입장에서 새일원론이 제기되었다.

답 ③

14 행정과 경영

관리성은 행정과 경영의 공통적인 속성이다.

선지분석

① 행정은 공공기관이 불특정다수의 복리증진·사회적 가치를 추구하는 공익을 목적으로 한다. 다만, 행정이 추구하는 공익에 대한 입장은 학자마다 차이가 있다. 경영은 민간조직이 이윤극대화를 추구하는 사익을 목적으로 한다.
② 행정은 '시민의 권리'를 강조하여 모든 국민을 평등하게 대우하는 반면 경영은 '수익자 민주주의'에 따라 차별적인 대우가 가능하다.
③ 행정조직 구성원은 법령에 의해 신분이 보장되며, 법에 따른 집행을 원칙으로 엄격한 법적 규제와 통제를 받고 그에 따른 책임을 포괄적으로 진다.

답 ④

15 □□□

2008년 국가직 7급

행정과 경영의 유사성에 대한 설명으로 옳지 않은 것은?

① 인적 · 물적 자원을 동원하며 기획, 조직화, 통제방법, 관리기법, 사무자동화 등 제반 관리기술을 활용한다.
② 엄격한 법적 규제를 받으므로 환경 변화에 따른 조직의 대응능력이나 인력의 충원과정에서 탄력성이 떨어진다.
③ 관료제의 순기능적 측면과 아울러 역기능적인 측면도 내포하고 있다.
④ 조직 내 의사결정과정에서 가능한 한 많은 대안 중에서 최선의 대안을 선택 · 결정하고자 하는 협동행위가 나타난다.

16 □□□

2011년 지방직 9급

행정과 법의 관계에 대한 설명으로 옳지 않은 것은?

① 법규는 행정에 합리적 · 합법적 권위를 부여하는 원천이다.
② 법은 행정활동을 정당화하는 기능을 수행한다.
③ 정부가 행정을 수행하는 과정에서 국민의 권리구제를 위한 사법적 결정을 하는 경우도 있다.
④ 경직적인 법규의 적용은 행정과정에서 목표와 수단이 전도되는 상황을 유발시킬 수 있다.

15 행정과 경영

행정은 경영에 비해 법적 규제가 엄격하게 적용된다는 차이점이 있다.

행정과 경영 비교

구분		행정(공행정)	경영(사행정)
유사점		• 목표달성을 위한 수단성 • 관리성 강조 • 인적·물적 자원의 동원 및 활용 • 의사결정 과정 • 관료제적 성격 • 협동행위적 성격	
차이점	주체	정부·국가	민간기업·사기업
	목적	다원적, 국민의 복리증진	일원적, 사익 이윤극대화
	합리성	정치적 합리성	경제적 합리성
	권력성 여부	권력적 성격	비권력적 성격
	독점성 정도	강함	약함
	법적 규제 정도	강함	완화
	평등원칙 적용 정도	강함	약함
	능률성 척도	일률적 계량화 곤란	계량화 가능
	경쟁성 정도	약함	강함

답 ②

16 행정과 법

정부가 합의제 행정기관에 의한 행정심판 등 준사법적인 기능을 수행하는 경우도 있지만, 행정행위에 대한 사법적 심사를 통한 국민의 권리구제는 정부가 아닌 사법부의 역할이다.

선지분석

① 각종 법규는 행정에 합리적·합법적인 권위를 부여하는 원천이다.
② 행정활동은 법에 의하여 정당성이 확보된다.
④ 합법성만을 추구할 경우, 합목적성 차원에서 문제가 발생할 수 있다.

답 ③

17 □□□

2017년 서울시 7급

다음 중 커뮤니티 비즈니스(Community Business)에 대한 설명으로 가장 옳지 않은 것은?

① 혁신적인 중소기업의 창업 촉진과 육성 그리고 도시의 발전이라는 두 가지 과제를 동시에 해결하기 위해 시도되었다.
② 일본에서 커뮤니티 비즈니스란 마을 만들기 경험의 축적이 비즈니스 차원으로 전개된 것이다.
③ 커뮤니티 비즈니스는 지역공동체 단위의 사회적 기업을 함께 공유한다는 점에서 사회적 기업과 유사점이 강하다.
④ 일본에서는 버블경제 붕괴 후, 구도심 쇠퇴현상이 발생하자, 지역 재활성화를 위한 방안으로 1990년대 중반부터 이 용어를 사용하기 시작했다.

18 □□□

2016년 사회복지직 9급

정부와 시민사회 간의 관계에 대한 설명으로 옳지 않은 것은?

① 좋은 거버넌스에서는 시민단체의 역할을 강조한다.
② 우리나라에서는 시민단체의 자율성을 위하여 정부가 재정지원을 하지 않는다.
③ 정부와 시민단체의 지나친 유착은 시민단체의 정체성 문제를 야기한다.
④ 정부와 시민단체 간의 균형을 위해서는 정보의 공유가 필요하다.

17 커뮤니티 비즈니스(Community Business)

커뮤니티 비즈니스(Community Business)는 중소기업의 창업 촉진과 육성, 도시발전과는 거리가 멀다. 커뮤니티 비즈니스(Community Business)는 자신이 살고 있는 지역, 즉 커뮤니티를 활성화시키고자 하는 지역주민 주체의 지역사업으로서 지역주민의 삶의 질을 높이기 위한 활동을 토대로 비즈니스를 전개하며 이를 통해 창출된 수익을 다시 지역에 환원하는 선순환 구조를 이룬다.

답 ①

18 정부와 시민사회

우리나라는 비영리민간단체에 해당하는 시민단체를 정부가 지원하고 있다.

> **「비영리민간단체 지원법」 제5조 【비영리민간단체에 대한 지원 등】**
> ② 행정안전부장관 또는 시·도지사는 공익활동에 참여하는 비영리민간단체에 대하여 필요한 행정지원 및 이 법이 정하는 재정지원을 할 수 있다.

(선지분석)

① 좋은 거버넌스는 정부와 정부 바깥의 다양한 집단(이익 집단, 시민사회, 민간 기업 등)의 협력을 중시하므로 시민단체의 역할을 강조한다.
③ 정부와 시민단체의 지나친 유착은 시민단체를 관변단체, 어용단체로 전락시킬 수 있다.
④ 정부와 시민단체 간의 균형을 위해서는 정부만이 정보를 독점하는 정보의 비대칭(불균형) 상태를 해소하고 정부와 시민단체의 정보 공유가 필요하다.

답 ②

19 □□□

2012년 지방직 9급

현대 민주주의 국가에서 정부와 시민사회의 관계에 대한 설명으로 적절하지 않은 것은?

① 시민사회의 역량이 커지면서 정부 중심의 통치에서 거버넌스로 관점이 변화하고 있다.
② 정부주도의 성장 과정에서 초래된 사회적 부작용을 완화하는 방안으로 시민사회의 역할이 강조되고 있다.
③ 시민의식이 성숙되고 시민의 참여욕구가 증대하면서 정부와 시민사회의 새로운 파트너십이 요구되고 있다.
④ 시민사회에 발생하는 이해관계자 간의 다양한 갈등을 해결하기 위하여 심판자로서의 정부 역할이 강화되고 있다.

20 □□□

2015년 국가직 7급

행정에 대한 시민단체의 역할로 옳지 않은 것은?

① 국민에게 교육을 실시하는 등 사회에 필요한 재화와 서비스의 제공자 역할을 한다.
② 정당과 함께 행정에 대한 공식적 통제자 역할을 한다.
③ 소수 약자의 인권이나 재산권 침해 등에 대한 대변자 역할을 한다.
④ 이익집단 간 갈등이나 지역이기주의로 나타나는 지역 간 갈등 등에 대한 조정자 역할을 한다.

19 정부와 시민사회

이해관계자 간의 다양한 갈등을 해결하기 위한 심판자로서의 정부 역할이 강조되는 것은 행정국가이다. 거버넌스 등을 중시하는 현대 민주주의 국가에서는 정부보다 시민사회의 역할과 참여가 더욱 강조되고 있다.

선지분석

① 현대 민주주의 국가는 시민사회의 역량 제고에 따른 정부와 시민사회 등 다양한 집단 간의 협력을 기본으로 하는 거버넌스적 관점을 중시한다.
③ 현대 민주주의 국가에서는 시민의식이 성숙되고 시민들의 정치와 행정에 대한 참여욕구가 증대되면서, 이러한 시민이 정부의 새로운 동반자(파트너)로 역할을 수행하게 됨에 따라 정부와 시민사회의 새로운 파트너십이 요구되고 있다.

답 ④

20 시민단체의 역할

시민단체는 정당과 함께 행정에 대한 비공식적 통제자 역할을 한다.

선지분석

① 시민단체는 공공서비스의 공급주체이다.
③ 시민단체는 소수 약자의 대변자 역할을 한다.
④ 시민단체는 정부와 국민 간, 이익집단 간 등 각종 사회문제나 분쟁에 있어서 제3자의 입장에서 중재자로서의 역할을 수행한다.

시민단체(NGO)의 기능과 한계

기능	한계
• 정부실패 및 시장실패 보완 • 공공서비스의 공급주체 • 정책과정에서 파트너 역할 • 부패에 대한 견제 • 갈등의 조정 • 교육적 기능(시민교육)	• 재정적·정치적 독립성이 약함 • 지역차원의 NGO가 미약 • 공공재의 무임승차성 • 역할분담 미약(백화점식 운동전개방식) • 구속력 미흡 • NGO의 관변단체화

답 ②

21 □□□

2010년 국가직 9급

오늘날 시민사회조직에 대한 설명으로 가장 옳지 않은 것은?

① 정부와 비정부조직 간에 적대적 관계보다는 서로의 존재를 인정하는 동반자적 관계가 점차 확산되고 있다.
② 비정부조직이 생산하는 공공재나 집합재의 생산비용을 정부가 지원하는 경우에는 정부와 대체적 관계를 형성한다.
③ 비영리조직이 지닌 특징으로는 자발성, 자율성, 이익의 비배분성 등이 있다.
④ 정부가 지지나 지원의 필요성을 위해 특정한 비정부조직 분야의 성장을 유도하여 형성된 의존적 관계는 개발도상국에서 많이 나타난다.

22 □□□

2009년 지방직 9급

비정부조직(NGO)에 대한 설명으로 가장 옳지 않은 것은?

① 높은 전문성을 보유하고 있어 정책과정에서 영향력이 크다.
② 정부나 시장에 대한 감시와 견제의 역할을 한다.
③ 이상주의에 치우쳐 결과에 무책임하다고 비판을 받기도 한다.
④ 재정상의 독립성 결여로 인해 자율성 확보에 문제가 있다는 비판이 존재한다.

21 시민사회조직

비정부조직이 생산하는 공공재나 집합재의 생산비용을 정부가 지원하는 경우에는 정부와 대체적 관계가 아닌 보완적 관계를 맺게 된다. 정부와 NGO의 대체적 관계는 정부가 가진 다양한 정치적·기술적 한계로 인해 시민들에게 제공해야 할 공공재의 공급을 NGO가 대신 맡게 되는 것을 의미한다.

정부와 NGO의 관계모형

대체적 관계	정부가 가진 다양한 정치적·기술적 한계로 인해 시민들에게 제공해야 할 공공재의 공급을 NGO가 대신 맡게 되는 경우
보완적 관계	NGO가 생산하는 공공재나 집합재의 생산비용을 정부가 지원하는 경우
대립적 관계	양자 간에 서로 투명한 활동을 위해 상호 감시하는 경우
의존적 관계	개발도상국과 같은 급속한 산업화 과정에서 정부가 지지나 자원의 필요성을 위해 특정한 NGO의 성장을 유도해 온 경우
동반자 관계	독립된 파트너로서 서로의 존재를 인정하고 협력하는 경우로, 최근에 점차 일반화되고 있는 바람직한 관계모형

답 ②

22 비정부조직(NGO)

비정부조직(NGO)은 안전성·구성력 및 전문성이 부족하다는 한계가 존재하며, 이는 살라몬(Salamon)의 박애적 아마추어리즘과 관련이 있다. 박애적 아마추어리즘이란 사회문제의 해결이나 서비스의 제공에는 전문적인 지식을 필요로 하는 경우가 많은데, 도덕적·종교적 신념에 바탕을 둔 일반적인 도움은 한계가 있다는 것을 의미하며, NGO의 전문성·책임성 부족에 따른 비정부조직(NGO)의 실패를 설명한다.

선지분석

② 비정부조직(NGO)은 정부실패와 시장실패의 대응책으로 발생하였다. 따라서 정부나 시장에 대한 감시와 견제의 역할을 수행한다.
③ 비정부조직(NGO)은 높은 이상을 추구하는 과정에서 당초 예상했던 결과가 아닌 부정적인 결과가 발생하는 경우도 있으며, 이에 대한 책임을 지지않는다는 비판이 제기되기도 한다.
④ 다수의 비정부조직(NGO)은 재정의 많은 부분을 정부에 의존하고 있고, 그 결과 재정상의 독립성 결여로 인해 자율성 확보가 어렵기 때문에 어용단체, 관변단체화의 문제가 발생한다는 비판이 존재한다.

답 ①

23 □□□

2008년 지방직 7급

NGO에 관한 이론과 그 설명의 연결이 옳지 않은 것은?

① 소비자통제이론 - NGO는 서비스가 구매되는 상황이나 또는 그 서비스 자체의 성격으로 말미암아, 소비자들이 영리기업에서 생산하는 서비스에 대해서 정확한 평가를 내리기가 불가능하기 때문에 이를 보완할 목적으로 등장하였다.
② 공공재이론 - NGO 부문은 사회의 구성원들에게 기존의 공공재 공급구조체제에서 충족되지 못한 수요를 만족시키는 역할을 한다.
③ 다원화이론 - NGO 부문은 정부에 의해 달성될 수 있는 것보다 사회 서비스 생산에서 상당한 다양성을 제공하고 있다.
④ 기업가이론 - 정부와 NGO 부문이 이질적이고 이들 간의 관계가 경쟁과 갈등이라고 가정한다.

24 □□□

2011년 지방직 7급

우리나라 현행 제도상 사회적기업에 대한 설명으로 옳은 것은?

① 이익을 재투자하거나 그 일부를 연계기업에 배분할 수 있다.
② 재화 및 서비스의 생산 · 판매 등 영업활동을 하여야 한다.
③ 정부는 매년 사회적기업의 활동실태를 조사하고 육성계획을 수립 · 추진하여야 한다.
④ 설립 초기의 일정기간 동안에는 유급근로자를 고용하지 않고 무급근로자만으로 운영할 수 있다.

23 | NGO

소비자통제이론이 아니라 계약실패이론에 대한 설명이다. 소비자통제이론이란 공공서비스의 소비자인 시민이 생산자인 국가권력을 감시·통제하기 위한 수단으로 NGO가 등장하였다고 보는 이론이다.

(선지분석)

② 공공재이론은 기존 공공재 공급체제에서 충족되지 못한 사회적 수요를 만족시키기 위해 NGO가 등장하였다고 본다.
③ 다원화이론은 사회가 더 많은 다양성을 요구하며, 다양한 주체에 의해 서비스가 공급될 수 있기 때문에 NGO가 등장하였다고 본다.
④ 기업가이론은 정부와 NGO는 이질적이며 경쟁과 갈등 관계라고 가정한다.

답 ①

24 | 사회적기업

사회적기업이란 취약계층에게 사회서비스 또는 일자리를 제공하거나 지역사회에 공헌함으로써 지역주민의 삶의 질을 높이는 등의 사회적 목적을 추구하면서 재화 및 서비스의 생산·판매 등 영업활동을 하는 기업이다.

(선지분석)

① 사회적기업은 영업활동을 통하여 창출한 이익을 사회적기업의 유지·확대에 재투자하도록 노력하여야 하고 연계기업은 사회적기업이 창출하는 이익을 취할 수 없다(「사회적기업 육성법」 제3조 제3항·제4항).
③ 고용노동부장관은 사회적기업의 활동실태를 5년마다 조사하고, 그 결과를 고용정책심의회에 통보하여야 한다(「사회적기업 육성법」 제6조).
④ 사회적기업으로 인증받으려는 자는 '유급근로자를 고용하여 재화와 서비스의 생산·판매 등 영업활동을 할 것'의 요건을 갖추어야 한다(「사회적기업 육성법」 제8조 제1항 제2호).

답 ②

25 □□□

2007년 국가직 7급

전기 관방학에 대한 설명으로 적절하지 않은 것은?

① 왕실재정과 국가재정을 구별하였다.
② 공공복지의 사상적 기초를 신학에서 찾았다.
③ 대표적인 학자는 오제(Osse), 젝켄도르프(Seckendorf) 등이다.
④ 관방학의 강좌가 개설된 1727년을 기준으로 전기와 후기로 나눈다.

26 □□□

2017년 서울시 7급

미국 행정이론의 발달과정에 대한 설명으로 가장 옳지 않은 것은?

① 19세기 이후 엽관제의 비효율 극복을 위해 제퍼슨-잭슨 철학에 입각한 진보주의 운동과 행정의 탈정치화를 강조한 정치행정이원론이 전개되었다.
② 1930년대 경제대공황 이후 행정권의 우월화 현상을 인정한 정치행정일원론이 등장하였다.
③ 비교행정론의 대표적 학자 리그스(Riggs)의 프리즘적 모형은 농경국가도 산업국가도 아닌 제3의 국가형태인 개발도상국을 연구하는 데 적합하다.
④ 1968년 미노부르크 회의(Minnowbrook Conference)는 행정의 적실성, 사회적 형평성 등을 강조한 '신행정학'의 탄생에 영향을 주었다.

25 전기 관방학

전기 관방학은 왕실재정과 국가재정을 구분하지 못하고 왕실의 경제적 수입 유지와 증식을 지향하였다.

전기 관방학과 후기 관방학

전기 관방학 (16~17C)	• 사상적 기반: 신학과 왕권신수설(국가권력 미분화 상태) • 목적: 왕실의 경제적 수입을 유지 및 증식 • 특징: 정치·경제·사회적 활동에 관한 여러 사회과학들이 미분화된 상태로 혼재되어 있었으며, 재정학적 성격이 강함
후기 관방학 (18~19C)	• 사상적 기반: 계몽사상과 자연법사상(경찰학으로의 분화) • 유스티(Justi)의 『경찰학 원리』(1756)에서 국가의 목적을 국가의 재산 증대와 유지 그리고 유효한 사용으로 구분하여, 전자를 다루는 정치학과 경찰학(오늘날 행정학과 유사)을 다루는 재정학으로부터 분리

답 ①

26 미국 행정이론의 발달과정

진보주의와 행정의 탈정치화를 강조한 정치행정이원론을 주장한 사람은 팬들턴(Pendleton)과 윌슨(Wilson)이다. 미국 3대 대통령인 제퍼슨(Jefferson)이 엽관주의를 도입하였고, 7대 대통령인 잭슨(Jackson)은 엽관주의를 가장 적극적으로 활용하였다.

(선지분석)
② 1930년대 경제대공황 이후 통치기능설이 부각되었다.
③ 리그스(Riggs)의 프리즘적 모형의 적용사회를 전이사회라고 한다.
④ 1968년 미노부르크 회의(Minnowbrook Conference)에서 왈도(Waldo)는 행정학이 새롭게 나아가야 하는 방향을 적실성, 사회적 형평성의 실현 등으로 제시하였고, 이러한 행정학을 신행정학이라고 한다.

답 ①

27 □□□

2009년 국가직 7급

다음에 제시된 역사적 사실들이 갖는 공통적 의미는?

- Johnson 대통령의 Great Society Program
- Roosevelt 대통령의 New Deal정책

① 시장기능의 강화
② 행정부의 사회적 가치배분권의 강조
③ 작지만 강한 행정부
④ 규제완화와 행정의 민주화

28 □□□

2019년 서울시 9급(2월 추가)

행정사상가와 주장하는 내용을 가장 옳게 짝지은 것은?

① 해밀턴(Hamilton) - 분권주의를 강조하며 대중에 뿌리를 둔 풀뿌리민주주주의를 강조하였다.
② 매디슨(Madison) - 이익집단을 중요시하였으며 정치활동의 원천으로 인식하였다.
③ 제퍼슨(Jefferson) - 연방정부에 힘이 집중되어 있는 중앙집권주의를 주장하였다.
④ 윌슨(Wilson) - 정치와 행정이 분리될 수 없는 정치 · 행정 일원론을 주장하였다.

27 New Deal정책과 Great Society Program

두 역사적 사실은 모두 미국 사회의 경제적·사회적 위기를 극복하기 위하여 제시된 정책들이다. 경제대공황을 극복하기 위한 New Deal정책과 Great Society Program은 행정국가, 즉 정부의 경제적·사회적 가치판단 기능의 강화를 의미한다.

선지분석

① 시장기능의 강화는 신공공관리론(NPM)적 정부이다.
③ 클린턴(Clinton) 행정부의 정부개혁은 국가성과평가팀(NPR)을 중심으로 작지만 강한 행정부의 구현을 목표로 하였다.
④ 존슨(Johnson) 대통령의 Great Society Program과 루즈벨트(Roosevelt) 대통령의 New Deal정책 모두 정부의 적극적인 개입을 강조한다. 따라서 정부의 규제와 개입 등을 지양하는 규제완화와는 거리가 멀다.

답 ②

28 행정사상가

정치학자이자 미국 헌법의 아버지라고도 불리는 미국의 4대 대통령 매디슨(Madison)은 사적 이익집단 간의 갈등이 정치과정의 핵심이라고 보고, 사회 내의 다양한 이익집단들 간의 견제와 균형을 통하여 민주주의가 구현된다고 강조하였다.

선지분석

① 해밀턴(Hamilton)은 능동적·능률적인 행정, 국가기능의 확대, 정치권력의 근원을 국가로 보고 강력한 연방정부(중앙정부)의 역할을 강조하였다.
③ 미국의 3대 대통령 제퍼슨(Jefferson)은 정치권력의 근원을 국민으로 보고 해밀턴의 연방주의를 반대하며 지방분권을 중시하였다.
④ 윌슨(Wilson)은 정치로부터 행정이 독립되어야 한다고 주장한 정치·행정 이원론자이다.

답 ②

29 □□□

2017년 국가직 7급(8월 시행)

미국 민주주의의 규범적 관료제모형에 대한 설명으로 옳은 것은?

① 제퍼슨주의(Jeffersonianism)는 개인의 자유를 극대화하기 위한 행정책임을 강조하고, 소박하고 단순한 정부와 분권적 참여 과정을 중시한다.

② 잭슨주의(Jacksonianism)는 행정의 탈정치화를 통해 정당정치의 개입으로부터 자유로운 행정을 강조한다.

③ 매디슨주의(Madisonianism)는 국가이익의 증진을 위해 강한 행정부의 적극적 역할과 행정의 유효성을 지향한다.

④ 해밀턴주의(Hamiltonianism)는 다원적 과정을 통한 이익집단 요구의 조정과 이를 가능하게 하는 견제와 균형을 중시한다.

30 □□□

2012년 군무원 변형

미국의 사상가에 대한 설명 중 옳지 않은 것은?

① 해밀턴(Hamilton)은 강력한 연방정부의 역할을 주장하였다.

② 매디슨(Madison)은 사적 이익집단 간의 갈등이 정치의 핵심이라고 보았다.

③ 제퍼슨(Jefferson)은 개인의 자유를 중시하는 입장이며, 1960년대 이후 미국의 신행정학에 영향을 주었다.

④ 잭슨(Jackson)은 행정을 정치로부터 분리시켜야 한다고 주장하였다.

29 규범적 관료제모형

제퍼슨주의(Jeffersonianism)는 정치권력의 근원을 국민으로 보고 해밀턴(Hamilton)의 연방주의를 반대하며 지방분권을 강조하였다.

(선지분석)

② 잭슨주의(Jacksonianism)는 행정의 대응성과 민주성을 강조하고 이의 실천을 위하여 공직교체와 공직개방을 골자로 하는 엽관주의와 행정의 정치화를 통한 정당정치를 공식적으로 표방하였다.

③ 매디슨주의(Madisonianism)는 사적 이익집단 간의 갈등이 정치과정의 핵심이라고 보고 사회 내의 다양한 이익집단들 간의 견제와 균형을 통하여 민주주의가 구현되는 다원주의를 강조하였다.

④ 해밀턴주의(Hamiltonianism)는 능동적이고 능률적인 행정과 국가기능의 확대, 정치권력의 근원을 국가로 보고 강력한 중앙정부의 역할을 강조하였다.

답 ①

30 행정사상가

행정을 정치로부터 분리시켜야 한다고 주장하여 행정학의 학문적 출범을 이룬 학자는 잭슨(Jackson)이 아닌 윌슨(Wilson)이다.

(선지분석)

① 미국 연방정부의 초대 재무장관인 해밀턴(Hamilton)은 연방의 존속과 유지를 위한 강력한 연방정부의 역할을 주장하였다.

② 미국의 4대 대통령인 매디슨(Madison)은 다양한 이익집단 간의 갈등과 그 갈등의 해결이 정치의 핵심이라고 주장하였으며, 다원주의 사상에 많은 영향을 끼쳤다.

③ 제퍼슨(Jefferson)주의는 국민(시민)을 정치권력의 근원으로 보았고, 이러한 사상은 사회적 형평성을 강조하는 신행정학에 영향을 미쳤다.

답 ④

CHAPTER 2

현대행정의 이해

THEME 006 현대행정국가와 신행정국가

01 □□□

2013년 국가직 9급

신자유주의 정부이념 및 관리수단과 연관성이 적은 것은?

① 시장실패의 해결사 역할을 해오던 정부가 오히려 문제의 유발자가 되었다는 인식을 바탕으로 다시 시장을 통한 문제해결을 강조하며 '작은 정부(small government)'를 추구한다.
② 민간기업의 성공적 경영기법을 행정에 접목시켜 효율적인 행정관리를 추구할 뿐 아니라 개방형 임용, 성과급 등을 통하여 행정에 경쟁원리 도입을 추진한다.
③ 케인즈(Keynes) 경제학에 기반을 둔 수요중시 거시경제정책을 강조하므로 공급측면의 경제정책에 대하여는 반대 입장을 견지한다.
④ 정부의 민간부문에 대한 간섭과 규제는 최소화 또는 합리적으로 축소 · 조정되어야 한다는 입장에서 규제완화, 민영화 등을 강조한다.

02 □□□

2008년 국회직 8급

전통적인 의회정치모형에 대한 대안으로 제기되는 '분화된 정체' 모형의 특징으로 가장 거리가 먼 것은?

① 정책연결망과 정부 간 관계
② 장관책임과 중립적 관료제
③ 공동화 국가
④ 핵심행정부
⑤ 신국정관리

01 신자유주의

케인즈(Keynes) 경제학에 기반을 둔 수요중시 거시경제정책을 강조한 것은 현대 행정국가이다. 신자유주의는 수요중시 거시경제정책을 비판하고, 시장 중심의 공급주의 경제정책을 지지한다.

(선지분석)
① 신자유주의 정부이념은 1970년대 큰 정부 지향의 많은 정책이 잇따라 실패하게 되는 정부실패 현상을 보고, 정부가 오히려 문제의 유발자가 되었다고 인식한다. 이를 바탕으로 정부의 개입과 역할을 축소하고, 다시 시장을 통한 문제해결을 강조하며 '작은 정부'를 추구하게 된다.
②, ④ 신자유주의 정부이념 및 관리수단은 신공공관리론(NPM)의 바탕이 되었다.

답 ③

02 의회정체모형과 분화정체모형

장관책임과 중립적 관료제는 전통적 의회정치모형의 특징이다. 분화정체모형은 신국정관리(New governance)를 특징으로 한다.

의회정체모형과 분화정체모형 비교

전통적 의회정체모형	새로운 분화정체모형
• 단방제 국가 • 내각정부 • 의회주권 • 장관책임과 중립적 직업관료제	• 정책연결망과 정부 간 관계 • 공동화국가 • 핵심행정부 • 신국정관리

답 ②

THEME 007 시장실패와 정부실패

03 □□□

2015년 국가직 7급

사바스(Savas)가 구분한 네 가지 공공서비스의 유형과 내용의 연결이 옳지 않은 것은?

① 요금재(toll goods) - 대가를 지불하지 않는 소비자를 배제할 수 없다.
② 집합재(collective goods) - '무임승차'의 문제가 생길 수 있다.
③ 시장재(private goods) - 경합성과 배제성을 동시에 갖는 서비스이다.
④ 공유재(common pool goods) - 과잉소비의 문제가 발생할 수 있다.

04 □□□

2014년 국가직 9급

경합성과 배제성을 고려할 때 공공재(public goods)에 가장 가까운 것은?

① 국립도서관
② 고속도로
③ 등대
④ 올림픽 주경기장

03 공공서비스의 유형

요금재(toll goods)는 배제성을 가지고 있는 재화이므로 대가를 지불하지 않는 소비자를 배제시킬 수 있다.

재화의 유형

구분	공공재(집합재)	공유재	요금재	사적재(민간재)
특징	비배제성, 비경합성	비배제성, 경합성	배제성, 비경합성	배제성, 경합성
예시	외교, 국방, 등대, 치안 등	국립공원, 하천, 야생나물 등	전기, 가스, 유료 고속도로, 상하수도 등	시장에서 생산되거나 판매되는 제품

답 ①

04 공공재

공공재는 비경합성과 비배제성을 특징으로 하며 등대, 국방, 외교, 치안 등이 이에 해당한다.

선지분석

① 국립도서관은 비배제성과 경합성을 가지므로 공유재이지만, 만약 요금을 낼 경우에는 요금재로 볼 수도 있다.
② 유료 고속도로의 경우 요금재에 해당한다.
④ 올림픽 주경기장은 만석에 이르지 않을 경우 요금재로 볼 수 있으나, 인기 가수의 콘서트와 같이 경합성이 강하게 발생할 경우 사적재로 볼 수도 있다.

답 ③

05 □□□

2018년 지방직 7급

재화를 배제성과 경합성 여부에 따라 네 가지 유형(A~D)으로 분류할 경우, 유형별 사례를 모두 바르게 짝지은 것은?

배제성 여부 / 경합성 여부	배제성	비배제성
경합성	A	B
비경합성	C	D

	A	B	C	D
①	구두	해저광물	고속도로	등대
②	라면	출근길 시내도로	일기예보	상하수도
③	자동차	공공낚시터	국방	무료TV방송
④	냉장고	케이블TV	목초지	외교

06 □□□

2018년 서울시 7급(6월 시행)

공공서비스를 소비의 배제성과 경합성을 기준으로 구분하면 〈보기 1〉과 같이 4가지 유형으로 구분할 수 있다. 각 영역에 해당하는 공공서비스의 명칭과 사례를 〈보기 2〉에서 바르게 연결한 것은?

〈보기 1〉

소비의 경합성 / 소비의 배제성	경합적	비경합적
배제 가능	가	나
배제 불가능	다	라

〈보기 2〉

구분	명칭	사례
가	ㄱ. 공유재	a. 전기, 통신, 상하수도
나	ㄴ. 공공재	b. 음식점, 호텔, 의료, 택시
다	ㄷ. 시장재	c. 소방, 치안, 국방, 공기
라	ㄹ. 요금재	d. 지하수, 해저광물, 강, 호수

	가	나	다	라
①	ㄷ - b	ㄹ - a	ㄱ - d	ㄴ - c
②	ㄷ - a	ㄱ - b	ㄹ - c	ㄴ - d
③	ㄹ - a	ㄷ - d	ㄴ - b	ㄱ - c
④	ㄴ - d	ㄱ - c	ㄷ - b	ㄹ - a

05 공공서비스의 유형

구두는 사적재(시장재), 해저광물은 공유재, 고속도로는 요금재, 등대는 공공재에 해당한다.

배제성 여부 / 경합성 여부	배제성	비배제성
경합성	A - 사적재(시장재)	B - 공유재
비경합성	C - 요금재	D - 공공재

선지분석

② 일기예보는 공공재(D)에 해당하며, 상하수도는 요금재(C)에 해당한다.
③ 국방은 공공재(D)에 해당한다.
④ 케이블TV는 요금재(C)에 해당하며, 목초지는 공유재(B)에 해당한다.

답 ①

06 공공서비스의 유형

〈보기 2〉를 옳게 정리하면 다음과 같다. 따라서 '가 - ㄷ - b, 나 - ㄹ - a, 다 - ㄱ - d, 라 - ㄴ - c'이다.

구분	명칭	사례
가	ㄷ. 시장재	b. 음식점, 호텔, 의료, 택시 등
나	ㄹ. 요금재	a. 전기, 통신, 상하수도 등
다	ㄱ. 공유재	d. 지하수, 해저광물, 강, 호수 등
라	ㄴ. 공공재	c. 소방, 치안, 국방, 공기 등

답 ①

07 □□□

2010년 지방직 7급

다음 표에 제시된 공공서비스의 유형에 대한 설명으로 옳지 않은 것은?

특성		경합성 여부	
		경합성	비경합성
배제성 여부	배제성	ㄱ	ㄴ
	비배제성	ㄷ	ㄹ

① ㄱ - 기본적인 수요조차 충족하기 어려운 저소득층이나 사회적 약자를 위해 부분적인 정부개입이 필요하다.
② ㄴ - 서비스의 상당 부분이 정부에서 공급되는 이유는 부정적 외부효과로 인한 시장실패에 대응해야 하기 때문이다.
③ ㄷ - '공유재의 비극'을 초래하는 서비스로서 공급비용 부담 규칙과 무분별한 사용에 대한 규제 장치가 요구된다.
④ ㄹ - 과소 또는 과다 공급을 초래하는 만큼 원칙적으로 공공부문에서 공급해야 할 서비스이다.

08 □□□

2014년 국가직 7급

공공서비스에 대한 설명으로 옳지 않은 것만을 모두 고른 것은?

ㄱ. 무임승차자 문제가 발생하는 근본원인으로는 비배제성을 들 수 있다.
ㄴ. 정부가 공공서비스의 생산부문까지 반드시 책임져야 할 필요성은 약해지고 있다.
ㄷ. 전형적인 지방공공서비스에는 상하수도, 교통관리, 건강보험 등이 있다.
ㄹ. 공공서비스 공급을 정부가 담당해야 하는 이유로는 공공재의 존재 및 정보의 비대칭성 등이 있다.
ㅁ. 전기와 고속도로는 공유재의 성격을 가지는 공공서비스이다.

① ㄱ, ㄷ
② ㄱ, ㅁ
③ ㄴ, ㄹ
④ ㄷ, ㅁ

07 공공서비스의 유형

ㄱ은 사적재(민간재), ㄴ은 요금재, ㄷ은 공유재, ㄹ은 공공재(집합재)이다. 요금재(ㄴ)는 배제성과 비경합성을 갖는 재화이므로, 대가를 지불하지 않는 소비자를 배제할 수 있기 때문에 시장기구를 통해 서비스를 공급할 수 있는 여지가 많다. 요금재의 상당 부분을 정부가 공급하는 이유는 자연독점으로 인한 시장실패에 대응하기 위해서이며, 독점 이익의 왜곡을 방지하기 위해서도 주로 공기업에서 요금재의 공급을 담당하게 된다.

답 ②

08 공공서비스

ㄷ. 건강보험은 전국적인 형평성 및 통일성이 요구되는 공공서비스이므로 국가 또는 국가 소속의 공기업이 담당하는 것이 바람직하다.
ㅁ. 전기와 고속도로는 규모의 경제가 발생하게 되는 일종의 요금재이다. 공유재는 경합성은 발생하지만 배제성이 발생하지 않는 재화로서 천연자원, 하천, 국립공원 등이 이에 해당한다.

답 ④

09 □□□

2015년 지방직 9급

다음 〈보기〉 내용의 시장실패에 대한 설명으로 옳지 않은 것은?

> 〈보기〉
>
> 한 마을에 적당한 크기의 목초지가 있었다. 그 마을에는 열 가구가 오순도순 살고 있었는데, 각각 한 마리의 소를 키우고 있었고 그 목초지는 소 열 마리가 풀을 뜯는 데 적당한 크기였다. 소들은 좋은 젖을 주민들에게 공급하면서 튼튼하게 자랄 수 있었다. 그런데 한 집에서 욕심을 부려 소 한 마리를 더 키우면서 문제가 시작되었다. 다른 집들도 소 한 마리, 또 한 마리 등 욕심을 부리기 시작하면서 목초지는 풀뿌리까지 뽑히게 되었고, 결국 소가 한 마리도 살아갈 수 없는 황폐한 공간으로 바뀌고 말았다.

① 〈보기〉에서 나타나는 시장실패의 주된 요인은 무임승차자 문제이다.

② 〈보기〉의 사례에 나타난 재화는 배제불가능성과 함께 소비에서의 경합성을 특징으로 한다.

③ 〈보기〉의 사례는 '공유지의 비극(tragedy of the commons)'에 대한 설명이다.

④ 이러한 시장실패를 해결하기 위한 방법의 하나는 재화의 재산권을 명확히 하는 것이다.

10 □□□

2014년 서울시 7급

공유재(common pool resource)에 관한 설명 중 옳지 않은 것은?

① 공유재는 잠재적 사용자의 배제가 불가능 또는 곤란한 자원이다.

② 공유지의 비극(tragedy of commons)은 개인의 합리성과 집단의 합리성이 충돌하는 딜레마 현상이다.

③ 공유지의 비극(tragedy of commons)은 개인의 합리성 추구로 인해 공유재가 고갈되는 현상을 일컫는다.

④ 하딘(Hardin)은 공유지의 비극을 방지하기 위하여 국가 규제의 강화를 주장한다.

⑤ 공유재는 개인의 사용량이 증가함에 따라 나머지 사람들이 사용할 수 있는 양이 감소하는 특성을 가진 자원이다.

09 시장실패

〈보기〉는 공유시의 비극에 대한 설명이다. 공유지의 비극이란 개인의 합리성과 집단의 합리성이 반드시 일치하지 않는다는 것을 설명하는 이론으로, 공유지의 비극이 나타나는 주된 이유는 '과잉소비'의 문제이며 배제성을 가지고 있지 않은 공유재의 특성상 무임승차자 문제가 나타나기는 하지만 주된 요인은 아니다.

선지분석

② 공유재는 비배제성과 경합성을 지닌 재화이다.

④ 공유지의 비극을 극복하기 위해서는 소유권을 명확히 설정하여 공유 상태 제거(사유화), 자원의 이용에 대해 적절히 제한하는 국가의 개입(낚시 면허와 같은 정부규제), 스스로 양심에 따른 공유지의 운영을 주장하는 방법이 있다.

답 ①

10 공유재

공유지의 비극은 개인과 공공의 이익이 서로 맞지 않을 때 개인주의적 사욕에 의해 개인이 자신의 이익만을 극대화한 결과, 경제 주체 모두가 파국에 이른다는 이론이다. 하딘(Hardin)은 공유지의 비극을 방지하기 위하여 근본적인 공유 상태의 제거(사유화), 정부의 적절한 개입과 규제, 스스로의 양심에 따른 공유지의 운영을 주장하였다.

선지분석

① 공유재는 비배제성을 특징으로 하는 재화이다.

② 공유지의 비극은 시장실패를 설명하는 이론이다.

⑤ 공유재는 경합성을 특징으로 하는 재화이다.

답 ④

11 □□□

2014년 국회직 8급

다음 중 공공서비스에 대한 설명으로 옳지 않은 것은?

① 의료, 교육과 같은 가치재(worthy goods)는 경합적이므로 시장을 통한 배급도 가능하지만 정부가 개입할 수도 있다.
② 공유재(common goods)는 정당한 대가를 지불하지 않는 사람들을 이용에서 배제하기 어렵다는 문제가 있다.
③ 노벨상을 수상한 오스트롬(Ostrom)은 정부의 규제에 의해 공유자원의 고갈을 방지할 수 있다는 보편적 이론을 제시하였다.
④ 공공재(public goods) 성격을 가진 재화와 서비스는 시장에 맡겼을 때 바람직한 수준 이하로 공급될 가능성이 높다.
⑤ 어획자 수나 어획량에 대해서 아무런 제한이 없는 개방어장의 경우 공유의 딜레마 또는 공유의 비극이라는 문제가 발생한다.

12 □□□

2012년 국가직 7급

공공서비스 공급 방식에 대한 설명으로 옳은 것은?

① 집합재는 원칙적으로 민간위탁방식으로 공급해야 할 서비스이다.
② 요금재는 독점이익의 왜곡을 방지하기 위해 주로 일반행정방식이나 책임경영방식이 활용되어 왔고 민간기업의 참여가 활성화되어 있지 않다.
③ 민간위탁방식 중 면허방식은 공공서비스에 대한 요건을 구체적으로 명시하기 곤란하거나 서비스가 기술적으로 복잡하고 서비스의 목표를 어떻게 달성할 것인지가 불확실한 경우에 사용된다.
④ 공유재의 비극을 해결하기 위해 고전적 공유재모형이 제시한 전형적인 대안들은 공유재산을 사유화하는 방식이었다.

11 | 공공서비스

오스트롬(Ostrom)은 정부규제가 아닌 이해당사자 간의 자발적인 합의를 통해 제도(규칙)를 형성하여 공유자원의 고갈을 방지할 수 있다고 보았다.

선지분석

① 가치재(worthy goods)는 시장에서도 공급이 가능하지만 사회적 형평성이 요구되는 부분을 국민들이 고루 소비할 수 있도록 만들어 주는 것이 바람직하다는 입장에서, 정부가 개입하여 공급하는 재화이다.
② 공유재(common goods)는 비배제성으로 인해 정당한 대가를 지불하지 않아도 소비를 배제할 수 없기 때문에 비용회피와 과잉소비로 인한 공유재의 비극이 발생한다.
④ 공공재(public goods)는 비배제성과 비경합성의 성격을 가지고 있어, 항상 과소공급 또는 과다공급의 문제를 발생시킨다.

답 ③

12 | 공공서비스 공급 방식

공유재의 비극을 해소하기 위해서는 공유재산을 사유화하여 소유권을 명확히 설정하거나 자원의 이용에 대해 적절히 제한하는 국가의 개입이 필요하다.

선지분석

① 집합재는 원칙적으로 공공부문에서 공급해야 할 서비스이다. 집합재는 비용부담에 따라 서비스 혜택을 차별화하거나 혜택으로부터 배제할 수 없어 무임승차 문제가 야기되기 때문이다.
② 요금재는 비경합성과 배제성을 갖는 재화이다. 대가를 지불하지 않는 소비자를 배제할 수 있기 때문에 시장기구를 통해 서비스를 공급할 수 있다. 자연독점에 의한 시장실패에 대응하기 위하여 정부가 요금재의 상당부분을 공급하고 있지만, 현실적으로 공기업의 비효율성이 정부실패로 지적되고 있어 요금재에 대한 민간기업의 참여가 활성화되어 있다.
③ 재정지원 방식에 대한 설명이다. 재정지원 방식은 준공공재나 민간재 중에서 정부가 그 소비를 장려하고자 하는 경우, 민간기업인 생산자에게 정부가 보조금의 지급, 조세감면, 지급보증 등 재정지원을 하는 방법이다.

답 ④

13 □□□

2010년 국가직 7급

공유재적 성격을 가지는 공공서비스의 특성에 대한 설명으로 옳은 것끼리 짝지어진 것은?

> ㄱ. 인간은 합리적이고 이기적인 개인이라고 전제한다.
> ㄴ. 소비의 배제는 불가능하지만, 경합성은 있는 공유재에 대한 정부의 실패를 설명해준다.
> ㄷ. 공유재는 비용회피와 과잉소비의 문제가 발생하지 않는다.
> ㄹ. 사적 극대화가 공적 극대화를 파괴하여 구성원 모두가 공멸하게 된다.
> ㅁ. 1968년에 Hardin의 논문에서 '공유지의 비극(tragedy of commons)'으로 설명되었다.

① ㄱ, ㄴ, ㄷ
② ㄱ, ㄹ, ㅁ
③ ㄴ, ㄷ, ㄹ
④ ㄷ, ㄹ, ㅁ

14 □□□

2013년 국가직 7급

시장실패의 원인이 아닌 것은?

① 규모의 경제
② 정보의 비대칭성
③ X-비효율성
④ 외부효과의 발생

13 공공서비스의 특성

ㄱ. 인간은 합리적이고 이기적인 개인이므로 대가를 치르지 않아도 소비할 수 있는 공유재는 과잉소비하게 된다.
ㄹ. 사적 극대화가 공적 극대화를 보장하지는 못한다.
ㅁ. 1968년 하딘(Hardin)은 논문에서 공유지의 공유 자원은 공동의 강제적인 규칙이 없다면 무임승차의 문제가 발생하여 결국은 파괴될 것이라고 경고하였다.

선지분석

ㄴ. 공유지의 비극은 소비의 배제는 불가능하지만 경합성은 있는 공유재에 대한 시장실패를 설명한다.
ㄷ. 공유재는 특별한 주인이 없이 모두가 공유하는 자원(물, 목초지, 공원 등)으로, 비배제성을 가지고 있고 개별 소유와 소비가 가능한 분할적 재화이다. 즉, 배제가 불가능한 비배제성과 경쟁적인 소비가 가능한 경합성의 성격을 가지고 있어 비용회피와 과잉소비의 문제가 발생할 수 있다.

답 ②

14 시장실패의 원인

X-비효율성은 시장실패가 아닌 정부실패의 원인이다. X-비효율성은 행정서비스의 경우 대부분 독점적으로 생산되고 경쟁에 노출되지 않기 때문에 이로 인하여 나타나는 조직관리상의 비효율성을 의미한다.

선지분석

① 규모의 경제는 상품의 특성상 여러 기업이 생산하는 비용보다 한 기업이 독점적으로 생산할 때 비용이 적게 들어 자연스럽게 생겨난 독점시장을 의미하며, 시장실패의 원인에 해당한다.
② 현실경제에서 일반적으로 소비자는 공급자보다 정보가 적기 때문에 소비자의 합리적인 선택을 방해함으로써 역선택, 도덕적 해이와 같은 대리손실의 문제가 발생하게 되며 이는 시장실패의 원인에 해당한다.
④ 외부효과란 한 경제주체의 행동이 다른 경제주체에게 어떠한 대가도 없이 이익(긍정적 외부효과) 또는 불이익(부정적 외부효과)을 주는 현상으로, 시장실패의 원인에 해당한다.

답 ③

15 □□□

2015년 서울시 7급

시장실패에 대한 설명 중 가장 옳지 않은 것은?

① 자원배분의 효율성을 저해하는 불완전경쟁은 시장실패의 원인이다.
② 제3자에게 의도하지 않은 이득이나 손해를 주는 현상은 시장실패의 원인이 되기도 한다.
③ 공공조직의 내부성(internalities)은 시장실패의 원인이다.
④ 시장실패에 대응하기 위해 정부는 공적 유도를 통한 시장에의 개입을 시도한다.

16 □□□

2016년 서울시 9급

시장실패의 원인에 대응하는 정부의 방식에 대한 설명으로 가장 옳지 않은 것은?

① 외부효과 발생에 대해서는 보조금 혹은 정부규제로 대응할 수 있다.
② 자연독점에 대해서는 공적 공급 혹은 정부규제로 대응할 수 있다.
③ 정보의 비대칭성에 대해서는 보조금으로 대응할 수 있다.
④ 불완전경쟁에 대해서는 보조금 혹은 공적 공급으로 대응할 수 있다.

15 시장실패

공공조직의 내부성(internalities)은 시장실패가 아닌 정부실패의 원인이다. 공공조직의 내부성은 관료들이 공익과 같은 전체 목표보다는 공공조직 내부의 목표에 집착하는 현상을 의미한다.

선지분석

① 현실의 경제에는 불완전경쟁시장이 존재하여 소수의 지배자가 가격설정자가 되거나 가격을 담합하여 시장기능을 교란시키기 때문에 가격기능이 제대로 작동하지 못함으로써 자원이 효율적으로 배분되지 못하여 시장실패가 발생한다.
② 한 경제주체의 행동이 다른 경제주체에게 어떠한 대가도 없이 이익(긍정적 외부효과) 또는 불이익(부정적 외부효과)을 주는 현상을 외부효과라고 하며, 외부효과는 시장실패의 원인에 해당한다.
④ 공적 유도란 정부가 조세, 보조금 등을 이용하여 일정한 방향으로 민간주체를 유도하는 것으로, 시장실패에 대한 정부의 대응 방안 중 하나이다.

답 ③

16 시장실패의 원인

불완전경쟁에 대해서는 정부규제의 방식으로 대응할 수 있다.

시장실패의 원인 및 대응방안

구분	공적 공급	공적 유도	정부규제
공공재의 존재	○		
외부효과의 발생		○	○
자연독점	○		○
불완전경쟁			○
정보의 비대칭		○	○

답 ④

17 □□□

2013년 교육행정직 9급

시장실패의 원인에 대한 정부의 대응으로 적절하지 않은 것은?

① 공공재의 경우 원칙적으로 정부가 직접 공급한다.
② 독점의 폐해를 막기 위해 정부는 서비스를 직접 공급하거나 규제를 한다.
③ 외부불경제에서 나타나는 문제에 대응하기 위해 정부는 보조금을 지원한다.
④ 정보의 비대칭성에 기인하는 문제에 대응해 정부는 보조금을 지원하거나 규제를 한다.

18 □□□

2010년 국가직 9급

정부의 개입활동 중에서 외부효과, 자연독점, 불완전경쟁, 정보의 비대칭 등의 상황에 모두 적절한 대응방식은?

① 공적 공급
② 공적 유도
③ 정부규제
④ 민영화

17 시장실패의 원인

외부효과에 의한 시장실패는 공적 유도나 정부규제로 대응하게 되는데 그 중 외부불경제(부정적 외부효과)에서 나타나는 문제에 대응하기 위해 정부는 규제를 강화하고, 외부경제(긍정적 외부효과)에서 나타나는 문제에 대응하기 위해 정부는 보조금을 제공한다.

선지분석

① 공공재는 비용부담에 따른 서비스 혜택을 차별화하거나 혜택으로부터 배제가 불가능하므로 무임승차의 문제가 발생하기 때문에, 원칙적으로 공공부문에서 공급해야 할 재화에 해당한다.
② 독점에 대한 대응방안으로는 공적 공급과 정부규제 등이 있다.
④ 정보의 비대칭성으로 인해 발생하는 문제에 대응하기 위해 정부는 정보 공개 시 공급자에게 유인을 제공하고 미공개 시 처벌을 하거나 의무적으로 공개하도록 한다.

답 ③

18 정부규제

정부규제는 외부효과, 자연독점, 불완전경쟁, 정보의 비대칭 상황에 대한 대응방식이 된다.

선지분석

① 시장실패의 원인 중 공공재의 존재, 자연독점은 공적 공급으로 대응할 수 있다.
② 시장실패의 원인 중 외부효과의 발생, 정보의 비대칭은 공적 유도로 대응할 수 있다.
④ 정부실패의 원인 중 사적 목표 설정은 민영화로 대응할 수 있다.

답 ③

19 □□□

2016년 국회직 8급

다음 사례에 나타나는 현상으로 가장 적절한 것은?

> 정부가 경제적 약자 보호를 위해 무주택자에게 아파트에 대한 청약우선권을 부여하는 정책을 실시하였더니, 주택을 구입할 경제력이 있는 사람들이 우선 청약권을 얻기 위해 의도적으로 전세를 살면서 자발적 무주택자가 되었다.

① 불완전경쟁(imperfect competition)
② 파생적 외부효과(derived externality)
③ 역선택(adverse selection)
④ 적응적 흡수(co-optation)
⑤ 그레샴의 법칙(Gresham's law)

20 □□□

2017년 지방직 7급

정부실패의 요인에 해당하지 않는 것은?

① 공공서비스에서의 비용과 편익의 분리
② 경제활동에 영향을 주는 외부불경제(external diseconomy)
③ 비공식적 목표가 공식적 조직목표를 대체하는 현상
④ 의도하지 않은 파생적 외부효과

19 파생적 외부효과(derived externality)

사례는 파생적 외부효과에 대한 내용이다. 파생적 외부효과는 시장실패를 보완하기 위하여 정부가 개입했을 때 정부의 개입으로 발생하는 비의도적인 부작용을 의미하는 것으로 정부실패의 요인이다.

선지분석

① 불완전경쟁은 완전경쟁시장에서 소수의 경쟁체제에 의해 독과점체제로 변모하는 것을 말한다.
③ 역선택은 주인의 정보 부족으로 인하여 부적격자나 무능력자를 대리인으로 선임하게 되는 현상이다.
④ 적응적 흡수는 정책에 대항·반대하는 사람을 체제 내로 영입하려는 전략이다.
⑤ 그레샴의 법칙은 공적 시스템에서는 가치 있는 정보가 축적되지 않는다는 것을 설명한다.

답 ②

20 정부실패의 요인

외부불경제(external diseconomy)는 한 경제주체의 행동이 다른 경제주체에게 어떠한 대가도 없이 불이익을 주는 현상으로, 시장실패의 원인에 해당한다.

정부실패의 원인 및 대응방안

구분	민영화	정부보조 삭감	규제완화
사적 목표 설정	○		
X-비효율·비용체증	○	○	○
파생적 외부효과		○	○
권력의 독점	○		○

답 ②

21 □□□

2014년 사회복지직 9급

전통적으로 정부는 시장실패의 교정수단으로 간주되었으나 수입할당제, 가격통제, 과도한 규제 등 정부의 지나친 개입은 오히려 시장을 악화시킬 수 있다는 주장이 대두되었다. 이러한 정부실패의 요인에 대한 설명으로 옳지 않은 것은?

① 공공조직의 내부성(internality)
② 비경합적이고 비배타적인 성격의 재화
③ 정부개입으로 인해 의도하지 않은 파생적 외부효과
④ 독점적 특혜로 인한 지대추구행위

22 □□□

2016년 국가직 9급

시장실패 및 정부실패에 대한 설명으로 옳지 않은 것은?

① 시장실패를 초래하는 요인은 공공재의 존재, 외부효과의 발생, 불완전한 경쟁, 정보의 비대칭성 등이다.
② 시장실패를 교정하기 위한 정부 역할은 공적 공급, 공적 유도, 정부규제 등이다.
③ 정부개입에 의해 초래된 의도하지 않은 결과 때문에 자원배분 상태가 정부개입이 있기 전보다 오히려 더 악화될 수 있다.
④ 정부실패는 관료나 정치인들의 개인적 요인 때문에 발생하며, 정부라는 공공조직에 내재하는 구조적 요인 때문에 발생하는 것은 아니다.

21 정부실패의 요인

비경합적이고 비배타적인 성격의 재화는 공공재에 해당하는데, 공공재의 존재는 시장실패의 원인이다.

(선지분석)

① 내부성(internality)이란 관료들이 사업을 평가할 때 공적(외부적·사회적) 목표가 아닌 개인과 행정조직 내부의 목표와 편익에 집착하는 현상을 의미한다.
③ 파생적 외부효과란 시장실패를 치유하려는 정부 개입이 예기치 못한 결과를 초래하는 현상을 의미한다.
④ 지대추구행위란 정부의 시장개입으로 인해 발생되는 사회적 비용을 설명하는 이론으로 경제주체들이 로비 등을 통하여 자신의 이익을 위해 비생산적인 활동에 경쟁적으로 자원을 낭비하는 현상을 의미한다.

답 ②

22 시장실패 및 정부실패

정부실패는 정부라는 공공조직에 내재하는 구조적 요인 때문에 발생하기도 한다.

(선지분석)

① 시장실패의 원인으로는 공공재의 존재, 외부효과의 발생, 자연독점(규모의 경제), 불완전경쟁, 불완전한 정보(정보의 비대칭성), 소득분배의 불공평성 등이 있다.
② 시장실패의 치유방법으로는 공적 공급, 공적 유도, 정부규제 등이 있다.
③ 시장실패를 치유하기 위한 정부규제나 정책 등 정부의 개입이 오히려 자원의 효율적 배분을 왜곡시킴으로써 기존의 상태를 더욱 악화시키는 정부실패가 발생할 수 있다.

답 ④

23 □□□

2009년 국가직 7급

정부실패의 요인으로만 묶은 것은?

ㄱ. 공공재의 존재	ㄴ. 사적 목표의 설정
ㄷ. 외부효과의 발생	ㄹ. 파생적 외부효과
ㅁ. 불완전경쟁	ㅂ. 정보의 비대칭성
ㅅ. 권력의 편재	ㅇ. X-비효율
ㅈ. 자연독점	

① ㄱ, ㄴ, ㅁ, ㅂ
② ㄴ, ㄷ, ㅇ, ㅈ
③ ㄴ, ㄹ, ㅅ, ㅇ
④ ㄷ, ㄹ, ㅂ, ㅅ

24 □□□

2016년 지방직 9급

시장실패와 정부실패에 대한 설명으로 적절하지 않은 것은?

① 시장실패는 시장기구를 통해 자원배분의 효율성을 달성할 수 없는 경우를 의미한다.
② 비배제성과 비경합성을 가진 공공재의 존재는 시장실패의 주요 원인 중 하나이다.
③ X-비효율성으로 인해 시장실패가 야기되어 정부의 시장개입 정당성이 약화된다.
④ 정부실패는 시장실패에 대응하는 개념으로 행정서비스의 비효율성을 야기한다.

23 정부실패의 요인

ㄴ, ㄹ, ㅅ, ㅇ은 정부실패의 요인에 해당하며, ㄱ, ㄷ, ㅁ, ㅂ, ㅈ은 시장실패의 요인에 해당한다.

시장실패와 정부실패의 원인

시장실패의 원인	• 공공재의 존재 • 외부효과의 발생 • 자연독점 • 불완전경쟁 • 정보의 비대칭성
정부실패의 원인	• 내부성 • X-비효율성 • 파생적 외부효과 • 권력의 편재에 의한 소득분배의 불공평성 • 비용과 편익의 절연

답 ③

24 시장실패와 정부실패

X-비효율성은 시장실패가 아니라 정부실패의 원인 중 하나이다. 따라서 정부의 시장개입에 대한 정당성이 약화된다.

X-비효율성의 의의와 발생요인

의의	• 정부실패의 한 요인으로, 경제적 요인이 아닌 심리적·행태적 요인(사명감이나 직업의식의 부족)에 의해 나타나는 관리상의 비효율성을 의미함 • 최신의 기술을 사용하지 않아 산출극대화와 비용극소화에 실패하는 것은 기술적 비효율성(technical inefficiency), 즉 X-비효율성에 의한 낭비로서 일반적으로 경제학자들은 중요하지 않은 것으로 간주함
발생요인	• 노동계약이 불완전하여 조직 속의 개인이 자기 자신의 목적을 추구할 수 있을 때 조직운영에 비효율성이 나타남 • 조직의 생산함수 또는 생산기술이 완전하게 파악되거나 알려져 있지 않을 때 발생함 • 조직의 생산 활동에 들어가는 모든 투입요소가 시장에서 거래되는 것은 아니고, 비록 그것이 시장에서 거래된다고 할지라도 모든 조직에 동등한 조건으로 거래가 이루어지지 않을 때 나타남

답 ③

25 □□□

2017년 국회직 8급

다음 중 시장실패 또는 정부실패를 야기하는 원인과 그에 대한 정부의 대응으로 옳은 것은?

① 공공재 - 정부보조 삭감
② 정보의 비대칭성 - 정부규제
③ 자연독점 - 규제완화
④ 관료의 사적 목표의 설정 - 공적 유도
⑤ 정부 개입에 의한 파생적 외부효과 - 공적 공급

26 □□□

2010년 국가직 7급

시장실패와 정부실패를 해결하기 위한 정부의 대응방식에 대한 설명으로 옳지 않은 것은?

① 시장실패를 극복하기 위한 정부의 역할은 공적 공급, 공적 유도, 정부규제 등으로 구분할 수 있다.
② 공공재의 존재에 의해서 발생하는 시장실패는 공적 공급의 방식으로 해결하는 것이 적합하다.
③ 자연독점에 의해서 발생하는 시장실패는 공적 유도(보조금)의 방식으로 해결하는 것이 적합하다.
④ 파생적 외부효과로 인한 정부실패는 정부보조 삭감 또는 규제완화의 방식으로 해결하는 것이 적합하다.

25 시장실패와 정부실패

정보의 비대칭성에 의한 시장실패는 정부의 보조금이나 정부규제로 대응한다.

선지분석

① 공공재는 공적 공급으로 대응한다.
③ 자연독점은 공적 공급 또는 정부규제로 대응한다.
④ 관료의 사적 목표의 설정은 민영화로 대응한다.
⑤ 정부 개입에 의한 파생적 외부효과는 정부보조 삭감 또는 규제완화로 대응한다.

답 ②

26 시장실패와 정부실패

자연독점에 의해서 발생하는 시장실패는 공적 유도가 아닌 공적 공급, 정부규제의 방식으로 해결하는 것이 적합하다. 공적 유도는 외부효과나 정보의 비대칭성으로 인한 시장실패가 발생했을 때의 정부대응방안이다.

선지분석

① 시장실패에 대한 극복방안은 조세를 재원으로 하여 정부가 필요 재화를 직접 공급하는 방식(공적 공급), 시장실패를 해결할 수 있는 방안에 대한 정부의 유도(공적 유도), 시장실패를 야기하는 현상에 대한 정부의 페널티(정부규제) 등으로 구분할 수 있다.
② 공공재의 존재에 의해서 발생하는 시장실패는 정부가 조세를 재원으로 하여 직접 공급하는 공적 공급의 방식으로 해결하는 것이 가장 적합하다.
④ 파생적 외부효과란 정부의 개입이 예상치 못한 효과를 발생시킴으로써 발생하는 정부 실패현상을 말한다. 이는 정부가 개입하여 규제를 당하는 영역에 대해서는 규제를 완화하는 방식으로 해결할 수 있고, 정부규제로 인하여 반사적으로 혜택을 받는 영역에 대해서는 정부보조 삭감의 방식으로 해결할 수 있다.

답 ③

27 □□□

2008년 지방직 7급

정부와 시장의 상호 대체적 역할분담 관계를 설명하는 시장실패와 정부실패이론에 대한 설명으로 옳지 않은 것은?

① 시장은 완전경쟁조건이 충족될 경우 가격이라는 보이지 않는 손에 의한 조정을 통해 효율적인 자원배분을 달성할 수 있다.

② 완전경쟁시장은 그 전제조건의 비현실성과 불완전성으로 인해 실패할 수 있다. 이러한 시장실패의 요인으로는 공공재의 존재, 외부효과의 발생, 정보의 비대칭성 등이 제시되고 있다.

③ 정부는 시장실패를 교정하기 위해 계층제적 관리방법을 통해 자원의 흐름을 통제하게 되는데 정부의 능력은 인적 · 물적 · 제도적 제한으로 실패할 수 있고 이러한 정부실패의 요인으로는 내부성의 존재, 편익향유와 비용부담의 분리, 예측하지 못한 파생적 외부효과 등이 제시되고 있다.

④ 정부실패가 발생할 경우 이를 교정하기 위한 정부의 대응방식은 공적 공급, 보조금 등 금전적 수단을 통해 유인구조를 바꾸는 공적 유도, 그리고 법적 권위에 기초한 정부규제 등이 있다.

28 □□□

2019년 서울시 7급

작은 정부의 등장을 지지하게 된 이론적 배경으로 가장 적절하지 않은 것은?

① 예산극대화모형

② 지대추구이론

③ X-비효율성

④ 외부효과

27 시장실패와 정부실패

공적 공급, 보조금 등 금전적 수단을 통한 공적 유도나 정부규제는 모두 시장실패 시 정부의 대응방식에 해당한다. 정부실패에 대한 정부의 대응방식에는 민영화, 보조금 삭감, 규제완화 등이 있다.

(선지분석)

① 시장은 완전경쟁조건이 충족될 경우 가격이라는 보이지 않는 손에 의한 조정을 통해 효율적인 자원배분을 달성할 수 있지만, 현실의 시장은 불완전경쟁 시장인 경우가 존재한다.

② 시장실패의 요인으로는 비배제성과 비경합성을 특징으로 하는 재화(공공재)가 그 특성상 시장에서 과소 공급되는 현상, 시장내부에서의 거래로 인한 결과가 아닌 외부효과의 발생, 재화의 생산자(공급자)와 소비자 간의 정보의 비대칭성(불균형) 등이 제시되고 있다.

③ 정부는 시장실패를 교정하기 위해 계층제적 관리방법 즉, 관료제적 정부의 개입을 통해 자원의 흐름을 통제하게 되는데 이러한 정부도 다양한 요인으로 실패할 수 있다. 이러한 정부실패의 요인으로는 정부 관료가 정책의 목표를 설정하고 판단할 때 공적·외부적 목표가 아닌 개인이나 자신의 부처의 목표인 내부적 목표에 치중하게 되는 현상, 조세의 응능성으로 인한 편익 향유자와 비용 부담자의 분리(절연), 정부 개입이 예측하지 못한 효과를 발생시키는 파생적 외부효과 등이 제시되고 있다.

답 ④

28 작은 정부

작은 정부의 등장을 지지하게 된 이론적 배경으로는 정부실패 현상을 설명하는 예산극대화모형, 지대추구이론, X-비효율성이 적절하다. 외부효과는 시장실패 현상을 설명하는 것으로, 큰 정부의 등장을 지지하는 이론이다.

(선지분석)

① 니스카넨(Niskanen)의 예산극대화모형은 공공선택론의 일종으로 정부의 관료도 합리적·이기적인 경제인이기 때문에 직업공무원인 정부 관료는 자신이 속한 부처(서)의 예산을 극대화하고자 하고, 이 과정에서 실제 필요한 예산보다 예산이 항상 부풀려지게 되어 그 결과 정부실패현상이 발생한다는 이론이다.

② 지대추구이론은 정부가 개입할 경우 정부는 규제 권한을 보유하게 되는데, 이때 정부의 규제를 무력화하는 과정에서 기존 기득권이 정부(관료)를 포획하여 정부의 규제권으로 타 경쟁자의 진입을 제한함으로써 초과이득인 지대를 추구하게 되고, 이 과정에서 독과점시장 등이 형성되는 정부실패현상이 발생하게 된다는 이론이다.

③ X-비효율성이란 정부는 경쟁에 노출되지 않는 경우가 많고 이 과정에서 발생하는 심리적·행태적 요인으로 인하여 정부의 방만한 경영, 정부 관료의 근무태만 등이 발생하여 정부의 개입이 비효율성을 발생시킨다는 이론이다.

답 ④

29 □□□

2017년 국가직 9급(4월 시행)

정부의 규모와 역할에 대한 행정이론으로 옳지 않은 것은?

① X-비효율성은 과열된 경쟁에서 나타나는 정부의 과다한 비용발생을 의미한다.
② 지대추구이론은 규제나 개발계획과 같은 정부의 시장개입이 클수록 지대추구행태가 증가하고 그에 따른 사회적 손실도 증가한다고 주장한다.
③ 거래비용이론에서는 당사자 간의 협상 및 커뮤니케이션 비용과 계약의 준수를 감시하는 비용도 거래비용으로 포함한다.
④ 대리인이론은 주인-대리인 사이에 정보비대칭성이 있고 대리인이 기회주의적으로 행동하는 경우 역선택(adverse selection) 문제가 발생할 수 있다고 주장한다.

30 □□□

2019년 서울시 7급(2월 추가)

작은 정부와 큰 정부에 대한 설명으로 가장 옳지 않은 것은?

① 큰 정부의 등장은 대공황 등 경제위기 속에서 시장에 대한 정부의 적극적 개입을 통해 대공황을 극복해야 한다는 케인즈주의에 사상적 기반을 두고 있다.
② 시장실패에 대한 대응으로 나타난 큰 정부는 규제를 완화하고 사회보장, 의료보험 등 사회정책을 펼침으로써, 정부의 적극적 역할을 강조하였으며, 이러한 이유로 정부의 크기가 커졌다.
③ 경제 대공황 극복을 위하여 등장한 뉴딜 정책과 함께 2차 세계대전 등 전쟁은 큰 정부가 탄생하는 데 결정적인 영향을 주었다.
④ 작은 정부를 주장하는 하이에크는 케인즈의 주장을 반박하며, 정부의 시장 개입은 단기적 경기 부양에는 효과적일 수 있어도 장기적으로는 시장의 효율성을 심각하게 훼손한다고 주장하였다.

29 정부의 규모와 역할

X-비효율성은 행정서비스의 경우 대부분 독점적으로 생산되고, 경쟁에 노출되지 않기 때문에 이로 인하여 나타나는 조직관리상의 비효율성을 의미한다. X-비효율성의 예로 근무태만, 방만한 경영, 사명감의 결여, 공직윤리의 부재 등이 있다.

선지분석

② 지대추구이론은 결국 정부규제로 완화해야 한다는 이론의 기반이 된다.
③ 거래비용이론에서는 거래의 직접 비용 뿐만 아니라 당사자 간의 협상 및 커뮤니케이션 비용, 계약의 준수를 감시하는 비용 등 거래에 수반되는 모든 비용도 거래비용으로 포함한다.
④ 대리인이론에 따르면 대리인 선택 전의 역선택 문제와, 대리인 선택 후의 도덕적 해이 현상이 발생할 수 있다.

답 ①

30 작은 정부와 큰 정부

시장실패에 대한 대응으로 나타난 큰 정부는 규제를 강화하고 사회보장, 의료보험 등 사회정책을 펼침으로써 정부의 적극적 역할을 강조하였으며, 이러한 이유로 정부의 크기가 커졌다.

선지분석

① 케인즈주의란 수요 중시의 경제학 이론으로, 수요가 공급을 창출하여 궁극적으로 경제를 발전시킬 수 있다는 이론이다. 따라서 저소득층도 공급을 창출할 수 있는 수요를 표출할 수 있어야 하며, 정부가 적극적으로 개입하여 이러한 저소득층을 위하여 다양한 정책을 마련하여야 한다고 보는 입장이다.
③ 경제 대공황을 극복하기 위하여 등장한 뉴딜 정책, 2차 세계대전 등은 정부가 적극적으로 다양한 역할을 수행하여 문제를 극복해야 한다는 이론적 배경이 되어 큰 정부가 탄생하는 데 결정적인 영향을 주게 되었다.
④ 하이에크(Hayek)는 국가 기획 부정론자로, 작은 정부를 주장하였다.

답 ②

31 □□□

2014년 지방직 9급

큰 정부론과 작은 정부론의 논쟁에 대한 설명으로 옳지 않은 것은?

① 작은 정부론은 민영화의 확대를 주장하지만, 또 다른 시장실패를 유발할 수 있다는 점에서 네트워크 거버넌스의 필요성이 제기되기도 한다.
② 공공재는 시장에서 적절하게 제공되지 못하므로 정부가 제공해야 한다는 주장은 시장에 대한 정부의 개입을 강조한다.
③ 작은 정부론은 정부의 개입이 초래하는 대표적 정부실패의 사례로, 독점으로 인하여 발생하는 X-비효율성을 제시한다.
④ 큰 정부론자는 "비용과 편익이 괴리되어 시장실패가 발생하는 경우, 정부가 시장에 개입해야 한다."라고 주장한다.

31 | 작은 정부와 큰 정부

'비용과 편익의 괴리'는 정부실패의 요인 중 하나이다. 따라서 이를 해결하기 위해서는 작은 정부를 지향해야 한다.

(선지분석)
① 1980년대 이후 미국과 영국에서의 작은 정부론 입장인 신공공관리론(NPM) 등은 민영화의 확대를 주장하지만, 이는 또 다른 시장실패를 유발할 수 있다는 점에서 네트워크의 활용 등을 통한 거버넌스의 필요성이 제기되었다.
② 공공재는 비경합성과 비배제성을 특징으로 하는 재화로, 무임승차를 야기하게 되며 그 결과 시장에서 과소공급될 수 있으므로 정부가 제공하여야 한다는 주장은 시장에 대한 정부의 개입을 강조하는 입장이다.
③ X-비효율성이란 정부의 독점과 경쟁에 대한 비노출로 심리적 행태적 요인으로 방만 경영, 근무 태만 등으로 정부의 개입이 오히려 비효율을 초래하는 현상이다.

답 ④

32 □□□

2019년 지방직 7급

파킨슨의 법칙(Parkinson's Law)에 대한 설명으로 옳지 않은 것은?

① 관료는 본질적인 업무가 증가하지 않으면 파생적인 업무도 줄이려는 무사안일의 경향을 가진다.
② 업무의 강도나 양과는 관계없이 공무원의 수는 항상 일정한 비율로 증가한다.
③ 공무원은 업무의 양이 증가하면 비슷한 직급의 동료보다 부하 직원을 충원하려는 경향이 강하다.
④ 브레넌과 뷰캐넌(Brennan&Buchanan)의 리바이던 가설(Leviathan Hypothesis)처럼, 관료제가 제국의 건설을 지향한다는 입장이다.

32 | 파킨슨의 법칙

관료는 본질적인 업무가 증가하지 않더라도 파생적인 업무를 늘이려는 경향을 가진다.

(선지분석)
② 파킨슨(Parkinson)은 영국 관료제를 대상으로 실증분석을 실시하여, 업무의 강도나 양과 관계없이 공무원 수는 연 평균 5.75%씩 증가함을 설명한다.
③ 공무원은 업무의 양이 증가하면 자신의 경쟁자가 될 수 있는 비슷한 직급의 동료보다는 부하 직원을 충원하려는 경향이 강하다.
④ 리바이어던 가설(Leviathan Hypothesis)이란 정부가 성경에 나오는 거대한 괴물 리바이어던처럼 점점 커지게 된다는 이론이다.

공공재의 과다공급설

구분	내용
Wagner의 법칙	• 국민소득이 증가할 때, 공공재의 소득탄력적 수요에 의해 행정수요 팽창 • 사회가 발전함에 따라 사회적 상호 의존 관계가 심화되어 전보다 더 많은 정부지출 필요
Peacock & Wiseman의 전위효과와 대체효과	전쟁 등 위기 시에는 국민의 조세부담증대의 허용 수준이 높아지고, 위기상황이 끝난 후에도 공공 지출이 감축되지 않고 민간지출을 대체하는 현상
보몰효과 (Baumol's effect)	정부부문의 노동집약적인 성격이 생산성 저하를 가져오는 고질병으로 인한 비용 상승효과로 사회 전체 경쟁력을 저하시킴
Niskanen의 예산극대화모형	사회적 편익의 극대화보다는 자기 부서의 이익극대화를 위해 과잉예산을 추구함
Parkinson의 법칙	정부의 인력은 본질적인 업무량과는 상관없이 과잉증대 됨
Buchanan의 다수결 투표와 리바이어던 가설	투표의 거래나 담합(Log-Rolling)에 의한 사업의 팽창과 정부의 완전성에 대한 믿음을 의미

답 ①

33 □□□

2009년 국가직 7급

정부규모 팽창에 대한 이론의 설명으로 옳은 것을 모두 고르면?

ㄱ. 전위효과 - 사회 혼란기에 공공지출이 상향 조정되며 민간지출이 공공지출을 대체하는 현상
ㄴ. 와그너법칙(Wagner's law) - 1인당 국민소득이 증가할 때, 국민경제에서 차지하는 공공부문의 상대적 크기가 증대되는 현상
ㄷ. 예산극대화가설 - 관료들이 권력의 극대화를 위해 자기 부서의 예산극대화를 추구하는 현상
ㄹ. 파킨슨법칙 - 공무원의 수가 해야 할 업무의 경중이나 그 유무에 관계없이 일정 비율로 증가하는 현상
ㅁ. 보몰현상 - 정부가 생산 공급하는 서비스의 생산비용이 상대적으로 빨리 하락하여 정부지출이 감소하는 현상

① ㄱ, ㄴ, ㄷ ② ㄱ, ㄴ, ㄹ, ㅁ
③ ㄴ, ㄷ, ㄹ ④ ㄱ, ㄷ, ㄹ, ㅁ

34 □□□

2016년 해경간부

공공재의 적정 공급규모에 관한 다음 설명 중 가장 옳지 않은 것은?

① Downs의 합리적 무지론은 공공재의 공급규모가 과소공급되었다는 입장이다.
② 할거적 예산결정구조, 양출제입의 원리 등은 공공재가 과잉공급되었다는 입장이다.
③ 다수결 투표는 투표의 거래, 즉 log-rolling에 의하여 과다지출을 초래한다.
④ 보몰효과란 규모의 경제로 인하여 평균비용이 줄고 평균수익은 늘어나는 현상이다.

33 정부규모

ㄴ. 와그너법칙(Wagner's law)은 국민소득이 증가할 때, 공공재의 소득탄력적 수요에 의해 행정수요가 팽창한다는 것이다.
ㄷ. 니스카넨(Niskanen)의 예산극대화모형은 관료들이 사회적 편익의 극대화보다는 자기 부서의 이익극대화를 위해 과잉예산을 추구한다고 본다.
ㄹ. 파킨슨법칙은 정부의 인력은 본질적인 업무량과는 상관없이 과잉증대된다는 이론이다.

선지분석

ㄱ. 전위효과는 사회 혼란기에 국민의 조세부담 증대에 대한 허용수준이 높아져 공공지출이 민간지출을 대체하는 효과를 의미한다.
ㅁ. 보몰현상은 생산성이 높은 제조산업에서 부가가치가 낮은 산업으로 노동이 이동하여 생산성이 하락하고 결국 경제성장률도 하락하는 것을 의미한다.

답 ③

34 공공재의 적정 공급규모

보몰효과(Baumol's effect)는 정부부문의 노동집약적인 성격이 생산성 저하를 가져오는 고질병으로 인한 비용 상승 효과로, 사회 전체의 경쟁력을 저하시킨다. 이는 시장에서 발생하는 규모의 경제와는 반대되는 현상이다.

공공재의 과소공급설

구분	내용
Musgrave의 조세저항	국민들은 자신이 비용을 부담한 만큼 편익으로 돌아오지 않는다고 생각(재정착각)해 조세저항이 일어나며 공공재의 과소공급을 유도
Downs의 합리적 무지	공공서비스의 경우 정보수집의 비용이 너무 커서 공공재에 대해서 적극적으로 정보를 수집하지 않기 때문에 공공서비스 확대에 저항하는 수요저하 현상이 발생
Galbraith의 선전효과	공공재는 선전이 이루어지지 않아 공적 욕구를 자극하지 못함
Duesenberry의 전시효과	민간재에는 체면유지 때문에 실제 필요한 지출보다 더 많이 지출하지만 공공재는 그렇지 않아도 되므로 소비가 민간에 쏠리는 현상 발생

답 ④

35 □□□

2013년 해경간부

공무원 수 증가에 관한 파킨슨(Parkinson) 법칙에 대한 설명 중 옳지 않은 것은?

① 파킨슨은 직원 수 증가와 업무량은 서로 관련이 없다고 보았다.
② 정부업무는 노동집약적 성격을 가지고 있어서 공무원 수는 늘어날 수밖에 없다.
③ 국가위기 시에 공무원이 증가하는 현상을 설명하지 못하는 한계를 가진다.
④ 업무가 증가되면 혼자 일하던 때와는 달리 지시, 보고, 승인, 감독 등의 파생적 업무가 창조되어 본질적 업무의 증가 없이 업무량이 늘어난다.

THEME 008 정부규제와 규제개혁

36 □□□

2017년 지방직 9급(6월 시행)

정부규제를 사회적 규제와 경제적 규제로 나눌 경우 경제적 규제의 성격이 가장 강한 것은?

① 진입규제
② 환경규제
③ 산업재해규제
④ 소비자안전규제

35 파킨슨(Parkinson) 법칙

정부업무가 노동집약적 성격을 가지고 있어 공무원의 수가 늘어날 수밖에 없다고 보는 것은 보몰효과(Baumol's effect)이다. 파킨슨(Parkinson) 법칙은 공무원의 수는 본질적인 업무량과 상관없이 과잉증대된다는 이론이다.

파킨슨(Parkinson)의 법칙

1. 부하배증의 법칙과 업무배증의 법칙이 악순환하여 공무원 수가 증가한다.
   - 부하배증의 법칙: 공무원은 업무과중 시 동료를 보충받기보다는 부하를 보충받기를 원한다는 법칙
   - 업무배증의 법칙: 부하가 배증되면 파생적 업무가 발생하여 본질적 업무와는 관련 없이 업무량이 증가하게 된다는 법칙
2. 공무원 수의 증가와 본질적인 업무량의 증가는 아무런 관련이 없으며, 심리적인 요인이 중요하게 작용한다.
3. 전쟁이나 경제공황과 같은 위기상황 시에 나타나는 공무원 수의 증가를 설명할 수 없다는 한계가 있다.
4. 파킨슨(Parkinson)은 영국 관료제를 대상으로 실증분석을 실시하여, 매년 5.75%로 공무원 수가 증가함을 설명한다.

답 ②

36 정부규제

진입규제, 퇴거규제, 가격규제 등은 경제적 규제에 해당한다.

(선지분석)

②, ③, ④ 환경규제, 산업재해규제, 소비자안전규제, 사회적 차별을 교정하기 위한 규제 등은 사회적 규제이다.

정부규제의 영역별 분류

경제적 규제	• 기업의 본원적 활동에 대한 전통적 규제 • 협의의 경제적 규제: 생산자를 보호하려는 목적으로 경쟁을 제한함 • 독과점 규제: 자원을 효율적으로 배분하기 위하여 경쟁을 촉진시킴
사회적 규제	사회적 약자를 보호하거나 삶의 질을 향상시키는 등 사회의 질서를 유지하고, 사회적 형평성을 확보하기 위하여 바람직하지 않은 결과를 초래할 수 있는 기업의 활동에 각종 제한을 가함으로써 기업의 사회적 책임을 강화하는 규제

답 ①

37 □□□

2007년 국가직 9급

다음 중 경제적 규제가 아닌 것은?

① 가격규제
② 진입규제
③ 불공정거래규제
④ 소비자안전규제

38 □□□

2011년 국가직 7급

환경규제를 위한 정책수단을 명령지시적 규제와 시장유인적 규제로 나눌 경우, 시장유인적 규제수단에 해당하지 않는 것은?

① 부과금제도
② 공해권제도
③ 성과기준제도
④ 보조금제도

37 | 경제적 규제

소비자안전규제, 의약품이나 식품안전규제, 자동차·산업안전규제, 보건규제, 환경규제 등은 사회적 규제에 해당한다.

선지분석

가격규제, 진입규제, 불공정거래규제, 독과점규제 등은 경제적 규제에 해당한다.

경제적 규제와 사회적 규제

구분	경제적 규제(광의)		사회적 규제
	경제적 규제(협의)	독과점규제	
규제 대상	• 개별 산업 (차별적 규제) • 기업의 본원적인 활동	• 모든 산업 (비차별적 규제) • 기업의 본원적인 활동	• 모든 산업 (비차별적 규제) • 기업의 사회적인 책임
재량성	재량적 규제	비재량적 규제	비재량적 규제
경쟁성	경쟁 제한	경쟁 촉진	직접적 관계 없음
특징	포획현상 발생	대립현상 발생	대립현상 발생, 공익집단의 역할 중요
예	진입(퇴거)규제, 가격규제	독과점규제, 불공정거래규제	환경규제, 소비자보호규제, 사회적 차별규제, 산업안전과 보건규제

답 ④

38 | 환경규제

정부가 일방적으로 성과기준, 환경기준, 안전기준 등의 법 규정, 행정명령 또는 지시 등을 통해 환경오염행위를 직접적으로 금지 또는 제한하는 방법은 명령지시적 규제이다.

정부규제의 방식(수단)

구분	명령지시적 규제	시장유인적 규제
내용	규제기준을 설정하고 기준 준수를 의무화하면서 이를 위반하면 처벌함	의무를 부과하되, 순응 여부를 민간의 판단에 맡기면서 순응 시 유인을 제공, 불응 시 부담을 지움
방식	직접적, 통제적	간접적, 유도적, 신축적
이행수단	위반 시 형사처벌의 대상	행정적 수단을 통한 규제 (세제혜택, 보조금 지급, 부담금 부과, 오염허가서, 오염배출권 등)
규제효과	직접적이고 큼	간접적이고 작음
재량성	민간의 재량성은 작고, 정부의 재량성은 큼	민간의 재량성은 크고, 정부의 재량성은 작음
경제적 효율성	낮음	높음
처벌의 강도	강함	약함
국민의 정치적 수용도	높음	낮음
예	법정 의무고용 비율, 환경·보건·안전기준 설정, 진입 자격요건 제한, 불공정거래규제	제품정보공개, 품질인증, 제품표준화 (규격통일, 중량표시)

답 ③

39 □□□

2014년 국가직 9급

정부규제(행정규제)에 대한 설명으로 옳은 것만을 모두 고르면?

> ㄱ. 정부규제는 파생적 외부효과를 해결한다는 장점이 있다.
> ㄴ. 경제적 규제에서는 피규제산업에 의한 규제기관의 포획 현상이 나타날 수 있다.
> ㄷ. 리플리와 프랭클린(Ripley & Franklin)은 규제정책의 유형을 경쟁적 규제와 보호적 규제로 구분하였다.
> ㄹ. 시장유인적 규제는 규제효과를 담보할 수 있다는 장점이 있으나, 기업에 불필요한 비용부담을 주는 단점이 있다.

① ㄱ, ㄴ
② ㄴ, ㄷ
③ ㄴ, ㄹ
④ ㄷ, ㄹ

40 □□□

2015년 국가직 9급

외부효과를 교정하기 위한 방법에 대한 설명으로 옳지 않은 것은?

① 교정적 조세(피구세: Pigouvian tax)는 사회 전체적인 최적의 생산수준에서 발생하는 외부효과의 양에 해당하는 만큼의 조세를 모든 생산물에 대해 부과하는 방법이다.
② 외부효과를 유발하는 기업에게 보조금을 지급하여 사회적으로 최적의 생산량을 생산하도록 유도한다.
③ 코즈(Coase)는 소유권을 명확하게 확립하는 것이 부정적 외부효과를 줄이는 방법이라고 주장했다.
④ 직접적 규제의 활용 사례로는 일정한 양의 오염허가서(pollution permits) 혹은 배출권을 보유하고 있는 경제주체만 오염물질을 배출할 수 있게 허용하는 방식이 있다.

39 정부규제

ㄴ. 경제적 규제에서는 피규제산업이 정부를 포획하는 현상이 발생할 수 있다.
ㄷ. 리플리와 프랭클린(Ripley & Franklin)은 규제정책의 유형을 혼합정책의 성격을 보이는 경쟁적 규제와, 약자보호의 성격을 보이는 보호적 규제로 구분하였다.

선지분석

ㄱ. 정부규제는 파생적 외부효과를 야기할 수 있으며, 규제완화를 통하여 파생적 외부효과를 해결할 수 있다.
ㄹ. 명령지시적 규제는 규제효과를 담보할 수 있다는 장점이 있고, 시장유인적 규제는 기업에 불필요한 비용부담을 주는 단점이 있다.

답 ②

40 외부효과

오염허가서(pollution permits)나 오염배출권은 직접적 규제(명령지시적 규제)가 아니라 간접적 규제(시장유인적 규제)의 방식에 해당한다.

선지분석

① 교정적 조세(피구세)는 외부불경제가 발생할 때 경제주체에게 세금을 부담하게 하여 부정적 외부효과를 완화시키는 방법이다.
② 긍정적 외부효과에 대한 방안으로는 보조금을 지급하거나 각종 인센티브의 제공을 통해 공급을 지원한다.
③ 코즈(Coase)는 사적 소유권을 명확히 하여 부정적 외부효과를 해결할 수 있다고 주장하였다.

답 ④

41 □□□

2008년 지방직 7급

시장실패의 치유를 위해 정부가 사용하는 정책수단 중 '시장유인적' 규제의 예로 적절한 것은?

① 가공식품의 품질 및 성분표시
② 법정 장애인 의무고용 비율
③ 의약품 제조기업의 안전기준 설정
④ 금융업 진출에 필요한 자격요건 제한

42 □□□

2019년 국가직 9급

정부규제에 대한 설명으로 옳은 것만을 모두 고르면?

ㄱ. 포지티브(positive) 규제가 네거티브(negative)규제보다 자율성을 더 보장해준다.
ㄴ. 환경규제와 산업재해규제는 사회규제의 성격이 강하다.
ㄷ. 공동규제는 정부로부터 위임을 받은 민간집단에 의해 이뤄지는 규제를 의미한다.
ㄹ. 수단규제는 정부의 목표를 달성하기 위해 필요한 기술이나 행위에 대해 사전적으로 규제하는 것을 의미한다.

① ㄱ, ㄴ
② ㄷ, ㄹ
③ ㄱ, ㄴ, ㄷ
④ ㄴ, ㄷ, ㄹ

41 시장유인적 규제

시장유인적 규제의 예로는 식품의 품질 및 성분표시규제, 규격통일 및 중량표시의 제품표준화 등이 있다.

선지분석

②, ③, ④ 법정 장애인 의무고용 비율, 의약품 제조기업의 안전기준 설정, 금융업 진출에 필요한 자격요건 제한은 모두 규제기준을 설정하고 기준 준수를 의무화하는 명령지시적 규제에 해당한다.

답 ①

42 정부규제

ㄴ. 환경규제, 산업재해규제, 소비자보호규제, 보건규제 등은 사회적 규제에 해당한다.
ㄷ. 공동규제는 정부로부터 위임받은 민간집단에 의해 이루어지는 규제로, 직접규제와 자율규제의 중간적인 성격을 가진다.
ㄹ. 수단규제는 특정목표를 달성하기 위해 필요한 기술이나 행위에 대해 사전적으로 규제하는 것으로, 안전장비 착용의 의무화 등이 이에 해당한다.

선지분석

ㄱ. 원칙 허용·예외 금지의 네거티브(negative)규제가 원칙 금지·예외 허용의 포지티브(positive)규제보다 자율성을 더 보장해준다.

답 ④

43 □□□

2017년 국회직 8급

다음 〈보기〉의 (A)에 대한 설명으로 옳지 않은 것은?

〈보기〉

일반적으로 규제의 주체는 당연히 정부이다. 그러나 예외적으로 규제의 주체가 정부가 아니라 피규제산업 또는 업계가 되는 경우가 있는데, 이를 ___(A)___ 라 한다.

① 규제기관이 행정력 부족으로 인하여 실질적으로 기업들의 규제순응 여부를 추적 · 점검하기 어려운 경우에 (A)의 방법을 취할 수 있다.

② (A)는 피규제집단의 고도의 전문성을 기반으로 하기 때문에 소비자단체의 참여를 보장하는 직접규제이다.

③ 규제기관의 기술적 전문성이 피규제집단에 비해 현저히 낮을 경우 불가피하게 (A)에 의존하게 되는 경우도 존재한다.

④ 피규제집단은 여론 등이 자신들에게 불리하게 형성되어 자신들에 대한 규제의 요구가 거세질 경우 규제이슈를 선점하기 위하여 자발적으로 (A)를 시도하기도 한다.

⑤ (A)의 기준을 정하는 과정에서 영향력이 큰 기업들이 자신들에게 일방적으로 유리한 기준을 설정함으로써 공평성이 침해되는 경우가 발생할 수 있다.

44 □□□

2015년 서울시 7급

다음 중 정부규제와 관련된 설명으로 가장 옳은 것은?

① 정부규제를 수단규제와 성과규제로 구분할 경우, 수단규제는 성과규제에 비해 규제대상기관의 자율성이 크다.

② 정부규제를 수행주체에 따라 구분할 경우, 공동규제는 정부로부터 위임을 받은 민간집단에 의해 이루어지는 규제로 자율규제와 직접규제의 중간 성격을 띤다.

③ 정부규제를 포지티브(positive) 규제와 네거티브(negative) 규제로 구분할 경우, 포지티브(positive) 규제는 네거티브(negative) 규제에 비해 규제대상기관의 자율성이 크다.

④ 규제개혁은 규제관리 → 규제품질관리 → 규제완화 등의 단계로 진행되는 것이 일반적이다.

43 자율규제

(A)는 자율규제이다. 정부에 의한 규제를 직접규제라고 한다면 민간기관에 의한 자율규제는 간접규제에 해당한다.

정부규제의 수행주체별 분류

구분	내용
직접규제	정부의 직접적인 규제 방식
자율규제	개인과 기업 등 피규제자들이 스스로 합의된 규범을 만들고, 이를 지킬 것을 구성원들에게 요구하는 규제 방식
공동규제	정부로부터 위임받은 민간집단에 의해 이루어지는 규제로, 직접규제와 자율규제의 중간적인 성격을 가진다.

답 ②

44 정부규제

공동규제는 정부와 민간집단이 서로 협력하는 규제 형태이다.

선지분석

① 정부규제를 수단규제와 성과규제로 구분할 경우, 수단규제가 성과규제에 비해서 규제대상기관의 자율성이 낮다.

③ 포지티브(positive) 규제는 네거티브(negative) 규제에 비해 규제가 많고 규제대상기관의 자율성이 낮다.

④ 규제개혁은 규제완화 → 규제품질관리 → 규제관리 등으로 진행되는 것이 일반적이다.

답 ②

45 □□□

2018년 서울시 7급(6월 시행)

규제의 대상에 따라 정부규제를 수단규제, 성과규제, 관리규제로 분류할 때 〈보기〉의 각 유형별 대표 사례와 특징을 바르게 연결한 것은?

〈보기〉

구분	규제 사례	규제의 특징
ㄱ. 수단규제	a. 개발 신약에 대한 허용 가능한 부작용 발생 수준 규제	(1) 과정규제
ㄴ. 성과규제	b. 작업장 안전확보를 위한 안전장비 착용 규제	(2) 투입규제
ㄷ. 관리규제	c. 식품안전성 확보를 위한 식품위해요소 중점관리기준 (HACCP) 규제	(3) 산출규제

	ㄱ	ㄴ	ㄷ
①	a - (1)	b - (2)	c - (3)
②	a - (2)	c - (1)	b - (3)
③	b - (3)	c - (2)	a - (1)
④	b - (2)	a - (3)	c - (1)

46 □□□

2016년 국가직 7급

규제는 해결할 수단, 관리방식, 최종 성과를 대상으로 설계될 수 있는데, 이들을 각각 수단규제, 관리규제, 성과규제라고 한다. 그 사례를 바르게 연결한 것은?

ㄱ. 식품안전을 위해 그 효용이 부각되는 위해요소중점관리기준(HACCP; Hazard Analysis Critical Control Point)을 지킬 것을 요구하는 것
ㄴ. 인체건강을 위해 개발된 신약에 대해 부작용의 허용 가능한 발생 수준을 요구하는 것
ㄷ. 환경오염을 방지하기 위해 기업에 특정한 유형의 환경통제 기술을 사용할 것을 요구하는 것

	수단규제	관리규제	성과규제
①	ㄱ	ㄴ	ㄷ
②	ㄱ	ㄷ	ㄴ
③	ㄷ	ㄴ	ㄱ
④	ㄷ	ㄱ	ㄴ

45 정부규제

〈보기〉의 각 유형별 대표 사례와 특징을 옳게 연결하면 ㄱ - b - (2), ㄴ - a - (3), ㄷ - c - (1)이다.

ㄱ. 수단규제: 정부가 특정 목적을 위하여 민간행위자들이 사용하는 기술이나 행위 등 투입수단을 사전적으로 통제하는 (2) 투입규제를 의미한다(b. 작업장 안전확보를 위한 안전장비 착용 규제 등).
ㄴ. 성과규제: 정부가 특정 사회문제해결에 대한 목표달성 수준을 정하고 피규제자에게 이를 달성할 것을 요구하는 (3) 산출규제를 의미한다(a. 개발 신약에 대한 허용 가능한 부작용 발생 수준 규제 등).
ㄷ. 관리규제: 정부가 피규제자에게 스스로 각 과정별 위해요소를 규명하고 중요관리점을 선정해 체계적인 관리를 수행하도록 과정을 통제하는 (1) 과정규제를 의미한다(c. 식품안전성 확보를 위한 식품위해요소 중점관리기준 - HACCP 등).

답 ④

46 규제

ㄱ. 수단이나 성과가 아닌 과정을 규제하는 것으로, 관리규제에 해당한다.
ㄴ. 정부가 특정한 사회문제 해결에 대한 목표달성 수준을 정하고 피규제자에게 이를 달성할 것을 요구하는 것으로, 성과규제에 해당한다.
ㄷ. 특정목표를 달성하기 위해 필요한 기술이나 행위에 대해 사전적으로 규제하는 것으로, 수단규제에 해당한다.

답 ④

47 □□□

2015년 국회직 8급

규제에 대한 설명으로 옳지 않은 것은?

① 관리규제란 정부가 특정한 사회문제해결에 대한 목표달성 수준을 정하고 피규제자에게 이를 달성할 것을 요구하는 것이다.
② 규제의 역설은 기업의 상품정보공개가 의무화될수록 소비자의 실질적 정보량은 줄어든다고 본다.
③ 포획이론은 정부가 규제의 편익자에게 포획됨으로써 일반 시민이 아닌 특정 집단의 사익을 옹호하는 것을 지적한다.
④ 지대추구이론은 정부규제가 지대를 만들어내고 이해관계자집단으로 하여금 그 지대를 추구하도록 한다는 점을 설명한다.
⑤ 윌슨(J. Wilson)에 따르면 규제로부터 감지되는 비용과 편익의 분포에 따라 각기 다른 정치경제적 상황이 발생된다.

48 □□□

2015년 서울시 9급

윌슨(J. Q. Wilson)은 정부규제로부터 감지되는 비용과 편익의 분포에 따라 규제정치를 아래 표와 같이 네 가지 유형으로 구분하였다. ㄱ ~ ㄹ에 들어갈 유형의 명칭과 그 사례의 연결이 가장 적합한 것은?

구분		감지된 편익	
		넓게 분산	좁게 집중
감지된 비용	넓게 분산	ㄱ	ㄴ
	좁게 집중	ㄷ	ㄹ

① ㄱ. 대중적 정치 - 각종 위생 및 안전규제
② ㄴ. 고객정치 - 수입규제
③ ㄷ. 기업가적 정치 - 낙태규제
④ ㄹ. 이익집단정치 - 농산물에 대한 최저가격규제

47 규제

정부가 특정한 사회문제해결에 대한 목표달성 수준을 정하고 피규제자에게 이를 달성할 것을 요구하는 것은 관리규제가 아니라 성과규제에 대한 설명이다. 관리규제는 수단과 성과가 아닌 과정을 규제하는 것이다.

포획과 지대추구

포획	• 이익집단을 규제해야 하는 행정부가 오히려 이익집단의 특정이익을 반영하는 행위 • 기관이나 기업이 자신의 사적 이익을 도모하기 위하여 규제기관에게 영향력을 행사하여 규제기관을 도구화하는 행위
지대추구	• 털록(Tullock, 1967)이 제시한 것으로, 지대추구행위는 포획행위의 일종이며 정부규제가 결국 독점상태를 만들어 사회적 낭비를 가져온다는 이론 • 각 이익집단들은 경제적인 이익을 얻기 위해 정부를 상대로 하여 경쟁을 벌이게 되고, 이때 경쟁에서 이기는 이익집단은 초과소득이라고 할 수 있는 경제적 이득, 즉 지대를 얻을 수 있게 됨

답 ①

48 윌슨(J. Q. Wilson)의 규제정치

고객정치는 감지된 비용은 넓게 분산되고, 감지된 편익은 좁게 집중되는 것으로 인·허가, 수입규제, 최저가격규제 등 주로 경제적 규제가 고객정치에 해당한다.

(선지분석)
① 대중적 정치는 비용과 편익이 모두 이질적인 불특정 다수에 분산되는 경우로서 낙태규제, 음란물규제 등이 해당된다.
③ 기업가적 정치는 비용은 동질적인 소수의 집단에 집중되고, 편익은 불특정 다수인에게 분산되는 경우로서 환경오염규제, 산업안전규제 등 주로 사회적 규제가 해당된다.
④ 이익집단정치는 비용과 편익이 모두 소수의 동질적인 집단에 집중되는 경우로서 한·약분쟁이나 노사관계 등 대체적이고 경쟁적인 관계에 있는 산업에 대한 규제가 해당된다.

윌슨(J. Q. Wilson)의 규제정치모형

구분		감지된 편익	
		좁게 집중	넓게 분산
감지된 비용	좁게 집중	이익집단정치 예 의약분업규제, 한약규제	기업가적 정치 예 환경오염규제
	넓게 분산	고객정치 예 수입규제	대중적 정치 예 음란물규제, 낙태규제

답 ②

49 □□□

2013년 서울시 9급

윌슨(Wilson)이 주장한 규제정치모형에서 '감지된 비용은 좁게 집중되지만, 감지된 편익은 넓게 분산되는 경우'에 나타나는 유형은?

① 대중정치
② 이익집단정치
③ 고객정치
④ 기업가정치
⑤ 네트워크정치

50 □□□

2019년 서울시 7급(2월 추가)

〈보기〉는 △△일보의 보도 내용 중 일부이다. 이와 같은 기사 내용을 윌슨(J. Q. Wilson)의 규제정치 이론에 적용하면, 가장 적합한 정치적 상황은?

> 〈보기〉
>
> "캡슐커피 때문에 경비아저씨와 싸웠습니다. 알루미늄과 플라스틱 재질이 섞여 있어 플라스틱 전용 재활용 수거함에 넣지 않았는데, 재활용함에 넣어야 한다며 언성을 높였습니다. 누구나 헷갈릴 수 있을 것 같아요." (김○○, 여, 34)
>
> "한 번에 마실 양을 쉽게 추출할 수 있어 캡슐커피를 애용했지만, 재활용 되지도 않고 잘 썩지도 않는다는 이야기를 듣고 이용을 자제하려고 합니다." (이□□, 남, 31)
>
> 소비자들 사이에서 캡슐커피 사용을 제한하자는 목소리가 나오고 있다. 캡슐커피의 크기가 작은 데다 알루미늄과 플라스틱이 동시에 포함돼 있어 재활용이 실질적으로 불가, 환경오염의 주범이 될 수 있다는 이유에서다. 정부 역시 환경에 미치는 영향을 고려해 관련 규제 검토에 나설 것이라고 밝혔다.

① 고객정치(client politics)
② 이익집단정치(interest group politics)
③ 대중정치(majoritarian politics)
④ 기업가정치(enterepreneurial politics)

49 윌슨(Wilson)의 규제정치

감지된 비용은 소수에 좁게 집중되고, 편익은 넓은 다수에 분산되는 것은 기업가적 정치모형에 해당한다.

선지분석

① 대중정치는 비용과 편익이 모두 이질적인 불특정 다수에게 분산되는 경우이다.
② 이익집단정치는 비용과 편익이 모두 소수의 동질적 집단에 집중되는 경우이다.
③ 고객정치는 비용은 이질적인 불특정 다수에게 분산되고, 편익은 동질적인 소수에게 집중되는 경우이다.

답 ④

50 윌슨(J. Q. Wilson)의 규제정치

〈보기〉는 캡슐커피가 재활용이 어려워 환경오염을 초래할 수 있으므로, 환경에 미치는 영향을 고려하여 정부가 캡슐커피 규제를 검토할 예정이라는 내용이다. 이는 윌슨(J. Q. Wilson)의 기업가정치(운동가 정치)에 해당한다. 소수(캡슐커피 제작 기업)가 비용·손해를 부담하고, 불특정 다수가 환경오염을 방지함으로써 편익을 누릴 수 있기 때문이다.

선지분석

① 고객정치는 소수의 편익을 누리는 집단이 정부에 로비를 함으로써 정부가 포획당하는 현상이 나타난다. 예 수입제품 인·허가 등
② 이익집단정치는 편익과 비용이 모두 좁게 집중되어 있는 형태로, 첨예한 대립이 나타난다. 예 의사와 한의사 간 분쟁 등
③ 대중정치는 편익과 비용이 모두 넓게 분산 돼있는 형태로, 정책관련자의 관심이 가장 적고 윤리 도덕적 규제와 관련한 문제에서 주로 발생한다. 예 낙태규제, 음란물규제 등

답 ④

51 □□□

2018년 지방직 9급

윌슨(Wilson)의 규제정치 유형과 예시를 연결한 것으로 옳지 않은 것은?

① 고객정치 - 농산물에 대한 최저가격규제
② 이익집단정치 - 신문 · 방송 · 출판물의 윤리규제
③ 대중정치 - 낙태에 대한 규제
④ 기업가정치 - 식품에 대한 위생규제

52 □□□

2017년 국가직 7급(8월 시행)

다음 사례에 가장 부합하는 윌슨(Wilson)의 규제정치 유형은?

> A시와 검찰은 지난해부터 올 2월까지 B상수원 보호구역 내 불법 음식점 70곳을 단속해 7명을 구속기소하고 12명을 불구속기소하는 한편 45명을 벌금 500만 ~ 3천만 원에 약식 기소했다. 이에 해당 유역 8개 시 · 군이 참여하는 '특별대책지역 수질보전정책협의회' 상인대표단은 11일 "B상수원 환경정비구역 내 휴게 · 일반음식점 규제 · 단속은 형평성이 결여됐다."며 중앙정부 차원의 해결책을 요구했다.

① 고객정치
② 대중정치
③ 이익집단정치
④ 기업가정치

51 윌슨(Wilson)의 규제정치

윌슨(Wilson)은 규제의 비용과 편익이 각각 넓게 분산되어 있느냐, 좁게 집중되어 있느냐에 따라서 규제의 유형을 네 가지 상황으로 구분하였다. 이 중 신문·방송·출판물의 윤리규제는 윌슨(Wilson)의 대중정치에 해당한다. 대중정치는 정부규제에 대한 감지된 비용과 편익이 모두 이질적인 불특정 다수에게 미치는 경우이다.

선지분석

① 고객정치로는 농산물에 대한 최저가격규제, 수입품 허가제, 특정 생산자의 시장 진입(퇴거)규제 등이 있다.
③ 대중정치로는 낙태에 대한 규제, 음란물에 대한 규제 등 윤리규제 등이 있다.
④ 기업가정치로는 식품에 대한 위생규제, 환경오염 물질 배출규제, 위험물질에 대한 보험 가입 강제 등이 있다.

답 ②

52 윌슨(Wilson)의 규제정치

제시문은 환경오염규제, 산업안전규제 등 주로 사회적 규제에 해당하는 기업가정치에 대한 사례이다. 기업가정치는 비용은 동질적인 소수의 집단에 집중되고, 편익은 불특정 다수인에게 분산되는 경우에 해당한다.

답 ④

53 □□□

2014년 지방직 9급

다음은 윌슨(Wilson)의 규제정치 유형에 대한 설명이다. 각 유형별 사례를 바르게 짝지은 것은?

> ㄱ. 정부규제로 인해 발생되는 비용은 상대적으로 이질적인 불특정 다수집단에 부담되나, 그 편익은 매우 크며 동질적인 소수집단에게 귀속되는 상황
> ㄴ. 정부규제로 인해 감지된 비용과 편익이 쌍방 모두 이질적인 불특정 다수에게 미치기 때문에 개개인으로 보면 그 크기가 작은 상황
> ㄷ. 규제로부터 예상되는 비용과 편익이 모두 소수의 동질적인 집단에 국한되고, 쌍방이 모두 조직적인 힘을 바탕으로 이익 확보를 위해 첨예하게 대립하는 상황
> ㄹ. 피규제집단에게는 비용이 좁게 집중되지만, 규제로 인한 편익이 일반시민을 포함하여 넓게 분포되는 상황

	ㄱ	ㄴ	ㄷ	ㄹ
①	수입규제	음란물규제	한약규제	원자력발전규제
②	원자력발전규제	수입규제	수입규제	음란물규제
③	한약규제	원자력발전규제	수입규제	음란물규제
④	수입규제	한약규제	음란물규제	원자력발전규제

54 □□□

2014년 지방직 7급

윌슨(Wilson)의 규제정치이론에 대한 설명으로 옳은 것만을 모두 고른 것은?

> ㄱ. 감지된 비용(costs)과 편익(benefits)이 모두 좁게 집중되어 있는 규제정치를 이익집단정치라 한다.
> ㄴ. 기업가적 정치는 환경오염규제의 사례처럼 오염업체에게는 비용이 좁게 집중되지만 일반시민들에게는 편익이 넓게 분산된다.
> ㄷ. 대중정치는 한·약분쟁의 경우처럼 쌍방이 모두 조직적인 힘을 바탕으로 이익확보를 위해 첨예하게 대립하는 정치상황이다.
> ㄹ. 환경규제 완화 상황인 경우에는 비용이 넓게 분산되고 감지된 편익이 좁게 집중되는 고객정치의 상황이 된다.

① ㄱ, ㄴ, ㄷ
② ㄱ, ㄴ, ㄹ
③ ㄱ, ㄷ, ㄹ
④ ㄴ, ㄷ, ㄹ

53 윌슨(Wilson)의 규제정치

각 유형별 사례를 바르게 연결하면 ㄱ은 수입규제, ㄴ은 음란물규제, ㄷ은 한약규제, ㄹ은 원자력발전규제이다.

ㄱ. 고객정치에 대한 설명이다. 고객정치에는 수입규제, 최저가격규제 등이 해당된다.
ㄴ. 대중적 정치에 대한 설명이다. 대중적 정치에는 낙태규제, 음란물규제 등이 해당된다.
ㄷ. 이익집단정치에 대한 설명이다. 이익집단정치에는 한약규제, 의약분업규제 등이 해당된다.
ㄹ. 기업가적 정치에 대한 설명이다. 기업가적 정치에는 환경오염규제, 원자력발전규제 등이 해당된다.

답 ①

54 윌슨(Wilson)의 규제정치

ㄱ. 비용과 편익이 모두 좁게 집중되어 있는 규제정치는 한·약분쟁, 노사관계 등으로 대표되는 이익집단정치이다.
ㄴ. 기업가적 정치의 대표적 사례는 환경오염규제 정책이다.
ㄹ. 환경규제 완화 상황은 비용은 다수의 국민에게 넓게 분산되고 편익은 소수의 오염업체에 좁게 집중된다.

선지분석

ㄷ. 한·약분쟁은 이익집단정치의 대표적인 사례에 해당한다. 이익집단정치는 쌍방이 모두 조직적인 힘을 바탕으로 이익확보를 위해 첨예하게 대립하는 정치상황이다. 대중정치는 비용과 편익이 모두 이질적인 불특정 다수에 분산되는 경우로 낙태규제, 음란물규제와 같이 쌍방 모두 저항이 적고 정책으로의 전환이 용이한 정치상황이다.

답 ②

55 □□□

2016년 지방직 9급

다음 설명에 해당하는 정책현상은?

> 어떤 하나의 규제가 시행된 결과, 원래 규제설계 당시에는 미리 예기하지 못한 또 다른 문제점이 나타나게 되면 규제기관은 그 문제의 해결을 위해 또 다른 규제를 하게 됨으로써 결국 규제가 규제를 낳는 결과를 초래하게 된다.

① 타르 베이비 효과(Tar-Baby effect)
② 집단행동의 딜레마
③ 규제의 역설(regulatory paradox)
④ 지대추구행위

56 □□□

2018년 지방직 9급

규제의 유형에 대한 설명으로 옳지 않은 것은?

① 리플리와 프랭클린(Ripley & Franklin)은 보호적 규제와 경쟁적 규제로 구분하고 있다.
② 경제규제는 주로 시장의 가격기능에 개입하고 특정 기업의 시장 진입을 배제하거나 억압하는 방식으로 작동된다.
③ 포지티브 규제는 네거티브 규제보다 피규제자의 자율성을 더 보장한다.
④ 자율규제는 피규제자가 스스로 합의된 규범을 만들고 이를 구성원들에게 적용하는 형태의 규제방식이다.

55 타르 베이비 효과(Tar-Baby effect)

제시문은 타르 베이비 효과(Tar-baby effect)에 대한 설명이다. 정부규제는 한 번 생기면 쉽게 사라지지 않고 규제가 규제를 낳는 현상을 타르 베이비 효과(끈끈이 인형효과)라고 한다.

선지분석

② 집단행동의 딜레마는 공통의 이해관계가 걸려있는 문제를 구성원이 스스로 해결하지 못하는 현상으로, 누구도 자신의 노력을 자발적으로 제공하지 않으려는 현상이다.
③ 규제의 역설(regulatory paradox)은 규제를 하게 됨으로써 의도하지 않은 부작용이 초래되는 현상이다.
④ 지대추구행위란 정부의 시장개입으로 인해 발생되는 사회적 비용을 설명하는 이론이다.

답 ①

56 규제의 유형

포지티브(positive) 규제가 아니라 네거티브(negative) 규제가 피규제자의 자율성을 더 보장한다.

포지티브(positive) 규제와 네거티브(negative) 규제

포지티브(positive) 규제	네거티브(negative) 규제
• 원칙: 금지 • 예외: 허용(허용사항 명시) • 규제가 많음 • 민간의 자율성이 적음 • 입증책임은 민간에게 있음	• 원칙: 허용 • 예외: 금지(금지사항 명시) • 규제가 적음 • 민간의 자율성이 많음 • 입증책임은 정부에게 있음

답 ③

57 □□□

2016년 지방직 7급

정부규제에 대한 설명으로 옳지 않은 것은?

① 「행정규제기본법」은 규제법정주의를 규정하고 있다.
② 규제개혁위원회는 위원장 2명을 포함한 20명 이상 25명 이하의 위원으로 구성한다.
③ 규제영향분석이 필요한 이유 중 하나는 관료에게 규제비용에 대한 관심과 책임성을 갖도록 유도한다는 점이다.
④ 정부의 규제정책을 심의 · 조정하고 심사 · 정비 등에 관한 사항을 종합적으로 추진하기 위하여 국무총리 소속으로 규제개혁위원회를 두고 있다.

58 □□□

2015년 지방직 7급

규제에 대한 설명으로 옳지 않은 것은?

① 윌슨(Wilson)의 규제정치이론에 따르면, 고객정치상황에서는 응집력이 강한 소수의 편익 수혜자의 논리가 투입될 가능성이 높다.
② 포지티브 규제는 '원칙 허용 · 예외 금지'의 형태를 취하는 것으로서, 명시적으로 금지하는 것 이외의 모든 것을 허용한다.
③ 국회, 법원, 헌법재판소, 선거관리위원회 및 감사원이 하는 사무에 대하여는 「행정규제기본법」을 적용하지 아니한다.
④ 「행정규제기본법」상 규제의 존속기한 또는 재검토기한은 규제의 목적을 달성하기 위하여 필요한 최소한의 기간 내에서 설정되어야 하며, 그 기간은 원칙적으로 5년을 초과할 수 없다.

57 정부규제

정부는 규제개혁을 심의·조정하고 규제의 심사·정비 등에 관한 사항을 종합적으로 추진하기 위하여 국무총리가 아닌 대통령 소속하에 규제개혁위원회를 둔다.

「행정규제기본법」의 주요 내용

1. 규제법정주의: 규제는 법률에 근거하여야 하며, 행정기관은 법률에 근거하지 아니한 규제로 국민의 권리를 제한하거나 의무를 부과할 수 없다.
2. 규제의 원칙: 본질적 내용의 침해금지 원칙, 실효성의 원칙, 최소한의 원칙
3. 규제영향분석과 규제영향분석서 작성: 중앙행정기관의 장은 규제를 신설 또는 강화하고자 할 때에는 규제영향분석을 하고 규제영향분석서를 작성하여야 한다.
4. 규제일몰법(sunset law): 규제의 존속기한은 규제의 목적을 달성하기 위하여 필요한 최소한의 기간에서 설정되어야 하며, 그 기간은 원칙적으로 5년을 초과할 수 없다.
5. 규제개혁위원회
   - 정부는 규제개혁을 심의·조정하고 규제의 심사·정비 등에 관한 사항을 종합적으로 추진하기 위하여 대통령 소속하에 규제개혁위원회를 둔다.
   - 규제개혁위원회에서 내부지침으로 규제에 대한 부처별 총량을 정한 뒤 그 상한선을 유지하도록 통제를 실시(총량통제)한다.

답 ④

58 규제

포지티브 규제는 '원칙 금지·예외 허용'의 형태를 취하는 것으로서, 명시적으로 허용하는 것 이외의 모든 것을 금지하는 것이다. '원칙 허용·예외 금지'의 형태를 취하는 것은 네거티브 규제로서 명시적으로 금지하는 것 이외의 모든 것을 허용한다.

선지분석

① 윌슨(Wilson)의 규제정치이론에 따르면 고객정치상황에서는 편익 수혜자는 소수이고, 비용 부담자는 불특정의 다수이기 때문에 응집력 강한 소수의 편익 수혜자의 논리가 투입될 가능성이 높고 정부 관료는 이러한 소수의 편익 수혜자에게 포획당할 우려가 있다.
③ 국회, 법원, 헌법재판소, 선거관리위원회 및 감사원이 하는 사무에 대해서는 「행정규제기본법」을 적용하지 아니한다(「행정규제기본법」 제3조 제3항 제1호).
④ 규제의 존속기한 또는 재검토기한은 규제의 목적을 달성하기 위하여 필요한 최소한의 기간 내에서 설정되어야 하며, 그 기간은 원칙적으로 5년을 초과할 수 없다(「행정규제기본법」 제8조 제2항).

답 ②

59 □□□

2017년 지방직 9급(12월 추가)

규제영향분석에 대한 설명으로 옳지 않은 것은?

① 규제의 경제 · 사회적 영향을 과학적으로 분석해 타당성을 평가한다.
② 정치적 이해관계의 조정과 수렴의 기회를 제공한다.
③ 규제가 초래할 사회적 부담에 대해 책임성을 가지도록 유도한다.
④ 규제의 비용보다 규제의 편익에 주안점을 둔다.

60 □□□

2014년 서울시 7급

규제영향분석에 관한 다음의 설명 중 적합하지 않은 것은?

① 규제영향분석은 규제의 경제 · 사회적 영향을 과학적으로 분석하여 그 타당성을 평가한다.
② 규제영향분석은 정치적 이해관계의 조정과 수렴의 기회를 제공한다.
③ 불필요한 정부규제를 완화하고자 할 때 현존하는 규제의 사회적 편익과 비용을 점검하고 측정하는 체계적인 의사결정도구이다.
④ 1970년대 이후 세계의 여러 국가에서 도입하여 왔으며, OECD에서도 회원국들에게 규제영향분석의 채택을 권고하고 있다.
⑤ 규제 외의 대체수단 존재 여부, 비용편익분석, 경쟁 제한적 요소의 포함 여부 등을 고려하여야 한다.

59 규제영향분석

규제영향분석은 규제로 인하여 얻는 편익보다 규제비용부담 경감에 더 주안점을 두어야 한다.

규제영향분석

개념	규제영향분석은 새롭게 만들어지거나 현존하는 규제의 사회적 편익과 비용을 점검하고 측정하는 체계적인 의사결정도구이지만, 일반적으로 사용되는 규제영향분석은 신설 또는 강화하고자 하는 규제의 영향을 분석하는 사전심사제에 해당함
과정	규제영향분석은 규제의 필요성, 규제의 대안 검토, 비용편익분석 및 비교, 규제 내용의 적정성과 실효성 검토 등을 중심으로 단계적으로 이루어짐

답 ④

60 규제영향분석

규제영향분석은 규제를 신설 또는 강화하고자 할 때 사용하는 것이다. 우리나라의 경우 중앙행정기관의 장은 규제를 신설 또는 강화하고자 할 때에는 규제영향분석을 한 후 규제영향분석서를 작성하도록 되어 있다.

선지분석

① 규제영향분석이란 규제로 인하여 국민의 일상생활과 사회·경제·행정 등에 미치는 여러 가지 영향을 객관적이고 과학적인 방법을 사용하여 미리 예측·분석함으로써 규제의 타당성을 판단하는 기준을 제시하는 것을 말한다(「행정규제기본법」 제2조 제1항 제5호).
② 중앙행정기관의 장은 규제를 신설하거나 강화하려면 공청회, 행정상 입법예고 등의 방법으로 행정기관·민간단체·이해관계인·연구기관·전문가 등의 의견을 충분히 수렴하여야 한다(「행정규제기본법」 제9조).
⑤ 중앙행정기관의 장은 규제를 신설하거나 강화하려면 규제의 신설 또는 강화의 필요성, 규제 목적의 실현 가능성, 규제 외의 대체 수단 존재 여부 및 기존규제와의 중복 여부, 규제의 시행에 따라 규제를 받는 집단과 국민이 부담하여야 할 비용과 편익의 비교 분석, 규제의 시행이 「중소기업기본법」 제2조에 따른 중소기업에 미치는 영향, 경쟁 제한적 요소의 포함 여부, 규제 내용의 객관성과 명료성, 규제의 신설 또는 강화에 따른 행정기구·인력 및 예산의 소요, 관련 민원사무의 구비서류 및 처리절차 등의 적정 여부를 종합적으로 고려하여 규제영향분석을 하고 규제영향분석서를 작성하여야 한다(「행정규제기본법」 제7조 제1항 각 호).

답 ③

61 □□□

2017년 지방직 9급(12월 추가)

행정지도의 폐단에 해당하지 않는 것은?

① 책임소재가 불분명할 수 있다.
② 공무원의 재량이 많이 작용하기 때문에 형평성이 보장되기 어렵다.
③ 입법과정의 복잡한 절차가 필요하다.
④ 행정의 과도한 경계확장을 유도한다.

62 □□□

2012년 서울시 9급

행정지도에 관한 내용으로 옳지 않은 것은?

① 공무원들이 어떤 목적을 달성하기 위해 국민에게 영향력을 미치려는 활동의 하나이다.
② 법적 구속력을 수반하는 권고, 협조요청, 알선행위 등을 말한다.
③ 행정지도는 민간부문의 정부 의존도가 높을수록 유용성이 커진다.
④ 행정수요의 변화에 비해 입법조치가 탄력적이지 못할 때 활용된다.
⑤ 행정수요가 임시적 · 잠정적이어서 법적 대응이 곤란할 때 활용된다.

61 행정지도의 폐단

행정지도는 정부가 의도하는 바를 실현하기 위하여 국민의 임의적 협력을 기대하여 행하는 비권력적 사실행위로서, 별도의 입법절차의 필요 없이 적절한 시기에 긴급한 행정수요에 대응할 수 있다는 장점이 있다.

행정지도의 효용과 문제점

구분	내용
효용	• 행정이 간편하고 원활해짐 • 행정의 적시성 및 상황적응성을 제고시킴 • 행정절차의 민주화를 촉진시킴(당사자 참여에 의한 합의) • 온정적 행정이 가능함
문제점	• 책임이 불명확하고 구제수단이 미흡함 • 공무원의 재량권 남용 및 법치주의 침해의 우려가 있음 • 행정이 과도하게 팽창할 수 있음 • 안정성, 보편성, 일관성이 취약함 • 행정의 밀실화 가능성이 있음

답 ③

62 행정지도

행정지도는 공무원이 행정목적을 달성하기 위하여 시민에게 영향력을 미치려는 활동이다. 행정주체가 의도하는 바를 실현하기 위하여 공권력을 배경으로 국민들의 자발적 협력을 기대하여 행하는 행정행위로서, 법적 구속력을 직접 수반하지 않는 비권력적 사실행위에 해당한다.

선지분석

③ 행정지도는 민간부문의 정부 의존도가 높은 개발도상국 등에서 유용성이 커진다.
④, ⑤ 행정수요의 변화와 공식적인 입법조치와의 괴리가 클수록 행정지도가 이루어질 가능성이 높아진다.

답 ②

행정학의 접근방법과 주요이론

THEME 009 행정학의 접근방법

01 □□□ 2018년 서울시 9급

조직이론의 유형들을 발달 순으로 옳게 나열한 것은?

ㄱ. 체제이론
ㄴ. 과학적 관리론
ㄷ. 인간관계론
ㄹ. 신제도이론

① ㄱ → ㄴ → ㄹ → ㄷ
② ㄴ → ㄷ → ㄱ → ㄹ
③ ㄴ → ㄱ → ㄷ → ㄹ
④ ㄷ → ㄴ → ㄹ → ㄱ

02 □□□ 2011년 국회직 9급

미국에서 행정학의 이론이 발전된 시간적 순서대로 바르게 나열한 것은?

① 인간관계론 → 과학적 관리론 → 신행정이론 → 신공공관리론
② 과학적 관리론 → 신공공관리론 → 신행정이론 → 인간관계론
③ 과학적 관리론 → 인간관계론 → 신공공관리론 → 신행정이론
④ 인간관계론 → 신행정이론 → 신공공관리론 → 과학적 관리론
⑤ 과학적 관리론 → 인간관계론 → 신행정이론 → 신공공관리론

01 조직이론의 유형

ㄴ. 과학적 관리론(1880~1920년대) → ㄷ. 인간관계론(1930년대) → ㄱ. 체제이론(1950년대) → ㄹ. 신제도이론(1980~1990년대) 순이다.

행정학이론의 발달

구분	행정관리론	통치기능론	행정행태론	발전행정론	신행정론	신공공관리론	신국정관리론
행정의 본질	사무관리(집행)	적극적 정책결정	합리적인 의사결정행위	행정주도의 국가발전	현실문제 해결	신관리주의와 시장주의	신뢰와 협력의 거버넌스
특징	엽관주의 폐단 극복	경제대공황 극복	행정의 과학성 추구	개도국 행정발전	선진국 문제해결	신자유주의, 행정의 시장화	공동체주의, 행정의 정치화
경영과 관계	공사행정 일원론	공사행정 이원론	공사행정 새일원론	공사행정 새이원론	공사행정 새이원론	경영우위 새일원론	공사행정 새이원론
정치와 관계	정치행정 이원론	정치행정 일원론	정치행정 새이원론	행정우위 새일원론	행정우위 새일원론	정치행정 새이원론	정치우위 새일원론
행정이념	(기계적) 능률성	민주성, (사회적) 능률성	합리성, 가치중립성	효과성(목표 달성도)	적실성, 사회적 형평성	생산성(효율성)	신뢰, 투명성
주요학자	Wilson, White	Dimock, Appleby	Barnard, Simon	Esman, Weider	Waldo, Fredrickson	Osborne, Gaebler, Plastrik	Peters, Rhodes

답 ②

02 행정학이론의 발달

이론이 발달된 시간적 순서로는 과학적 관리론 → 인간관계론 → 신행정이론 → 신공공관리론이다.

미국의 행정학 이론

과학적 관리론	최소의 비용으로 최대의 성과를 달성하기 위하여 객관화된 표준과업을 설정하고 경제적 동기부여를 통하여 절약과 능률을 달성하고자 하는 이론
인간관계론	인간의 감정, 구성원 간 사회적 관계, 비공식집단 등 비공식적 요소는 작업능률을 향상시키는 데 중요한 요소라고 보는 이론
신행정이론	행정의 사회적 적실성, 실천적·정책지향적 성격, 행정학의 독자적 주체성을 강조하면서 1970년대에 새롭게 대두된 규범적 이론
신공공관리론	기업경영의 논리와 방식을 공공행정 부문에 도입하여 작고도 효율적인 정부, 즉 기업가적 정부를 만들려고 하는 행정개혁으로, 외부적으로는 '시장주의'를 도입하여 고객위주의 행정을, 내부적으로는 '신관리주의'를 도입하여 성과위주의 행정을 추구함

답 ⑤

THEME 010 과학적 관리론과 인간관계론

03 □□□

2009년 지방직 9급

행정관리학파에 대한 설명으로 옳지 않은 것은?

① 대표적인 학자로는 귤릭(Gulick), 어윅(Urwick), 페이욜(Fayol) 등이 있다.
② 비공식집단의 생성이나 조직 내의 갈등 등에 대한 설명을 용이하게 해준다.
③ 과학적 관리론, 고전적 관료제론 등과 함께 행정학의 출범 초기에 학문적 기초를 쌓는 데 크게 기여하였다.
④ 조직과 구성원 간의 관계를 합리적 존재로만 봄으로써 조직을 일종의 기계 장치처럼 설계하려 하였다.

03 행정관리학파

비공식집단의 생성이나 조직 내의 갈등 등에 대한 설명을 용이하게 해주는 것은 인간관계론이다. 과학적 관리론(행정관리학파)은 최소의 비용으로 최대의 성과를 달성하고자 객관화된 표준과업을 설정하고, 경제적 동기부여를 통하여 절약과 능률을 달성하고자 하는 이론이다.

과학적 관리론과 인간관계론 비교

과학적 관리론	인간관계론
직무 중심	인간 중심
경제적 동기	비경제적·인간적 동기
공식적 조직관	비공식적 조직관
인간을 기계의 부품으로 취급	인간을 감성적 존재로 인식
합리적·경제적 인간관(X이론)	사회적 인간관(Y이론)
기계적 능률관	사회적 능률관
경제적 동기부여	비경제적·인간적 동기부여
시간·동작연구 등	호손(Hawthorne)실험
능률성 증진에 기여	민주성 확립에 기여
조직과 개인의 일원성(조직 중심)	조직과 개인의 이원성(개인 중심)
고전적 행정학의 기반	신고전적 행정학의 기반

답 ②

04 □□□

2016년 경찰간부

다음 중 과학적 관리론에 대한 설명으로 옳지 않은 것은?

① 과학적 분석을 통해 업무수행에 적용할 '유일 최선의 방법'을 발견할 수 있다고 보았다.
② 조직 내의 인간은 경제적 유인에 의해 동기가 유발되는 타산적 존재라고 보았다.
③ 테일러(Taylor)는 이러한 접근방법을 주장한 대표적 학자이다.
④ 호손 공장의 연구(Hawthorne Studies)가 이러한 접근방법의 실증적 근거가 되었다.

04 과학적 관리론

호손 공장의 연구(호손실험)는 과학적 관리론이 아니라 인간관계론의 실증적 근거가 된다.

과학적 관리론의 전제

1. 과학적 분석에 의해 유일한 최선의 방법(the one best way)을 찾을 수 있다.
2. 인간은 경제적 유인에 의하여 동기가 유발되는 타산적인 존재(합리적·경제적 인간관)이다.
3. 조직의 목표는 명확하게 알려져 있고 업무는 반복적이다.
4. 과학적 방법에 의하여 생산성을 향상시키면 분배의 몫을 증대시켜 노사 간 갈등을 해결해주고 근로자와 사용자 모두를 이롭게 할 수 있다.

답 ④

05 □□□

2016년 지방직 7급

윌슨(Wilson)의 '행정연구(The Study of Administration, 1887)'에 대한 설명으로 옳지 않은 것은?

① 정부개혁을 통해 특정 지역 및 계층 중심의 관료파벌을 해체하고자 하였다.
② 행정과 경영의 유사성을 강조하였다.
③ 정치와 행정을 분리하고자 하였다.
④ 효율적 정부운영에 관심을 두었다.

06 □□□

2016년 서울시 7급

다음 중 호손실험에 대한 내용으로 가장 옳은 것은?

① 인간관계론의 이론적 틀을 마련하였다.
② 테일러의 과학적 관리법을 계승한다.
③ 개인의 생산성 향상을 위해서는 물리적 작업환경이 중요하다는 점을 발견하였다.
④ 본래 실험 의도와 다르게 작업의 과학화·객관화·분업화의 중요성을 발견하였다.

05 윌슨(Wilson)의 행정연구

미국의 7대 대통령 잭슨(Jackson)의 엽관주의에 대한 설명이다. 잭슨은 정부개혁을 통해 특정 지역 및 계층 중심의 관료파벌을 해체하고 엽관주의를 공식적으로 표방하였다. 윌슨(Wilson)은 행정의 무능과 타락한 정당정치 등 엽관주의(잭슨민주주의)의 폐단을 극복하기 위해 행정을 정치로부터 독립시키고, 행정의 능률성을 강조하였다.

선지분석

② 공사행정일원론적 입장에서 행정과 경영의 유사성을 강조하였다.
③ 정치행정이원론적 입장에서 정치와 행정을 분리하고자 하였다.
④ 정부도 민간기업처럼 효율적으로 운영되어야 한다고 보았다.

답 ①

06 호손실험

호손(Hawthorne)실험은 1930년대 메이요(Mayo)의 주도하에 치러져 과학적 관리론과는 다른 인간관계론의 이론적 기반이 되었다.

선지분석

② 호손실험은 과학적 관리법이 아니라 인간관계론을 계승한다.
③ 인간관계론은 인간을 경제적 욕구 이외에 사회적 욕구를 지닌 존재로 인식하고, 작업능률을 올리기 위해서는 물리적 요인보다 사회적·심리적 요인인 인적 요인이 더 중요하다고 주장하였다.
④ 비경제적·사회적·심리적 요인의 중요성을 발견하였다.

호손(Hawthorne)실험의 결과

1. 인간은 경제적 욕구 이외에 사회적 욕구를 지닌 존재이다.
2. 작업능률은 물적 요인보다 사회적·심리적 요인인 인적 요인에 의존한다.
3. 비경제적 보상이나 만족감 등의 인간적 요인이 매우 중요하다.

답 ①

07 □□□

2012년 서울시 9급

다음 중 인간관계론의 주요 내용이 아닌 것은?

① 사회적 능력과 사회적 규범에 의한 생산성 결정
② 시간과 동작에 관한 연구
③ 비경제적 요인의 우월성
④ 비공식집단 중심의 사기형성
⑤ 의사소통과 리더십

08 □□□

2011년 지방직 7급

고전적 조직이론의 기계적 조직관을 비판하고 조직 내 인간의 사회적 관계의 중요성을 주장하며 등장한 인간관계론의 궁극적인 목표로 옳은 것은?

① 조직의 성과 제고
② 조직운영의 민주화
③ 조직 구성원의 자아실현
④ 조직 내부의 비공식집단의 활성화

07 인간관계론

테일러(Taylor)는 동작연구와 시간연구를 통하여 합리적인 개인별 과업량을 설정하고 성과에 따라 차등임금을 지불하는 경영방식을 연구하였는데, 이는 과학적 관리론의 특성 중 과업관리에 해당한다.

인간관계론의 특징과 한계

구분	내용
특징	• 사회적 규범 중시 • 비경제적·사회적·심리적 요인 중시 • 비공식적 집단 중시 • 사회적 능률 중시 • 비공식적·동태적 관계 중시
한계	• 만족한 젖소가 더 많은 우유를 생산해내듯이 만족한 근로자가 더 많은 산출을 낼 것이라는 젖소 사회학적 논리를 주장 • 자기실현적인 인간관 간과 • 피동적인 인간관 주장 • 조직과 환경 간과

답 ②

08 인간관계론

인간관계론은 과학적 관리론과 같이 궁극적으로 조직의 성과 제고를 목표로 삼는다.

과학적 관리론과 인간관계론의 공통점

1. 폐쇄체제 → 조직 자체를 폐쇄체제로 인식함
2. 궁극적인 목적으로서의 생산성 증가 → 조직의 성과 제고
3. 관리계층을 위한 기술 → 정치행정이원론
4. 조직목표와 개인목표 간의 양립·조정관계 인정
5. 인간행동의 피동성과 동기부여의 외재성

답 ①

09 □□□

2014년 사회복지직 9급

행정학의 주요이론과 그에 대한 비판이 바르게 연결되지 않은 것은?

① 공공선택론 - 인간을 이기적이고 합리적인 존재로 가정한 것은 지나친 단순화이다.
② 거버넌스론 - 내재화된 변수가 많고 변수 간의 유기적 관계를 강조하기 때문에 모형화가 어렵다.
③ 신제도론 - 제도와 행위 사이의 정확한 인과관계를 설명하는 데 한계가 있다.
④ 과학적 관리론 - 인간을 지나치게 사회심리적이고 감정적인 존재로 인식한다.

09 행정학의 주요이론

인간을 지나치게 사회심리적이고 감정적인 존재로 인식하는 것은 인간관계론이다. 과학적 관리론은 인간을 지나치게 합리적이고 경제적인 존재로 인식한다는 비판을 받는다.

(선지분석)

① 공공선택론의 합리적 경제인 가정과 이익극대화 가정은 지나치게 단순하고 편향적인 논리라는 비판을 받는다.
② 거버넌스론은 다양한 이론에 기반하므로 변수가 많고, 변수 간의 상호 관계를 중요시하므로 정형화된 모형화가 어렵다.
③ 신제도론은 인과관계의 설명, 제도의 형성과정에 대한 설명이 미흡하고, 이론이 추상적이며 모호하다는 한계가 있다.

답 ④

10 □□□

2016년 서울시 9급

다음 중 귤릭(Gulick)이 제시하는 POSDCoRB에 대한 설명으로 가장 옳지 않은 것은?

① P는 기획(Planning)을 의미한다.
② O는 조직화(Organizing)를 의미한다.
③ Co는 협동(Cooperating)을 의미한다.
④ B는 예산(Budgeting)을 의미한다.

10 POSDCoRB

귤릭(Gulick)은 최고관리자의 7가지 기능을 제시하고 단어의 첫 글자를 따서 POSDCoRB라는 약어를 만들었다. 여기서 Co는 협동(Cooperating)이 아니라 조정(Coordinating)이다.

POSDCoRB

1. P: Planning(기획)
2. O: Organizing(조직)
3. S: Staffing(인사)
4. D: Directing(지휘)
5. Co: Coordinating(조정)
6. R: Reporting(보고)
7. B: Budgeting(예산)

답 ③

THEME 011 행태론

11 □□□

2017년 서울시 7급

행태론적 접근방법에 대한 설명으로 가장 옳지 않은 것은?

① 행태주의는 사회과학이 행태에 공통된 관심을 갖고 있기 때문에 통합된다고 보고 있다.
② 행정의 실체는 제도나 법률이 아니라고 주장하며 행정인의 행태에 초점을 맞춘다.
③ 논리실증주의를 강조한 사이먼(Simon) 이후 행정학 분야에서 크게 발전하였다.
④ 사회적 문제의 개선에 기여할 수 있는 연구와 가치평가적 정책연구를 지향한다.

12 □□□

2016년 경찰간부

행태주의 연구방법에 대한 설명으로 가장 옳지 않은 것은?

① 행정현상 중 가치판단적인 요소의 존재를 인정하지 않았다.
② 현상과 현상 사이에 존재하는 인과관계법칙을 규명하는 것이 연구의 목적이 된다.
③ 법칙 발견을 위해 인과관계에 대한 가설을 설정하고 이를 검증하여야 하는데, 설정되는 가설은 이미 확립된 기존의 이론으로부터 연역적으로 도출되어야 한다.
④ 가설검증을 위해 현상들을 경험적으로 관찰하여야 하고, 관찰할 수 없는 현상은 연구대상에서 제외한다.

11 행태론적 접근방법

사회적 문제의 개선에 기여할 수 있는 연구와 가치평가적 정책연구를 지향하는 것은 후기 행태주의 및 신행정론적 접근방법이다. 행태론적 접근방법은 사회적 문제의 개선보다 이론적 과학성을 위하여 사실을 근거로 한 연구를 지향하며, 가치평가적 정책연구를 지양한다.

(선지분석)

① 행태주의는 인간의 행태가 모든 사회과학의 공통된 연구대상이므로 다른 학문의 유용한 지식을 활용하고 공유하는 종합학문적인 성격을 띤다.
② 행태론적 접근방법은 실증 연구가 가능한 개별행위자의 의견, 태도, 개성, 물리적 행동 등 구체적인 행태 연구에 초점을 맞춘다.
③ 사이먼(Simon)은 가치중립적이고 계량적인 분석을 통한 논리실증주의적 접근방법을 강조하였다.

답 ④

12 행태주의 연구방법

행태주의 연구방법에서는 가치와 사실을 분리하여 연구하는 것을 지향하지만, 행정에서의 가치판단 요소나 정치적 요소의 존재 자체를 부정하지는 않았다.

(선지분석)

② 행태주의는 현상과 현상 사이에 존재하는 인과관계법칙을 과학적으로 규명하고자 한다.
③ 행태주의는 자연과학적·논리실증주의적이며, 연역적인 방법론을 활용한다.
④ 행태주의는 경험적으로 관찰할 수 있는 현상만을 연구대상으로 삼았으며, 관찰할 수 없는 내면적인 의도 등은 연구대상에서 제외한다.

답 ①

13 □□□

2018년 국가직 7급

행태적 접근방법에 대한 설명으로 옳지 않은 것은?

① 집단의 고유한 특성을 인정하지 않는 방법론적 개체주의의 입장을 취한다.
② 행태의 규칙성, 상관성 및 인과성을 경험적으로 입증하고 설명할 수 있다고 본다.
③ 연구에서 가치와 사실을 구분하지 않는다.
④ 사회현상을 관찰 가능한 객관적 대상으로 보며, 인간의 주관이나 의식을 배제하고 인식론적 근거로서 논리실증주의를 신봉한다.

14 □□□

2015년 서울시 7급

행정학의 이론과 접근방법에 대한 설명 중 가장 옳지 않은 것은?

① 행태주의는 행태의 규칙성 및 인과성을 경험적으로 입증하고 설명할 수 있다고 보며 가치와 사실을 통합하고 가치중립성을 지향한다.
② 체제론에 따르면 체제의 변화나 성장은 기존의 균형상태에서 일어나지 않고 구성요소 중 어느 하나에 변화가 생기거나 새로운 이질적 요소가 투입될 때 발생한다고 본다.
③ 생태론은 가우스(Gaus)와 리그스(Riggs) 등이 발전시킨 이론으로 행정의 보편적 이론보다는 중범위이론 구축에 자극을 주고, 행정학의 과학화에 기여하였다.
④ 신제도주의는 공식적인 제도뿐만 아니라 비공식적 제도나 규범에 관심을 가지며, 외생변수로 다루어졌던 정책 혹은 행정환경을 내생변수로 분석대상에 포함시켰다.

13 행태적 접근방법

행태적 접근방법은 행정연구에 있어 가치와 사실을 구분하여 가치를 배제하고 사실 위주의 연구를 지향하는 접근방법이다.

선지분석

① 행태적 접근방법은 집단의 고유한 특성을 인정하지 않고 개개인의 행태 연구에 집중하는 방법론적 개체주의의 입장을 취한다.
② 행태적 접근방법은 행태의 규칙성, 상관성 및 인과성은 과학적으로 접근하여 경험적 연구를 통해, 증명(실증연구)하여 설명할 수 있다고 본다.
④ 행태적 접근방법은 사회현상을 관찰 가능한 객관적 대상으로 파악하여 인간의 주관이나 의식은 연구대상에서 배제하고 인식론적 근거로서 논리실증주의를 신봉한다.

답 ③

14 행정학의 이론과 접근방법

행태주의는 기존의 공식적인 구조나 제도보다는 조직 내부의 행위자인 인간의 행태를 중심으로 사회현상을 객관적·실증적·과학적으로 연구하는 이론이다. 따라서 행태주의는 행태의 규칙성 및 인과성을 경험적·과학적으로 입증하고 설명할 수 있다고 보며, 가치와 사실을 분리하여 가치중립성을 지향한다.

선지분석

② 체제론에 따르면 체제에 새로운 요소가 투입되거나 체제의 구성 요소가 특별한 계기로 변화하게 되면 이때 체제도 변화·진화하게 된다.
③ 생태론의 환경에 대한 인식은 기존 행정학 연구(과학적 관리론, 인간관계론, 행태주의 등)의 미시적 접근방법의 한계를 극복하여 중범위이론 구축에 자극을 주고, 행정학의 과학적 발전에 기여하였다.
④ 신제도주의는 구제도주의에서 관심을 가졌던 공식적 제도뿐만 아니라 구제도주의의 연구대상에서 배제되었던 비공식적인 제도나 규범에도 관심을 가졌다. 또한 정책이나 환경도 행정에 직접적으로 영향을 주는 내생변수로 파악하여 연구의 분석대상에 포함시켰다.

답 ①

15 □□□

2016년 서울시 9급

행정학이론의 발달에 대한 설명으로 가장 옳지 않은 것은?

① 행정관리론은 행정학의 기본가치로서 능률성을 강조하였다.
② 행태주의는 과학적 설명보다는 실질적 처방을 강조하였다.
③ 호손실험에서는 비공식집단의 역할에 주목하였다.
④ 윌슨(Wilson)은 정치행정이원론을 주장하였다.

16 □□□

2016년 서울시 7급

다음 중 행정학과 관련된 학자에 대한 설명으로 가장 옳지 않은 것은?

① 굿노(Goodnow)는 행정은 국가의 의지를 실천하는 것이라고 주장하였다.
② 테일러(Taylor)는 시간과 동작에 관한 연구를 통해 최선의 방법(one best way)을 추구하였다.
③ 사이먼(Simon)은 행정원리의 보편성과 과학성을 강조하였다.
④ 귤릭(Gulick)은 POSDCoRB를 통해 능률적인 관리활동방법을 제시하였다.

15 행정학이론의 발달

행태주의는 조직 내부의 행위자인 인간의 행태를 중심으로 사회현상을 객관적·실증적·과학적으로 연구하는 방법론을 의미한다. 따라서 행태주의는 실질적인 처방보다는 과학적인 설명을 강조하였다.

선지분석

① 행정관리론은 산출의 가치를 고려하지 않는 기계적 능률성을 추구하였다.
③ 호손실험은 인간관계론의 근거가 된 실험으로, 조직 구성원의 비공식적 관계가 능률성 향상에 있어 중요한 요소가 된다고 본다.
④ 윌슨(Wilson)은 정치와 행정의 분리 및 행정의 능률성을 강조하며 정치행정이원론을 주장하였다.

답 ②

16 행정학과 관련된 학자

사이먼(Simon)은 『행정의 격언』이라는 논문을 통해 모든 문제해결에 적용할 수 있는 보편적인 원리는 존재하지 않는다고 주장하였다. 또한 『행정행태론』을 통해 보다 신뢰할 수 있는 행정의 법칙을 발견하기 위하여 더욱 정확하고 과학적인 방법의 적용이 필요하다고 하였다.

선지분석

① 굿노(Goodnow)는 정치행정이원론자로, 정치와 행정에서 국가의 의지(정책)를 결정하는 것은 정치이고, 그 의지를 실천(집행)하는 것은 행정으로 분리하였다.
② 테일러(Taylor)는 과학적 관리론자로, 시간과 동작에 관한 연구를 통해 최고의 능률을 달성할 수 있는 유일 최선의 방법을 추구하였다.
④ 원리주의 행정학자인 귤릭(Gulick)은 '행정학 논집(행정과학 논문집)'에서 POSDCoRB를 통해 보편적인 법칙으로써 능률적인 관리활동방법을 제시하였다.

답 ③

17 □□□

2012년 국가직 9급

가우스(Gaus)가 지적한 행정에 영향을 미치는 환경요인에 포함되지 않는 것은?

① 국민(people)
② 장소(place)
③ 대화(communication)
④ 재난(catastrophe)

18 □□□

2015년 국가직 7급

리그스(Riggs)의 프리즘적 모형(Prismatic Model)에서 설명하는 프리즘적 사회의 특성으로 옳지 않은 것은?

① 고도의 이질혼합성
② 형식주의
③ 고도의 분화성
④ 다규범성

17 행정에 영향을 미치는 환경요인

가우스(Gaus)는 정치학 및 문화인류학에서 발전한 생태론적 접근방법을 행정학에 도입하여 정부기능은 환경과의 유기적 상호관계에서 파악되어야 한다고 주장하였다. 또한 행정에 영향을 미치는 7가지 생태적·환경적 요인을 제시하였는데 대화(communication)는 포함되지 않는다.

행정에 영향을 미치는 7가지 생태적·환경적 요인 - 가우스(Gaus)

1. 국민(people)
2. 장소(place)
3. 물리적 기술(physical technology)
4. 사회적 기술(social technology)
5. 욕구, 이념, 사상(wish & ideas)
6. 재난(catastrophe)
7. 인물(personality)

답 ③

18 프리즘적 모형(Prismatic Model)

고도의 분화성은 프리즘적 사회가 아니라 선진국과 같은 다원화된 분화사회(산업사회)의 특징에 해당한다. 프리즘적 사회는 기능의 중복을 특징으로 한다.

리그스(Riggs)의 프리즘적 사회

1. 『개발도상국의 행정』에서 제시한 프리즘적 사회

구분	융합(미분화)사회	프리즘적 사회	분화사회
사회구조	농업사회	전이사회	산업사회
관료제 모형	안방 모형 (chamber model)	사랑방 모형 (sala model)	사무실 모형 (office model)

2. 프리즘적 사회의 특징
   - 이질성
   - 기능의 중첩(중복)
   - 형식주의
   - 연고우선주의
   - 다분파주의
   - 다규범주의

답 ③

19 □□□

2012년 해경간부

행정학의 접근방법에 대한 설명으로 옳지 않은 것은?

① 생태학적 접근방법은 후진국의 행정현상을 설명하는 데 크게 기여했으며, 행정의 보편적 이론의 구축을 통한 행정의 과학화에 기여하였다.

② 행태론적 접근방법은 집단의 고유한 특성을 인정하지 않는 방법론적 개체주의의 입장이다.

③ 행정학 분야에서 각종 제도나 직제에 대한 자세한 기술에 관심을 갖는 것은 제도론적 접근방법이다.

④ 역사적 접근방법은 각종 정치 · 행정제도의 진정한 성격과 그 제도가 형성되어 온 특수한 방법을 인식하는 유일한 수단을 제공했다.

20 □□□

2015년 경찰간부

행정학의 생태론적 접근방법에 대한 설명 중 가장 옳지 않은 것은?

① 생태론적 접근방식은 기본적으로 유기체와 환경과의 상호관계를 기초로 행정학을 연구하고자 한다.

② 생태론적 접근에 따르면, 행정도 일종의 유기체로서 정치 · 경제 · 사회 환경과 상호 의존적 존재로 본다.

③ 생태론자들은 서구의 행정제도가 후진국에 잘 적용되지 못하는 이유를 사회 · 문화적 환경의 이질성에 있다고 주장한다.

④ 생태론적 접근의 분석수준은 유기체로서의 개인에 초점을 맞추며, 미시적 차원에서 행정현상을 분석하고자 한다.

19 행정학의 접근방법

생태학적 접근방법은 행정을 살아있는 유기체로 인식하고 행정과 그 환경과의 상호관계를 통하여 행정현상을 연구하는 이론이다. 이는 후진국의 행정현상을 설명하는 데 크게 기여했으나, 보편적 이론보다는 중범위이론을 구축하는 데 영향을 미쳤다.

생태론의 특징

구분	내용
거시적 접근	행위자 개인 자체보다 집합적 행위나 제도를 연구대상으로 함
중범위 이론	선진구과 개발도상국의 행정체제의 특징을 선진국과 개발도상국별로 유형화시켜 설명함
개방체제적 관점	행정체제의 개방성을 강조하고, 행정체제와 환경의 상호작용관계를 밝히는 데 초점을 둠
환경결정론적 관점	행정을 환경의 종속변수로 간주함
구조기능주의	각국의 행정체제에 영향을 미치는 요인을 파악하고, 구조기능주의 시각에서 선진국과 개발도상국의 행정체제의 특징을 밝힘

답 ①

20 생태론적 접근방법

생태론적 접근방법은 행정과 환경과의 상호작용 관계를 연구하는 거시적인 접근방법으로 분석수준의 초점을 유기체로서의 전체에 맞추고, 거시적인 차원에서 행정현상을 분석하고자 한다.

선지분석

①, ② 1940년대 가우스(Gaus)에 의하여 도입된 생태론은 행정현상을 자연적·사회적·문화적 환경과 관련시켜 이해하고자 하는 연구방법론으로, 행정을 살아있는 유기체로 인식하고 행정과 그 환경과의 상호관계를 통하여 행정현상을 연구하였다.

③ 생태론자들은 서구의 행정제도가 후진국에 잘 적용되지 못하는 이유를 사회문화적 환경의 이질성에 있다고 주장하였고, 이러한 생태론의 입장은 비교행정론 성립에 영향을 끼쳤다.

답 ④

21 □□□

2010년 지방직 7급

행정학의 주요 접근방법인 생태론적 접근방법의 특징에 대한 설명으로 옳지 않은 것은?

① 생태론적 접근방법을 행정학에 도입한 것은 1947년 가우스(Gaus)이다.
② 행정현상을 자연 · 사회 · 문화적 환경과 관련시켜 이해하려고 한다.
③ 행정이 추구해야 할 목표나 방향을 명확히 제시하고 있다.
④ 서구 행정제도가 후진국에서 잘 작동하지 않는 이유는 사회문화적 환경이 다르기 때문이라고 본다.

22 □□□

2020년 서울시 9급

행정이론에 대한 설명으로 가장 옳지 않은 것은?

① 과학적 관리론은 19세기 말부터 20세기 초 경제 상황의 산물로 절약과 능률을 행정의 가장 중요한 가치로 삼는다.
② 행태주의는 객관성을 유지하기 위해 연구에서 가치와 사실을 명백히 구분하고, 가치중립성을 지킨다.
③ 체제이론은 체제의 부분적인 특성이나 구체적인 행태 측면에 관심을 갖는 미시적 접근방법을 사용한다.
④ 신행정론은 규범성, 문제지향성, 처방성을 강조한다.

21 생태론적 접근방법

생태론적 접근방법은 행정현상을 자연적·사회적·문화적 환경과 관련시켜 이해하고자 하는 연구방법론이다. 이는 행정을 살아있는 유기체로 인식하고 행정과 그 환경과의 상호관계를 통하여 행정현상을 연구한다. 생태론적 접근방법은 단지 행정과 환경과의 관계를 진단만 하였을 뿐 처방적인 성격이 부족하고, 행정이 추구해야 할 목표·가치·방향을 제시하지 못한다는 한계가 있다.

선지분석

① 생태론은 행정과 환경과의 관계를 고려한 초기이론으로, 1947년 가우스(Gaus)가 행정학에 도입하였다.
② 생태론은 행정현상을 생태적 환경과 관련시켜 이해하려고 하는 입장으로, 환경결정론적 입장이다.
④ 생태론은 서구 행정제도가 후진국에서 잘 작동하지 않는 이유는 사회문화적 환경이 다르기 때문이라고 보았고, 이러한 생태론의 입장은 비교행정론 성립에 영향을 끼쳤다.

답 ③

22 행정이론

체제이론은 체제를 하나의 복합적인 유기체로 간주하기 때문에 부분적인 특성이나 구체적인 행태보다 전체적인 특성에 관심을 갖는 거시적 접근방법을 사용한다.

선지분석

① 테일러리즘으로 대표되는 과학적 관리론은 절약과 능률을 행정의 가장 중요한 가치로 삼아 '시간과 동작에 관한 연구' 등을 진행하였다.
② 행태주의는 사회과학의 연구에서 가치와 사실을 명백히 구분하고, 가치중립적인 입장에서 객관적으로 드러나 연구가 가능한 사실의 연구에 집중할 것을 주장하였다.
④ 1960년대 말 미국사회의 문제를 해결하기 위하여 등장한 신행정론은 인종 갈등, 성 차별 등의 사회문제 해결을 위하여 규범성, 처방성, 적실성 등을 강조하였다.

답 ③

23 □□□

2011년 국가직 7급

이스턴(Easton)이 정치체제(political system)모형에서 주장하는 '가치의 권위적 배분'과 가장 관련이 깊은 것은?

① 투입(input)
② 산출(output)
③ 전환(conversion)
④ 요구와 지지(demand & support)

24 □□□

2010년 국회직 8급

다음 중 개방체제적 특성에 해당하는 것은 모두 몇 개인가?

ㄱ. 등종국성(equifinality)
ㄴ. 정(+) 엔트로피
ㄷ. 항상성
ㄹ. 선형적 인과관계
ㅁ. 구조 · 기능의 다양성
ㅂ. 체제의 진화

① 2개
② 3개
③ 4개
④ 5개

23 정치체제(political system)모형

가치의 권위적 배분은 정책을 의미하는데, 이는 곧 산출(output)을 의미한다. 정치체제의 산출로서의 정책은 사회집단 간의 정치적 상호작용의 결과물이다. 산출은 행정활동에 대한 결과인 정책을 집행하여 다른 체제나 국민의 생활에 영향을 주는 과정이다.

이스턴(Easton)의 정치체제론

구분	내용
환경 (environment)	행정에 영향을 미치는 정치·경제·사회·문화적 모든 환경, 행정체제 밖의 모든 영역을 총칭함
투입 (input)	환경으로부터 받는 자극을 행정에 전달하는 것으로, 정책에 대한 지지나 요구, 반대 등이 이에 해당함
전환 (conversion)	투입을 산출로 바꾸는 의사결정 및 문제해결과정으로 행정체제 내의 모든 구성요소의 유기적인 의존작용이 전개되어 이루어짐
산출 (output)	전환과정의 결과를 다시 환경으로 내보내는 것으로서 환경에 응답하는 결과를 의미함
환류 (feedback)	산출의 영향이 다시 행정체제에 투입되는 과정으로, 정책의 평가나 시정조치 등이 이에 해당함

답 ②

24 개방체제적 특성

개방체제적 특성에 해당하는 것은 ㄱ, ㄷ, ㅁ, ㅂ으로 4개이다.

(선지분석)

ㄴ. 개방체제는 정(+)의 엔트로피가 아니라, 외부로부터 에너지와 기타 자원을 받아들여 엔트로피를 낮추려는 부(-)의 엔트로피 성향을 가지고 있다.
ㄹ. 개방체제는 원인과 결과가 단선적 관계인 선형적 인과관계를 부정한다.

개방체제의 특성

1. 분화와 통합, 진화
2. 균형과 안정
3. 투입 - 전환 - 산출 - 환류의 반복
4. 부(-)의 엔트로피
5. 항상성
6. 등종국성
7. 전체성

답 ③

25 □□□

2015년 지방직 7급

파슨스(Parsons)가 제시한 사회적 기능, 각 기능을 수행하는 조직 유형, 그리고 각 조직 유형별 예시를 모두 바르게 연결한 것은?

① 적응(adaptation)기능 - 교육조직 - 학교
② 목표달성(goal attainment)기능 - 정치조직 - 행정기관
③ 통합(integration)기능 - 통합조직 - 종교단체
④ 잠재적 형상유지(latent pattern maintenance)기능 - 경제조직 - 민간기업

26 □□□

2016년 지방직 7급

비교행정의 한계에 대한 설명으로 옳지 않은 것은?

① 독자적인 연구대상을 확정하기가 어렵다.
② 환경과 행정의 교류적 관계를 경시한 정태적 접근이다.
③ 처방성과 문제해결성을 강조함에 따라 행정의 비과학화를 초래하였다.
④ 행정을 지나치게 과소평가함으로써 행정의 독자성을 무시하고 행정의 종속성을 강조하고 있다.

25 조직 유형

목표달성(goal attainment)기능은 체제가 추구할 목표를 정하고 목표달성을 위하여 구체적인 활동을 수행하는 기능으로, 그 조직 유형은 정치적 조직이며 그 예로는 행정기관, 정당 등이 있다.

선지분석

① 형상유지(Latent pattern maintenance)기능 - 교육조직 - 학교
③ 통합(intergration)기능 - 통합조직 - 법원, 경찰
④ 적응(adaptation)기능 - 경제조직 - 민간기업

답 ②

26 비교행정의 한계

처방적·규범적으로 이론이 수립되어 처방성과 문제해결성을 강조함에 따라 행정의 이론적 과학성이 결여되었다는 비판을 받는 것은 비교행정론이 아니라 발전행정론이다. 비교행정론은 문화와 환경이 서로 다른 여러 나라에 공통적으로 적용될 수 있는 일반법칙적이고 과학적인 행정이론을 개발하기 위하여 각국의 행정현상을 체계적으로 비교하여 연구한 이론이다.

선지분석

① 비교행정론은 비교행정을 전제로 연구를 진행하기 때문에 독자적인 연구대상을 확정하기가 어렵다.
② 비교행정론은 환경이 행정에 일방적으로 영향을 미친다는 결정론적 시각으로 환경과 행정의 교류적 관계를 경시하였다.
④ 비교행정론은 행정과 환경과의 관계에서 행정을 지나치게 과소평가함으로써 행정(인)의 독자성을 무시하고 행정의 환경에 대한 종속성을 강조하였다.

답 ③

THEME 013 발전행정론과 신행정론

27 □□□

2011년 지방직 7급

왈도(Waldo)의 주장이나 사상으로 옳지 않은 것은?

① 행정에는 권위가 필요하지만 민주주의를 증진해야 한다는 전제를 배제할 수 없다고 보았다.

② 신행정학은 다양한 관점을 보이지만 대체로 규범이론, 철학, 사회적 타당성, 행동주의(activism)로 특징지을 수 있다고 하였다.

③ 행정관리론에서 개발된 행정원리를 토대로 행정의 처방적 기능을 강조하였다.

④ 가치로부터 구분된 순수한 사실이란 존재하지 않는다고 주장하므로 사이먼(Simon)의 행태주의에 반대하는 입장이다.

28 □□□

2019년 서울시 9급(2월 추가)

〈보기〉의 내용이 설명하고 있는 행정이론에 해당하는 것은?

〈보기〉

- 1960년대 미국사회의 사회혼란을 해결하지 못하는 학문적 무력함에 대한 반성으로 나타났다.
- 적실성, 참여, 변화, 가치, 사회적 형평성 등에 기초한 행정학의 독자적 주체성을 강조했다.
- 행정학의 실천적 성격과 적실성을 회복하기 위해 정책지향적인 행정학을 요구했다.

① 신행정학

② 비교행정론

③ 행정생태론

④ 공공선택론

27 왈도(Waldo)의 신행정학

왈도(Waldo)는 신행정학의 주요 학자이다. 따라서 행정관리론에서 개발된 행정원리를 토대로 강조한 것이 아니라, 행정을 사회문제의 해결, 정책형성, 정책집행으로 인식하고 사회적 약자를 비롯한 다양한 세력의 실질적 참여와 형평성의 가치를 강조하였다.

선지분석

① 왈도(Waldo)는 신행정학에서 행정에는 정부의 권위가 필요하지만 행정은 민주주의를 증진해야 한다는 대전제를 배제할 수 없다고 보아, 행정의 사회적 형평성 실현을 중시하였다.

② 신행정학은 행정의 규범성을 강조하는 규범이론, 가치판단을 고쳐하는 철학적 입장, 사회의 현실문제를 해결할 수 있는 타당성, 이론에 매몰되지 않는 행동주의 등으로 특징지을 수 있다.

④ 왈도(Waldo)의 신행정학은 행태주의에 반대하는 후기 행태주의의 일종이다.

답 ③

28 신행정학

신행정학은 1960년대에 미국사회가 격동기의 혼란에 처하게 되면서 적극적으로 사회문제를 해결할 수 있는 방향을 모색하게 되면서 대두된 행정이론이다.

신행정학의 특징

1. 사회적 형평 등 새로운 행정이념 중시
2. 사회 격동에의 대응과 행정의 독립변수적 역할, 적극적 가치관 중시
3. 문제지향성·공공정책문제·정책분석의 강조
4. 행태론의 지양과 규범주의의 추구
5. 사회적 적실성과 대응성 중시
6. 가치의 추구와 행정철학 및 행정도덕의 중시
7. 고객지향적 행정과 고객의 참여 강조

답 ①

29 □□□

2019년 지방직 9급

미국에서 등장한 행정이론인 신행정학(New Public Administration)에 대한 설명으로 옳지 않은 것은?

① 신행정학은 미국의 사회문제 해결을 촉구한 반면 발전행정은 제3세계의 근대화 지원에 주력하였다.
② 신행정학은 정치행정이원론에 입각하여 독자적인 행정이론의 발전을 이루고자 하였다.
③ 신행정학은 가치에 대한 새로운 인식을 기초로 규범적이며 처방적인 연구를 강조하였다.
④ 신행정학은 왈도(Waldo)가 주도한 1968년 미노브룩(Minnowbrook) 회의를 계기로 태동하였다.

30 □□□

2017년 국가직 9급(4월 시행)

신행정학(New Public Administration)의 핵심내용으로 옳은 것만을 모두 고른 것은?

ㄱ. 효율성 강조
ㄴ. 실증주의적 연구 지향
ㄷ. 적실성 있는 행정학 연구
ㄹ. 고객 중심의 행정
ㅁ. 기업식 정부운영

① ㄱ, ㄴ
② ㄴ, ㄷ
③ ㄷ, ㄹ
④ ㄹ, ㅁ

29 신행정학

신행정학은 정치행정일원론에 입각하여 1960년대 말 미국사회가 당면한 문제를 해결하고자 한 적실성이 높은 이론으로, 사회적 형평을 주요 가치로 내세웠다.

선지분석

① 신행정학은 사회문제에 대한 다양한 대안을 개발하는 데 많은 관심을 가진 반면, 발전행정론은 개발도상국의 국민통합과 국가발전을 위한 행정의 역할을 연구한 이론이다.
③ 신행정학은 논리실증주의적 행태론에 반발하여 설립된 후기 행태주의의 일종이다.
④ 1968년 왈도(Waldo)에 의해 발족된 행정학 연구 집회인 미노브룩(Minnowbrook) 회의를 통해 신행정론이 발표되었다.

답 ②

30 신행정학

ㄷ. 신행정학은 행태주의(실증주의)의 비판에서 출발하여 이론의 현실적 적실성, 사회문제에 대한 처방성 있는 행정학을 강조하였다.
ㄹ. 신행정학은 반실증주의적 연구를 지향하였으며, 고객 중심의 행정, 효율성이 아닌 사회형평을 강조하는 행정을 추구하였다.

선지분석

ㄱ. 신행정학은 효율성이 아닌 약자를 위한 형평성의 가치를 강조하였다.
ㄴ. 실증주의적 연구를 지향하는 행태주의를 비판하며 등장하였다.
ㅁ. 기업식 정부운영은 신공공관리론의 내용이다.

답 ③

31 □□□

2015년 서울시 7급

신행정학의 특징으로 가장 옳지 않은 것은?

① 정치행정일원론보다는 정치행정이원론에 가까운 입장이다.
② 행정학 연구에 있어 적실성을 강조한다.
③ 행정의 고객지향성을 강조한다.
④ 분권화와 참여를 강조한다.

32 □□□

2011년 국가직 9급

신행정학(New Public Administration)에 대한 설명으로 옳지 않은 것은?

① 왈도(Waldo), 마리니(Marini), 프레드릭슨(Frederickson) 등이 주도하였다.
② 기업식 정부운영을 주장하면서 신자유주의적 행정개혁에 앞장섰다.
③ 행태주의의 한계를 지적하면서 가치문제와 처방적 연구를 강조하였다.
④ 고객인 국민의 요구를 중시하는 행정을 강조하고 시민참여의 확대를 주장하였다.

31 신행정학

신행정학은 가치중립적인 행태주의가 사회문제해결에 아무런 도움이 되지 못하였다는 비판이 일자 행정을 사회문제해결, 정책형성, 정책집행으로 인식하여 행정이 적극적으로 사회문제를 해결하기 위해 노력해야 한다고 주장하였다. 이는 행정을 정책형성 과정에서 중요한 역할을 하는 정치 과정의 일부로 인식하고 있기 때문에 정치행정일원론의 입장에 해당한다.

(선지분석)

② 신행정학은 사회문제에 대한 다양한 대안을 개발하는 데 많은 관심을 가지며 사회적 적실성과 처방성을 중시한다.
③, ④ 신행정학은 제퍼슨주의의 영향을 받아서 시민에 대한 대응성, 참여 및 분권화를 강조한다.

답 ①

32 신행정학

기업식 정부운영을 주장하면서 신자유주의적 행정개혁에 앞장선 것은 신행정론 이후 정부실패를 극복하기 위하여 기업형 정부와 시장논리를 강조한 개혁이론에 해당한다. 신행정학은 소외집단에 대한 정의와 형평을 구현하기 위해 정부가 적극적으로 개입하는 복지정책을 강조하였다.

(선지분석)

③ 신행정학은 가치중립적인 행태론이 사회적 불평등을 심화시키는 결과를 초래하였다고 비판하며 가치문제와 형평성, 사회적 적실성, 처방성을 강조하였다.
④ 신행정학은 시민에 의한 행정통제, 시민의 평가와 선택을 중시하고 고객지향성을 강조하였다.

답 ②

THEME 014 공공선택론

33 □□□

2016년 지방직 9급

공공선택론에 대한 설명으로 옳지 않은 것은?

① 공공선택론은 역사적으로 누적 및 형성된 개인의 기득권을 타파하기 위한 접근이다.
② 공공선택론은 공공재의 공급에서 경제학적인 분석도구를 적용한다.
③ 공공선택론에서는 공공서비스를 독점 공급하는 전통적인 정부관료제가 시민의 요구에 민감하게 대응할 수 없는 장치라고 본다.
④ 공공선택론은 공공서비스의 효율적 공급을 위해서 분권화된 조직장치가 필요하다는 입장이다.

34 □□□

2018년 지방직 9급

공공선택이론에 대한 설명으로 옳지 않은 것은?

① 사회의 비시장적인 영역들에 대해서 경제학적 방식으로 연구한다.
② 시민들의 요구와 선호에 민감하게 부응하는 제도 마련으로 민주행정의 구현에도 의의가 있다.
③ 전통적 관료제를 비판하고 그것을 대체할 공공재 공급방식의 도입을 강조한다.
④ 효용극대화를 추구한다는 합리적 개인에 대한 가정은 현실적합성이 높다고 평가받는다.

33 공공선택론

공공선택론은 인간을 합리적·이기적 경제인으로 가정하고 개인이 자신의 선호에 따라 선택하는 것을 전제로 하여 공공부문에 경제학적 관점을 적용한다. 따라서 개인의 기득권을 타파하기 어려운 접근방식이다.

(선지분석)

② 공공선택론은 비시장적 의사결정의 경제학적 연구로서 정치학에 경제학을 응용한 이론이다
③, ④ 공공선택론은 공공서비스의 효율적인 공급을 위해 분권적·중첩적인 제도적 장치와 수익자 대응성을 강조하며, 공공서비스를 독점 공급하는 전통적인 정부관료제는 공공서비스의 공급과 생산에 바람직한 제도적 장치가 되지 못한다고 본다.

답 ①

34 공공선택이론

공공선택이론은 개인을 자기 이익의 극대화를 추구하는 합리적 경제인으로 가정한다. 하지만 합리적 경제인의 가정이 언제나 타당한 것은 아니며 현실적합성이 낮다는 비판을 받는다.

(선지분석)

① 공공선택이론은 공공부문(비시장)의 의사결정 문제를 경제학적 관점에서 분석한다.
② 공공선택이론은 시민을 고객으로 보고, 시민들의 요구와 선호에 부응하여야 한다고 주장한다.
③ 공공선택이론은 공공서비스를 독점 공급하는 전통적 관료제는 시민의 요구에 대응할 수 없는 장치라고 본다.

답 ④

35 □□□

2010년 지방직 7급

공공선택론적 행정학 연구의 특징이 아닌 것은?

① 합리적 경제인으로서의 개인
② 방법론적 개체주의
③ 정치는 합리적 개인들 간의 자발적 교환작용
④ 제도적 장치의 경시

36 □□□

2015년 국회직 8급

공공선택론에 대한 설명으로 옳지 않은 것은?

① 정부를 공공재의 생산자로 규정하며, 시민들을 공공재의 소비자로 규정한다.
② 자유시장의 논리를 공공부문에 도입함으로써 시장실패라는 한계를 안고 있다.
③ 시민 개개인의 선호와 선택을 존중하며 경쟁을 통해 서비스를 생산하고 공급함으로써 행정의 대응성이 높아진다.
④ 뷰캐넌(Buchanan)이 창시하고 오스트롬(Ostrom)이 발전시킨 이론으로 정치학적인 분석도구를 중시한다.
⑤ 개인의 기득권을 계속 유지하려는 보수적인 접근이라는 비판이 있다.

35 공공선택론적 행정학 연구

제도적 장치의 경시는 공공선택론적 행정학의 특징에 해당하지 않는다. 공공선택론은 시장 메커니즘에서와 같이 정부를 공공재의 공급자, 시민을 공공재의 소비자로 간주하고 소비자인 국민이 스스로 선호를 표출하여 공공재를 신택하도록 하는 정치경제학직 집근방법이다. 또한 합리적이고 이기적인 경제인을 인간관으로 전제하고, 연역적·방법론적 개체주의 접근방법을 사용한다.

선지분석

① 공공선택론은 개인이 자기 이익을 중심으로 행동하고 최대효과를 가져오는 대안을 선택하며, 심지어는 관료도 시민이나 나라의 선호체계보다도 자신의 선호체계를 중심으로 공공재를 이용한다고 본다.
② 공공선택론은 개인을 변수로 사회의 효용을 극대화시키는 집합적 선택이론이다.
③ 공공선택론은 정치도 시장경제학적 관점에서 합리적 개인들 간의 자발적 교환작용으로 인식한다.

답 ④

36 공공선택론

뷰캐넌(Buchanan)이 창시하고 오스트롬(Ostrom)이 발전시킨 이론으로 공공부문에 정치학이 아닌 경제학적인 분석도구를 적용한다.

선지분석

① 공공선택론은 시장 메커니즘에서와 같이 정부를 공공재의 공급자, 시민을 공공재의 소비자로 간주하고 소비자인 국민이 스스로 선호를 표출하여 공공재를 선택하도록 하는 정치경제학적 접근방식이다.
② 공공선택론은 시장주의에 입각한 이론으로서 시장실패의 우려가 있다.
⑤ 공공선택론은 인간을 합리적·경제적 인간으로 가정하고 개인이 자신의 선호에 따라 선택하는 것을 전제로 하여 공공부문에 경제학적 관점을 적용하므로, 개인의 기득권을 타파하기 어렵다고 본다.

답 ④

37 □□□

2015년 국회직 9급

다음 중 공공선택론(public choice theory)에 관한 내용으로 가장 옳지 않은 것은?

① 공공선택론은 뷰캐넌(Buchanan), 니스카넨(Niskanen) 등 경제학자들이 발전시켰다.
② 공공선택론에서 분석의 단위는 개인이며, 개인은 자기 이익을 중심으로 행동하는 사람들이다.
③ 공공선택론의 사상적 연원은 정부 서비스 공급에서 시민의 선택을 존중해야 한다는 생각이다.
④ 정부 서비스 일부의 민영화 등은 공공선택론자들의 이론에 큰 영향을 받았다.
⑤ 공공선택론은 지나치게 공평한 재원의 배분만 강조한 나머지 행정의 효율성을 무시한다.

38 □□□

2008년 국가직 7급

행정학의 접근방법에 관한 설명으로 옳지 않은 것은?

① 현상학적 접근방법은 행정현상이란 그 속에 참여하는 사람들의 의식, 생각, 언어, 개념 등으로 구성되며 상호 주관적인 경험으로 이룩되는 것이기 때문에 인간의 주관적 관념, 의식 및 동기 등의 의미를 더 적절하게 다루고 이해할 수 있다는 입장을 취한다.
② 행태론적 접근방법은 행정현상을 관찰 가능한 객관적인 대상으로 보며 인간의 주관이나 의식을 배제하고 행태의 규칙성, 상관성 및 인과성을 경험적으로 입증하고 설명하려 한다.
③ 생태론적 접근방법은 행정현상을 자연적 · 사회적 · 문화적 환경과 관련시켜 이해하려고 하며 행정체제의 개방성을 강조하는 특성을 가지고 있으나 행정환경에 대한 행정의 적극적이고 주체적인 역할을 경시했다는 비판을 받고 있다.
④ 공공선택론적 접근방법은 정부를 공공재의 생산자, 시민을 공공재의 소비자라고 규정하고 서비스의 공급과 생산은 공공부문의 시장경제화를 통해 가능하다고 보기 때문에 방법론적 전체주의 입장을 취한다.

37 공공선택론

공공선택론은 지나치게 행정의 효율성을 강조한 나머지 공평한 재원의 배분을 무시한다.

(선지분석)

① 공공선택론의 주요 연구로 뷰캐넌(Buchanan)과 털록(Tullock)의 비용극소화모형, 니스카넨(Niskanen)의 예산극대화모형 등이 있다.
② 공공선택론은 개인을 분석단위로 하며 사회적 효용 극대화를 중시하기 때문에 정부나 국가를 유기체적 관점으로 보지 않고 개인 선호의 집합체로 인식한다.
③ 공공선택론은 시민 개개인의 선호와 선택을 존중하고 경쟁을 통해 서비스를 생산하며 행정의 대응성을 강조한다.
④ 공공선택론은 공공재의 생산에서 정부와 민간의 다양한 참여자들이 참가한 다원적 공급체계를 선호한다.

답 ⑤

38 행정학의 접근방법

공공선택론적 접근방법은 정부를 공공재의 생산자, 시민을 공공재의 소비자라고 규정하고, 서비스의 공급과 생산은 공공부문의 시장경제화를 통해 가능하다고 보기 때문에 '방법론적 개체주의' 입장을 취한다.

(선지분석)

① 현상학은 후기 행태주의의 일종으로, 행태주의의 논리실증주의에 대한 반발로 등장한 이론이다.
③ 생태론은 초기의 개방이론으로, 행정의 주체성을 경시한 이론이다.

답 ④

39 □□□

2009년 지방직 7급

행정학의 접근방법 중 공공선택론의 특성에 해당하지 않는 것은?

ㄱ. 방법론적 개체주의
ㄴ. 국가의지의 강조
ㄷ. 부서목표의 극대화
ㄹ. 합리적 경제인
ㅁ. 교환으로서의 정치
ㅂ. 예산극대화

① ㄱ, ㄹ
② ㄴ, ㄷ
③ ㄷ, ㅁ
④ ㄷ, ㅂ

40 □□□

2011년 지방직 7급

니스카넨(Niskanen)의 예산극대화모형(budget maximization model)에 대한 설명으로 옳지 않은 것은?

① 정치가는 사회후생의 극대화를 추구한다고 가정한다.
② 정치가는 총편익과 총비용의 차이인 순편익이 최대가 되는 수준에서 공공서비스를 공급하려 한다고 본다.
③ 관료는 자신의 효용을 극대화하려는 합리적 경제인이라고 가정한다.
④ 관료는 한계편익곡선과 한계비용곡선이 교차하는 점에서 공공서비스를 공급하려 한다고 본다.

39 공공선택론의 특성

ㄴ, ㄷ은 공공선택론의 특성에 해당하지 않는다. 공공선택론은 국가의지보다 개인의 의지를 강조하고, 개인을 분석단위로 삼는 방법론적 개체주의 특성이 있다. 또한 부서목표의 극대화가 아니라 합리적이고 이기적인 경제인으로서 개인의 목표극대화를 특성으로 한다.

답 ②

40 예산극대화모형

예산극대화모형에서 관료는 한계비용이 한계편익보다 훨씬 큰 지점까지 생산을 확대하려고 하기 때문에 공공서비스의 과잉공급 문제가 발생한다고 설명한다.

니스카넨(Niskanen)의 예산극대화모형

1. 관료는 자신의 효용을 극대화하기 위하여 예산을 높게 부풀려 과잉공급하므로 정부실패가 발생한다.
2. 관료는 시장에서의 생산자나 소비자와 마찬가지로 부서 전체 예산의 극대화를 추구하는 합리적 경제인으로서 가정한다.
3. 관료와 정치인의 목적함수는 서로 다르다는 것을 전제로 한다.
4. 정치인은 순편익의 극대화를 추구하는 반면 관료는 총편익의 극대화를 추구하게 되면서 관료의 최적수준은 정치인의 최적수준보다 높게 형성되고 공공재는 과잉생산 된다.

답 ④

41 □□□

2016년 국회직 8급

다음 중 던리비(Dunleavy)의 '관청형성모형'에 대한 설명으로 옳지 않은 것은?

① 니스카넨(Niskanen)의 예산극대화모형을 비판한 모형이다.
② 관료들의 효용은 소속 기관이 통제하는 전체 예산액 중 일부분에만 관련된다.
③ 고위직 관료는 금전적 편익보다는 수행하는 업무의 성격과 업무환경에서 오는 효용을 증진시키는 데 더 큰 관심을 갖는다.
④ 합리적 관료들은 소규모의 엘리트 중심적이고, 정치권력의 중심에 접근해 있는 부서에서 참모 기능의 수행을 원한다.
⑤ 통제기관의 경우 예산이 증가할수록 권력이 커지기 때문에 예산을 증액하려는 성향이 높게 나타난다.

42 □□□

2018년 지방직 9급

던리비(Dunleavy)의 관청형성모형에 대한 설명으로 가장 옳은 것은?

① 고위 관료의 선호에 맞지 않는 기능을 민영화나 위탁계약을 통해 지방정부나 준정부기관으로 넘긴다.
② 합리적인 고위직 관료들은 소속기관의 예산극대화를 추구한다.
③ 중하위직 관료는 주로 관청예산의 증대로 이득을 얻는다.
④ 관료들이 정책결정을 할 때 사적 이익보다는 공적 이익을 우선시한다.

41 관청형성모형

던리비(Dunleavy)는 통제기관의 경우에는 예산극대화의 동기가 발생하지 않는다고 보았다.

던리비(Dunleavy)의 관청형성모형

1. 니스카넨(Niskanen)의 모형이 기관과 관료의 유형에 따라 예산증가에 따른 효용이 다르다는 것을 전혀 고려하지 않는다고 비판하며, 합리적인 고위 관료들은 오히려 자신의 효용을 극대화시키기 위해 관청형성의 전략을 구사한다는 모형이다.
2. 합리적인 고위 관료들은 단순히 예산의 증가에만 관심을 갖는 것이 아니라 자신의 효용을 극대화시키기 위하여 소속기관의 유형에 따라 차별적인 전략을 구사한다.
3. 합리적인 고위 관료들은 책임과 통제가 수반되는 일상적 기능 등 자신들의 선호에 맞지 않는 기능은 준정부조직이나 외부(관청)를 통해 형성하고, 권력의 중심에 있는 정책위주의 부서는 참모조직을 선호한다.
4. 니스카넨(Niskanen)의 예산극대화모형 중 관료들이 공적인 결정을 내림에 있어서 자신의 사적이익을 극대화하고자 한다는 가정은 받아들인다.

답 ⑤

42 관청형성모형

던리비(Dunleavy)는 니스카넨(Niskanen)의 예산극대화모형을 비판하고, 합리적인 고위 관료들은 예산극대화동기보다 관청형성동기가 더 강하다고 주장하였다. 즉, 관료들의 합리적 동기는 니스카넨(Niskanen)의 전체 예산을 극대화하는 전략에 의하지 않고, 일상적이고 통제의 대상이 되는 계선이나 집행기능을 책임운영기관 또는 준정부조직 형태로 분리해내거나 소관부서를 소규모 참모적 기관으로 재구성함으로써 계선적 책임으로부터 벗어나고 지출감축과 같은 정책환경변화에도 불리한 영향을 덜 받도록 노력한다.

선지분석

②, ④ 던리비(Dunleavy)의 관청형성모형은 관료들이 사적 이익을 극대화한다는 니스카넨(Niskanen)모형의 가정은 받아들이지만, 고위 관료들이 일률적으로 소속기관의 예산극대화 동기를 갖는다는 점은 비판한다.
③ 중하위직 관료들은 주로 핵심예산의 증가로부터 이익을 얻는 반면에, 고위직 관료들은 주로 핵심예산을 제외한 관청예산의 증대로 이득을 얻는다.

답 ①

43 □□□

2020년 국가직 7급

니스카넨(Niskanen)의 예산극대화 이론과 던리비(Dunleavy)의 관청형성 이론에 대한 설명으로 옳지 않은 것은?

① 니스카넨에 따르면 최적의 서비스 공급 수준은 한계편익과 한계비용이 일치하는 수준에서 결정된다.
② 두 이론 모두 관료를 자신의 이익과 효용을 추구하는 인간으로 가정한다.
③ 던리비에 따르면 관청형성의 전략 중 하나는 내부조직 개편을 통해 정책결정 기능과 수준을 강화하되 일상적이고 번잡스러운 업무는 분리하고 이전하는 것이다.
④ 니스카넨에 따르면 예산극대화 행동은 예산유형과 직위의 관계, 기관유형, 시대적 상황 등의 측면에서 다양하게 나타날 수 있다.

44 □□□

2014년 국가직 9급

예산결정에 대한 공공선택론적 관점의 설명으로 옳은 것은?

① 본질적 문제해결보다는 보수적 방식을 통해 예산의 정치적 합리성이 제고될 수 있다.
② 니스카넨(Niskanen)에 의하면 예산결정에 있어 관료의 최적수준은 정치인의 최적수준보다 낮다.
③ 정치인과 관료들은 개인효용함수에 따라 권력이나 예산규모의 극대화를 추구한다.
④ 재원배분 형태는 장기 균형과 역사적 상황에 따른 단기의 급격한 변화를 반복한다.

43 예산극대화 이론과 관청형성 이론

던리비(Dunleavy)에 따르면 예산극대화 행동은 예산유형과 직위의 관계, 기관유형, 시대적 상황 등의 측면에서 다양하게 나타날 수 있다.

선지분석

① 니스카넨(Niskanen)에 따르면 최적의 서비스 공급 수준은 한계편익과 한계비용이 일치하는 수준에서 결정되지만 관료는 예산극대화의 행대를 보이기 때문에 공공서비스 공급 수준은 총편익과 총비용이 일치하는 수준의 예산을 추구한다.
② 던리비(Dunleavy)는 니스카넨(Niskanen)의 예산극대화 이론이 예산, 관료, 기관의 유형을 구분하지 못하였다고 비판하였으나, 관료를 자신의 이익과 효용을 추구하는 인간으로 가정한 점에 대해서는 동의하였다.
③ 던리비(Dunleavy)의 관청형성 이론에서 고위 관료는 정책결정 기능과 수준을 강화하되, 일상적 업무는 외부 관청 등을 형성하여 분리하고자 한다.

답 ④

44 공공선택론적 관점

공공선택론적 관점은 개인을 합리적 경제인으로 가정하므로 정치인과 관료들은 개인효용함수에 따라 권력이나 예산규모의 극대화를 추구하게 된다.

선지분석

① 점증주의 예산결정방식에 대한 설명이다.
② 니스카넨(Niskanen)에 의하면 정치인의 최적수준은 관료의 최적수준보다 낮다.
④ 역사적 신제도주의에 대한 설명이다.

답 ③

45 □□□

2016년 사회복지직 9급

애로우(Arrow)가 제시한 바람직한 집합적 의사결정방법의 기본조건이 아닌 것은?

① 집단의 선택과정은 합리적이어야 한다.
② 개개인의 선택의 자유가 제한되어서는 안 된다.
③ 어느 누구도 집합적인 선택의 과정에 대해서 결정적인 영향력을 행사해서는 안 된다.
④ 두 대안에 대한 개개인의 선호 순위는 두 대안뿐 아니라 다른 제3의 대안도 고려하여 결정되어야 한다.

46 □□□

2019년 국가직 7급

티부가설(Tiebout Hypothesis)의 가정이 아닌 것은?

① 다수의 이질적인 지방정부가 존재한다.
② 주민들은 지방정부가 제공하는 서비스의 정보를 완전히 알고 있다.
③ 지방공공재는 외부효과가 존재한다.
④ 개인들은 자유롭게 다른 지역으로 이주할 수 있다.

45 집합적 의사결정방법

애로우(Arrow)의 불가능성 정리에서 독립성의 원리에 의하면 개인의 선택은 두 대안에 대한 선호에만 영향을 받아야 하고, 비교대상과 무관한 제3의 대안에 대한 개인의 선호순위 변화는 비교대상 순위에 영향을 주어서는 안 된다고 가정한다.

애로우(Arrow)의 불가능성 정리

파레토 원칙	사회의 모든 구성원이 A대안보다 B대안을 선호한다면, 여기서 도출되는 사회선호도 A대안보다 B대안이어야 한다는 원칙
이행성의 원리	A > B이고 B > C이면, A > C가 되어야 한다는 원리
독립성의 원리	제3의 대안은 개인의 선호 순위에 영향을 주어서는 안 된다는 원리
비독재성의 원리	사회의 어느 한 구성원의 선호가 사회 전체의 선호를 좌우해서는 안 된다는 원리
선호의 비제한성의 원리	자기가 선호하는 대안을 충분히 고려하고 선택할 수 있는 자유가 보장되어야 한다는 원리

답 ④

46 티부가설

티부가설은 지방공공재는 외부효과가 존재하지 않는다고 가정한다. 즉, 어떠한 지방정부가 공급하는 공공재는 그 지방정부의 주민에게만 공급된다고 가정한다.

티부가설의 전제조건

완전한 정보	지방정부가 제공하는 정책에 대한 모든 정보가 주민에게 공개되어 주민이 그 내용을 알 수 있어야 함
완전한 이동성	시민들은 자신의 선호에 맞는 지방정부로 자유롭게 이동할 수 있어야 함
외부효과 부존재	외부경제나 외부불경제가 존재하지 않아, 한 지방의 정부가 제공하는 서비스는 다른 지역이 아닌 그 지역주민의 후생에만 영향을 미쳐야 함
규모의 경제 부존재	규모의 경제가 존재하게 되면 지방정부의 규모에 따라 경쟁체제가 성립될 수 없으므로 규모의 경제가 존재하지 않아야 함
다수의 지방정부	서로 다른 정책을 추구하고, 서비스를 제공하는 많은 수의 지방정부가 존재해야 함
최적규모의 추구	모든 지방정부는 최적규모를 추구해야 함

답 ③

47 □□□

2016년 국가직 9급

티부(Tiebout)모형의 가정(assumptions)으로 옳지 않은 것은?

① 충분히 많은 수의 지방정부가 존재한다.
② 공급되는 공공서비스는 지방정부 간에 파급효과 및 외부 효과를 발생시킨다.
③ 주민들은 언제나 자유롭게 이동할 수 있다.
④ 주민들은 지방정부들의 세입과 지출 패턴에 관하여 완전히 알고 있다.

48 □□□

2012년 지방직 7급

티부(Tiebout)의 '발로 하는 투표(voting with feet)'가설에 대한 설명으로 옳지 않은 것은?

① 주민의 자유로운 이동을 전제로 한다.
② 분권화된 체제에서 효율적인 자원배분이 이루어진다.
③ 지방자치단체의 주된 재원은 지방소비세가 되어야 한다.
④ 지역재정프로그램의 혜택은 그 지역주민만이 누릴 수 있어야 한다.

47 티부가설

티부(Tiebout)의 모형에서 공공서비스는 지방정부 간에 파급효과 및 외부효과를 발생시키지 않는다고 전제한다. 외부효과가 발생하게 되면 지역 간 이동의 필요성이 낮아지기 때문이다.

선지분석

① 다수의 지방정부가 존재한다고 전제한다.
③ 주민들이 자신의 선호에 맞는 지방정부로 자유롭게 이동할 수 있어야 한다고 전제한다.
④ 지방정부가 제공하는 정책에 대한 모든 정보가 공개되어 주민이 알 수 있어야 한다고 전제한다.

답 ②

48 티부가설

티부가설은 주민들의 자유로운 선호에 의해 도시의 적정공급규모가 결정된다는 이론이다. '발로 하는 투표'는 주민들이 지방정부를 자유롭게 이동할 수 있다는 전제하에 지방정부가 독자적으로 결정을 내리는 분권화된 체제가 지방공공자원의 효율적 배분을 가져온다는 것으로, 지방자치단체의 당위성을 강조한다. 티부가설에서 지방정부의 재원은 주택을 소유한 그 지역주민들이 납부하는 재산세로 충당하는 것이 바람직하다고 본다.

선지분석

① 주민들은 비용이나 시간 등의 제약 없이 지방정부를 자유롭게 이동할 수 있어야 한다.
② 티부가설은 중앙집권적 정부의 정치적 판단이 지방에서의 자원배분의 효율화를 기할 수 있다는 주장에 대한 반발로, 분권화된 체제에서 효율적 자원배분이 이루어진다고 주장한다.
④ 티부가설은 외부효과가 존재하지 않음을 전제하므로, 지역재정프로그램의 혜택은 그 지역주민만이 누릴 수 있어야 한다고 본다.

답 ③

49 □□□

2017년 지방직 7급

다음과 같은 비판이 제기되고 있는 행정학의 접근방법은?

> • 인간은 경제적 이해관계로만 움직이지 않는다.
> • 정부활동의 성과를 지나치게 시장적 가치로 환원하려는 경향이 있다.

① 생태론적 접근방법
② 현상학적 접근방법
③ 공공선택론적 접근방법
④ 체제론적 접근방법

50 □□□

2016년 서울시 7급

공공선택론에 대한 비판적 시각으로 가장 적절하지 않은 것은?

① 행정은 가치중립적인 것이며 정치의 영역 밖에 있다고 가정하는데, 이는 현실적합성이 매우 떨어진다.
② 시민과 기업의 참여를 통한 서비스의 공동공급을 주장하지만, 이는 실현 불가능한 이상향에 가깝다.
③ 현실세계가 효용극대화를 추구하고 있으며 합리적인 개인들로 구성되어 있다고 가정하는데, 이는 현실적이지 못하다.
④ 자유경쟁시장의 논리를 공공부문에 도입하고자 하는데, 그 논리 자체가 현상유지와 균형이론에 집착하는 것이며 시장실패라는 고유한 한계 또한 가지고 있다.

49 공공선택론적 접근방법

제시문은 공공선택론적 접근방법에 대한 설명이다. 공공선택론은 비시장적 의사결정의 경제학적 연구로서 정치학에 경제학을 응용한 이론이다. 따라서 지나치게 시장주의에 입각하여 정부활동의 특수성을 무시하고, 합리적 경제인에 대한 가정이 편향적이라는 비판이 있다.

(선지분석)

① 생태론적 접근방법은 환경에 대한 행정의 영향을 간과하고, 엘리트의 역할을 과소평가하며 행정이 추구해야 하는 목표나 방향 제시가 미숙하다는 한계가 있다.
② 현상학적 접근방법은 철학의 범주를 벗어나기 어렵고 경험적으로 증명할 수 있는 가설을 제시하지 못하며, 지나치게 미시적인 연구로 인해 조직의 전체성과 고유의 특성을 파악하지 못한다는 한계가 있다.
④ 체제론적 접근방법은 개발도상국 행정에는 적용이 어렵고 미시적·행태적 측면을 간과하였으며, 근본적으로 균형성을 강조하여 보수적·현상유지적 성격을 가지므로 급격한 변화나 혁신을 설명하지 못한다는 한계가 있다.

답 ③

50 공공선택론

시민과 기업의 참여를 통한 서비스의 공동공급을 주장하는 것은 신공공서비스론의 특징에 해당한다. 공공선택론은 정부와 기업의 경쟁을 통해 서비스의 생산과 공급을 유도하는 정치경제학적 접근방법이다.

(선지분석)

① 현실에서 행정은 정치와 매우 긴밀한 관계를 맺고 있기 때문에 이러한 가정은 현실적합성이 매우 떨어진다.
③ 현실에서는 모든 영역이 효용극대화를 추구하는 것은 아니며, 개인들도 항상 합리적인 판단과 선택을 하는 것은 아니므로 이러한 가정은 비현실적이다.
④ 자유경쟁시장의 논리 자체가 현상유지와 균형이론에 집착하여 기득권을 옹호할 우려가 있으며, 자유경쟁시장 논리는 시장실패를 야기할 수도 있다.

답 ②

51 □□□ 2020년 국가직 9급

행정학의 접근방법에 대한 설명으로 옳은 것은?

① 법적 · 제도적 접근방법은 개인이나 집단의 속성과 행태를 행정 현상의 설명변수로 규정한다.
② 신제도주의 접근방법에서는 제도를 공식적인 구조나 조직 등에 한정하지 않고, 비공식적인 규범 등도 포함한다.
③ 후기 행태주의 접근방법은 행정을 자연 · 문화적 환경과 관련하여 이해하면서 행정체제의 개방성을 강조한다.
④ 톨민(Toulmin)의 논변적 접근방법은 환경을 포함하여 거시적인 관점에서 행정 현상을 분석하고, 확실성을 지닌 법칙 발견을 강조한다.

51 행정학의 접근방법

신제도주의 접근방법에서는 제도를 공식적인 구조나 조직 등에 한정하지 않고, 제도의 개념을 비공식적인 규범, 규칙, 사회현상 등으로 폭넓게 이해한다.

(선지분석)
① 법적·제도적 접근방법은 공식적인 법률과 제도 등에만 주목하고, 개인이나 집단의 속성과 행태를 경시한다.
③ 행정을 자연·문화적 환경과 관련하여 이해하면서 행정체제의 개방성을 강조하는 이론은 생태주의적 접근방법이다. 후기 행태주의 접근방법은 행태주의에 대한 비판적 시각에서 부상한 이론이다.
④ 논변적 접근방법은 행정 현상과 같은 가치 측면의 규범성을 연구하고 논리적으로 접근하는 담론적·민주적인 접근방법이다.

답 ②

52 □□□ 2020년 서울시 9급

행정학의 접근방법에 대한 설명으로 가장 옳지 않은 것은?

① 행태론적 접근방법은 과학적 방법의 적용을 강조한다.
② 체제론적 접근방법은 환경의 영향을 중시한다.
③ 사회학적 제도주의는 신제도주의에서 제도의 개념을 가장 좁게 해석한다.
④ 논변적 접근방법은 결정에 대한 주장을 정당화할 수 있도록 논거를 전개할 수 있는 모형을 제공한다.

52 행정학의 접근방법

사회학적 제도주의는 규칙, 절차, 관습 등을 포함하는 사회 전체의 규범을 모두 제도로 인식하므로 합리적 선택 신제도주의, 역사적 신제도주의, 사회학적 신제도주의 세 가지 중 제도의 개념을 가장 넓게 해석한다.

(선지분석)
① 행태론적 접근방법은 자연과학적, 논리실증주의적 적용을 강조한다.
② 체제론적 접근방법은 조직을 상호작용하는 여러 구성요소들로 이루어진 유기적 복합체로 인식하고, 체제에 영향을 미치는 환경을 중시한다.
④ 논변적 접근방법은 의사결정을 뒷받침할 근거가 되는 논거를 전개할 수 있는 모형을 제공한다.

답 ③

THEME 015 신제도주의

53 □□□

2020년 국가직 7급

신제도주의의 유형과 그 특징을 바르게 연결한 것은?

	합리적 선택 제도주의	역사적 제도주의	사회학적 제도주의
①	중범위 수준 제도분석	제도동형성	경로의존성
②	거래비용	경로의존성	제도동형성
③	전략적 상호작용	중범위 수준 제도분석	거래비용
④	경로의존성	전략적 상호작용	중범위 수준 제도분석

54 □□□

2019년 지방직 7급

신제도주의의 주요 분파에 대한 설명으로 옳은 것은?

① 합리적 선택 제도주의는 개인이 합리적이며 선호는 제도와 밀접하게 연관되어 변화하는 것으로 가정한다.
② 사회학적 제도주의는 제도의 변화과정을 설명할 때 경로의존성을 강조하며, 제도의 운영 및 발전과 관련하여 권력의 비대칭성에 초점을 맞춘다.
③ 역사적 제도주의는 중범위적 제도 변수가 개별 행위자의 행동과 정치적 결과를 어떻게 연계시키는지에 대해 초점을 맞춘다.
④ 사회학적 제도주의는 사회적 딜레마를 해결하기 위해 사람들이 스스로 만드는 게임의 규칙을 제도로 본다.

53 신제도주의

합리적 선택 제도주의는 제도의 발생을 거래비용을 절감하기 위한 것으로 보았고, 역사적 제도주의는 제도의 경로의존성을 중시하였다. 사회학적 제도주의는 제도는 동시대의 사회 내 정당성을 인정받은 주요 제도로 동형화가 이루어진다고 보았다.

선지분석

① 중범위 수준 제도분석은 역사적 제도주의의 특징이고, 제도동형성은 사회학적 제도주의, 경로의존성은 역사적 제도주의의 특징이다.
③ 제도를 거래비용을 절감하기 위한 장치로 파악한 것은 합리적 선택 제도주의이다.
④ 경로의존성은 역사적 제도주의, 전략적 상호작용은 합리적 선택 제도주의의 특징이다.

답 ②

54 신제도주의의 주요 분파

역사적 제도주의는 중범위 수준의 제도 연구를 통하여 제도가 개별 행위자의 행동과 정치적 결과로서의 국가의 체제를 어떻게 연계시키는지에 대해 초점을 맞춘다.

선지분석

① 합리적 선택 제도주의는 선호는 외생적으로 형성되므로 변화하지 않는다고 가정한다.
② 역사학적 제도주의는 제도의 변화과정을 설명할 때 경로의존성을 강조하며, 제도의 운영 및 발전과 관련하여 권력의 비대칭성에 초점을 맞춘다.
④ 합리적 선택 제도주의는 사회적 딜레마를 해결하기 위해 사람들이 스스로 만드는 게임의 규칙을 제도로 본다.

답 ③

55 □□□

2015년 사회복지직 9급

신제도주의에 대한 설명으로 옳은 것은?

① 비공식적인 제도나 규범도 넓은 의미에서 '제도'로 규정한다.
② 행태주의적 접근방법을 지지한다.
③ 역사적 신제도주의는 분석수준 면에서 방법론적 개체주의의 입장을 취한다.
④ 사회학적 신제도주의는 다양한 요인들이 결합되는 역사적 우연성과 맥락을 중시한다.

56 □□□

2014년 국가직 7급

신제도주의이론에 대한 설명으로 옳지 않은 것은?

① 역사적 제도주의에서는 제도의 경로의존성(path dependency)을 강조한다.
② 신제도주의는 이론적 배경을 달리하는 역사적 제도주의, 합리적 선택이론, 사회학적 제도주의 등으로 구별된다.
③ 신제도주의는 기존의 행태주의가 시대별 정책적 차이나 다양성을 설명하지 못하는 한계를 가지고 있다는 점에 주목한다.
④ 구제도주의와 신제도주의의 공통점은 제도의 개념을 동태적인 것으로 파악하면서, 국가 간 차이에 대한 설명을 시도하는 것이다.

55 신제도주의

신제도주의에서는 비공식적인 제도나 규범도 넓은 의미에서 '제도'로 규정한다. 반면 구제도주의에서는 제도를 공식적인 통치제제나 법 구조, 행정조직에 한정한다.

선지분석

② 신제도주의는 인간을 연구할 때 가치문제가 배제된 사실문제에 치중하는 행태주의에 대한 반작용으로 등장하였다.
③ 역사적 신제도주의는 분석수준의 면에서 방법론적 전체주의의 입장을 취한다.
④ 다양한 요인들이 결합되는 역사적 우연성과 맥락을 중시하는 것은 사회학적 신제도주의가 아니라 역사적 신제도주의이다.

답 ①

56 신제도주의

제도의 개념을 동태적인 것으로 파악하면서, 국가 간 차이에 대한 설명을 시도하는 것은 신제도주의만의 특징이다. 구제도주의는 개별 제도에 대한 정태적인 분석방법을 취한다.

구제도주의와 신제도주의 비교

구분	구제도주의	신제도주의
제도의 개념	법, 통치체제, 행정조직 등 공식적인 측면을 제도로 봄	공식적 측면뿐만 아니라 규범이나 관습 등 비공식적 측면까지도 제도로 봄
분석방법	개별 제도의 정태적 분석	다양한 제도적 요소들에 대한 동태적 분석
연구방법	거시적 접근	거시와 미시의 연계
제도의 특징	제도는 외생적이고, 행위자에 일방적 영향을 미친다고 인식 (제도만의 연구)	제도와 행위자 간의 상호 영향력 인정 (제도와 행위자의 동시연구)

답 ④

57 □□□

2014년 국회직 8급

다음 중 신제도주의에 대한 설명으로 옳지 않은 것은?

① 제도는 공식적 · 비공식적 제도를 모두 포괄한다.
② 개인의 선호는 제도에 의해서 제약이 되지만 제도가 개인들 간의 상호작용의 결과에 의해서 변화할 수도 있다고 본다.
③ 역사적 제도주의는 경로의존성에 의한 정책선택의 제약을 인정한다.
④ 사회학적 제도주의에서 제도는 개인들 간의 선택적 균형에 기반한 제도적 동형화 과정의 결과물로 본다.
⑤ 합리적 선택 제도주의는 개인의 합리적 선택과 전략적 의도가 제도 변화를 발생시킨다고 본다.

58 □□□

2012년 지방직 7급

행정학의 접근방법 중 신제도주의에 대한 설명으로 옳지 않은 것은?

① 제도가 수행하는 기능, 제도와 개인행태 사이의 관계, 제도의 성립과 변화를 설명한다.
② 행태주의에 대한 반발로서 등장하였다.
③ 법과 공식적인 제도에 대한 정태적 서술에 초점을 두고 있다.
④ 역사적 제도주의는 정치행위자를 합리적 극대화론자라기보다는 규칙을 준수하는 만족화주의자(satisficer)로 본다.

57 신제도주의

제도를 개인들 간의 선택적 균형에 기반한 결과물로 본 것은 합리적 선택 제도주의이다. 사회학적 제도주의에서는 제도를 제도적 동형화 과정의 결과물로 인식한다. 따라서 사회학적 제도주의는 사회문화적 환경에 의해 형성된 제도가 개인의 선호에 영향을 미친다고 주장한다.

신제도주의 접근방법

구분	합리적 선택 신제도주의	역사적 신제도주의	사회학적 신제도주의
제도의 개념	전략적 행위로 인한 균형점	역사적 맥락과 지속성의 산물	사회·문화적인 관행과 규범들
선호 형성	외생적 형성	내생적 형성	내생적 형성
제도의 측면	공식적 측면 강조	공식적 측면 강조	비공식적 측면 강조
제도의 변화	경제적 분석	외부적인 충격(단절적 균형)	동형화의 논리, 적절성의 논리
접근법	연역적, 방법론적 개체주의	귀납적(사례연구), 방법론적 전체주의	귀납적(경험적), 방법론적 전체주의

답 ④

58 신제도주의

구제도주의는 제도의 공식적 측면에 초점을 두었기 때문에 제도의 비공식적 측면을 간과하여, 제도를 둘러싼 역동적 관계와 제도 이면의 동태적 측면을 설명하지 못한다는 한계가 있다. 반면 신제도주의는 제도의 개념을 규범, 규칙, 사회현상으로 폭넓게 이해하고, 환경과의 상호작용을 통해 제도와 행위자 간의 상호작용과 제도의 영향력을 연구하는 동태적인 접근방법을 가진다.

선지분석

①, ② 신제도주의는 구제도주의와 행태주의의 한계를 극복하여, 제도가 수행하는 기능, 제도와 개인행태 사이의 관계, 제도의 성립과 변화를 설명하는 거시적 접근과 미시적 접근이 결합된 이론이다.
④ 역사적 제도주의는 합리적 제도주의의 입장인 합리적 극대화론을 부정하며, 정치행위자란 시간의 흐름 속에서 제도 및 형성에 기여하게 되고 그렇게 형성된 제도와 규칙을 준수하는 만족화주의자라고 본다.

답 ③

59 □□□

2013년 지방직 7급

신제도주의이론에 대한 설명으로 옳지 않은 것은?

① 신제도주의는 원자화된 개인이 아니라 제도라는 맥락 속에서 전개되는 개인 행위에 초점을 맞춘다.
② 신제도주의에서 제도는 독립변수일 수도 있고 종속변수일 수도 있다.
③ 합리적 선택 신제도주의에 의하면 행위자의 선호는 개인들 간 상호작용을 통해 형성된다.
④ 역사적 신제도주의는 전체주의(holism) 입장을 취하며 주로 중범위 수준에서 분석을 수행한다.

60 □□□

2012년 국회직 8급

신제도주의(new institutionalism)에 관한 설명으로 옳지 않은 것은?

① 합리적 선택 신제도주의는 방법론적으로 개인주의에 기초하고 있다.
② 역사적 신제도주의는 제도의 지속성을 강조하고 제도에 의해 의도되지 않은 결과를 비효율적이라고 본다.
③ 사회학적 신제도주의는 제도 간 동형화(isomorphism)를 인정한다.
④ 구제도주의는 유형화된 제도들만을 인정했으나, 신제도주의는 무형화된 제도까지도 포함한다.
⑤ 경로의존성 연구는 행위자, 제도 및 조직 간의 질서를 중시하는 사회학적 신제도주의에서 비롯되었다.

59 신제도주의

합리적 선택 신제도주의는 자기 이익을 추구하는 인간은 고정된 선호를 극대화하기 위하여 제도를 형성하지만, 한편으로는 제도의 변화로 인해 개인의 선택이나 행동이 달라지는 등 제도의 영향력도 인정하는 이론이다. 하지만 제도는 선호 형성에 대해서는 아무런 역할을 하지 않으며, 개인의 선호는 제도와 무관하게 외생적으로 주어진 것으로서 행위자 개인의 전략적 판단에 의해 형성되는 것으로 본다.

선지분석

① 신제도주의는 행태주의의 개체적 접근방법으로의 원자화된 개인에 대한 관점을 부정하고, 개인의 행위는 제도라는 맥락 속에서 이루어진다고 본다.
② 신제도주의에서 제도는 스스로 변화하는 독립변수일 수도 있고, 정치행위자들의 행동에 영향을 받는 종속변수일 수도 있다.
④ 합리적 신제도주의는 개체주의적 입장을 취하는 반면, 역사적 신제도주의와 사회학적 신제도주의는 전체주의 입장을 취한다. 또한 역사적 신제도주의는 제도의 변화 등을 종단분석을 중시하며, 제도의 변화 등의 연구에 초점을 맞추는 중범위 수준의 분석을 수행한다.

답 ③

60 신제도주의

경로의존성(path-dependence)은 과거의 선택이 일정한 경로를 지속하게 하며 새로운 제도의 형태를 제약한다는 것으로서 역사적 신제도주의의 특징에 해당한다.

선지분석

① 합리적 선택 신제도주의는 분석수준 면에서 방법론적 개체주의의 입장을 취한다.
② 역사적 신제도주의는 동일한 상황에도 국가 간 추진하는 정책의 차이점과 정책의 효과가 왜 다르게 나타나는지, 또한 제도가 형성된 역사적 과정과 형성된 제도의 지속성을 중시한다.
③ 제도 간 동형화(isomorphism)는 처음에는 다른 형태로 출발한 제도라고 하더라도 국가나 조직의 경계를 넘어 점차 유사한 형태로 수렴하게 되는 것을 의미하며, 사회학적 신제도주의의 특징에 해당한다.
④ 구제도주의는 법, 통치체제, 행정조직 등 공식적인 측면을 제도로 보았지만, 신제도주의는 공식적 측면뿐만 아니라 규범이나 관습 등 비공식적 측면까지도 제도로 보았다.

답 ⑤

61 □□□

2015년 지방직 9급

역사적 신제도주의의 특징으로 옳지 않은 것은?

① 행정기관, 의회, 대통령, 법원 등 유형적인 개별 정치제도가 주된 연구대상이다.

② 제도를 이해하는 데 있어 역사적 · 사회적 맥락의 중요성을 강조한다.

③ 제도가 형성되면 안정성과 경로의존성을 갖는다고 본다.

④ 제도란 공식적 법규범뿐만 비공식적 절차, 관례, 관습 등을 포함한다.

62 □□□

2020년 지방직 7급

사회학적 신제도주의에 대한 설명으로 옳지 않은 것은?

① 개인의 행위는 고립된 상태에서 선택되는 것이 아니라 사회관계에 의하여 영향을 받는다는 의미에서 '배태성'이라는 개념을 사용하였다.

② 조직들이 시장의 압력 속에서 생존하기 위해 경쟁력 있는 조직행태나 조직관리기법을 합리적으로 선택하는 것은 규범적 동형화의 예이다.

③ 정부의 규제정책에 따라 기업들이 오염방지장치를 도입하거나 장애인 고용을 확대하는 것은 강압적 동형화의 예이다.

④ 정부의 제도개혁에 선진국의 제도를 도입하여 적용하는 것은 모방적 동형화의 예이다.

61 역사적 신제도주의

역사적 신제도주의는 유형적인 개별 정치제도를 연구대상으로 삼지 않는다. 행정기관, 의회, 대통령, 법원 등 유형적인 개별 정치제도를 주된 연구대상으로 삼는 것은 구제도주의에 대한 설명이다.

역사적 신제도주의의 특징

구분	내용
선호의 내생성	개인들의 선호가 제도적 맥락에 의하여 제도 내에서 형성된다고 봄
방법론적 전체주의	정책을 개별적인 행위들의 합이 아니라, 전체로서의 실체로 파악함
독립변수이자 종속변수로서의 제도	제도가 개인과 집단의 행위를 제약하기도 하고, 개인과 집단의 행위에 의해 제도가 형성되며 변화의 과정을 거치기도 함
다양성과 맥락성	다양한 요인들이 결합되는 역사적 맥락을 중시함
경로의존성 (path-dependence)	과거의 선택이 일정한 경로를 지속하게하며 새로운 제도의 형태를 제약한다는 경로의존성을 강조함

답 ①

62 사회학적 신제도주의

조직들이 시장의 압력 속에서 생존하기 위해 경쟁력 있는 조직행태나 조직관리기법을 합리적으로 선택하는 것은 합리적 선택 신제도주의이다.

선지분석

① 사회학적 신제도주의에 따르면 개인의 행위는 고립된 상태에서 선택되는 것이 아니라 사회관계에 의하여 영향을 받는다는 의미에서, 개인의 행위는 사회 속에서 배태된다는 의미의 '배태성'이라는 개념을 사용하였다.

③ 정부의 규제정책에 따라 기업들이 오염방지장치를 도입하거나 장애인 고용을 확대하는 것은 정부의 규제정책에 강제당하는 강압적 동형화의 예이다.

④ 정부의 제도개혁에 선진국의 제도를 도입하여 적용하는 것은 선진국의 제도를 모방하는 모방적 동형화의 사례이다.

답 ②

63 □□□

2017년 사회복지직 9급

신제도주의에 대한 설명 중 가장 옳은 것은?

① 합리적 선택 제도주의는 방법론적 전체주의 입장에서 제도를 개인으로 환원시키지 않고 제도 그 자체를 전체로서 이해함을 강조한다.
② 역사적 제도주의는 선진 제도 학습에 따른 제도의 동형화를 강조한다.
③ 사회학적 제도주의는 기존 경로를 유지하려는 제도의 속성을 강조한다.
④ 사회학적 제도주의는 조직 구성원이 제도를 넘어선 효용극대화의 합리성에 따라 행동하기보다 주어진 제도 안에서 적합한 방식을 찾아 행동할 가능성이 높음을 강조한다.

64 □□□

2015년 서울시 9급

신제도주의에 대한 다음 설명 중 가장 옳지 않은 것은?

① 신제도주의는 행태주의에서 규명하고자 했던 개인의 선호체계와 행위결과 간의 직선적 인과관계에 의문을 제기한다.
② 합리적 선택 신제도주의 계열에는 거래비용경제학, 공공선택이론, 공유재이론 등이 있다.
③ 사회학적 신제도주의는 경제적 효율성이 아니라 사회적 정당성 때문에 새로운 제도적 관행이 채택된다고 주장한다.
④ 역사적 신제도주의는 경로의존적인 사회적 인과관계를 강조하므로 특정 제도가 급격한 변화에 의해 중단될 수 있는 가능성을 부정한다.

63 신제도주의

사회학적 제도주의는 사회문화나 제도에 부합하고자 조직 구성원이 사회적 정당성에 따라 주어진 제도 안에서 적합한 방식을 찾아 행동할 가능성이 높음을 강조한다. 조직 구성원이 제도를 넘어선 효용극대화의 합리성에 따라 행동한다고 보는 것은 합리적 선택 제도주의이다.

선지분석

① 합리적 선택 제도주의는 방법론적 개체주의 입장에서 제도를 개인으로 환원하여 본다.
② 제도의 동형화를 강조하는 것은 역사적 제도주의가 아니라 사회학적 제도주의이다.
③ 경로의존성과 제도의 지속성을 강조하는 것은 사회학적 제도주의가 아니라 역사적 제도주의이다.

답 ④

64 신제도주의

역사적 신제도주의는 경로의존적인 사회적 인과관계를 강조하지만, 특정 제도가 외부적인 충격이나 급격한 변화에 의해 중단될 수 있는 가능성도 인정한다.

선지분석

① 신제도주의는 행태주의에서 규명하고자 했던 개인의 선호체계와 행위결과 간의 직선적·단선적 인과관계를 부정하며, 개인의 선호체계가 제도의 영향력으로 인하여 상이한 행위결과를 가져올 수 있다고 본다.
② 합리적 선택 신제도주의는 합리적 행위자를 전제하며, 행위자의 선호는 외생불변한다고 보는 경제학적 선호와 인간관을 전제한다.
③ 사회학적 신제도주의에서 새로운 제도적 관행은 합리적이고 경제적인 판단에 근거한 효율성 때문에 채택되는 것이 아니라, 사회적으로 인정받을 수 있는 정당성 때문에 채택된다고 주장한다.

답 ④

65 □□□

2017년 지방직 9급(6월 시행)

조직의 배태성(embeddedness)과 제도적 동형화(isomorphism)에 대한 설명으로 옳지 않은 것은?

① 조직 배태성의 특징은 조직 구성원들이 정당성보다 경제적 이익을 추구하는 행위를 하려는 것이다.
② 조직의 제도적 동형화는 특정 조직이 환경에 있는 다른 조직을 닮는 것을 말한다.
③ 제도적 동형화에는 강압적 동형화, 모방적 동형화, 규범적 동형화 등이 있다.
④ 제도적으로 조직이 동형화될 경우 조직이 교란되는 것을 막을 수 있다.

THEME 016 후기 행태론적 접근방법

66 □□□

2012년 국가직 7급

현상학적 접근방법의 주요 내용으로 적절하지 않은 것은?

① 인간의 의도된 행위와 표출된 행위를 구별하고, 관심 분야는 의도된 행위에 두어야 한다.
② 조직 내외에 있는 인간들은 자신의 행위나 다른 사람들의 행위에 의미를 부여함으로써 조직을 설계한다.
③ 객관적 존재의 서술을 위해서는 현상을 분해하여 분석할 필요가 있다.
④ 조직의 중요성은 겉으로 나타난 구조성에 있는 것이 아니라 그 안에 있는 가치, 의미 및 행동에 있다.

65 조직의 배태성과 제도적 동형화

조직의 배태성(embeddedness)이란 개인이 자신의 이익을 위하여 제도를 선택하는 것이 아니라, 제도에 의하여 자신의 선호가 결정되고 이에 따라 행동하는 것을 뜻한다. 따라서 조직의 배태성의 특징은 구성원들이 경제적 이익의 추구보다는 사회적 정당성에 따라 행동하려는 것이다.

(선지분석)

②, ③, ④ 사회학적 신제도주의에 대한 설명이다.

답 ①

66 현상학적 접근방법

현상학은 겉으로 표현된 '행태(behavior)'가 아닌, 주관적 의지를 내포하고 있는 '행위(action)'를 중시하는 주관주의 이론으로서, 외면적인 인간행태에 대한 인과적 설명에 치우친 행태주의와 실증주의를 비판하는 이론이다. 특히 인간의 의식 또는 마음이 빠진 객관적 존재의 서술을 인정하지 않으며, 현상을 분해하여 분석하는 실증주의를 반대하고 현상을 본질적인 그 전체로 파악해야 한다는 입장이다.

현상학의 특징

구분	내용
유명론	인간의 의식과 행위 그 자체를 중시하는 유명론의 입장
반실증주의	현상을 분해하여 분석하는 실증주의에 반대하고, 현상을 본질적인 전체로 파악해야 한다는 입장
자발론, 주의주의	인간을 자유의지를 가진 적극적이고 자율적인 존재로 파악함
개별사례 중심	행위자의 의지와 동기를 중시하므로 개별사례 중심으로 연구하는 방법을 추구함
상호주관성(간주관성) 강조	현상학은 사회현상 또는 사회적 실재가 자연현상처럼 사람과 동떨어진 객체로 존재하는 것이 아니라, 사람들의 상호주관적인 경험으로 이루어진다고 강조함

답 ③

67 □□□

2010년 지방직 7급

현상학적 접근방법에 대한 설명으로 옳은 것을 모두 고른 것은?

ㄱ. 행정현상의 본질, 인간인식의 특성, 이론의 성격 등 사회과학 연구의 본질적 문제에 대해 실증주의와 행태주의적 연구방법에 반대한다.
ㄴ. 진리의 기준을 맥락 의존적인 것으로 보며, 상상·해체·영역해체·타자성 등의 핵심개념을 포함하고 있다.
ㄷ. 사회현상 또는 사회적 실재란 자연현상처럼 사람과 동떨어진 객체로 존재하는 것이 아니라, 사람들의 상호 주관적인 경험으로 이루어진다.
ㄹ. 복잡한 미래 사회에서 정부의 방향잡기 역할이 어렵거나 불가능하기 때문에 행정의 역할은 서비스를 제공해야 하는 데 있음을 강조한다.

① ㄱ, ㄴ
② ㄱ, ㄷ
③ ㄴ, ㄹ
④ ㄷ, ㄹ

68 □□□

2018년 서울시 9급

포스트모더니즘에 기초한 행정이론의 특징으로 가장 옳지 않은 것은?

① 맥락의존적인 진리를 거부한다.
② 타자에 대한 대상화를 거부한다.
③ 고유한 이론의 영역을 거부한다.
④ 지배를 야기하는 권력을 거부한다.

67 현상학적 접근방법

ㄱ. 현상학은 행태주의에 반발한 후기 행태주의의 일종이다.
ㄷ. 현상학은 사회현상을 이해하는 데 있어 상호 주관성(간주관성)을 중시한다.

선지분석

ㄴ. 포스트모더니즘에 대한 설명이다. 현상학적 접근방법은 자신의 상상과 판단기준을 배제하고 현상을 있는 그대로 직관적으로 파악하여 본질을 규명하는 것이다.
ㄹ. 신공공서비스론에 대한 설명이다. 신공공서비스론은 신공공관리론을 비판하면서 행정의 역할을 서비스 제공에 초점을 맞추었다.

답 ②

68 포스트모더니즘

포스트모더니즘에 기초한 행정이론은 시공을 초월하여 적용되는 보편적인 진리가 아닌 시대와 상황에 따라 적용되고 진리가 다르다는 맥락의존적인 특징을 가진다.

포스트모더니즘 행정이론의 지적 특징

1. 구성주의: 객관주의를 배척하고 구성주의와 내면주의를 지지한다.
2. 상대주의적 세계관: 절대주의와 보편주의를 비판한다.
3. 해방주의: 조직과 사회적 구조의 지시·권력으로부터 해방된다.
4. 행동과 과정을 중시한다.

답 ①

69 □□□

2016년 서울시 7급

다음 중 포스트모더니티이론 및 그에 입각한 행정에 대한 설명으로 가장 옳지 않은 것은?

① 행정은 객관적으로 연구될 수 있다는 설화를 해체해야 한다.
② 인권, 인간 이성과 인간 중심적 관점에서의 행정을 강조하였다.
③ 진리의 기준은 맥락의존적이다.
④ 행정에 있어서의 상상, 해체, 타자성 등을 강조하였다.

70 □□□

2011년 지방직 7급

포스트모더니티(postmodernity) 행정이론에 대한 설명으로 옳지 않은 것은?

① 파머(Farmer)는 패러다임 간의 통합(paradigm integration)을 연구전략의 하나로 주장하였다.
② 상대적이고 다원주의적이며, 동시에 해방주의적 성격의 세계관을 지니고 있다.
③ 바람직한 행정서비스는 다품종 소량생산체제에서 제공될 가능성이 높다.
④ 파머(Farmer)에 따르면, 나 아닌 다른 사람을 인식적 타인(epistemic other)이 아닌 도덕적 타인(moral other)으로 인정한다.

69 포스트모더니티

포스트모더니티이론은 과거의 인간·이성 중심적 관점에서의 거시적 관점과 절대주의·보편주의를 부정하고, 상대주의적·다원주의적 세계관을 지향한다.

선지분석

① 포스트모더니티이론은 객관주의를 배척하고, 구성주의와 내면주의를 지지한다.
③ 포스트모더니티이론에서 진리의 기준은 여러 요소의 맥락을 고려하게 되기 때문에 고정되어 있거나 절대적일 수 없고, 맥락의존적이며 상대적이다.
④ 행정에 있어서 고정관념을 타파하는 상상, 현실을 분해하는 해체, 타인을 자신의 인식적 객체가 아닌 도덕적 주체로 인정하는 타자성 등을 강조하였다.

답 ②

70 포스트모더니티

파머(Farmer)는 패러다임 간 통합(paradigm integration)보다는 성찰적 언어 패러다임(reflexive language paradigm)을 중시하였다.

파머(Farmer)의 포스트모더니즘 행정이론

구분	내용
상상 (imagination)	현상과 문제를 접하는 태도로서 문제의 특수성을 새로운 사고의 틀로 인정함
해체 (deconstruction)	텍스트(언어, 몸짓, 이야기, 설화 등)의 근거를 파헤쳐 특정한 상황하에서 텍스트들을 더 잘 이해할 수 있도록 하는 것으로, 텍스트들을 무조건 당연한 것으로 받아들이지 않고 상황적 맥락성을 감안하여 재해석함
탈영토화 (deterritorialization)	지식의 경계가 사라짐에 따라 행정학에서도 영역을 해체함
타자성 (alterity)	다른 사람을 관찰대상으로서의 인식적 객체 또는 인식적 타인이 아니라, 인격체로서 존중받아야 할 도덕적 타인으로 인정함

답 ①

71 □□□ 2008년 지방직 7급

행정이론에 대한 설명 중 옳지 않은 것은?

① 신공공관리론은 정책결정과 정책집행을 분리하고, 집행업무는 가급적 일선기관으로 이양한다.
② 포스트모더니즘은 합리성을 바탕으로 고객 중심의 행정을 추구한다.
③ 행태주의는 행정에서 객관적이고 사실적인 정보의 중요성을 강조한다.
④ 공공선택론은 정부의 정책결정규칙이나 결정구조가 어떻게 만들어졌느냐를 중요시한다.

72 □□□ 2007년 국가직 7급

정책결정 과정에 있어서 담론적 접근방법을 선택할 때 기대되는 유용성으로 적절하지 않은 것은?

① 지식, 지혜 및 정보를 포괄적으로 활용할 수 있다.
② 다수의 정책참여에 의하여 정책의 정당성을 확보하는 데 유리하다.
③ 정책결정 과정에서 시간의 한계 및 정확한 정보의 부족문제를 극복할 수 있다.
④ 구성원의 합의로 주관적 · 상대적인 정책평가기준이 활용될 수 있다.

71 | 행정이론

합리성을 바탕으로 고객 중심의 행정을 추구하는 것은 모더니즘이다. 포스트모더니즘은 합리성·과학성·객관성에 반발한다.

선지분석

① 정책결정과 정책집행을 분리하고, 집행업무를 일선기관으로 이양하는 형태는 책임운영기관을 설치하는 것이며 책임운영기관의 설치는 신공공관리론적 개혁이다.
③ 행태주의는 가치와 사실을 분리하여 사실만을 연구대상으로 한다.
④ 공공선택론은 정부의 정책결정규칙이나 결정구조가 능률적인지의 여부에 집중하며, 이러한 결정규칙이나 구조 등이 생성되는 과정에서의 합리적·경제적 분석을 중요시한다.

답 ②

72 | 담론적 접근방법

담론적 접근방법은 정책결정 과정에서 시민들의 의견을 적극적으로 청취하여 시민들이 원하는 의도를 반영하는 담론의 장으로서의 행정을 인정한다. 따라서 담론적 접근방법은 시간의 한계로 인해 완전하고 정확한 정보를 얻는다는 것이 불가능하다는 단점이 있다.

담론의 유용성과 한계점

유용성	한계점
• 지혜, 지식 및 정보의 포괄적·상승적 활용 • 정책의 정당성 확보 • 체제구성원의 화합 촉진 • 정책집행 및 평가에 기여	• 시간의 한계 • 정확한 정보의 부족 • 구성원들의 지적 수준 차이 • 담론문화의 미성숙(우리나라)

답 ③

73 □□□

2018년 지방직 7급

공론조사(deliberative polling)에 대한 설명으로 옳지 않은 것은?

① 조사 대상자들을 한곳에 모아 일정 기간 동안 공론화 과정을 거쳐야 하기 때문에 비용과 시간이 많이 든다.
② 공론조사는 조사 대상자가 중간에 탈락하는 경우가 적기 때문에 대표성 측면에서 일반 여론조사보다 우위에 있다.
③ 공론조사는 여론조사에 숙의와 토론 과정을 보완한 것으로, 정제된 국민여론을 수렴하는 방법이라고 할 수 있다.
④ 우리나라에서도 공공정책 결정 과정에서 공론조사를 도입하여 활용한 사례가 있다.

73 공론조사

공론조사(deliberative polling)는 대의민주주의를 보완하는 숙의민주주의의 한 방법으로 특정 사안에 대하여 이해관계자를 대상으로 표본집단을 구성한 뒤, 참가자들에게 충분한 정보와 자료를 제공하고 학습 및 토론을 거친 후에 의견의 변화를 확인하는 방식으로 진행된다. 공론조사는 여론조사에 비해 참가자의 수가 제한되고, 이러한 참가자를 선정하는 데 있어서 대표성의 문제가 야기될 수 있다.

선지분석

① 공론조사는 비용과 시간이 많이 든다는 단점이 있다.
③ 공론조사는 기계적이고 단편적인 여론조사에 참여자의 숙의(심의)와 참여자 간의 토론 과정을 보완한 방법이다.
④ 신고리원자력발전소 5호기, 6호기 건설 등의 과정에서 공론조사 방법을 활용하였다.

답 ②

THEME 017 신공공관리론(NPM)

74 □□□

2019년 지방직 7급

다음 신공공관리론에 대한 설명 중 옳은 것만을 모두 고르면?

ㄱ. 행정서비스 공급의 경쟁 체제를 선호한다.
ㄴ. 예측과 예방을 통한 미래지향적 정부를 강조한다.
ㄷ. 투입 중심의 예산제도를 통해 예산을 관리한다.
ㄹ. 행정관리의 이념으로 효율성을 강조한다.
ㅁ. 집권적 계층제를 통해 행정의 책임성을 확보한다.

① ㄱ, ㄹ
② ㄱ, ㄴ, ㄹ
③ ㄴ, ㄷ, ㄹ
④ ㄴ, ㄷ, ㅁ

74 신공공관리론

ㄱ. 신공공관리론은 시장주의적 접근을 통한 경쟁 체제를 선호한다.
ㄴ. 신공공관리론은 문제에 대한 사후 처리가 아닌 예방적 대응을 중시한다.
ㄹ. 신공공관리론이 중시하는 행정이념은 효율성(생산성)이다.

선지분석

ㄷ. 신공공관리론은 신성과주의예산제도(NPB)를 통해 투입이 아닌 성과 중심으로 예산을 관리한다.
ㅁ. 신공공관리론은 집권적 계층제를 비판하고 권한의 분산과 하부 위임을 강조한다.

답 ②

75 □□□

2014년 사회복지직 9급

영·미권을 중심으로 정부규모 축소, 재정적자 감축, 행정의 효율성 제고를 위하여 채택한 신공공관리론이 주장하는 내용과 거리가 먼 것은?

① 규정과 절차를 강화하고 관료들의 재량권을 최소화한다.
② 민간부문의 관리기법을 도입하여 행정의 효율성을 향상시킨다.
③ 시민을 고객으로 인식해 고객 만족의 극대화를 추구한다.
④ 민간위탁 등을 통해 공공부문에 경쟁체제를 도입한다.

76 □□□

2015년 국가직 9급

행정학의 접근방법에 대한 설명으로 옳은 것은?

① 법률적 · 제도론적 접근방법은 공식적 제도나 법률에 기반을 두고 있기 때문에 제도 이면에 존재하는 행정의 동태적 측면을 체계적으로 파악할 수 있다.
② 행태론적 접근방법은 후진국의 행정현상을 설명하는 데 크게 기여했으며, 행정의 보편적 이론보다는 중범위이론의 구축에 자극을 주어 행정학의 과학화에 기여하였다.
③ 합리적 선택 신제도주의는 방법론적 전체주의(holism)에, 사회학적 신제도주의는 방법론적 개체주의(individualism)에 기반을 두고 있다.
④ 신공공관리론은 기업경영의 원리와 기법을 그대로 정부에 이식하려고 한다는 비판을 받는다.

75 신공공관리론

신공공관리론은 규정과 절차 등 내부규제를 완화하고 관료들의 재량권을 강화한다.

신공공관리론의 의의

1. 기업경영의 논리와 방식을 공공행정 부문에 도입하여 작고도 효율적인 정부, 즉 기업가적 정부를 만들려고 하는 행정개혁을 의미한다.
2. 신공공관리론은 외부적으로는 '시장주의'를 도입하여 고객위주의 행정을, 내부적으로는 '신관리주의'를 도입하여 성과위주의 행정을 추구한다.
   - 시장주의: 정부역할 축소와 신자유주의에 입각한 민영화와 민간위탁 확대, 규제와 정부지출 축소, 수익자부담주의, 경쟁원리 등의 강화를 주장한다.
   - 신관리주의: 민간의 경영기법을 행정에 도입하고, 관료의 자율성과 재량권을 확대하며, 성과에 대한 책임을 제고할 것을 강조한다.

답 ①

76 행정학의 접근방법

신공공관리론은 기업경영의 논리와 방식을 공공행정 부문에 도입하고 작지만 효율적인 정부를 강조하여, 공행정의 특수성을 무시하고 기업경영의 원리와 기법을 정부에 그대로 이식하려고 한다는 비판을 받는다.

(선지분석)

① 법률적·제도론적 접근방법은 행정의 동태적 측면을 파악하기 어렵다는 단점이 있다.
② 행태론적 접근방법이 아니라, 생태론적 접근방법에 대한 설명이다.
③ 합리적 선택 신제도주의는 방법론적 개체주의에, 사회학적 신제도주의는 방법론적 전체주의에 기반을 두고 있다.

답 ④

77 □□□

2012년 국가직 9급

미국, 영국 등 영미국가에서 강조하고 있는 신공공관리 행정개혁의 방향과 거리가 먼 것은?

① 정책기능과 집행기능의 통합에 의한 책임행정체제 확립
② 정부와 시장기능의 재정립을 통한 정부역할 축소
③ 공공부문 내에 경쟁원리와 시장기제 도입
④ 행정서비스의 질 향상 노력을 통한 고객지향적 행정체제의 확립

78 □□□

2014년 지방직 7급

신공공관리론에 대한 설명으로 옳지 않은 것은?

① 신공공관리론의 이면에는 공공선택론, 주인-대리인이론, 거래비용이론 등이 자리 잡고 있다.
② 신공공관리론에서는 수익자 부담 원칙의 강화, 정부부문 내 경쟁원리 도입 등을 행정개혁의 방향으로 제시한다.
③ 관료제는 비효율적이므로 다른 수단으로 대체되어야 하며, 혁신을 통해 기업형 정부로 변화되어야 한다고 본다.
④ 신공공관리론에서는 사회적 요구에 대한 능동적 대처를 위해 구조적 통합을 통한 분절화의 축소를 지향하고 있다.

77 신공공관리 행정개혁

신공공관리론은 정책기능과 집행기능의 통합이 아닌 분리에 의한 책임행정체제 확립을 강조하였다.

선지분석

② 신공공관리론은 정부가 적극적 복지혜택 제공자에서 친시장적 규제국가로 변화해야 한다고 본다.
③, ④ 신공공관리론은 정부의 내부민영화 방법 등을 활용한다.

답 ①

78 신공공관리론

신공공관리론에서는 사회적 요구에 대한 능동적 대처를 위해 구조적 권한이양과 분권화를 통한 조직 개편을 주장한다.

선지분석

① 신공공관리론은 합리적이고 경제적인 인간관을 전제한 시장주의적 관점인 공공선택론, 주인-대리인 이론, 거래비용이론 등을 배경으로 한다.
② 신공공관리론은 효율적인 정부를 추구하는 과정에서 응익성을 기본으로 한 수익자 부담 원칙의 강화, 정부부문 내 다양한 시장의 경쟁원리 도입 등을 행정개혁의 방향으로 제시한다.
③ 신공공관리론자인 오스본(Osborne)과 개블러(Gaebler)는 기업가적 정부로의 정부재창조를 주장하였다.

답 ④

79 □□□

2015년 서울시 9급

신공공관리론에 대한 다음 설명 중 가장 옳은 것은?

① 신공공관리론은 정부의 역할(steering)을 시장에 맡겨야 한다는 이론이다.
② 신공공관리론의 고객 중심 논리는 국민을 능동적인 존재로 만들 수 있다.
③ 신공공관리론은 행정 효율성을 향상시키기 위해 기업가적 재량권을 선호하므로 공공책임성의 문제를 야기할 수 있다.
④ 신공공관리론은 수익자부담원칙 강화, 경쟁원리 강화, 민영화 확대, 규제 강화 등을 제시한다.

80 □□□

2011년 국가직 7급

신공공관리론(New Public Management)에 대한 설명으로 옳지 않은 것은?

① 공공서비스의 민간위탁과 민영화보다는 시민과 기업이 참여하는 공동공급을 중시한다.
② 시장주의와 신관리주의가 결합하여 전통적 관료제 패러다임의 한계를 극복하기 위한 것이다.
③ 가격 메커니즘과 경쟁원리를 활용한 공공서비스의 제공을 강조한다.
④ 고객지향적인 공공서비스의 제공을 중시한다.

79 | 신공공관리론

신공공관리론은 정부기능의 축소와 민영화를 추구하기 때문에 공공책임성의 문제를 야기할 수 있다.

선지분석

① 정부의 정책집행 기능은 시장에 맡기고 정부의 역할(steering)은 직접 수행해야 한다고 본다.
② 신공공관리론의 고객 중심 논리는 국민을 수동적인 존재로 만들 수 있다.
④ 신공공관리론은 시장의 논리를 따르기 때문에 규제 강화가 아닌 규제 완화를 제시한다.

답 ③

80 | 신공공관리론

신공공관리론은 시민과 기업이 침여하는 공동공급이 아니라 민간위탁과 민영화를 중시한다. 상대적으로 시민과 기업이 참여하는 공동공급을 중시하는 것은 거버넌스이다.

선지분석

② 신공공관리론은 정부실패에 대한 대안으로 등장한 이론으로, 시장주의와 신관리주의가 결합하여 전통적 관료제 패러다임이 정부실패를 야기하였다고 판단하여 그 한계를 극복하기 위한 이론이다.
③ 신공공관리론은 시장가격 결정의 메커니즘과 경쟁원리 도입 등을 활용한 공공서비스 제공방식을 강조한다.
④ 신공공관리론은 시민을 고객으로 파악하여 고객의 의사를 중시하는 고객지향적인 공공서비스의 제공을 중시한다.

답 ①

81 □□□

2010년 지방직 9급

신공공관리론(New Public Management)에 대한 설명으로 옳은 것은?

① 업무의 결과보다 과정을 중시한다.
② 정부의 역할을 방향제시보다 노젓기로 본다.
③ 권력의 집중화보다는 분권화를 지향한다.
④ 시장실패의 치유를 위한 국가의 역할을 강조한다.

82 □□□

2009년 국가직 7급

신자유주의에 근거한 신공공관리(New Public Management)에 대한 설명으로 옳지 않은 것은?

① 법규나 규정에 의한 관리보다는 목표와 임무 중심의 관리를 강조한다.
② 예산지출 위주의 정부운영방식에서 탈피하여 수입 확보를 강조한다.
③ 정부는 촉매작용자, 촉진자, 중개자 역할보다는 공급자 역할을 수행한다.
④ 사후적 대책 수립보다는 사전적 문제예방에 주력하는 경향이 있다.

81 신공공관리론

신공공관리론은 기업경영의 논리와 방식을 공공행정 부문에 도입하여 작고도 효율적인 정부(기업가적 정부)를 만들려고 하는 행정개혁으로, 권력의 분권화를 통하여 관료의 자율성과 재량권을 확대하며, 성과에 대한 책임을 제고할 것을 강조한다.

선지분석

① 업무의 과정보다 결과를 중시하는 성과 중심의 행정을 강조한다.
② 정부의 역할을 노젓기가 아닌 방향제시로 설정한다.
④ 정부실패를 극복하기 위해 국가의 역할·개입의 축소를 강조한다.

답 ③

82 신공공관리

정부는 공급자의 역할보다는 촉매작용자, 촉진자, 중개자의 역할을 수행한다.

선지분석

① 신공공관리는 법규나 규정에 의한 관리보다는 설정된 목표의 달성을 중시하고 실제 수행하는 임무 중심의 관리를 강조한다.
② 신공공관리는 민간의 다양한 관리기법을 도입하여 기존의 예산지출 위주의 정부운영방식에서 탈피하여, 수익자부담주의 등의 방식을 활용한 수입의 확보를 강조한다.
④ 신공공관리는 문제가 발생하였을 경우 문제를 해결하는 사후적 대책 수립보다는 사전에 문제 발생을 예방하는 데 주력한다.

답 ③

83 □□□

2017년 서울시 9급

오스본(Osborne)과 개블러(Gaebler)의 '정부재창조론'에서 제시된 기업가적 정부운영의 원리에 관한 내용으로 가장 옳지 않은 것은?

① 시민에 대한 봉사 지향적 정부
② 지역사회가 주도하는 정부
③ 분권적 정부
④ 촉진적 정부

84 □□□

2018년 서울시 7급(6월 시행)

오스본(Osborne)과 개블러(Gaebler)가 제시한 기업가적 정부운영의 원리를 〈보기〉에서 모두 고른 것은?

〈보기〉
ㄱ. 투입, 과정, 성과를 균형 있게 연계한 예산 배분
ㄴ. 권한 분산과 하부 위임을 통한 참여적 의사결정 촉진
ㄷ. 서비스 공급자로서의 정부관료제 역할 강화
ㄹ. 공공서비스 제공에 경쟁원리를 도입
ㅁ. 목표와 임무 중심의 조직운영
ㅂ. 문제에 대한 사후수습 역량의 강화

① ㄱ, ㄴ, ㅂ
② ㄴ, ㄹ, ㅁ
③ ㄴ, ㄷ, ㄹ, ㅁ
④ ㄱ, ㄷ, ㄹ, ㅂ

83 정부재창조론

시민에 대한 봉사 지향적 정부는 신공공서비스론에서 지향하는 정부이다. 기업형 정부는 기본적으로 정부의 역할을 방향잡기(steering)로 본다.

오스본(Osborne)과 개블러(Gaebler)의 『정부재창조론』 - 기업가적 정부운영의 10대 원리

구분	내용
촉매적 정부	노젓기보다는 방향잡기 기능을 강조
지역사회소유 정부	중앙정부보다는 지역사회에 권한 부여
경쟁적 정부	서비스 제공에 경쟁 도입
임무지향적 정부	권한부여를 통한 임무에 초점
결과지향적 정부	투입이 아닌 성과와 연계한 예산분배
고객위주 정부	관료제가 아닌 고객의 요구를 충족
기업가적 정부	지출보다는 수익창출로서 탈규제정부모형과 관련
예견적 정부	사후문제해결이 아닌 사전예방을 중시
분권적 정부	위계조직에서 참여와 팀워크로 권한을 분산
시장지향적 정부	시장 중심의 경쟁원리 도입

답 ①

84 기업가적 정부운영의 원리

ㄴ, ㄹ, ㅁ이 오스본(Osborne)과 개블러(Gaebler)가 제시한 기업가적 정부운영의 10대 원리에 해당한다.
ㄴ. 권한 분산과 하부 위임을 통한 참여적 의사결정 촉진 → 분권적 정부
ㄹ. 공공서비스 제공에 경쟁원리를 도입 → 경쟁적 정부
ㅁ. 목표와 임무 중심의 조직운영 → 임무지향적 정부

선지분석

ㄱ. 기업가적 정부는 투입이 아닌 성과를 중심으로 예산을 배분한다. → 결과지향적 정부
ㄷ. 기업가적 정부는 서비스 공급자로서의 정부관료제의 역할을 강화하는 것이 아니라 지역주민과 지역공동체를 서비스 공급주체의 일원으로 참여시키는 것을 강조한다. → 지역사회소유의 정부
ㅂ. 기업가적 정부는 문제에 대한 사전예방에 주력한다. → 예견적 정부

답 ②

85 □□□

2015년 사회복지직 9급

전통적인 관료제 정부와 기업가적 정부에 대한 설명으로 옳은 것은?

① 행정의 가치적 측면에서 기업가적 정부는 형평성과 민주성을 추구한다.
② 행정관리기제에 있어서 기업가적 정부는 임무 중심 관리를 추구한다.
③ 행정관리방식에 있어서 전통적인 관료제 정부는 예측과 예방을 중시한다.
④ 공공서비스를 제공함에 있어서 전통적인 관료제 정부는 민영화방식의 도입을 추진한다.

86 □□□

2014년 지방직 9급

다음 중 신공공관리론자들이 지향하는 가치와 거리가 먼 것을 모두 고른 것은?

ㄱ. 하이예크의 『노예에로의 길』
ㄴ. 미국의 '위대한 사회(The Great Society)' 정책
ㄷ. 성과에 의한 관리
ㄹ. 오스본과 게블러의 『정부 재창조』
ㅁ. 유럽식의 '최대의 봉사자가 최선의 정부'

① ㄱ, ㄴ
② ㄱ, ㄷ
③ ㄴ, ㄹ
④ ㄴ, ㅁ

85 기업가적 정부

기업가적 정부는 행정관리방식에 있어서 규칙보다는 임무와 성과 중심 관리를 추구한다.

선지분석

① 행정의 가치적 측면에 있어서 기업가적 정부는 효율성과 효과성을 추구한다.
③ 행정관리방식에 있어서 전통적인 관료제 정부는 사후대처를 중시한다.
④ 공공서비스를 제공함에 있어서 전통적인 관료제 정부는 정부의 직접 제공을 추구한다. 민영화방식의 도입을 추진하는 것은 기업가적 정부이다.

전통적 정부와 기업가적 정부 비교

구분	전통적 정부	기업가적 정부
정부의 역할	노젓기(rowing)	방향잡기(steering)
정부의 활동	정책집행(직접 서비스)	정책결정(유도와 지원)
서비스 공급	독점 공급	경쟁적 공급
지도적 관리 기제	행정기제	시장기제
관리방식	규칙 중심(통제주의)	성과 중심(사명주의)
행정주도 주체	관료 중심	고객 중심

답 ②

86 신공공관리론

ㄴ, ㅁ이 가장 거리가 먼 정책이다. 신공공관리론은 정부 역할을 축소하고 신자유주의에 입각하여 민영화와 민간위탁의 확대 등을 주장하였다.

ㄴ. 위대한 사회(The Great Society) 정책은 1970년대 미국 존슨(Johnson) 행정부의 사회복지정책 확대를 통해 행정국가의 특성이 심화되었고, 신행정론의 배경이 되었다.
ㅁ. 최대의 봉사자가 최선의 정부라는 유럽식의 복지정책은 행정국가에 대한 설명이다.

답 ④

87 □□□ 2018년 국가직 9급

신공공관리론(NPM)에 대한 비판적 논의에 해당하지 않는 것은?

① 공공부문은 민간부문과 다르기 때문에 민간부문의 관리기법을 공공부문에 그대로 적용하는 데에는 한계가 있다.
② 민주적 책임성과 기업가적 재량권 간의 갈등으로 인하여 정부관료제의 효율성을 제고하기 어렵다.
③ 고객 중심 논리는 국민을 관료주도의 행정서비스 제공에 의존하는 수동적 존재로 전락시킬 우려가 있다.
④ 정치적 논리를 우선하여 내부관리적 효율성을 경시하는 경향이 있다.

88 □□□ 2010년 지방직 7급

신공공관리적 행정개혁의 문제점, 성과 및 과제에 대한 설명으로 옳지 않은 것은?

① 시장유사기제의 적용에 따른 문제점으로 민간위탁은 독과점의 폐해를 야기할 수 있다.
② 분권화와 권한이양에 따른 문제점으로 정책기능과 집행기능 간 기능분담의 적절성 확보가 어렵다.
③ 공공부문의 책임성, 합리성 및 민주성 확보에 기여할 수 있다.
④ 신공공관리적 개혁의 효과성에 상대적으로 중요성이 높은 변수를 개발하여 개혁수단으로 적용한다면 적실성이 높아질 수 있다.

87 | 신공공관리론

신공공관리론은 정부의 비효율성을 극복하기 위하여 시장의 원리와 경영기법을 행정에 도입할 것을 주장하는 이론으로서 내부관리적 효율성을 중시하여 행정의 정치적 기능을 경시하는 경향이 있다.

신공공관리론의 한계

1. 지나친 시장주의와 공행정의 특수성 무시
2. 이론적 체계의 미흡성
3. 우리나라의 행정조직문화와 상충됨
4. 성과측정의 곤란성
5. 공무원의 사기 저하 우려

답 ④

88 | 신공공관리적 행정개혁

신공공관리론은 효율성과 생산성을 강조하는 이론이기 때문에 공공부문과 민간부문의 근본적인 차이를 간과하고 공공부문의 책임성, 공익성, 형평성 및 민주성을 확보하는 것이 어렵다.

선지분석

① 신공공관리론은 독과점과 같은 시장실패를 초래할 수 있다.
② 신공공관리론은 공행정의 특수성을 간과하였다는 비판을 받는다.

답 ③

89 □□□

2013년 지방직 7급

정부실패 및 행정개혁에 대한 설명으로 부적절한 것은?

① 내부성 문제는 정부실패를 초래할 수 있다.
② 경쟁적 환경을 조성하여 정부실패 문제를 완화할 수 있다.
③ 뉴거버넌스적 접근은 공공부문과 민간부문 간 협력을 중시한다.
④ 신공공관리적 개혁은 경제적 효율성과 민주주의 책임성을 제고한다.

90 □□□

2013년 국회직 8급

다음 중 신공공관리론에 대한 설명으로 가장 옳은 것은?

① 경제적 생산활동의 결과는 경제활동과 사회를 지배하는 정치적 · 사회적 제도인 일단의 규칙에 달려 있다.
② 행정가가 책임져야 하는 것은 행정업무 수행에서 효율성이 아니라 모든 사람에게 더 나은 생활을 보장하는 것이다.
③ 정부의 정체성을 무시하고 정부와 기업을 동일시함으로써 기업경영원리와 기법을 그대로 정부에 이식하려 한다는 비판이 있다.
④ 정부 주도의 공공서비스 전달 또는 공공문제해결을 넘어 협력적 네트워크 구축 및 관리라는 대안을 제시한다.
⑤ 과정보다는 결과에 초점을 맞추고 있으며, 조직 내 관계보다 조직 간 관계를 주로 다루고 있다.

89 정부실패 및 행정개혁

신공공관리적 개혁은 경제적 효율성은 제고하지만, 민주주의 책임성을 희생시킬 우려가 있다.

선지분석

① 내부성은 관료들이 사업을 평가할 때 공적·외부적·사회적 목표가 아닌 개인과 행정조직 내부의 목표와 편익에 집착하는 현상으로, 정부실패의 원인에 해당한다.
② 정부가 특정한 기업이나 개인에게 특혜를 제공함으로써 배분적 불평등이 야기되어 정부실패가 발생하므로, 경쟁적 환경을 조성하면 정부실패 문제를 완화할 수 있다.
③ 뉴거버넌스론은 정부, 시장, 시민사회 간의 신뢰와 협력을 중시한다.

답 ④

90 신공공관리론

신공공관리론은 공공부문과 민간부문의 근본적인 차이를 간과하고 기업경영원리와 기법을 그대로 정부에 이식하려 한다는 비판이 있다.

선지분석

① 신제도주의에 대한 설명이다.
② 신공공서비스론에 대한 설명이다. 신공공관리론은 행정업무 수행에서 효율성을 중시한다.
④ 뉴거버넌스에 대한 설명이다.
⑤ 신공공관리론은 조직 간 관계보다 조직 내 관계를 주로 다루고 있다.

답 ③

91 □□□

2018년 서울시 7급(6월 시행)

신공공관리론(New Public Management)에 대한 비판으로 가장 옳지 않은 것은?

① 유인기제가 지나치게 다양하여 공공부문 성과관리에 어려움을 초래하고 있다.
② 민영화에 따른 정부 역할의 약화로 인해 행정의 책임성 문제가 발생될 수 있다.
③ 국민은 단지 소비자인 고객이 아니라 정부정책에 적극적으로 참여하는 존재이다.
④ 정부와 기업 간의 근본적인 환경 차이를 무시하고 정부부문에 시장기제를 적용하고 있다.

91 신공공관리론

신공공관리론(NPM)은 유인기제로 성과평가에 따른 제재와 보상만을 추구하기 때문에 유인기제가 지나치게 단순하여 공공부문 성과관리에 어려움을 초래하고 있다.

신공공관리론(NPM)의 한계

지나친 시장주의와 공행정의 특수성 무시	공공부문과 민간부문의 근본적인 차이를 간과함
이론적 체계의 미흡성	하나의 패러다임으로 인식하기에는 부족함
우리나라의 행정조직 문화와 상충	계층주의와 위계주의적 문화가 지배적인 우리나라에서는 성과에 맞춘 조직 개혁이 어려움
성과측정곤란	공행정의 특성상 성과평가가 어려움
공무원의 사기저하	성과평가에의 지나친 집착과 공직 내부의 경쟁으로 공무원들의 사기저하 우려가 있음
책임성·대응성·민주성 저하	공공부문의 책임성·대응성·민주성이 저하됨
단순한 유인기제	유인기제로서 성과평가에 따른 제재와 보상만을 추구하므로 공공부문 성과관리가 곤란함

답 ①

92 □□□

2020년 지방직 7급

탈신공공관리(Post NPM)에 대한 설명으로 옳지 않은 것은?

① 성과보다는 공공책임성을 중시하는 인사관리 강조
② 탈관료제 모형에 기반을 둔 경쟁과 분권화 강조
③ 구조적 통합을 통한 분절화의 축소와 조정의 증대
④ 통 정부적(Whole of government) 접근

92 탈신공공관리론

탈관료제 모형에 기반을 둔 경쟁과 분권화를 강조하는 것은 신공공관리이다. 탈신공공관리는 관료제 모형과 탈관료제 모형의 조화에 기반을 두며 경쟁보다는 파트너십을, 분권화보다는 재집권화를 주장한다.

선지분석

① 탈신공공관리는 인사관리에 있어 성과보다는 공공책임성을 중시한다.
③, ④ 탈신공공관리는 분절화를 축소하고 역량 및 조정이 증대된 총체적·통정부적(Whole of government)를 강조한다.

신공공관리론과 탈신공공관리론 비교

구분	신공공관리론	탈신공공관리론
정부와 시장관계	시장지향주의 → 규제완화	정부의 역량 강화 → 재규제, 정치적 통제
공공서비스 제공방식	시장 메커니즘 활용	민간-공공부문의 파트너십 강조
행정가치	능률성, 성과 등 경제적 가치 강조	민주성, 형평성 등 전통적 가치 고려
정부규모	정부규모 감축 → 민간화·민영화	민간화·민영화의 신중한 접근
조직구조	탈관료제 모형, 유기적·비계층적·분권적 구조	관료제 모형과 탈관료제 모형의 조화, 재집권화 (분권화와 집권화의 조화)
조직개편	소규모의 준자율적 조직으로 분절화	분절화 축소, 총체적 정부 강조
통제	결과와 산출 중심	과정과 소통 중심
인사	경쟁적·개방적 인사관리	공공책임성 중시

답 ②

THEME 018 뉴거버넌스

93 □□□

2018년 지방직 7급

거버넌스(Governance)에 기반한 서비스 연계망의 단점으로 옳지 않은 것은?

① 분절화로 인해 집행통제가 어려움
② 정보부족으로 인해 조정이 어려움
③ 서비스의 공동생산에 따라 책임소재가 불분명
④ 이해당사자 간 상호 의존적인 교환의 필요성 증가

93 거버넌스

이해당사자 및 이해관계가 없는 자라도 사회의 구성원이라면 상호 의존적인 교환의 필요성은 증가하게 된다. 이는 거버넌스에 기반한 서비스 연계망의 단점이 아니라 하나의 특징에 해당한다.

선지분석

① 거버넌스는 다양한 집단의 연계를 전제로 하므로, 집단의 분절화로 인하여 집행통제가 곤란할 수 있다.
② 서비스 연계망은 다양한 집단의 원활한 정보공유가 필요하다.
③ 거버넌스에 기반한 서비스 연계망으로, 서비스를 공동생산 할 경우 책임소재가 불분명해질 우려가 있다.

답 ④

94 □□□

2014년 국가직 7급

뉴거버넌스에 대한 설명으로 옳지 않은 것은?

① 참여자 간 신뢰와 협력을 강조한다.
② 정치적 과정은 중요하게 인식되지 않는다.
③ 정부만이 공공서비스를 독점적으로 생산하고 공급한다고 보지 않는다.
④ 정책 과정에서 정부와 민간부문 및 비영리부문 간의 네트워크를 활용한다.

94 뉴거버넌스

뉴거버넌스란 시민을 고객이 아닌, 정부의 동반자이자 국정의 주인으로 인식하고 공동체주의적 입장에서 공·사부문의 네트워크를 통하여 국정을 관리하고자 하는 새로운 거버넌스로, 협상, 타협, 여러 세력들 간의 연합 등의 정치적 과정을 중요하게 인식한다.

선지분석

① 뉴거버넌스는 다양한 참여자의 협치를 뜻하므로 참여자 간 신뢰와 협력이 중요하다.
③ 뉴거버넌스의 행정은 정부 관료제와 다양한 집단의 공익을 위한 관리활동으로, 정부만이 공공서비스를 독점적으로 생산하고 공급한다고 보지 않는다.

답 ②

95 □□□

2015년 경찰간부

뉴거버넌스론(new governance)에서 논의되는 내용으로 가장 옳지 않은 것은?

① 전통적 거버넌스(old governance)에서 공공서비스는 공공관료제에 의해 주도적으로 생산되고 공급되었으나, 뉴거버넌스 체제에서는 시장(기업)과 시민사회(NGO)가 공공서비스 공급에 중요한 역할을 맡게 되었다.
② 뉴거버넌스 체제하에서 정부의 중심기능은 기존의 감독자 역할에서 조정자 역할로 변화한다.
③ 뉴거버넌스 체제에서는 전통적 거버넌스보다 행정의 책임성을 확보하는 일이 더욱 용이해져서 민주주의의 정치질서를 구현하는 데 긍정적인 영향을 미칠 것으로 주장된다.
④ 뉴거버넌스가 새로운 국정관리시스템으로 정착되기 위해서는 정부와 시장 그리고 시민사회가 수평적 네트워크를 구축해야만 한다.

96 □□□

2015년 국회직 9급

다음 중 신거버넌스(New Governance)에 대한 설명으로 가장 옳지 않은 것은?

① 정치행정이원론의 성격이 강하고 결과에 근거한 관리를 중요시한다.
② 구성원 간의 참여와 합의를 바탕으로 행정의 민주성과 신뢰성을 강조한다.
③ 국가의 역할을 부정하지 않고 네트워크 양식을 통해 민간의 역량을 동원하여 공적인 문제를 해결하고자 한다.
④ 국민을 고객으로만 보는 것을 넘어 국정의 파트너로 본다.
⑤ 행정의 효율성을 중시하지만 신공공관리론적 정부개혁에 대해 비판적으로 접근한다.

95 | 뉴거버넌스

뉴거버넌스 체제에서는 국가와 시민사회, 시장 등의 다양한 세력의 참여와 상호작용으로 인한 문제해결을 중시한다. 이로 인해 내재화된 변수나 참여자가 너무 많아 모형화하기 힘들고, 모두의 참여는 결국 모두의 무책임으로 이어질 수 있기 때문에 행정의 책임성을 확보하는 일이 어려워 민주주의의 정치질서를 구현하는 데 부정적인 영향을 미칠 수도 있다는 문제점이 있다.

선지분석

① 전통적 거버넌스(old governance)는 공공서비스는 공공관료제에 의해 주도적으로 생산되고 공급된다고 보는 협의의 행정을 기본으로 하나, 뉴거버넌스 체제에서의 행정은 광의의 행정으로 시장(기업), 시민사회(NGO) 등이 공공서비스 공급에 중요한 역할을 맡게 된다.
④ 뉴거버넌스의 정착을 위해서는 정부와 시장, 시민사회가 정보를 공유할 수 있고 신뢰와 협력에 기반하는 수평적 네트워크를 구축해야 한다.

답 ③

96 | 뉴거버넌스

정치행정이원론의 성격이 강하고 결과에 근거한 관리를 중요시하는 것은 신공공관리론에 대한 설명이다. 신거버넌스(뉴거버넌스)는 시장논리에 입각하여 결과나 효율을 중시하는 신공공관리론에 대한 비판적 입장을 가진다.

선지분석

② 신거버넌스는 거버넌스의 구성원 간 참여와 협의를 바탕으로 행정의 민주성과 신뢰성 제고를 강조한다.
③ 신거버넌스는 국가의 역량을 부정하지 않고 국가(정부)와 민간이 네트워크를 통하여 공적인 문제를 해결하는 것을 지향한다.
④ 신거버넌스는 국민을 고객으로 보는 신공공관리론(NPM)을 비판하며, 국민을 신뢰와 협력을 통한 국정의 파트너로 인식한다.
⑤ 신거버넌스도 행정의 효율성을 경시하는 것은 아니다. 다만, 행정의 효율성 외에 민주성, 대응성 등을 중시한다.

답 ①

97 □□□

2008년 지방직 7급

신공공관리론과 뉴거버넌스론 사이의 관계에 대한 설명으로 가장 적절하지 않은 것은?

① 신공공관리론과 뉴거버넌스론은 서비스 전달이라는 노젓기(rowing)보다는 정책결정이라는 방향잡기(steering)를 위한 도구와 기법의 개발을 중시한다.
② 신공공관리론이 결과에 초점을 두고 있는 데 비해 뉴거버넌스론은 과정에 초점을 맞추고 있다.
③ 신공공관리론이 조직 간 관계를 중시하는 데 비해 뉴거버넌스론은 조직 내 관계를 중시하는 경향이 있다.
④ 신공공관리론이 부문 간 경쟁에 역점을 두고 있는 데 비해 뉴거버넌스론은 부문 간 협력에 중점을 두고 있다.

98 □□□

2013년 지방직 9급

신공공관리론과 뉴거버넌스론에 대한 설명으로 옳은 것은?

① 신공공관리론에서 관료의 역할은 조정자이며, 뉴거버넌스론에서 관료의 역할은 공공기업가이다.
② 신공공관리론과 뉴거버넌스론에서는 정부의 역할로서 노젓기(rowing)보다는 방향잡기(steering)를 강조한다.
③ 신공공관리론과 뉴거버넌스론에서는 산출(output)보다는 투입(input)에 대한 통제를 강조한다.
④ 신공공관리론에서는 부문 간 협력에, 뉴거버넌스론에서는 부문 간 경쟁에 역점을 둔다.

97 신공공관리론과 뉴거버넌스론

신공공관리론이 조직 내 관계를 중시하는 데 비해 뉴거버넌스론은 조직 간 관계를 중시하는 경향이 있다.

신공공관리론과 뉴거버넌스 비교

구분		신공공관리	뉴거버넌스
공통점	정부역할	노젓기(rowing) → 방향잡기(steering)	
차이점	인식론적 기초	신자유주의	공동체주의
	관리기구	시장	연계망
	통제의 중점	산출통제	과정통제
	관료의 역할	공공기업가	조정자
	국민에 대한 인식	고객	주인
	작동원리	경쟁 (시장 메커니즘)	협력
	분석수준	조직 내부 문제에 중점	조직 간 문제에 중점
	서비스	민영화, 민간위탁	공동공급
	관리방식	고객 지향	임무 중심

답 ③

98 신공공관리론과 뉴거버넌스론

신공공관리론과 뉴거버넌스론은 모두 정부의 역할을 방향잡기(steering)로 강조한다.

(선지분석)
① 신공공관리론에서 관료의 역할은 공공기업가이며, 뉴거버넌스론에서 관료의 역할은 조정자이다.
③ 신공공관리론에서는 투입(input)보다는 산출(output)에 대한 통제를 강조한다.
④ 신공공관리론에서는 부문 간 경쟁에, 뉴거버넌스론에서는 부문 간 협력에 역점을 둔다.

답 ②

99 □□□

2013년 서울시 7급

신공공관리이론과 뉴거버넌스이론과의 비교로 적절하지 않은 것은?

① 두 이론 모두 투입보다는 산출에 대한 통제를 강조한다.
② 신공공관리는 공공부문과 민간부문을 명확하게 구분하는 데 비해서 뉴거버넌스는 명확하게 구분하지 않는다.
③ 신공공관리는 조직 내부 문제, 뉴거버넌스는 조직 간 문제를 다룬다.
④ 신공공관리는 부문 간 경쟁을, 뉴거버넌스는 부문 간 협력을 강조한다.
⑤ 두 이론 모두 정부실패를 이념적 토대로 설정하여 그 대응책을 마련하고자 한다.

100 □□□

2016년 서울시 7급

다음 신공공관리론(new public management)과 뉴거버넌스론(new governance)에 대한 설명으로 가장 옳은 것은?

① 신공공관리론의 인식론적 기초는 민주주의이다.
② 뉴거버넌스론의 인식론적 기초는 공동체주의이다.
③ 신공공관리론은 관료의 역할로 조정자(coordinator)의 역할을 강조하였다.
④ 뉴거버넌스론은 관료의 역할로 공공기업가(public entrepreneur)의 역할을 강조하였다.

99 신공공관리이론과 뉴거버넌스이론

신공공관리론과 뉴거버넌스론 모두 공공부문과 민간부문을 명확하게 구분하지 않는다.

(선지분석)

① 신공공관리론은 투입보다 산출에 대한 통제를, 뉴거버넌스이론은 투입보다 산출, 산출보다 과정에 대한 통제를 강조한다.
③ 신공공관리론은 조직 내부의 경쟁원리 도입을, 뉴거버넌스는 조직 간 협력의 문제를 다룬다.
④ 신공공관리론은 시장기제의 도입을 통한 부문 간 경쟁을, 뉴거버넌스는 다양한 주체 간의 협력을 강조한다.
⑤ 두 이론 모두 1970년대 스태그플레이션과 석유파동 등으로 초래된 정부실패를 해결하기 위하여 대응책을 마련하고자 한다.

답 ②

100 신공공관리론과 뉴거버넌스론

뉴거버넌스란 시민을 고객이 아닌 정부의 동반자이자 국정의 주인으로 인식하고, 공동체주의적 입장에서 공·사부문의 네트워크를 통하여 국정을 관리하고자 하는 새로운 거버넌스이다.

(선지분석)

① 신공공관리론의 인식론적 기초는 신자유주의이다.
③ 신공공관리론은 관료의 역할로 공공기업가의 역할을 강조하였다.
④ 뉴거버넌스론은 관료의 역할로 조정자(coordinator)의 역할을 강조하였다.

답 ②

101 □□□

2015년 국회직 8급

다음 중 신공공관리(New Public Management; NPM)와 뉴거버넌스의 특징에 대한 설명으로 옳지 않은 것은?

① NPM이 정부 내부 관리의 문제를 다루는 반면 뉴거버넌스는 시장 및 시민사회와의 관계에서 정부의 역할과 기능을 다룬다.

② 뉴거버넌스는 NPM에 비해 자원이나 프로그램 관리의 효율성보다 국가 차원에서의 민주적 대응성과 책임성을 강조한다.

③ NPM과 뉴거버넌스는 모두 방향잡기(steering) 역할을 중시하며 NPM에서는 기업을 방향잡기의 중심에, 뉴거버넌스에서는 정부를 방향잡기의 중심에 놓는다.

④ 뉴거버넌스는 정부영역과 민간영역을 상호 배타적이고 경쟁적인 관계로 보지 않는다.

⑤ NPM은 경쟁과 계약을 강조하는 반면에 뉴거버넌스는 네트워크나 파트너십을 강조하고 신뢰를 바탕으로 한 상호 존중을 중시한다.

102 □□□

2017년 사회복지직 9급

행정이론에 대한 설명으로 가장 옳지 않은 것은?

① 신공공관리론에서는 국민을 납세자나 일방적인 서비스 수혜자가 아닌 정부의 고객으로 인식한다.

② 탈신공공관리론은 신공공관리론의 결과로 나타난 재집권화와 재규제를 경계한다.

③ 뉴거버넌스론의 하나인 유연조직모형에서는 관리의 개혁방안으로 가변적 인사관리를 제시한다.

④ 신공공서비스론에서는 공익을 공유된 가치에 대한 담론의 결과물로 인식한다.

101 신공공관리와 뉴거버넌스론

신공공관리(NPM)와 뉴거버넌스는 모두 방향잡기(steering)를 중시하며, 정책과 집행을 분리하여 정부를 방향잡기의 중심에 놓는다는 점이 동일하다. 다만, 분리된 집행기능(노젓기)을 민영화할 것이냐(NPM), 공동으로 생산할 것이냐(뉴거버넌스)의 차이가 있다.

선지분석

① NPM은 정부 내부에 경영 기법 등을 도입하여 관리의 능률화를 기하는 것을 중시하는 반면, 뉴거버넌스는 시장 및 시민사회와 협력하는 정부의 역할을 중시한다.

② NPM이 자원이나 프로그램 관리의 효율성을 중시한다면, 뉴거버넌스는 민주적 대응성과 책임성을 강조한다.

④ 뉴거버넌스는 정부영역과 민간영역을 상호 배타적이고 경쟁적인 관계가 아니라, 신뢰와 협력의 관계로 인식한다.

⑤ NPM은 시장기제를 활용한 경쟁과 성과목표 달성을 위한 계약을 강조하는 반면, 뉴거버넌스는 네트워크나 협력을 통한 파트너십을 강조하고 신뢰를 바탕으로 한 주체 간 상호 존중을 중시한다.

답 ③

102 행정이론

신공공관리론의 분권과 규제완화의 한계를 보완하기 위하여 등장한 탈신공공관리론의 기조는 재집권화와 재규제를 주장한다.

선지분석

① 신공공관리론에서는 전통적 관료제론에서 국민을 납세자나 일방적인 서비스 수혜자로 인식하였던 점을 비판하며, 국민을 정부의 고객으로 인식하고 고객에 대한 정부의 대응성을 강조한다.

③ 피터스(Peters)의 미래국정모형의 유연조직모형(신축적 정부모형)에서는 관리의 개혁방안으로 가변적 인사관리, 고위공무원단을 제시한다.

④ 신공공서비스론에서는 공익이란 행정의 부산물이 아닌, 구성원들이 공유하는 가치에 대한 담론의 결과물로 인식한다.

답 ②

103 □□□

2013년 국회직 8급

다음 중 피터스(Peters)가 제시한 뉴거버넌스 정부개혁모형별 문제의 진단기준과 해결방안으로 가장 옳지 않은 것은?

① 전통적 정부모형의 문제 진단기준은 전근대적인 권위에 있으며, 구조 개혁방안으로 계층제를 제안한다.
② 탈내부규제 정부모형의 문제 진단기준은 내부규제에 있으며, 관리 개혁방안으로 관리 재량권 확대를 제안한다.
③ 시장적 정부모형의 문제 진단기준은 공공서비스에 대한 정부의 독점적 공급에 있으며, 구조 개혁방안으로 분권화를 제안한다.
④ 참여적 정부모형의 문제 진단기준은 관료적 계층제에 있으며, 구조 개혁방안으로 가상조직을 제안한다.
⑤ 신축적 정부모형의 문제 진단기준은 영속성에 있으며, 관리 개혁방안으로 가변적 인사관리를 제안한다.

103 뉴거버넌스 정부개혁모형

참여적 정부모형의 문제 진단기준은 관료적 계층제에 있으며, 구조 개혁방안으로 가상조직이 아니라 평면조직을 제안한다.

피터스(Peters)의 미래국정모형

구분	전통적 거버넌스	뉴거버넌스			
	전통적 정부모형	시장적 정부모형	참여적 정부모형	신축적 정부모형	탈내부규제 정부모형
문제의 진단기준	전근대적 지위	정부 독점	계층제	영속성	내부규제
구조의 개혁방안	계층제	분권화	평면조직	가상조직	-
관리의 개혁방안	직업 공무원제, 절차적 통제	성과급, 민간부문의 기법	TQM, 팀제	가변적 인사관리, 고위 공무원단	관리의 재량권 확대
공무원 제도	계층제	시장기제	계층제 축소	임시고용제	내부규제 철폐
정책결정의 개혁방안	정치·행정의 구분	내부시장, 시장적 유인	협의, 협상	실험	기업가적 정부
공익의 기준	안정성, 평등	저비용	참여, 협의	저비용, 조정	창의성, 활동주의
조정	상의하달	보이지 않는 손	하의상달	조직 개편	관리자의 자기이익
오류의 발견 및 수정	통제	시장적 신호	정치적 신호	오류의 제도화 방지	더 많은 오류 허용

답 ④

104 □□□

2019년 국가직 7급

피터스(Peters)의 정부모형에 대한 설명으로 옳은 것은?

① 참여모형에서는 조직의 고위층과 최하위층 간에 계층 수가 많지 않아야 한다.
② 유연정부모형은 변화하는 정책수요에 맞춰 탄력적으로 구성원들을 활용함으로써 이들의 조직과 업무에 대한 몰입도를 높인다.
③ 시장모형은 정치지도자들의 권력을 약화시키고 기업가적 관료들의 정책결정자로서의 역할을 제고하는 결과를 가져왔다.
④ 탈규제모형은 정부역할의 적극성 및 개입성이 높으면 공익 구현이 어렵다는 인식을 전제한다.

104 피터스(Peters)의 정부개혁모형

참여모형은 문제의 진단기준을 계층제로 보고 구조의 개혁방안으로 평면조직을 상정하므로, 조직의 고위층과 최하위층 간에 계층 수가 많지 않아야 한다.

선지분석

② 유연정부모형은 변화하는 정책수요에 맞춰 탄력적으로 구성원들을 활용하므로, 구성원들의 조직과 업무에 대한 몰입도가 떨어진다.
③ 기업가적 관료들의 정책결정자로서의 역할을 제고하는 결과를 가져오는 모형은 탈규제모형이다.
④ 탈규제모형은 정부 내부의 관료들의 재량권을 확대하고 내부규제를 축소해야한다는 모형이다. 정부역할의 적극성 및 개입성이 높을 경우 공익 구현이 어렵다는 것은 정부와 시장의 관계에 대한 표현이다.

답 ①

105 □□□

2011년 국가직 7급

피터스(Peters)의 정부개혁모형 중 다음이 설명하는 것은?

- 정책기능수행에서 기업가적 정부의 역할이 강조된다.
- 조직구조에 대한 특징적 처방은 없다.
- 관리작용의 자율성이 높다.
- 거버넌스의 평가기준은 창의성과 행동주의이다.

① 탈규제적 정부모형
② 신축적 정부모형
③ 시장적 정부모형
④ 참여적 정부모형

106 □□□

2017년 국가직 9급(10월 추가)

피터스(Peters)가 제시한 정부개혁모형에 대한 설명으로 옳은 것은?

① 시장모형(market model)에서는 조직의 통합을 통한 집권화를 처방한다.
② 참여정부모형(participatory model)에서는 조직 하층부 구성원이나 고객들의 의사결정 참여기회가 확대될수록 조직이 효과적으로 기능한다고 본다.
③ 신축적 정부모형(flexible government)에서는 정규직 공무원의 확대를 통하여 비용을 절감하고 공익을 증진시킬 수 있다고 본다.
④ 탈규제적 정부모형(deregulated government)에서는 경제적 규제완화를 통한 시장활성화를 추구하기 위하여 정부의 권한을 축소해야 한다고 본다.

105 피터스(Peters)의 정부개혁모형

제시문은 탈규제적 정부모형에 대한 설명이다. 탈규제적 정부모형은 내부규제완화를 통한 관료의 창의성과 활용을 중시하며 정책기능수행에 있어 기업가적 정부의 역할이 강조된다.

(선지분석)
② 신축적 정부모형은 고위공무원단과 임시직을 활용하며 선호하는 정부조직구조는 가상조직이다.
③ 시장적 정부모형은 관리의 개혁방안으로 성과급과 민간부문의 기법을 중시하며 분권을 구조의 개혁방안으로 제시한다.
④ 참여적 정부모형은 계층제를 문제의 진단기준으로 삼고 팀제 및 TQM을 관리의 개혁방안으로 활용한다.

답 ①

106 피터스(Peters)의 정부개혁모형

참여정부모형은 문제의 진단기준을 계층제에 두고 평면조직을 구조의 개혁방안으로 보았다. 이에 조직 하층부 구성원이나 고객들의 의사결정 참여기회가 확대될수록 조직이 효과적으로 기능한다고 본다.

(선지분석)
① 시장모형에서는 조직의 분권화와 민간경영기법의 도입을 강조한다.
③ 신축적 정부모형은 가변조직, 임시고용제 등 노동의 유연화를 강조하고, 비용을 절감하여 공익을 증진시킬 수 있다고 보았다.
④ 경제적 규제완화를 통한 시장활성화는 정부의 내부규제와는 관계가 없는 민간에 대한 정부규제이다. 탈규제적 정부모형은 정부에 대한 내부규제를 철폐하여 재량을 부여하는 것을 강조한 정부모형이다.

답 ②

107 □□□

2016년 서울시 9급

피터스(Peters)의 뉴거버넌스 정부개혁모형에 대한 설명으로 가장 옳지 않은 것은?

① 시장모형은 구조 개혁방안으로 평면조직을 상정한다.
② 참여정부모형의 관리 개혁방안은 총품질관리, 팀제이다.
③ 유연조직모형의 정책결정 개혁방안은 실험이다.
④ 저통제정부모형의 공익 기준은 창의성과 활동주의이다.

108 □□□

2010년 국가직 7급

'좋은 거버넌스(good governance)'에 대한 설명으로 옳지 않은 것은?

① 세계은행이 제3세계 국가들에 대한 대출조건으로서 사용한 개념이다.
② 행정의 투명성, 책임성, 통제 및 대응성이 높을수록 좋은 거버넌스라고 할 수 있다.
③ 행정업무 수행에서 공무원들이 효율적 · 개방적이면서도 타당한 정책결정과 집행을 할 수 있는 관료제적 능력을 지니는 것을 말한다.
④ 자유민주주의를 옹호하는 좋은 거버넌스는 효율성을 강조하는 신공공관리와는 결합되기 어렵다고 로즈(Rhodes)는 주장했다.

107 피터스(Peters)의 정부개혁모형

피터스(Peters)의 뉴거버넌스 정부개혁모형에서 평면조직을 구조 개혁방안으로 보는 모형은 참여정부모형이다. 시장모형은 구조의 개혁방안으로 분권화된 조직을 상정한다.

답 ①

108 좋은 거버넌스(good governance)

좋은 거버넌스는 신공공관리와 자유민주주의와의 결합을 의미하는 것이다. 세계은행이 정의한 좋은 거버넌스는 개발도상국 지배구조의 개선을 논의하는 과정에서 등장한 모형으로, 정치적 권력과 경제적 자원은 분산되어야 바람직하다고 보며, 로즈(Rhodes)는 세계은행의 좋은 거버넌스를 옹호하였다.

선지분석

① 좋은 거버넌스란 세계은행이 아시아 아프리카 등지의 제3세계 국가들에 대한 대출조건으로 사용한 개념이다. 즉, 좋은 거버넌스를 갖춘 국가의 경우 대출금리를 낮추고 대출금액을 높여주는 등 유리한 조건으로 대출을 승인해주었다.
② 행정의 투명성, 책임성 및 국민의 통제정도와 국민에 대한 대응성이 높을수록 좋은 거버넌스이다.
③ 어떠한 정부가 좋은 거버넌스를 갖추었다는 것은 해당 정부 관료제의 능력이 우수하다는 것을 뜻한다.

답 ④

109 □□□

2017년 지방직 7급

스톤(Stone)이 제시한 레짐(regime) 중 다음 내용과 가장 관련이 깊은 것은?

> A시가 지역사회와 함께 추진하는 □□산 제모습찾기 사업의 전체적인 구상은 시가지가 바라보이는 향교, 전통숲 등의 공간에는 꽃 피는 나무와 늘 푸른 나무를 적절히 심어 변화감 있는 도시경관을 만들고, 재해위험이 있는 골짜기는 정비함으로써 인근 주민들의 정주환경을 개선하고 재해로부터 안전한 산림으로 복원하는 것이다.

① 개발형 레짐
② 관리형 레짐
③ 중산층 진보 레짐
④ 저소득층 기회확장 레짐

THEME 019 신공공서비스론

110 □□□

2019년 서울시 7급

신공공서비스에 대한 설명으로 옳은 것을 〈보기〉에서 모두 고른 것은?

> 〈보기〉
> ㄱ. 민주적으로 선출된 정치지도자에게 책임성 확보
> ㄴ. 재량이 필요하지만 제약과 책임 수반
> ㄷ. 리더십을 공유하는 협동적 조직구조
> ㄹ. 민간기관 및 비영리기구를 활용해 정책 목표를 달성할 유인 체계의 창출
> ㅁ. 조직 내 주요 통제권이 유보된 분권화된 조직
> ㅂ. 정치적으로 정의된 단일의 목표에 초점을 맞춘 정책 설계 및 집행

① ㄱ, ㄷ
② ㄴ, ㄷ
③ ㄱ, ㄴ, ㄷ
④ ㄹ, ㅁ, ㅂ

109 레짐(regime)

레짐이론(regime theory)이란 정부에 의한 일방적 통치가 아닌, 지방정부와 민간의 주요 주체 양 세력 간의 상호 의존성과 협력관계를 연구한 이론이다. 레짐은 지역사회의 지배적이고 통치적인 의사결정을 내리는 데 있어서 지속적인 영향을 미치는 제도적 자원에 쉽게 접근할 수 있고 상대적으로 안정된 비공식집단을 의미한다. 제시문은 중산층 진보 레짐으로서 자연·생활 환경보호, 삶의 질 개선 등을 중시한다.

스톤(Stone)의 도시레짐 유형

구분	현상유지 레짐	개발 레짐	중산층 진보 레짐	하층기회 확장 레짐
추구하는 가치	현상유지	지역개발, 재개발	자연·생활 환경보호, 삶의 질 개선	저소득층 보호, 교육훈련, 소규모 사업
구성원 간 관계	친밀성이 높은 소규모 지역사회	갈등이 심함	시민참여와 감시 강조	대중동원이 통치과제
생존능력	강함	비교적 강함	보통	약함

답 ③

110 신공공서비스

ㄴ. 신공공서비스론에서 관료의 재량은 필요하지만 그에 대한 제약과 책임이 수반된다.
ㄷ. 신공공서비스론의 리더십은 공유된 리더십으로 협동적 조직구조를 기반으로 한다.

선지분석

ㄱ. 다수의 의견에 따라 민주적으로 선출된 정치지도자에게 책임성을 확보하는 것은 전통행정이론이다.
ㄹ. 민간기관 및 비영리기구를 활용해 정책목표를 달성할 유인 체계의 창출은 뉴거버넌스적 입장이다.
ㅁ. 조직 내 주요 통제권이 유보된 분권화된 조직은 신공공관리론적 조직이다.
ㅂ. 정치적으로 정의된 단일의 목표에 초점을 맞춘 정책 설계 및 집행은 전통행정이론적 입장이다. 신공공서비스론에서는 단일의 목표가 아닌 공유된 담론의 결과에 초점을 맞춘다.

답 ②

111 □□□

2018년 지방직 7급

덴하트와 덴하트(J. V. Denhardt & R. B. Denhardt)가 제시한 신공공서비스론(new public service)의 일곱 가지 기본원칙에 대한 설명으로 옳지 않은 것은?

① 민주적으로 생각하고 전략적으로 행동해야 한다.
② 방향을 잡기보다는 시민에 대해 봉사해야 한다.
③ 공익을 공유된 가치를 창출하는 담론의 결과물로 인식해야 한다.
④ 기업주의 정신보다는 시민의식의 가치를 받아들여야 한다.

112 □□□

2019년 서울시 7급(2월 추가)

덴하트(J. V. Denhardt)와 덴하트(R. B. Denhardt)가 제시한 신공공서비스론의 주요 내용과 가장 거리가 먼 것은?

① 생산성과 더불어 사람의 가치를 강조한다.
② 책임성의 복잡성과 다차원성에 주목한다.
③ '전략적 사고'와 더불어 '민주적 행동'의 중요성을 강조한다.
④ 관료의 역할과 관련하여 '방향잡기'와 함께 '봉사'를 강조한다.

111 신공공서비스론

신공공서비스론은 전략적으로 생각하고 민주적으로 행동해야 함을 강조하였다.

덴하트(J. Denhardt)와 덴하르트(R. Denhardt)가 제시한 신공공서비스론 7가지 원칙

1. 고객이 아닌 시민에 대해 봉사하라
2. 공익을 찾으려고 노력하라
3. 기업주의 정신보다는 시민의식(citi-zenship)의 가치를 받아들여라
4. 전략적으로 생각하고 민주적으로 행동하라
5. 책임성이란 것이 단순한 것이 아니라는 점을 인식하라
6. 방향잡기보다는 봉사하기를 하라
7. 단순히 생산성이 아니라 사람의 가치를 받아들여라

답 ①

112 행정이론

신공공서비스론은 정부의 역할을 방향잡기로 보았던 신공공관리론(NPM)을 비판하면서 정부는 시민에 대하여 봉사(서비스)하여야 한다고 주장하였다. 그러므로 관료의 역할로 방향잡기가 아닌 봉사를 강조한다.

선지분석

① 신공공서비스론은 생산성 증대를 부정하는 것은 아니다. 다만 생산성과 더불어 사람의 가치를 중시하는 이론이다.
② 신공공서비스론에서 책임성은 단순하게 판단할 수 없으며 복잡하고 다차원적이다.

답 ④

113 □□□

2016년 서울시 9급

다음 중 신공공서비스론(New Public Service, NPS)에서 강조하는 공무원의 동기 유발 요인은?

① 기업가 정신
② 보수의 상승
③ 신분 보호
④ 사회봉사

114 □□□

2016년 사회복지직 9급

행정이론에 대한 설명으로 옳지 않은 것은?

① 신행정론(신행정학)은 실증주의와 행태주의를 비판하면서 행정학의 실천성과 적실성, 가치문제를 강조하였다.
② 공공선택론은 공공부문의 비시장적 의사결정을 경제학적으로 연구하며, 전통적인 관료제를 비판하였다.
③ 신공공서비스론은 시장주의와 신관리주의를 결합한 이론으로 행정의 효과성과 능률성을 극대화하고자 하였다.
④ 뉴거버넌스론은 정부, 시장, 시민사회 간 신뢰와 협동을 강조한다.

113 신공공서비스론

신공공서비스론은 시민을 고객으로 대하지 않고, 주인에게 봉사하는 입장에서 출발하여 시민에게 봉사하는 정부의 역할을 강조한다.

선지분석

① 기업가 정신은 신공공관리론(NPM)에서 강조한 개념이다.
② 신공공서비스론에 따르면 관료는 보수의 상승에서 동기가 유발되는 것이 아니라, 국민과 사회에 봉사하고자 하는 데에서 동기가 유발된다.

답 ④

114 행정이론

시장주의와 신관리주의를 결합한 이론은 신공공관리론이다. 신공공서비스론은 행정개혁의 목표 상태를 처방하는 규범적인 모형으로서 시민·사회공동체·서비스 중심적인 접근방법을 의미한다. 시민정신, 참여의식, 공익, 공공책임성 등과 같은 공동체적 가치들을 중시하고 민주주의 정신을 새롭게 부활시키고자 하는 이론이며, 고객이 아닌 시민에 대해 봉사하고 공익을 공유가치에 대한 담론의 결과로서 인식한다.

선지분석

① 신행정론(신행정학)은 후기 행태주의의 일환으로, 논리실증주의와 그러한 연구방법론을 채택한 행태주의를 비판하면서 행정학이 사회의 문제를 해결하여야 한다고 보는 한편, 사회적 형평성의 가치를 중시하였다.
② 공공선택론은 공공부문의 비시장적 의사결정도 시장경제학적으로 연구하였으며, 기존의 전통적인 관료제가 소비자인 국민의 요구에 대응하지 못한다고 비판하였다.
④ 뉴거버넌스론은 정부와 시장, 시민사회 등 다양한 집단 간의 신뢰와 협동을 기반으로 한 네트워크를 강조한다.

답 ③

115 □□□

2015년 국가직 9급

행정이론에 대한 설명으로 옳지 않은 것은?

① 행정관리론(사무관리론 · 조직관리론)에서는 계획과 집행을 분리하고 권한과 책임을 명확히 규정할 것을 강조하였다.
② 신행정학에서는 정부의 적극적인 역할과 적실성 있는 정책의 수립을 강조하였다.
③ 뉴거버넌스론에서는 공공참여자의 활발한 의사소통, 수평적 합의, 네트워크 촉매자로서의 정부역할을 강조하였다.
④ 신공공서비스론에서는 시민을 주인이 아닌 고객의 관점으로 볼 것을 강조하였다.

116 □□□

2013년 지방직 7급

신공공서비스이론에 대한 설명으로 옳지 않은 것은?

① 기업주의 가치를 추구한다.
② 고객이 아닌 시민을 위해 봉사한다.
③ 전략적으로 생각하고 민주적으로 행동한다.
④ 공익을 찾으려고 노력한다.

115 행정이론

시민을 고객의 관점으로 볼 것을 강조한 이론은 신공공관리론이다. 신공공서비스론은 시민을 고객이 아닌 주인으로 볼 것을 강조하였다.

선지분석

① 행정관리론은 정치행정이원론의 입장으로 계획은 정책결정(정치)이 담당하고, 집행은 행정이 담당한다고 보았다.
② 신행정학은 정부의 적극적인 역할과 행정의 사회적 적실성, 실천적·정책지향적 성격, 행정학의 독자적 주체성을 강조하였다.
③ 뉴거버넌스론에서는 시민을 고객이 아닌, 정부의 동반자이자 국정의 주인으로 인식하고 공동체주의적 입장에서 공·사부문의 네트워크를 통하여 국정을 관리하고자 하는 새로운 거버넌스를 강조하였다.

답 ④

116 신공공서비스이론

기업주의 가치를 추구하는 것은 신공공관리론이다. 신공공서비스이론은 시민정신을 추구한다.

신공공관리론(NPM)과 신공공서비스론(NPS) 비교

구분	신공공관리론(NPM)	신공공서비스론(NPS)
이론적 토대	경제이론에 기초한 분석적 토의	민주적 시민이론, 조직인본주의, 공동체 및시민사회모델, 포스트모던 행정학
공익에 대한 입장	개인들의 총이익	공유가치에 대한 담론의 결과
합리성	기술적·경제적 합리성	전략적 합리성
정부의 역할	방향잡기(steering)	봉사(service)
관료의 반응대상	고객(customer)	시민(citizen)
책임에 대한 접근양식	시장지향적	다면적, 복잡성
행정재량	기업적 목적을 달성하기 위해 넓은 재량 허용	재량이 필요하지만 그에 따른 제약과 책임 수반
기대하는 조직구조	기본적 통제를 수행하는 분권화된 조직	조직 내외적으로 공유된 리더십을 갖는 협동적 조직
관료의 동기유발	기업가 정신, 작은 정부를 추구하려는 신자유주의적 욕구	공공서비스, 시민에 봉사하고 사회에 기여하려는 욕구

답 ①

117 □□□

2015년 서울시 9급

다음 중 신공공서비스이론에 대한 설명으로 가장 옳지 않은 것은?

① 정부의 역할은 시민에 대해 봉사하는 것이다.
② 기대하는 조직은 주요 통제권이 조직 내 유보된 분권화된 조직이다.
③ 공유가치에 대한 담론의 결과를 공익으로 본다.
④ 전략적 합리성을 가정한다.

118 □□□

2015년 사회복지직 9급

신공공서비스론의 기본원칙에 대한 설명으로 옳지 않은 것은?

① 관료역할의 중요성은 시민들로 하여금 그들의 공유된 가치를 표명하고 그것을 충족시킬 수 있도록 도와주는 데 있다.
② 관료들은 시장에만 주의를 기울여서는 안 되며 헌법과 법령, 지역사회의 가치, 시민의 이익에도 관심을 기울여야 한다.
③ 예산지출 위주의 정부운영방식에서 탈피하여 수입 확보의 개념을 활성화하는 것이 필요하다.
④ 공공의 욕구를 충족시키기 위한 정책은 집합적 노력과 협력적 과정을 통해 효과적으로 달성될 수 있다.

117 신공공서비스이론

기본적인 통제를 수행하는 분권화된 조직을 기대하는 이론은 신공공관리론이다. 신공공서비스론은 조직 내외로 공유된 리더십을 갖는 협동적인 조직을 기대한다.

선지분석

① 시민을 고객으로 대하지 말고 주인에게 봉사하는 입장에서 출발해야 한다고 주장한다.
③ 공익을 행정의 부산물이 아닌 사회 구성원들이 공유하는 가치에 대해 대화와 담론을 통해 얻은 것으로 인식한다.
④ 합의된 비전을 실현하기 위하여 당사자들의 전략적 사고에 의한 계획과 민주적 행동을 강조한다.

답 ②

118 신공공서비스론

정부운영방식을 예산지출 위주에서 탈피하여 수입 확보의 개념을 활성화하는 것이 필요하다고 보는 것은 신공공관리론이다.

선지분석

① 행정의 역할이 방향잡기(steering)가 아닌 서비스를 제공하는 데에 초점을 두어야 하며, 관료의 역할은 시민들로 하여금 그들의 공유된 가치를 표명하고 그것을 충족시킬 수 있도록 봉사하는 것에 있다고 본다.
② 신공공서비스론은 다양한 이론에 기반한다.
④ 신공공서비스론은 생산성 개선을 부인하지 않지만 인간을 존중하고 인간을 통한 관리를 강조하며, 공유된 리더십과 협동의 과정을 통해 성과가 높아진다고 인식한다.

답 ③

119 □□□

2013년 서울시 9급

다음 중에서 신공공관리론(NPM)의 오류에 대한 반작용으로 대두된 신공공서비스론(NPS)에서 주장하는 원칙에 해당하는 것은?

① 지출보다는 수익 창출
② 노젓기보다는 방향잡기
③ 서비스 제공보다 권한 부여
④ 고객이 아닌 시민에 대한 봉사
⑤ 시장기구를 통한 변화 촉진

119 | 신공공서비스론

신공공관리론(NPM)은 경쟁을 바탕으로 한 고객 서비스의 질 향상을 지향하는 반면, 신공공서비스론은 고객이 아닌 시민에 대한 봉사를 원칙으로 한다.

선지분석

①, ②, ③, ⑤ 모두 신공공관리론(NPS)의 특징에 해당한다.

답 ④

120 □□□

2017년 지방직 9급(12월 추가)

신공공서비스론의 주장으로 보기 어려운 것은?

① 관료가 반응해야 하는 대상은 고객이 아닌 시민이다.
② 정부의 역할은 방향제시(steering)가 아닌 노젓기(rowing)이다.
③ 관료의 동기부여 원천은 보수나 기업가 정신이 아닌 공공서비스 제고이다.
④ 공익은 개인이익의 단순한 합산이 아닌 공유하고 있는 가치에 대해 대화와 담론을 통해 얻은 결과물이다.

120 | 신공공서비스론

신공공서비스론은 정부의 역할을 노젓기(rowing)나 방향제시(steering)로 보기보다는 시민에게 적극적으로 봉사하는 역할을 강조하였다. 정부의 역할을 노젓기로 강조하는 입장은 전통적 행정이다.

전통적 행정과 신공공관리론, 신공공서비스론 비교

구분	전통적 행정	신공공관리론(NPM)	신공공서비스론(NPS)
공익에 대한 입장	법률로 표현된 정치적 결정	개인들의 총이익	공유가치에 대한 담론의 결과
합리성	개괄적 합리성	기술적·경제적 합리성	전략적 합리성
정부의 역할	노젓기(rowing)	방향잡기(steering)	봉사(service)
관료의 반응대상	고객·유권자	고객(customer)	시민(citizen)
책임에 대한 접근양식	계층제적	시장지향적	다면적, 복잡성
기대하는 조직구조	계층제의 구조를 가진 관료적 조직	기본적 통제를 수행하는 분권화된 조직	조직 내외적으로 공유된 리더십을 갖는 협동적 조직

답 ②

121 □□□

2012년 지방직 9급

신공공서비스론(New Public Service)에 대한 설명으로 적절하지 않은 것은?

① 민주주의이론, 비판이론, 포스트모더니즘 등이 인식론적 토대이다.

② 공익은 공유하고 있는 가치에 대하여 대화와 담론을 통해 얻은 결과물이다.

③ 시장의 가격 메커니즘과 경쟁원리를 적극적으로 도입한다.

④ 내외적으로 공유된 리더십을 갖는 협동적인 구조가 바람직하다.

122 □□□

2012년 지방직 7급

덴하르트(Denhardt)의 신공공서비스이론에 대한 설명으로 옳은 것을 모두 고른 것은?

ㄱ. 공무원의 반응대상을 시민보다 고객에 두고 있고, 정부의 역할을 공유된 가치창출을 위한 봉사활동으로 보는 점에서 뉴거버넌스론과 유사하다.
ㄴ. 전략적 합리성보다 기술적 · 경제적 합리성을 추구하는 점에서 신공공관리론과 유사하다.
ㄷ. 이론적 토대는 민주주의이론, 실증주의, 해석학, 비판이론 등 복합적이다.
ㄹ. 공익을 공유가치에 대한 담론의 결과로 보고 법, 공동체, 정치규범, 전문성, 시민이익 존중 등 다면적 책임성을 강조한다.
ㅁ. 공무원의 동기유발수단을 보수와 편익, 기업가 정신이 아닌 사회봉사 및 사회에 기여하려는 욕구에 두고 있다.

① ㄱ, ㄴ, ㄷ
② ㄱ, ㄹ, ㅁ
③ ㄴ, ㄷ, ㄹ
④ ㄷ, ㄹ, ㅁ

121 신공공서비스론

시장의 가격 메커니즘과 경쟁원리를 적극적으로 도입하는 것은 신공공서비스론이 비판하는 신공공관리론의 특징이다. 신공공서비스론은 행정개혁의 목표 상태를 처방하는 규범적 모형으로서 시민·사회공동체·서비스 중심적 접근방법을 의미하며, 공공선택론과 신공공관리론의 지나친 시장주의에 대하여 비판적 입장을 가진다.

선지분석

① 신공공서비스론은 민주주의이론, 비판이론, 포스트모더니즘 등 다양한 이론을 인식론적 토대로 한다.
② 신공공서비스론에 따르면 공익은 행정의 부산물이 아니라, 공유하고 있는 가치에 대하여 대화와 담론을 통해 얻은 결과물이다.
④ 신공공서비스론은 거버넌스이론의 일종으로, 조직 내외적으로 공유된 리더십을 갖는 협동적인 구조를 선호한다.

답 ③

122 신공공서비스이론

ㄷ. 신공공서비스론은 다양하고 복합적인 이론적 토대를 기반으로 한다.
ㄹ. 신공공서비스론은 신공공관리론의 일면적 책임(성과에 대한 책임)에 비판적이며, 다양한 책임성을 강조한다.
ㅁ. 신공공서비스론은 신공공관리론의 동기유발수단인 기업가 정신에 동의하지 않으며, 사회봉사 및 사회에 기여하려는 욕구에서 공무원의 동기가 유발된다고 본다.

선지분석

ㄱ. 신공공서비스론은 뉴거버넌스론과 관련된 이론으로, 공무원의 반응대상을 고객보다 시민에 두고 있다.
ㄴ. 신공공서비스론은 기술적·경제적 합리성보다 전략적·소통적 합리성을 추구한다는 점에서 신공공관리론과 차이가 있다.

답 ④

123 □□□

2016년 서울시 7급

신공공서비스론(NPS)에 대한 설명으로 가장 옳지 않은 것은?

① 신공공서비스론은 민주주의이론 및 비판이론, 포스트모더니즘 등을 바탕으로 탄생한 복합적 이론이다.
② 책임성 확보의 방법으로 행정인이 민주적으로 선출된 대표자에게 책임을 다하는 것을 강조한다.
③ 정책과정에 있어서 전략적으로 생각하고 민주적으로 행동해야 한다고 강조한다.
④ 관료의 역할로 방향잡기보다는 시민들로 하여금 공유된 가치를 표명하고 그것을 충족시킬 수 있도록 도와주고 봉사해야 함을 강조한다.

123 | 신공공서비스론

책임성 확보의 방법으로 행정인이 민주적으로 선출된 대표자에게 책임을 다하는 것을 강조하는 것은 전통적인 행정이론과 관련이 있다. 신공공서비스론(NPS)에서는 다면적인 책임을 중시한다.

선지분석

③ 신공공서비스론자인 덴하트(Denhardt)는 정책과정에서 전략적으로 생각하고 민주적으로 행동할 것을 강조하였다.
④ 신공공서비스론은 관료의 역할을 방향잡기로 보는 신공공관리론을 비판하며, 관료의 역할이란 시민들로 하여금 공유된 가치를 표명하고 그것을 충족시킬 수 있도록 도와주고 봉사하는 것으로 본다.

답 ②

THEME 020 사회적 자본과 신뢰 및 투명성

124 □□□

2020년 서울시 9급

〈보기〉에 해당하는 행정이론을 옳게 짝지은 것은?

〈보기〉

ㄱ. 집단 동조성과 제한된 결속력은 외부인을 암묵적으로 배제할 수 있고, 구성원의 사적 자유를 제한하게 된다.
ㄴ. 공익이나 시민 간의 담론을 통합하는 기능에 관료의 역할이 맞추어져야 함을 강조한다.

	ㄱ	ㄴ
①	사회자본론	신공공서비스론
②	사회자본론	신공공관리론
③	뉴거버넌스론	신공공서비스론
④	뉴거버넌스론	신공공관리론

124 | 행정이론

ㄱ. 사회자본이 강하게 형성된 사회에서는 집단 동조성으로 인하여 사적 자유나 선택을 제한할 수 있고, 사회자본으로 인한 강하고 제한된 결속력은 외부인을 암묵적으로 배제할 수 있다.
ㄴ. 신공공서비스론에서 관료는 시민 간의 담론을 통해 형성된 공익을 통합하고, 시민에게 서비스하는 역할을 수행하여야 한다고 본다.

답 ①

125 □□□

2019년 서울시 7급(2월 추가)

사회적 자본(social capital)에 대한 설명으로 옳은 것을 〈보기〉에서 모두 고른 것은?

〈보기〉

ㄱ. 퍼트남(Putnam)은 사회적 자본에 있어 네트워크, 규범, 신뢰를 강조하였다.
ㄴ. 사회적 자본이 형성되는 경우 거래비용 감소의 긍정적 효과가 있다.
ㄷ. 사회적 자본은 조정과 협동을 용이하게 만든다.
ㄹ. 세계은행은 개발도상국 개발사업에 사회적 자본 개념을 활용하고 있다.
ㅁ. 후쿠야마(Fukuyama)는 한국사회에 만연한 불신은 사회적 비효율성의 원인이라고 하였다.

① ㄱ, ㄷ, ㅁ
② ㄱ, ㄹ, ㅁ
③ ㄱ, ㄴ, ㄷ, ㅁ
④ ㄱ, ㄴ, ㄷ, ㄹ, ㅁ

126 □□□

2017년 국가직 9급(10월 추가)

사회자본이론(social capital theory)에 대한 설명으로 옳지 않은 것은?

① 사회자본은 참여자들이 협력하도록 함으로써 공유한 목적을 보다 효과적으로 성취하게 만드는 신뢰, 규범, 네트워크와 같은 사회조직의 특징으로 정의할 수 있다.
② 퍼트남(Putnam) 등은 이탈리아에서 사회자본(시민공동체 의식)이 지방정부의 제도적 성과 차이를 잘 설명한다고 주장했다.
③ 정밀한 사회적 연결망은 신뢰를 강화하고, 거래비용을 낮추며, 혁신을 가속화함으로써 경제발전을 촉진할 수 있다.
④ 신뢰와 네트워크를 통한 과도한 대외적 개방성에 대하여 많은 비판을 받고 있다.

125 사회적 자본

ㄱ. 퍼트남(Putnam)은 사회적 자본을 공통의 목적을 위해서 협력할 수 있는 사람들 사이의 사회적 구조로 보고, 신뢰, 호혜성의 규범, 사회적 네트워크, 믿음, 규율 등으로 구성된다고 하였다.
ㄴ. 사회적 자본이 형성되는 경우 사회관계에 필요한 정보를 획득하여 정보획득 비용이 줄어들기 때문에 거래비용이 감소되는 긍정적 효과가 있다.
ㄷ. 사회적 자본은 신뢰, 호혜성의 규범 등을 기반으로 조정과 협동을 용이하게 만든다.
ㄹ. 세계은행(World Bank)은 개발도상국의 개발사업에 사회적 자본 개념을 적극적으로 활용하여 각 국의 순위를 측정하고, 그 순위의 정확성 및 타당성 등을 검증하고자 노력하고 있다.
ㅁ. 후쿠야마(Fukuyama)는 사회적 자본을 사회적 신뢰에서 발생되는 것이라고 인식하는 한편, 한국사회의 부족한 신뢰는 사회적 비효율성의 원인이라고 지적하였다.

답 ④

126 사회자본이론

사회적 자본은 과도한 대외적 개방성이 아니라 특정한 공동체에서의 과도한 폐쇄성이나 결속성으로 인해 부작용이 나타나기도 한다.

선지분석

① 사회자본이란 구체적으로는 개인이나 집단 상호 간의 관계에서 발생하는 신뢰, 자발적 참여, 규범, 상호호혜, 협동, 진실성, 공동체정신 등을 의미하며, 넓게는 이러한 것들을 생산해내는 상호관계나 네트워크 그 자체를 의미한다.
② 퍼트남(Putnam)은 이탈리아 지방정부의 성과 차이가 각 지방의 사회자본이 형성된 정도에 기인한다고 보았다.
③ 사회자본의 적절한 구축은 신뢰를 강화하여 거래 시 상대방에 대한 탐색 비용을 낮추며, 혁신을 가속화할 수 있다.

답 ④

127 □□□

2014년 서울시 7급

사회자본의 특징에 대한 설명으로 옳지 않은 것은?

① 사회자본은 행위자들 간의 관계 속에 존재하는 자본이다.
② 사회자본의 사회적 교환관계는 동등한 가치의 등가교환이다.
③ 사회자본은 지속적인 교환 과정을 거쳐서 유지되고 재생산된다.
④ 사회자본은 거시적 차원에서 공공재의 속성을 가지고 있다.
⑤ 사회자본의 교환은 시간적으로 동시성을 전제로 하지 않는다.

128 □□□

2015년 지방직 7급

'사회적 자본(social capital)'에 대한 설명으로 옳지 않은 것은?

① 사회적 자본을 축적하기 위해서는 자발적 결사체의 결성과 활동이 촉진될 수 있는 여건이 중요하다.
② 지역이 보유하고 있는 물질적 자원을 중심으로 한 발전전략에 따라 강조되었다.
③ 주요속성으로 상호신뢰, 호혜주의, 적극적 참여 등이 있다.
④ 공동체 의식의 강화를 통하여 지식의 공유와 네트워크의 강화를 기대할 수 있다.

127 사회자본

사회자본은 경제적 자본과는 다르게 등가물의 교환을 전제로 하지 않는다. 즉, 사회자본을 매개로 한 사회적 교환관계는 다른 경제적 거래처럼 동등한 가치를 지니는 등가물의 교환이 아니다.

사회자본의 특징

사회적 관계	사회관계에 필요한 정보를 획득하여, 정보획득에 소요되는 비용의 감소를 가져옴
조직발전	풍부한 사회적 자본은 결속력의 증대를 통한 조직발전을 가능하게 함
이익의 공유	사회적 자본은 공공재로서 이익이 공유되는 특성을 가짐
포지티브 섬(positive sum) 게임	사회적 자본을 매개로 한 사회적 교환관계는 다른 경제적 거래처럼 동등한 가치를 지니는 등가물의 교환이 아님
시간적 비동시성	물적 자본의 교환과는 다르게 사회적 자본은 시간적으로 동시에 교환이 이루어지지 않음
공공재	사회적 자본은 공공재로서 한 개인이 배타적으로 소유할 수 없음
지속적 노력	사회적 자본을 소유하고 있는 주체들이 지속적으로 유지하려는 노력을 투입해야 함

답 ②

128 사회적 자본

사회적 자본은 물질적 자원과 관계없다. 사회적 자본은 사람들 사이의 사회적 구조로서 신뢰, 호혜성의 규범, 사회적 네트워크, 믿음, 규율 등으로 구성된다.

사회적 자본의 구성요소

신뢰	• 후쿠야마(Fukuyama)는 사회적 자본을 사회적 신뢰에서 발생되는 것이라고 인식한다. • 사회적 자본은 신뢰로부터 나오며 종교, 전통 또는 역사적 관습 등과 같은 문화적 메커니즘에 의해 생겨나고 전파되기 때문에 다른 형태의 자본과는 다른 차이점을 가진다.
호혜성의 규범	법적 관계나 사업계약과 같이 즉각적이고 공식적으로 계산된 교환을 의미하는 것이 아니라, 단기적인 이타주의와 장기적인 자기 이익과의 조화를 의미한다.
사회적 네트워크	• 개인 간 또는 집단 간의 연결을 가능하게 하는 것을 의미한다. • 현대 및 전통사회, 권위주의와 봉건 및 자본주의 사회 등 모든 사회는 공식·비공식의 사람들 사이의 커뮤니케이션 및 상호 교환이라는 네트워크를 특징으로 한다.
믿음	사회적 자본의 연구에서 비교적 관심을 받지 못했지만 믿음은 사회적 자본 형성에 중요한 역할을 담당한다.
규율	공식적 제도와 규율들은 사회적 연계망, 규범, 믿음 등에 대한 영향을 통해서 사회적 자본에 매우 강력한 직·간접적인 영향을 줄 수 있다.

답 ②

129 □□□

2013년 서울시 9급

사회자본에 대한 다음 설명 중 옳지 않은 것은?

① 네트워크에 참여하는 당사자들이 공동으로 소유하는 자산이다.
② 한 행위자만이 배타적으로 소유권을 행사할 수 없다.
③ 협력적 행태를 촉진시키지만 혁신적 조직의 발전을 저해한다.
④ 행동의 효율성을 제고시킨다.
⑤ 사회적 관계에서 거래비용을 감소시켜 준다.

130 □□□

2017년 서울시 7급

사회적 자본에 대한 설명으로 가장 옳지 않은 것은?

① 신뢰를 통해 거래비용을 감소시키는 기능이 있다.
② 단기간에 정부 주도하의 국민운동에 의해 형성될 수 있다.
③ 개념적으로 추상적이기에 객관적으로 계량화하기 쉽지 않다.
④ 개인, 집단, 지역공동체, 국가 등 상이한 수준에서 정의될 수 있다.

129 사회자본

사회자본은 사회 구성원들의 신뢰를 바탕으로 사회 구성원의 협력적 행태를 촉진시키고, 공동목표를 효율적으로 달성할 수 있게 해주는 자본을 의미한다. 따라서 사회자본은 구성원의 창의력을 증진시키고 조직의 혁신적인 발전을 이끌어낼 수 있다.

선지분석

①, ② 사회자본은 한 행위자가 독점적으로 소유할 수 없고, 네트워크에 참여하는 당사자들이 공동으로 소유하는 자산이다.
④, ⑤ 사회자본의 구축은 신뢰를 형성하므로 상대방에 대한 탐색비용 등을 절감시켜 거래비용을 감소시켜 주며, 행동의 효율성을 제고시킨다.

답 ③

130 사회적 자본

사회적 자본은 구체적으로 개인이나 집단 상호 간의 관계에서 발생하는 신뢰, 자발적 참여, 규범, 상호 호혜, 협동, 진실성 등을 의미하며, 넓게는 이러한 것들을 생산하는 상호 관계나 네트워크 그 자체를 의미한다. 이것은 정부 주도하에서 생성되는 것이 아니라 사회 구성원들이 협력하여 공동의 목표를 효율적으로 추구할 수 있도록 해주는 자본으로, 민간에서 자발적으로 형성된다.

선지분석

① 사회적 자본은 신뢰를 형성하고, 신뢰가 형성되면 거래 상대방에 대한 탐색비용 등의 거래비용을 감소시킬 수 있다.
③ 사회적 자본이란 신뢰, 투명성 등의 추상적 개념이기 때문에 객관적으로 계량화하기 곤란하다.

답 ②

131 □□□

2013년 국가직 9급

사회자본(social capital)이 형성되는 모습으로 보기 어려운 것은?

① 지역주민들의 소득이 지속적으로 증가하고 있다.

② 많은 사람들이 알고 지내는 관계를 유지하는 가운데 대화 · 토론하면서 서로에게 도움을 준다.

③ 이웃과 동료에 대한 기본적인 믿음이 존재하며 공동체 구성원들이 서로 신뢰한다.

④ 지역 구성원들이 삶과 세계에 대한 도덕적 · 윤리적 규범을 공유하고 있다.

131 사회자본

지역주민들의 소득 증가, 즉 경제적 · 물질적 환경은 사회자본의 형성과 직접적인 관계가 없다.

답 ①

132 □□□

2013년 서울시 7급

정부는 지속가능한 사회를 구축하기 위해 사회자본(social capital)을 형성해야 하는 중요한 역할을 담당한다. 이와 같이 정부가 사회자본을 형성하기 위한 전략으로 적절하지 않은 것은?

① 시민참여가 보다 수평적으로 이루어져야 한다.

② 정부에 대한 시민의 신뢰를 회복시키려는 노력을 해야 한다.

③ 법적 제도의 공정성과 효율성을 확립시켜야 한다.

④ 자발적 조직들 간의 연계망을 확대하기 위한 지원을 강화해야 한다.

⑤ 집단행동의 딜레마를 해결하려면 수직적 네트워크를 강화해야 한다.

132 사회자본

집단행동의 딜레마를 해결하기 위해서는 수직적 네트워크가 아니라 수평적 네트워크를 강화해야 한다.

선지분석

① 사회자본은 일방적인 지시와 복종관계인 수직적 사회가 아니라, 신뢰와 협력을 기반으로 하는 수평적 참여가 촉진되는 사회에서 형성된다.

② 정부에 대한 시민의 신뢰는 사회자본의 매우 중요한 요소이다.

④ 조직 설립의 자발성과 설립된 조직의 연계망을 확대하는 것은 사회자본의 형성을 촉진시키므로, 이에 대한 지원을 강화하여야 한다.

답 ⑤

133 □□□

2010년 지방직 7급

다음에서 공통적으로 설명하고 있는 것은?

- 사회적 관계에서 상호 이익을 위해 집합행동을 촉진시키는 규범과 네트워크
- 행위자가 자신이 소속한 집단과 네트워크에 있는 자원에 접근함으로써 얻을 수 있는 자산
- 사회적 네트워크 또는 사회구조의 구성원이 됨으로써 확보할 수 있는 행위자의 능력

① 뉴거버넌스
② 사회자본
③ 신제도론
④ 조합주의

134 □□□

2011년 국가직 7급

사회자본(social capital)에 대한 설명으로 옳지 않은 것은?

① 부르디외(Bourdieu)는 서로 알고 지내는 사이에 지속적으로 존재하는 관계의 네트워크를 통하여 얻을 수 있는 실제적이고 잠재적인 자원의 합계로 정의하였다.
② 사회자본은 물적 자본 및 인적 자본과는 구분되는 자본으로 사회적 관계 속에 존재하는 것이다.
③ 사회자본은 사용할수록 점차 감소하기 때문에 소유주체가 지속적으로 유지하려는 노력을 투입해야 한다.
④ 후쿠야마(Fukuyama)는 국가의 복지수준과 경쟁력은 사회에 내재하는 신뢰수준이 결정한다고 보았다.

133 사회자본

사회자본은 구체적으로 개인이나 집단 상호 간의 관계에서 발생하는 신뢰, 자발적 참여, 규범, 상호 호혜, 협동, 진실성, 공동체정신 등을 의미하며, 넓게는 이러한 것들을 생산해내는 상호 관계나 네트워크 그 자체를 의미한다.

선지분석

① 뉴거버넌스는 시민을 고객이 아닌, 정부의 동반자이자 국정의 주인으로 인식하고 공동체주의적 입장에서 공·사부문의 네트워크를 통하여 국정을 관리하고자 하는 새로운 거버넌스이다.
③ 신제도론은 제도의 개념을 규범, 규칙, 사회현상으로 폭넓게 이해하고 환경과의 상호작용을 통해 제도와 행위자 간의 상호작용과 제도의 영향력을 연구하는 동태적인 접근방법이다.
④ 조합주의는 다원주의의 반발로 나타난 국가주의의 일종으로 국가는 어느 특정 집단이나 경제적인 계급·영향 등에 통제되지 않으며 자율성을 가지고 권위적·주체적으로 조정이 가능하다는 이론이다.

답 ②

134 사회자본

사회자본은 사회규범과 사회적 연계망과 같은 사회에 내재하는 신뢰이므로 사람들이 사용하면 할수록 더욱 증가하는 특징을 가진다. 이는 사용할수록 감소하는 물적·인적 자본과는 구분되며, 다른 형태의 자본과는 달리 네트워크에 참여하는 당사자들이 공동으로 소유하는 자산으로 배타적인 소유권 행사가 불가능하다.

선지분석

① 부르디외(Bourdieu)에 의하면 사회자본이란 사회 구성원의 관계의 네트워크를 통하여 얻을 수 있는 실제적 자원과 잠재적인 자원의 합계이다.
② 사회자본은 물적 자본이나 개개인의 능력 등을 기본으로 하는 인적 자본과는 구분되는 자본으로, 배타적으로 소유할 수 없고 사회적 관계 속에서 존재하게 된다.

답 ③

135 □□□

2013년 국회직 8급

다음 중 사회적 자본(social capital)에 대한 설명으로 가장 옳지 않은 것은?

① 사회적 자본은 사회 내 신뢰 강화를 통해 거래비용을 감소시킨다.
② 사회적 자본은 경제적 자본에 비해 형성 과정이 불투명하고 불확실하다.
③ 사회적 자본은 사회적 규범 또는 효과적인 사회적 제재력을 제공한다.
④ 사회적 자본은 동조성(conformity)을 요구하면서 개인의 행동이나 사적 선택을 적극적으로 촉진시킨다.
⑤ 사회적 자본은 집단 결속력으로 인해 다른 집단과의 관계에 있어서 부정적 효과를 나타낼 수도 있다.

135 사회적 자본

사회적 자본은 동조성(conformity)을 요구하면서 개인의 행동이나 사적 선택을 제약하는 경우가 있다.

(선지분석)
① 사회적 자본이 형성되는 경우 거래비용이 감소되는 긍정적인 효과가 있다.
② 사회적 자본은 형성 과정이 불투명하다는 한계가 있다.
③ 공식적 제도와 규율들이 사회적 연계망, 규범, 믿음 등에 대한 영향을 통해 사회적 자본에 매우 강력한 직접적·간접적 영향을 준다.
⑤ 풍부한 사회적 자본은 결속력의 증대를 통한 조직발전을 가능하게 하지만, 다른 집단과의 관계에 있어서는 부정적인 효과를 나타낼 수도 있다.

답 ④

136 □□□

2018년 서울시 7급(6월 시행)

사회적 자본(social capital)에 대한 설명으로 가장 옳지 않은 것은?

① 사회 구성원들이 공동의 문제를 해결하는 데 적극적으로 참여하는 사회의 조건 또는 특성을 의미한다.
② 공동이익을 위한 상호 조정과 협력을 촉진한다.
③ 공동체에 대한 무조건적인 봉사를 전제로 한다.
④ 신뢰가 사회 전체 혹은 사회의 특정 부분에 널리 퍼져 있는 데서 생기는 능력을 의미하기도 한다.

136 사회적 자본

사회적 자본은 공동체에 대한 무조건적인 봉사를 전제로 하는 것이 아니라, 단기적인 이타주의와 장기적인 자기 이익과의 조화를 위해 지속적인 교환 관계를 통해 유지되고 재생산되는 자본이다.

(선지분석)
① 사회적 자본은 사회 구성원들이 공동의 문제를 해결하는 데 적극적으로 참여하는 협력의 특성을 보인다.
④ 사회적 자본은 신뢰가 사회 내에 퍼져 있는 데에서 발생할 수 있는 거래비용 감소 등의 효과와 그에 따라 증진되는 능력을 의미하기도 한다.

답 ③

행정의 가치와 이념

THEME 021 행정의 가치와 이념

01 □□□

2019년 서울시 9급(2월 추가)

행정가치에 대한 설명으로 가장 옳은 것은?

① 과정설에서는 공익은 사익을 초월한 실체 · 규범 · 도덕 개념으로 파악한다.
② 사회적 형평성은 1930년대 중반 이후 인간관계론의 등장과 더불어 강조된 개념이다.
③ 사회적 효율성은 동등한 것을 동등한 자에게 처방하는 것이 정당하다고 본다.
④ 효과성은 목표달성의 정도로 1960년대 발전행정론에서 중요시한 개념이다.

02 □□□

2016년 사회복지직 9급

행정가치 중 본질적 가치와 가장 거리가 먼 것은?

① 정치적 자유
② 가치의 평등한 배분
③ 민주적 의사결정
④ 사회적 형평

01 행정가치

효과성은 능률성보다 확장된 개념으로서 산출 대비 목표, 목표의 달성도를 의미하는 질적인 의미로, 1960년대 개발도상국의 발전행정론에서 국가 발전이라는 목표달성을 위하여 중요시한 개념이다.

(선지분석)

① 과정설에서는 사익을 초월한 존재로서의 선험적 공익을 부정하며, 공익을 사익의 총합으로 인식한다.
② 사회적 형평성은 1960년대 후반에서 1970년대 미국에서 인종 갈등의 해소, 성 평등의 지향 등과 더불어 강조된 개념이다.
③ 사회적 효율성은 구성원의 인간적 가치 실현 등을 내용으로 하여 민주성의 개념으로 이해되기도 한다. 동등한 것을 동등한 자에게 처방하고 다른 것을 다른 자에게 처방하는 것이 정당하다고 보는 것은 사회적 효율성이 아닌 사회적 형평성이다.

답 ④

02 본질적 가치

민주적 의사결정(민주성)은 수단적 가치에 해당한다.

행정의 가치

구분	내용
본질적 가치 (목표적 의미)	• 행정을 통해 이룩하고자 하는 궁극적 가치 • 공익, 정의, 자유, 평등(형평성), 복지
비본질적 가치 (수단적 의미)	• 행정이 추구하는 본질적 행정가치를 달성하기 위한 수단이 되는 가치 • 실제적인 행정 과정에서 구체적 지침이 되는 규범적 기준 • 능률성, 효과성, 합법성, 합리성, 민주성 등 → 민주성과 능률성의 관계에서는 민주성을 본질적 가치로, 능률성을 수단적 가치로 보는 견해도 있음

답 ③

03 □□□

2015년 지방직 9급

행정에 대한 설명으로 옳지 않은 것은?

① 행정은 정부의 단독행위가 아니라 사회의 다양한 주체들이 함께 참여하는 협력행위로 변해가고 있다.
② 행정은 사회의 공공가치 실현을 목적으로 한다.
③ 행정은 민주주의의 원칙에 따라 재원의 확보와 사용에 있어서 국회의 통제를 받는다.
④ 행정의 본질적 가치로는 능률성, 책임성 등이 있으며 수단적 가치로는 정의, 형평성 등을 들 수 있다.

THEME 022 행정의 본질적 가치

04 □□□

2020년 국가직 9급

공리주의적 관점에서 공익을 설명한 것으로 옳은 것만을 모두 고르면?

ㄱ. 사회 전체의 효용이 증가하면 공익이 향상된다.
ㄴ. 목적론적 윤리론을 따르고 있다.
ㄷ. 효율성(efficiency)보다는 합법성(legitimacy)이 윤리적 행정의 판단기준이다.

① ㄱ
② ㄷ
③ ㄱ, ㄴ
④ ㄴ, ㄷ

03 행정의 본질적 가치

능률성과 책임성은 행정의 수단적 가치에 해당하고, 정의와 형평성은 본질적 가치에 해당한다.

선지분석

① 현대적 행정은 거버넌스적 특징을 보인다.
② 행정은 사회의 공공가치인 공익의 실현을 목적으로 한다.
③ 행정(부)은 국민의 대표기관인 국회(입법부)의 통제를 받는다.

답 ④

04 공익

ㄱ. 공리주의적 관점에서는 사회 전체의 효용이 증가하면 공익이 향상된다고 본다.
ㄴ. 목적론적 윤리론은 '윤리란 어떠한 행위가 좋은 결과를 가져올 수 있다면 옳다'는 윤리론으로, 공리주의적 관점이다. 이에 반하는 윤리론을 의무론적 윤리론이라고 한다.

선지분석

ㄷ. 공리주의적 관점에서는 합법성(legitimacy)보다 효율성(efficiency)이 윤리적 행정의 판단기준이 된다고 본다.

답 ③

05 □□□

2019년 서울시 9급

공익에 대한 설명으로 가장 옳지 않은 것은?

① 과정설은 개인의 사익을 초월한 공동체 전체의 공익이 따로 있다고 보는 견해이다.

② 실체설은 사회 전 구성원의 총효용을 극대화함으로써 공익에 도달할 수 있다고 보는 견해이다.

③ 과정설은 공익이 사익의 총합이거나 사익 간의 타협·조정 과정을 통해 얻어지는 것으로 보는 견해이다.

④ 실체설은 사회공동체 내지 국가의 모든 가치를 포괄하는 절대적인 선의 가치가 있다고 보는 견해이다.

05 공익

개인의 사익을 초월한 공동체 전체의 공익이 따로 있다고 보는 견해는 과정설이 아니라 실체설이다.

선지분석

② 과정설은 사회 전 구성원의 효용의 합인 총효용이 곧 공익이라고 보는 입장이고, 실체설은 사회 전 구성원의 총효용을 극대화함으로써 공익에 도달할 수 있다고 보는 견해이다.

공익의 실체설과 과정설

실체설(적극설)	과정설(소극설)
• 선험적: 공익은 사익에 우선하며, 공익과 사익은 갈등관계에 놓이지 않음 • 전체주의: 집단이나 전체의 이익을 강조 • 적극적인 관료의 역할 중시 • 통일된 공익개념을 도출할 수 없으며 공익의 개념이 추상적임 • 합리모형 • 개발도상국 • 학자: 롤스(Rawls), 플라톤(Platon), 칸트(Kant), 루소(Rousseau)	• 경험적: 사익을 초월한 존재로서의 선험적 공익을 부정하며, 공익을 사익의 총합으로 인식 • 개인주의 • 공익을 다원화된 특수이익의 조정과 타협의 결과물로 보기 때문에 절차적 합리성을 중시하여 적법절차를 강조함 • 공익을 민주주의를 실현하는 방법과 과정으로서 인식 • 점증모형 • 선진국 • 학자: 린드블롬(Lindblom), 하몬(Harmon), 벤틀리(Bently), 슈버트(Schbert)

답 ①

06 □□□

2019년 서울시 7급

공익의 실체설에 대한 설명으로 옳은 것을 〈보기〉에서 모두 고른 것은?

〈보기〉

ㄱ. 사회공동체나 국가의 모든 가치를 포괄하는 절대적 선의 가치가 있다.
ㄴ. 적법절차의 준수에 의해 공익이 보장된다.
ㄷ. 사회구성원이 보편적으로 공유하는 이익을 의미한다.
ㄹ. 행정의 조정자 역할이 강조된다.

① ㄱ
② ㄴ
③ ㄱ, ㄷ
④ ㄴ, ㄹ

06 공익의 실체설

ㄱ. 공익 실체설적 입장에 따르면 사회공동체나 국가의 모든 가치를 포괄하는 절대적 가치가 있다. 따라서 공익은 사익에 항상 우선하게 된다고 본다.

선지분석

ㄴ. 적법절차의 준수에 의해 공익이 보장된다고 보는 입장은 공익 과정설적 입장이다.
ㄹ. 공익의 과정설은 절대적인 공익이란 없기 때문에 행정의 다양한 집단을 조정하는 역할을 강조한다.

답 ③

07 □□□

2017년 국가직 9급(4월 시행)

공익(public interest) 개념의 실체설과 과정설에 대한 설명으로 옳은 것은?

① 실체설은 집단 간 상호작용의 산물이 공익이라고 본다.
② 과정설의 대표적인 학자에는 플라톤(Platon)과 루소(Rousseau)가 있다.
③ 실체설은 공익이라는 미명하에 개인의 이익이 침해될 수 있는 위험요소를 내포하고 있다.
④ 과정설은 공익과 사익이 명확히 구분된다는 입장이다.

08 □□□

2015년 지방직 9급

공익 개념을 설명하는 접근방법들 중에서 정부와 공무원의 소극적 역할과 관련 깊은 것은?

① 사회의 다양한 집단 간에 상호 이익을 타협하고 조정하여 얻어진 결과가 공익이다.
② 사회 구성원의 개별적 이익을 모두 합한 전체 이익을 최대화한 것이 공익이다.
③ 정의 또는 공동선과 같은 절대가치가 공익이다.
④ 특정인이나 집단의 특수이익이 아니라 사회 구성원이 보편적으로 공유하는 이익이 공익이다.

07 공익의 실체설과 과정설

실체설은 집단이나 전체의 이익을 강조하므로 공익이라는 미명하에 개인의 이익이 침해될 수 있는 위험성을 내포하고 있다.

선지분석

① 실체설이 아닌 과정설의 주장이다. 과정설은 집단 간 상호작용의 산물이 공익이라고 보고 있다.
② 플라톤(Platon)과 루소(Rousseau)는 실체설의 대표적인 학자이다.
④ 공익과 사익이 명확하게 구분된다고 보는 것은 실체설의 입장이다.

답 ③

08 공익의 실체설과 과정설

정부와 공무원의 소극적 역할과 관계있는 것은 공익의 과정설 입장이다. 과정설은 공익의 개념을 소극적으로 정의하기 때문에 소극설이라고도 하며, 공익을 사익 간의 대립을 조정하고 타협을 이루어나가는 과정을 거쳐 다수의 이익에 일치되는 공익이 도출된다고 본다.

선지분석

②, ③ 공익의 적극설인 실체설의 입장이다. 실체설은 공익은 사익을 초월한 존재로서 도덕적이고 규범적인 공익이 선험적으로 존재한다고 보는 견해이다.
④ 사회 구성원이 보편적으로 공유하는 이익을 공익이라고 보는 것은 공익의 적극설인 실체설의 입장이다.

답 ①

09 □□□

2015년 지방직 7급

공익(public interest)의 개념에 대한 설명으로 옳지 않은 것은?

① 실체설은 사회 구성원 간에 보편적으로 공유되는 공동의 이익보다는 부분적이며 특수한 이익을 공익으로 보는 입장이다.

② 실체설에서 인식하는 공익개념의 구체적 내용은 도덕적 절대가치, 정의, 공동사회의 기본적 가치 등으로 다양하다.

③ 과정설에는 서로 상충되는 이익을 가진 집단들 사이의 조정과 타협의 산물이 공익이라고 보는 입장이 있다.

④ 과정설에는 절차적 합리성을 강조하여 적법절차의 준수에 의해 공익이 보장된다고 보는 입장이 있다.

10 □□□

2018년 서울시 9급

공익에 대한 설명으로 가장 옳지 않은 것은?

① 과정설은 공익을 서로 충돌하는 이익을 가진 집단들 사이에서 상호 조정 과정을 거쳐 균형상태의 결론에 도달했을 때 실현되는 것이라고 본다.

② 실체설에서도 전체 효용의 극대화를 강조하는 입장에서는 사회 구성원의 효용을 계산한 다음에 전 구성원의 총효용을 극대화함으로써 공익에 도달할 수 있다고 본다.

③ 실체설에서는 도덕적 절대가치를 공익의 실체로 보는 관점에서는 사회공동체나 국가의 모든 가치를 포괄하는 절대적인 선의 가치가 있다고 가정한다.

④ 실체설에서는 적법절차의 준수를 강조하며 국민주권원리에 의한 행정의 중심적 역할을 강조한다.

09 공익

부분적으로 특수한 이익을 공익으로 보는 입장은 과정설이다. 실체설은 공익은 사익을 초월한 존재로서 도덕적이고 규범적인 도덕이 선험적으로 존재한다고 보는 견해이다. 이는 부분적이고 특수한 이익보다 보편적으로 공유되는 공동의 이익을 공익이라고 보는 입장이다.

선지분석

② 실체설은 공익이란 선험적으로 존재하는 공동체의 이익이라고 보지만, 공익 개념의 구체적 내용은 도덕적 절대가치, 정의, 공동사회의 기본적 가치 등으로 다양하다고 보는 입장이다.

④ 과정설은 곧 절차설로, 내용적 합리성을 강조하는 실체설과 달리 절차적 합리성을 강조한다.

답 ①

10 공익

과정설에서는 적법절차의 준수를 강조하며 국민주권원리에 의한 행정의 중심적 역할을 강조한다.

선지분석

① 과정설은 집단들 사이에서 상호 조정하는 과정을 거쳐 타협점을 찾아내서 균형상태를 이루는 결론에 도달하였을 경우 공익이 실현된다고 본다.

② 전체 효용의 극대화를 강조하여 사회 구성원의 효용을 계산한 다음에 전 구성원의 총효용을 극대화함으로써 공익에 도달할 수 있다고 보는 입장은 실체설이며, 전 구성원의 총효용의 합을 공익으로 보는 입장은 과정설의 입장이다.

③ 실체설에서의 공익의 개념은 도덕적 절대가치, 정의, 공동사회의 기본적 가치 등으로 다양한데, 이 중 도덕적 절대가치를 공익의 실체로 보는 관점에서는 사회 공동체나 국가의 모든 가치를 포괄하는 절대적인 선의 가치가 있다고 본다.

답 ④

11 □□□

2008년 지방직 7급

공익의 과정설(소극적 인식론)에 대한 설명으로 옳지 않은 것은?

① 공익을 사익이 적절히 조정·절충된 결과로 본다.
② 대립적인 이익들을 평가할 수 있는 기준을 제시하고 있다.
③ 각 사회집단의 이익과 본질적으로 구별되는 공공이익은 존재하지 않는다는 입장이다.
④ 토의나 비판 과정이 발달하지 못한 신생국가 등에는 적용하기 어렵다.

12 □□□

2019년 국가직 9급

공익에 대한 설명으로 옳은 것은?

① 「국가공무원법」은 제1조에서 공무원은 국민 전체의 봉사자로서 공익을 추구해야 함을 명시하고 있다.
② 「공무원 헌장」은 공무원이 실천해야 하는 가치로 공익을 명시하고 있다.
③ 신공공서비스론에서는 공익을 행정의 목적이 아닌 부산물로 보아야 한다는 점을 강조한다.
④ 공익에 대한 실체설에서는 공익을 사익 간 타협 또는 집단 간 상호작용의 산물로 보았다.

11 공익의 과정설

공익의 과정설은 공익을 사익 간의 경쟁과 대립을 조정하는 과정 속에서 나타나는 것으로 인식한다. 따라서 공익에 대한 개념 및 인식이 소극적이므로 대립적인 이익들을 평가할 수 있는 기준을 제시하지 못한다는 단점이 있다.

(선지분석)
③ 공익의 과정설은 각 사회집단의 이익과 본질적으로 구별되는 공익이란 존재하지 않는다고 보기 때문에 공익이 사익에 우선할 수 없으며, 공익은 경험적으로만 도출할 수 있다고 본다.
④ 공익의 과정설은 민주주의가 확립되고 다양한 이익이 보장되는 다원주의·민주주의 사회에 적용이 용이하다.

답 ②

12 공익

「공무원 헌장」은 공무원이 공익을 우선시하며 투명하고 공정하게 맡은 바 책임을 다해야 한다고 명시하고 있다.

(선지분석)
① 「국가공무원법」은 제1조에서 국가공무원은 국민 전체의 봉사자로서 행정의 민주적이며 능률적인 운영을 기해야 함을 명시하고 있다.
③ 신공공서비스론은 공익을 행정의 부산물이 아닌 궁극적 목표로 보아야 한다는 점을 강조한다.
④ 공익을 사익 간 타협 또는 집단 간 상호작용의 산물로 보는 것은 공익 과정설이다.

「공무원 헌장」

우리는 자랑스러운 대한민국의 공무원이다.
우리는 헌법이 지향하는 가치를 실현하며 국가에 헌신하고 국민에게 봉사한다.
우리는 국민의 안녕과 행복을 추구하고 조국의 평화 통일과 지속 가능한 발전에 기여한다.
이에 굳은 각오와 다짐으로 다음을 실천한다.
하나. 공익을 우선시하며 투명하고 공정하게 맡은 바 책임을 다한다.
하나. 창의성과 전문성을 바탕으로 업무를 적극적으로 수행한다.
하나. 우리 사회의 다양성을 존중하고 국민과 함께 하는 민주 행정을 구현한다.
하나. 청렴을 생활화하고 규범과 건전한 상식에 따라 행동한다.

답 ②

13 □□□

2015년 사회복지직 9급

롤스(Rawls)가 주장한 사회 정의의 원리에 대한 설명으로 옳지 않은 것은?

① 정의의 제1원리는 '기본적 자유의 평등원리'로서, 개개인에 대해 다른 사람의 유사한 자유와 상충되지 않는 범위 내에서 최대한의 기본적 자유에의 평등한 권리가 인정되어야 한다는 원리이다.

② 정의의 제2원리의 하나인 '차등원리'는 저축원리와 양립하는 범위 내에서 가장 불우한 사람들의 편익을 최대화해야 한다는 원리이다.

③ 정의의 제2원리의 하나인 '기회 균등의 원리'는, 사회 · 경제적 불평등은 그 모체가 되는 모든 직무와 지위에 부수해 존재해야 한다는 원리이다.

④ 정의의 제1원리가 제2원리에 우선하고, 제2원리 중에서는 '차등원리'가 '기회 균등의 원리'에 우선되어야 한다.

14 □□□

2018년 국가직 9급

롤스(Rawls)의 정의론에 대한 설명으로 옳지 않은 것은?

① 원초적 자연상태(state of nature)하에서 구성원들의 이성적 판단에 따른 사회형태는 극히 합리적일 것이라고 가정하는 사회계약론적 전통에 따른다.

② 현저한 불평등 위에서는 사회의 총체적 효용극대화를 추구하는 공리주의가 정당화될 수 없다고 본다.

③ 사회의 모든 가치는 평등하게 배분되어야 하며, 불평등한 배분은 그것이 사회의 최소수혜자에게도 유리한 경우에 정당하다고 본다.

④ 자유와 평등의 조화를 추구하는 중도적 입장보다는 자유방임주의에 의거한 전통적 자유주의의 입장을 취하고 있다.

13 롤스(Rawls)의 정의론

정의의 제1원리가 제2원리에 우선하고, 제2원리 중에서는 '기회 균등의 원리'가 '차등원리'에 우선되어야 한다.

롤스(Rawls)의 정의의 원리

제1원리 동등한 자유의 원리 (기본적 자유의 평등 원리)		다른 사람의 자유와 상충되지 않는 범위 내에서 최대한으로 자유에 대하여 평등한 권리가 인정되어야 한다.
제2원리 정당한 불평등의 원리	기회 균등의 원리	불평등의 원인이 되는 모든 직무와 지위에 대한 기회는 모든 사람에게 균등하게 제공되어야 한다.
	차등원리	불평등한 상황의 조정 시에는 가장 불리한 사람들에게 최대한 이익이 되도록 해야 한다. → 최소극대화의 원리

답 ④

14 롤스(Rawls)의 정의론

롤스(Rawls)의 정의론은 우파(자유방임주의)로부터는 개인의 자유와 권리를 침해한다는 비판을, 좌파(사회주의자)로부터는 바람직한 불평등이 아닌 완전한 평등을 추구해야 한다는 비판을 받는다.

선지분석

① 특정 사실의 결과가 자기에게 유 · 불리한지에 대한 판단이 불확실한 원초적 상황에서 구성원들이 합의하는 규칙이나 원칙은 공정할 것이라고 전제한다.

②, ③ 사회정의란 분배적 정의를 의미하며, 공정성으로서의 정의를 파악하여 평등원칙에 따라 사회구성원들에게 공정하게 배분되어야 한다고 본다. 즉, 정의란 공정한 배경 속에서 합리적 계약자들 간의 합의를 통해 도출되는 것이며, 그렇게 도출된 원칙을 바탕으로 사회적 · 경제적 불평등은 공정한 기회균등의 조건 아래 최소수혜자에게 최대 이득이 될 때만 허용할 수 있다.

답 ④

15 □□□

2017년 서울시 7급

롤스(Rawls)가 제시한 정의론(Justice theory)의 내용으로 가장 옳지 않은 것은?

① 롤스는 사회계약론의 입장에서 정의의 원리를 도출한다.
② 전제조건으로 원초상태란 '무지의 베일'에 가리어져 있는 상태를 말한다.
③ 제1의 원리는 사회적 약자의 편익을 최대화하는 것이다.
④ 롤스의 정의관은 자유와 평등의 조화를 추구하고 있다.

16 □□□

2014년 서울시 9급

롤스(Rawls)의 사회 정의의 원리와 거리가 먼 것은?

① 원초상태(original position)하에서 합의되는 일련의 법칙이 곧 사회 정의의 원칙으로서 계약 당사자들의 사회협동체를 규제하게 된다.
② 정의의 제1원리는 기본적 자유의 평등원리로서, 모든 사람은 다른 사람의 유사한 자유와 상충되지 않는 한도 내에서 최대한의 기본적 자유에의 평등한 권리를 인정하는 것이다.
③ 정의의 제2원리의 하나인 '차등원리(difference principle)'는 가장 불우한 사람들의 편익을 최대화해야 한다는 원리이다.
④ 정의의 제2원리의 하나인 '기회 균등의 원리'는, 사회 · 경제적 불평등은 그 모체가 되는 모든 직무와 직위에 대한 기회 균등이 공정하게 이루어진 조건하에서 직무나 지위에 부수해 존재해야 한다는 원리이다.
⑤ 정의의 제1원리가 제2원리에 우선하고, 제2원리 중에서는 '차등원리'가 '기회균등의 원리'에 우선되어야 한다.

15 | 롤스(Rawls)의 정의론

사회적 약자의 편익을 최대화하는 최소극대화의 원리는 롤스(Rawls)의 제2의 원리인 차등 조정의 원리를 의미한다. 제1의 원리는 타인의 자유를 방해하지 않는 범위 내에서 개인의 자유는 최대한 보장되어야 한다는 동등한 자유의 원칙, 기본적 자유의 평등원칙이다.

선지분석

① 롤스(Rawls)는 정의를 사회구성원의 상호계약의 결과로 보았다.
② 원초상태란 합리적 구성원들이 무지의 베일에 가리어져 있는 상태이고, 무지의 베일이란 자신의 능력, 가치관 및 심리, 사회경제적 지위 등을 모르는 상태이다.
④ 롤스(Rawls)는 자유의 가치를 우선적으로 고려하고, 이후 평등의 가치도 고려하였다.

답 ③

16 | 롤스(Rawls)의 정의론

롤스(Rawls)의 사회 정의에서 정의의 제1원리가 제2원리에 우선하고, 제2원리 중에서는 '기회 균등의 원리'가 '차등원리'에 우선되어야 한다고 보았다.

선지분석

① 롤스(Rawls)는 원초적 상황에서 합의되는 일련의 법칙이 가장 정의롭다고 본다.
② 정의의 제1원리는 타인의 자유를 방해하지 않는 범위 내에서 개인의 자유는 최대한 보장되어야 한다는 원리이다.
③ 정의의 제2원리 중 차등원리는 저축의 원리(장래를 위한 투자분)와 양립되는 범위 내에서 그 사회에서 가장 불우한 사람들을 우대하는 조치(부자를 차별하는 행위)는 정의롭다는 원리이다.
④ 정의의 제2원리 중 기회 균등의 원리는 사회경제적 결과에 대한 배분과정에서, 개인들 사이의 기회가 공정하게 보장된 상태에서 실현된 불평등은 허용이 가능하다는 원리이다.

답 ⑤

17 □□□

2013년 지방직 7급

롤스(Rawls)의 정의론과 거리가 먼 것은?

① 기본적 자유의 평등원리
② 최대극대화의 원리
③ 차등의 원리
④ 공정한 기회균등의 원리

18 □□□

2019년 지방직 7급

행정가치에 대한 설명으로 옳지 않은 것은?

① 디목(Dimock)은 과학적 관리론에 입각한 기계적 효율관을 비판하며 사회적 효율성을 강조했다.
② 프레데릭슨(Frederickson)과 왈도(Waldo) 등 신행정학의 학자들은 사회적 형평성이 행정가치로 주목받는 데 크게 기여하였다.
③ 롤즈(Rawls)가 제시한 정의론의 차등 조정의 원리는 다시 차등 원리와 기회 균등의 원리로 나뉜다.
④ 슈버트(Schubert)는 공익실체설의 입장에서 공익이 민주적 정부 이론의 중심에 놓여 있다고 주장했다.

17 롤스(Rawls)의 정의론

롤스(Rawls)의 사회 정의는 분배적 정의를 의미하는 것으로, 공정성으로서의 정의를 파악하여 평등원칙에 따라 사회 구성원들에게 공정하게 배분되어야 한다고 보았다. 즉, 정의란 공정한 배경 속에서 합리적 계약자들 간의 합의를 통해 도출되는 것이며 그렇게 도출된 원칙을 바탕으로 사회적·경제적 불평등은 공정한 기회균등의 조건 아래에서 최소수혜자들에게 최대이득(최소극대화)이 될 때에만 허용할 수 있다는 것이다.

답 ②

18 행정가치

슈버트(Schubert)는 공익을 민주주의를 실현하는 방법과 과정으로서 인식하는 공익과정설적 입장의 학자이다.

선지분석

① 디목(Dimock)은 기계적 능률성 대신 사회적 능률성을 강조하였다.

답 ④

19 □□□

2014년 국가직 7급

행정가치에 대한 설명으로 옳지 않은 것은?

① 공익 과정설은 현실주의적이고 개인주의적인 공익개념이다.
② 공익 실체설은 개인의 사익을 모두 합한 것이 공익이라고 보지 않는다.
③ 행정이념으로서 사회적 형평성은 신행정론의 등장과 함께 강조되었다.
④ 롤스(Rawls)가 정의론에서 제시한 '기본적 자유의 평등원리'는 개개인의 권리가 다른 사람의 유사한 자유와 상충되더라도 최대한의 기본적 자유가 인정되어야 한다는 것이다.

20 □□□

2015년 교육행정직 9급

행정가치 중 사회적 형평에 관한 설명으로 옳지 않은 것은?

① 행정이 중립적이어야 한다는 신념에 바탕을 두고 있다.
② 능률 중심의 전통적 행정에 대한 비판과 함께 강조되었다.
③ 사회적 · 경제적 약자에게 더 많은 혜택을 제공해야 한다고 주장한다.
④ 현재 차별을 하지 않을 뿐만 아니라 과거의 차별로 인한 결과의 시정까지 요구한다.

19 행정가치

롤스(Rawls)의 정의론의 제1원칙인 '동등한 자유의 원칙'은 개인이 다른 사람의 유사한 자유와 상충되지 않는 한도 내에서 최대한의 기본적 자유에의 평등한 권리가 인정되어야 한다는 것이다.

선지분석

① 공익 과정설은 공익을 사익의 합이라고 주장한다.
② 공익 실체설은 공익이 사익에 우선한다고 본다.
③ 사회적 형평성은 1968년 왈도(Waldo)의 신행정학 등장과 함께 강조되었다.

답 ④

20 사회적 형평

사회적 형평은 행정이 중립적이어야 한다는 소극적인 의미가 아니라, 사회적 약자를 배려해야 한다는 적극적인 의미를 포함하고 있다.

선지분석

② 사회적 형평은 행정국가의 능률 중심의 전통적 행정에 대한 비판과 함께 신행정학의 등장으로 강조되었다.
③ 사회적 형평은 형식적 형평이 아닌 실질적 형평을 추구하므로, 사회적 · 경제적 약자에게 더 많은 혜택을 제공하여야 한다고 주장한다.
④ 사회적 형평은 현재 차별을 하지 않을 뿐만 아니라 과거의 차별로 인한 결과의 시정까지 요구하는 적극적 조치(사회적 약자를 우대하는 조치) 등을 주장한다.

답 ①

21 □□□

2015년 국회직 8급

행정가치에 대한 설명 중 옳은 것은?

① 공익에 대한 실체설에서는 공익을 현실의 실체로 존재하는 사익들의 총합으로 이해한다.
② 행정의 민주성이란 정부가 국민의사를 존중하고 수렴하는 책임행정의 구현을 의미하며 행정조직 내부 관리 및 운영과는 관계없는 개념이다.
③ 수익자 부담원칙은 수평적 형평성, 대표관료제는 수직적 형평성과 각각 관계가 깊다.
④ 장애인들에게 특별한 세금감면 혜택을 부여하는 것은 모든 국민이 동등한 서비스를 제공받아야 한다는 사회적 형평성에 어긋나는 제도이다.
⑤ 가외성의 장치로는 법원의 3심제도, 권력분립, 만장일치, 계층제 등이 있다.

22 □□□

2013년 국회직 8급

행정가치에 대한 다음 〈보기〉의 설명 중 옳은 것은 모두 몇 개인가?

〈보기〉

ㄱ. 실체설은 공익을 사익의 총합이라고 파악하며, 사익을 초월한 별도의 공익이란 존재하지 않는다고 본다.
ㄴ. 롤스(Rawls)의 사회 정의의 원리에 의하면 정의의 제1원리는 기본적 자유의 평등원리이며, 제2원리는 차등조정의 원리이다. 제2원리 내에서 충돌이 생길 때에는 '차등원리'가 '기회균등의 원리'에 우선되어야 한다.
ㄷ. 과정설은 공익을 사익을 초월한 실체적 · 규범적 · 도덕적 개념으로 파악하며, 공익과 사익의 갈등이란 있을 수 없다고 본다.
ㄹ. 베를린(Berlin)은 자유의 의미를 두 가지로 구분하면서, 간섭과 제약이 없는 상태를 적극적 자유라고 하고 무엇을 할 수 있는 자유를 소극적 자유라고 하였다.

① 0개
② 1개
③ 2개
④ 3개
⑤ 4개

21 행정가치

수익자 부담원칙은 수익을 본 사람이 비용부담을 하는 것으로 수평적 형평성과 관계가 있고, 대표관료제는 약자들을 우대임용하는 임용할당제이므로 수직적 형평성(다른 것은 다르게)과 관계가 깊다.

선지분석

① 공익을 현실의 실체로 존재하는 사익들의 총합으로 이해하는 입장은 과정설이다.
② 행정의 민주성이란 대외적으로는 정부가 국민의사를 존중하고 수렴하는 책임행정의 구현을 의미하며, 대내적으로는 행정조직 내부 관리 및 운영의 민주화를 의미한다.
④ 장애인들에게 특별한 세금감면 혜택을 부여하는 것은 약자에게는 특별한 배려를 함으로써 다른 것은 다르게 다루어야 한다는 수직적 형평성에 부합되는 제도이다.
⑤ 법원의 3심제도, 권력분립은 가외성 장치에 해당하지만 만장일치, 계층제 등은 가외성의 장치에 해당하지 않는다.

답 ③

22 행정가치

ㄱ, ㄴ, ㄷ, ㄹ 모두 옳지 않으므로 옳은 것은 0개이다.

선지분석

ㄱ. 실체설이 아니라 과정설에 대한 설명이다.
ㄴ. 롤스(Rawls)의 제2원리 내에서 충돌이 생길 때에는 '기회 균등의 원리'가 '차등원리'에 우선되어야 한다.
ㄷ. 과정설이 아니라 실체설에 대한 설명이다.
ㄹ. 간섭과 제약이 없는 상태를 소극적 자유, 무엇을 할 수 있는 자유를 적극적 자유라고 하였다.

답 ①

THEME 023 행정의 수단적 가치

23 □□□

2020년 지방직 9급

행정 가치에 대한 설명으로 옳지 않은 것은?

① 공익 과정설에 따르면 사익을 초월한 별도의 공익이란 존재할 수 없다.
② 롤스(Rawls)는 사회정의의 제1원리와 제2원리가 충돌할 경우 제1원리가 우선이라고 주장한다.
③ 파레토 최적 상태는 형평성 가치를 뒷받침하는 기준이다.
④ 근대 이후 합리성은 목표를 달성하는 수단과 관련된 개념이다.

24 □□□

2019년 서울시 9급(2월 추가)

주요 행정이념에 대한 설명으로 가장 옳지 않은 것은?

① 합법성은 정부 관료의 자의적인 행정활동을 막아주는 데 기여한다.
② 사회적 효율성은 구성원의 인간적 가치 실현 등을 내용으로 하여 민주성의 개념으로 이해되기도 한다.
③ 환경의 불확실성이 커질수록 가외성은 행정의 안정성과 신뢰성 확보 측면에서 그 필요성이 높아진다.
④ 효과성은 투입에 대한 산출의 비율을 의미하는 것으로 산출에 대한 비용의 관계라는 조직 내의 조건으로 이해된다.

23 | 행정 가치

파레토 최적 상태는 최적의 자원배분이 실현되어 다른 사람의 효용을 감소시키지 않고는 어느 누구의 효용도 증가시킬 수 없는 상태를 의미하는 것으로, 형평성이 아닌 능률성의 판단 기준이다.

답 ③

24 | 행정이념

효과성은 목표달성 정도를 의미한다. 투입에 대한 산출의 비율을 의미하는 것은 효과성이 아닌 능률성이다.

선지분석

① 합법성은 행정이 법에 근거를 두고 법 테두리 내에서 집행되어야 한다는 이념으로, 권력의 자의적 행사를 방지한다. 다만 지나칠 경우 목적전치현상을 유발할 수도 있다.
② 사회적 효율성(능률성)은 민주성과 능률성이 결합된 것이다.
③ 가외성은 초과분, 잉여분, 덤 등의 개념으로서, 특정한 체제가 장래에 불확실한 상황에 노출되었을 때 발생하게 될지도 모르는 적응의 실패를 방지하여 특정 체제의 환경에 대한 신뢰성과 안정성을 제고시키는 개념이다.

답 ④

25 □□□

2019년 지방직 9급

행정이 추구하는 가치에 대한 설명으로 옳지 않은 것은?

① 합리성은 어떤 행위가 궁극적인 목표달성을 위한 최적의 수단이 되느냐를 가리키는 개념이다.

② 효과성은 투입 대비 산출의 비율을, 능률성은 목표의 달성도를 나타내는 개념이다.

③ 행정의 민주성은 대외적으로 국민 의사의 존중 · 수렴과 대내적으로 행정조직의 민주적 운영이라는 두 가지 측면이 있다.

④ 수평적 형평성이란 동등한 것을 동등하게 취급하는 것, 수직적 형평성이란 동등하지 않은 것을 서로 다르게 취급하는 것을 의미한다.

26 □□□

2017년 사회복지직 9급

행정의 가치에 대한 설명 중 가장 옳은 것은?

① 합목적성을 의미하는 경제성(economy)은 그 자체로 목표가 되는 본질적 가치이다.

② 적극적 의미의 합법성(legality)은 상황에 따라 신축성을 부여하는 법의 적합성보다 예외 없이 적용하는 법의 안정성을 강조한다.

③ 가외성(redundancy)은 과정의 공정성(fairness) 확보를 위한 수단적 가치이다.

④ 능률성(efficiency)은 떨어지더라도 효과성(effectiveness)은 높을 수 있다.

25 행정이 추구하는 가치

효과성은 목표의 달성도를 나타내는 개념이고, 능률성은 투입 대비 산출의 비율이다. 능률성과 효과성이 항상 일치하는 것은 아니다.

(선지분석)

① 합리성은 목표를 달성하기 위하여 최선의 수단을 선택하는 것으로, 어떤 행위가 궁극적으로 목표를 달성하기 위한 최적의 수단이 되느냐의 여부를 의미한다. 일반적으로 합리성은 내용적 합리성을 의미한다.

③ 행정의 대외적 민주성은 행정과 시민의 관계에서의 민주화를 의미하며, 시민의 의사를 행정에 반영하여 대응성을 확보하고 이를 통해 시민에게 책임지는 책임행정을 구현하는 것이다. 행정의 대내적 민주성은 행정조직 내부의 민주화를 의미하며 하급자의 참여욕구를 증진시키고 인간적 관리전략을 통해 궁극적으로 생산성 향상에 기여할 수 있게 한다.

④ 수직적 형평성은 잘사는 사람에게는 적게 배분하고 못사는 사람에게는 많이 배분함으로써 수직적 계층 간의 형평을 유지하는 것으로, 다른 것은 다르게 취급한다. 수평적 형평성은 동일한 위치에 있는 사람들을 동일하게 대우함으로써 수평적 계층 내의 형평을 유지하는 것으로, 같은 것은 같게 취급한다.

답 ②

26 행정의 가치

능률성은 과정 지향적인 가치이고, 효과성은 결과 지향적인 가치이므로 능률성이 떨어지더라도 효과성은 높을 수 있다.

(선지분석)

① 경제성은 본질적 가치가 아니라 수단적 가치이다.

② 적극적 의미의 합법성은 실질적 합법성으로서 입법의 의도나 목적을 달성하기 위하여 상황에 따라 신축성 있게 적용하고자 하는 것이라면, 소극적 의미의 합법성은 형식적 합법성으로서 예외 없이 상황에 무관하게 적용하는 것을 의미한다.

③ 가외성은 안전과 신뢰를 위한 이중장치, 중복 등을 의미한다. 이 과정에서 기능중복으로 인한 갈등과 대립, 책임의 모호성 등을 초래하기 때문에 과정의 공정성을 확보한다고 보기는 어렵다.

답 ④

27 □□□

2011년 국가직 9급

디목(Dimock)이 제창한 사회적 능률에 해당하지 않는 것은?

① 인간적 능률
② 합목적적 능률
③ 상대적 능률
④ 단기적 능률

28 □□□

2017년 서울시 9급

행정가치 중 수단적 가치에 대한 설명으로 가장 옳지 않은 것은?

① 대외적 민주성을 확보하기 위해 행정통제가 필요하다.
② 수단적 가치는 본질적 가치의 실현을 가능하게 하는 가치들이다.
③ 전통적으로 책임성은 제도적 책임성(accountability)과 자율적 책임성(responsibility)으로 구분되어 논의되었다.
④ 사회적 효율성(social efficiency)은 과학적 관리론의 등장과 함께 강조되었다.

27 사회적 능률

단기적 능률은 기계적 능률에 해당한다. 사회적 능률은 인간관계론과 밀접한 관계가 있는 능률성으로서 산출의 가치를 중시하는 능률을 의미한다.

기계적 능률과 사회적 능률의 특징

구분	특징
기계적 능률	• 투입 대 산출 비율의 극대화를 나타내는 능률로서 성과를 계량화하여 객관적인 기준에 의해 평가함 • 과학적 관리론, 정치행정이원론인 전통적 행정학에서 강조한 개념 • 행정목적의 다원성과 인간성을 무시하고 인간을 기계시한다는 비판이 있음 • 사이먼(Simon)은 기계식 능률이 능률의 수치화를 중시한다고 보고 이를 '대차대조표식 능률'이라고 명명함
사회적 능률	• 산출의 가치를 중시하는 능률 • 디목(Dimock), 메이요(Mayo) 등이 강조한 능률로서 인간관계론과 밀접한 관계가 있음 • 민주적 능률과 상대적 능률을 강조하고, 기계적 능률에서 포착하지 못하거나 계량화가 곤란한 행정활동 결과의 파급효과까지 고려함

답 ④

28 수단적 가치

과학적 관리론의 등장과 함께 강조된 가치는 기계적 효율성(능률성)이다. 사회적 효율성은 디목(Dimock)이 주장한 것으로 인간관계론 등에서 강조되었다.

선지분석

① 대외적 민주성이란 행정(부)에 국민의 의사가 적절히 반영되었는지 여부이나. 따라서 국민이 행정을 통제할 수 있어야 한다.
② 수단적 가치는 행정이 추구하는 본질적 가치를 달성하기 위한 수단이 되는 것으로, 실제적인 행정과정에서 구체적 지침이 되는 규범적 기준이다.
③ 책임성은 객관적 책임인 제도적 책임성과 주관적 책임인 자율적 책임성으로 구분된다.

답 ④

29 □□□

2018년 서울시 9급

행정이념에 대한 설명으로 가장 옳지 않은 것은?

① 디목(Dimock)은 기술적 능률성을 대체하는 개념으로 사회적 능률성을 제시하고 있는데, 이는 행정이 그 목적가치인 인간과 사회를 위해서 산출을 극대화하고 그 산출이 인간과 사회의 만족에 기여하는 것을 의미한다.

② 1930년대를 분수령으로 하여 정치행정이원론의 지양과 정치행정일원론으로 전환과 때를 같이해서 행정에서 민주성의 이념이 대두되었다.

③ 효과성은 수단적 · 과정적 측면에 중점을 두는 반면에 능률성은 목표의 달성도를 중시한다.

④ 합법성은 법률적합성, 법에 의한 행정, 법에 근거한 행정, 즉 법치행정을 의미한다. 합법성을 지나치게 강조하는 경우 수단가치인 법의 준수가 강조되어 목표의 전환(displacement of goal), 형식주의를 가져올 수 있다.

30 □□□

2012년 국가직 7급

행정이념에 대한 설명으로 옳지 않은 것은?

① 19세기 후반 현대 미국 행정학의 태동기에 강조되었던 행정이념은 민주성과 합법성이었다.

② 효과성은 발전행정론에서 강조된 행정이념으로서 과정보다는 산출 · 결과에 중점을 둔다.

③ 롤스(Rawls)의 정의관은 자유와 평등의 조화를 추구하는 입장으로서 신행정론의 등장 이후 사회적 형평성 논의에 많은 영향을 미쳤다.

④ 민주성과 능률성은 항상 상충되는 것은 아니고 상호 보완적일 수 있다.

29 행정이념

효과성은 목표의 달성도로서 목표에 대한 산출의 비율인 기능적·결과적 측면에 중점을 둔다. 반면, 능률성은 투입 대 산출의 비율로서 수단적·과정적 측면에 중점을 둔다.

선지분석

① 디목(Dimock)은 행정이 그 목적가치인 인간과 사회를 위해서 산출을 극대화하고 그 산출이 인간과 사회의 만족에 기여하는 사회적 능률성을 강조하였다.

② 1930년대 정치행정일원론에서 사회적 능률(민주성)의 개념이 대두되었다.

④ 법은 그 자체가 목표가 아닌 목표를 달성하기 위한 수단이므로, 합법성을 지나치게 강조하는 경우 목표의 전환(목적전치) 현상 및 형식에 과도하게 집착하는 형식주의 등을 초래할 수 있다.

답 ③

30 행정이념

19세기 후반 미국의 행정학 태동기에 강조되었던 행정이념은 능률성과 효과성이다. 윌슨(Wilson)은 행정의 능률성과 효과성을 제고하기 위한 행정연구가 필요하다고 주장하였다.

선지분석

② 효과성은 능률성보다 확장된 개념으로서 산출 대비 목표, 목표의 달성도를 의미하는 질적인 의미로 발전행정론에서 강조하였다.

③ 롤스(Rawls)는 개인이 다른 사람의 유사한 자유와 상충되지 않는 한도 내에서 최대한의 기본적 자유에의 평등한 권리가 인정되어야 한다고 주장하며 자유와 평등의 조화를 추구하였고, 사회적 형평성 논의에 많은 영향을 미쳤다.

④ 민주성은 능률성은 기본적으로 상충관계를 가지지만, 능률성을 사회적 능률로 이해할 경우 민주성과 보완이 가능하다.

답 ①

31 □□□

2019년 지방직 7급

합리성의 개념과 유형에 대한 설명으로 옳지 않은 것은?

① 사이먼(Simon)의 실질적(substantive) 합리성은 행위자가 합리적인 선택을 할 수 있는 모든 지식과 능력을 소유하고 있다고 가정한다.

② 디징(Diesing)은 합리성을 기술적 합리성, 경제적 합리성, 사회적 합리성, 법적 합리성, 진화론적 합리성으로 나누어 설명한다.

③ 기술적 합리성은 일정한 수단이 목표를 얼마만큼 잘 달성시키는가, 즉 목표와 수단 사이에 존재하는 인과관계의 적절성을 의미한다.

④ 사이먼(Simon)은 인간이 실질적 합리성을 사실상 포기하고, 만족할 만한 대안을 선택하려는 절차적 합리성을 추구한다고 주장한다.

32 □□□

2008년 지방직 7급

사이먼(Simon)의 절차적 합리성(procedural rationality)에 대한 설명으로 옳은 것은?

① 절차적 합리성은 행위자의 목표와 행위선택의 우선순위가 분명한 것을 말한다.

② 절차적 합리성은 객관적 합리성이라고도 하는데 주어진 여건 속에서 가능한 최선의 대안을 선택하는 합리성을 말한다.

③ 절차적 합리성은 행동대안을 선택하기 위하여 사용된 절차가 인간의 인지능력과 여러 가지 한계에 비추어 보았을 때 얼마만큼 효과적이었는가의 정도를 의미한다.

④ 절차적 합리성은 결정이 생성되는 과정보다 선택의 결과에 더 관심을 갖는다.

31 | 합리성

디징(Diesing)은 합리성을 정치적 합리성, 경제적 합리성, 사회적 합리성, 법적 합리성, 기술적 합리싱으로 나누어 설명한다.

선지분석

①, ④ 사이먼(Simon)의 실질적 합리성은 인간의 전지전능성을 전제로 한다. 그러나 사이먼은 인간이 인지능력의 한계가 있다고 보기 때문에 실질적 합리성보다 절차적 합리성을 추구한다고 주장한다.

③ 기술적 합리성은 최소의 노력으로 최대의 목표달성이 가능한 수단의 채택 여부를 의미하며, 하나의 목표를 성취하기 위한 적합한 수단들을 찾는 것이다.

답 ②

32 | 사이먼(Simon)의 절차적 합리성

사이먼(Simon)의 절차적 합리성이란 추론이라고 불리는 특별한 사유과정으로서 '행동대안을 선택하기 위하여 사용된 절차가 인간의 인지능력과 한계에 비추어 보았을 때 얼마만큼 효과적이었는지의 정도'를 의미한다.

선지분석

① 행위자의 목표와 행위선택의 우선순위가 분명한 것은 내용적 합리성에 해당한다. 절차적 합리성은 결과적으로 선택된 대안이 최선인지 아닌지와는 관계없이 그 대안을 선택하기 위하여 밟은 절차가 적합한 것이면 절차적 합리성이 확보된 것이라고 본다.

② 절차적 합리성은 객관적 합리성이 아니라 주관적 합리성이라고 한다.

④ 절차적 합리성은 대안 선택의 결과보다 결정이 생성되는 과정에 더 관심을 갖는다.

답 ③

33 □□□

2020년 서울시 9급

가외성(redundancy)에 대한 설명으로 가장 옳지 않은 것은?

① 동등잠재성(equipotentiality)은 동일한 기능을 여러 기관들이 독자적 상태에서 수행하는 것을 의미한다.
② 란다우(M. Landau)는 권력분립, 계선과 참모, 양원제와 위원회제도를 가외성 현상이 반영된 제도로 본다.
③ 창조성 제고, 적응성 증진 등에 효용이 있다.
④ 한계로는 비용상의 문제와 조직 내 갈등 유발 등이 지적된다.

34 □□□

2016년 국가직 9급

다음 설명에 해당하는 것은?

> 이것은 불확실한 상황에서의 오류 발생가능성을 최소화하고 체제의 신뢰성을 높이기 위해 강조되는 행정가치이며, 여러 기관에 한 가지 기능이 혼합되는 중첩성(overlapping)과 동일 기능이 여러 기관에서 독립적으로 수행되는 중복성(duplication) 등을 포괄하는 개념이다.

① 가외성(redundancy)
② 합리성(rationality)
③ 효율성(efficiency)
④ 책무성(accountability)

33 가외성

동등잠재성(equipotentiality)은 보조기능을 예비로 둠으로써 주기관이 기능을 수행하지 못할 경우 보조기관이 수행하는 것이다. 스페어타이어, 항공기의 보조엔진 등을 동등잠재성의 사례로 볼 수 있다. 동일한 기능을 여러 기관들이 독자적 상태에서 수행하는 것은 반복성(중복성)이다.

(선지분석)

③ 가외성은 중첩적이고 반복적인 상호작용으로 적당한 긴장감과 창조성이 유발되고, 그 결과 조직의 적응성을 증진하며 활력을 이끌어낼 수 있다.
④ 가외성은 여분이나 덤의 개념으로 능률성과 대치되기 때문에 능률성과 경제성을 저하시키고, 감축관리 등 작고 효율적인 정부 구축을 어렵게 할 수 있다. 또한 기능 중복으로 인한 갈등과 충돌이 발생할 가능성이 있다.

답 ①

34 가외성

가외성(redundancy)은 행정의 여분이나 초과분을 의미하는 개념으로 이해할 수 있으며 중첩성, 반복성, 동등잠재력을 그 구성요소로 한다.

가외성의 구성요소

중첩성 (overlapping)	여러 기관들이 상호의존성을 가지고 한 가지 업무를 중첩적으로 공동관리하며 함께 협력하여 수행하는 것
반복성·중복성 (duplication)	동일한 기능을 여러 기관들이 독립적인 상태에서 경쟁적으로 수행하는 것
동등잠재력 (equi-potentiality)	주된 조직단위의 기능이 작동하지 않을 때 다른 지엽적·보조적 단위기관들이 주된 단위의 기능을 인수해서 수행하는 것

답 ①

35 □□□

2014년 국회직 8급

다음 중 행정의 가치에 대한 설명으로 옳지 않은 것은?

① 능률성(efficiency)은 일반적으로 '투입에 대한 산출의 비율'로 정의된다.
② 대응성(responsiveness)은 행정이 시민의 이익을 반영하고, 그에 반응하는 행정을 수행해야 한다는 것을 뜻한다.
③ 가외성의 특성 중 중첩성(overlapping)은 동일한 기능을 여러 기관들이 독자적인 상태에서 수행하는 것을 뜻한다.
④ 사이먼(Simon)은 합리성을 목표와 행위를 연결하는 기술적 · 과정적 개념으로 이해하고, 내용적 합리성(substantive rationality)과 절차적 합리성(procedural rationality)으로 구분하였다.
⑤ 공익에 대한 과정설은 절차적 합리성을 강조하여 적법절차의 준수에 의해서 공익이 보장된다는 입장이다.

36 □□□

2014년 지방직 7급

행정에서 불확실성의 문제를 해소하기 위한 대처방안과 가장 거리가 먼 것은?

① 일반적으로 불확실성이 높다고 생각하는 경우에는 정보와 지식의 수집활동에 소극적으로 대응하기 쉽다.
② 작업과정에서 행정의 표준화를 통해 개인의 자의적 행위를 예방하여 확실성을 확보하고자 한다.
③ 주요 정책결정에 있어 가외성(redundancy)을 감안할 수 있는 제도적 장치를 준비한다.
④ 행정조직은 통제할 수 없는 환경에 대하여 구조적으로 대응할 수 있는 방책을 마련한다.

35 행정의 가치

동일한 기능을 여러 기관들이 독자적인 상태에서 수행하는 것은 반복성(duplication)이다. 중첩성(overlapping)은 기능이 여러 기관에 배타적으로 분할되어 있지 않고 협력적으로 수행되는 상태로서, 행정기관이 상호 의존성을 띠고 기능을 공동으로 관리한다.

선지분석

① 능률성(efficiency)은 최소의 비용으로 최대의 산출을 얻고자 하는 것으로, 투입 대비 산출의 비율을 극대화하고자 하는 양적 개념이다.
② 대응성(responsiveness)은 행정이 시민의 이익을 반영하고 그에 반응하는 행정을 수행해야 한다는 것을 뜻하며, 대외적 민주성과 유사한 가치이다.
④ 사이먼(Simon)은 합리성을 목표와 행위를 연결하는 기술적·과정적 개념으로 이해하고, 목표 달성에 최적의 수단을 찾아내는 내용적 합리성(substantive rationality)과, 추론이라는 고도의 사유과정인 절차를 거쳐야 하는 절차적 합리성(procedural rationality)으로 구분하였다. 사이먼(Simon)은 인간의 완전한 합리성을 부정하였기 때문에 내용적 합리성보다 절차적 합리성을 강조하였다.
⑤ 적법절차라는 과정을 강조하는 것은 공익 과정설적 입장이다.

답 ③

36 불확실성의 문제

일반적으로 환경의 불확실성이 높을수록 정보와 지식의 수집활동에 적극적으로 나서서 많은 정보를 획득하고 예측가능성을 높이는 것이 바람직하다.

선지분석

② 작업과정에서 표준운영절차(SOP), 업무 매뉴얼 등을 마련하는 행정의 표준화를 통해 공식성을 제고하면 구성원의 자의적 행위를 예방하여 확실성을 확보할 수 있다.
③ 가외성(redundancy)은 행정이 불확실한 상황에 노출되었을 때 발생하는 적응의 실패를 방지하는 개념이다.
④ 행정조직은 통제할 수 없는 불확실한 환경에 대하여 행정조직이 구조적으로 대응할 수 있는 방책을 마련함으로써 불확실성 문제를 해소할 수 있다.

답 ①

37 □□□

2019년 국가직 7급

다음과 관련 있는 행정가치에 대한 설명으로 옳은 것은?

> • 안전을 위하여 자동차의 제동장치를 이중으로 설계하였다.
> • 정전에 대비하여 건물 자체적으로 자가발전시설을 갖추도록 하였다.

① 창의성이 제고될 수 있다.
② 수단적 가치보다는 행정의 본질적 가치로서의 성격이 더 강하다.
③ 행정체제의 신뢰성과 안정성을 저하시킨다.
④ 형평성과 상충관계에 있다.

38 □□□

2010년 지방직 9급

행정에 있어서 가외성(redundancy)에 대한 설명으로 옳은 것은?

① Landau는 권력분립 및 연방주의를 가외성 현상으로 보았다.
② 정보체제의 안전성을 증진시키기 위해서는 초과분의 채널이나 코드가 없는 비가외적 설계가 필요하다.
③ 불확실성이 커질수록 가외성의 필요성은 줄어든다.
④ 조직 내외에서 가외성은 기능상 충돌의 가능성을 없애는 역할을 한다.

37 행정가치

제시문과 관련이 있는 행정가치는 가외성이다. 가외성은 행정의 불확실성에 대비하여 여러 사람이 대비하므로 그에 따른 창의성이 제고될 수 있다.

선지분석

② 가외성은 행정의 수단적 가치이다.
③ 정보체계의 위험성과 미비점을 보완하고 오류를 최소화하여 행정체제의 신뢰성과 안정성을 제고한다.
④ 가외성은 여분이나 덤의 개념이므로 능률성과 상충관계에 있다.

답 ①

38 가외성

권력분립, 연방주의, 3심제도, 양원제, 중첩적 관할조직 등은 대표적인 가외성의 사례에 해당한다.

선지분석

② 조직 정보체제의 신뢰성과 안정성을 증진시키기 위해서는 초과분의 채널 등의 가외적 설계가 필요하다.
③ 불확실성이 커질수록 가외성의 필요성은 증가한다.
④ 가외성은 기능중복으로 인한 갈등과 충돌이 발생할 가능성이 있다.

답 ①

39 □□□

2018년 서울시 7급(6월 시행)

행정이 추구하는 가치에 대한 설명으로 옳은 것을 〈보기〉에서 모두 고른 것은?

〈보기〉

ㄱ. 효과성을 추구하는 과정에서 능률성의 희생이 발생될 수 있다.
ㄴ. 민주성은 국민과의 관계뿐만 아니라 정부 관료제 내부의 의사결정 과정의 두 가지 측면에서 논의된다.
ㄷ. 절차적 합리성은 목표에 비추어 적합한 행동이 선택되는 정도를 의미한다.
ㄹ. 투명성은 정보공개뿐만 아니라 정보에 대한 접근권까지 포함하는 개념이다.
ㅁ. 제도적 책임성은 자율적이고 적극적인 행정책임을 의미한다.

① ㄱ, ㄷ, ㅁ
② ㄴ, ㄷ, ㅁ
③ ㄱ, ㄴ, ㄹ
④ ㄴ, ㄷ, ㄹ

40 □□□

2017년 지방직 7급

퀸과 로보그(Quinn & Rohrbaugh)는 조직이 초점을 어디에 두는가와 조직구조의 성격에 따라 네 가지 효과성가치모형을 제시하였다. ㄱ~ㄹ모형에 대한 설명으로 옳은 것은?

초점 \ 구조	안정성(통제)	유연성(융통성)
내부	ㄱ	ㄴ
외부	ㄷ	ㄹ

① ㄱ모형은 조직의 생산성, 능률성, 수익성을 달성하는 것이 목표가치이며, 그 수단으로서 계획과 목표 설정이 강조된다.
② ㄴ모형의 목표가치는 인적자원 개발이며, 그 수단으로서 조직구성원의 응집성, 사기 및 훈련 등이 강조된다.
③ ㄷ모형의 목표가치는 성장과 자원 획득 등이며, 그 수단으로서 준비성과 외부평가 등이 강조된다.
④ ㄹ모형은 조직의 균형을 확보하는 것이 목표가치이며, 그 수단으로서 정보관리와 의사소통 등이 강조된다.

39 행정이 추구하는 가치

ㄱ. 효과성은 목표달성의 정도를, 능률성은 투입 대비 산출의 정도를 뜻한다. 목표달성을 추구하는 과정에서 능률성은 떨어질 수 있다.
ㄴ. 민주성은 국민과의 관계에서의 대외적 민주성과, 정부 관료제 내부의 의사결정 과정에서의 하급자의 참여 등으로 구성되는 대내적 민주성 두 가지 측면에서 논의된다.
ㄹ. 투명성은 정보를 단순히 공개하는 것뿐만 아니라, 시민이 정보에 접근할 수 있는 권리의 보유까지 포함하는 개념이다.

선지분석

ㄷ. 목표에 비추어 적합한 행동이 선택되는 정도는 내용적 합리성이다. 절차적 합리성은 의식적인 사유 과정을 통해 보다 나은 수단을 찾는 것을 의미한다.
ㅁ. 제도적 책임성은 타율적이고 소극적·수동적인 행정책임을 의미한다.

답 ③

40 퀸과 로보그(Quinn & Rohrbaugh)의 효과성가치모형

ㄴ모형은 인간관계모형으로, 인적자원 개발, 팀워크 증진, 조직구성원의 만족감 충족 등이 목표이며 그 수단으로서 조직구성원의 응집성 강화, 사기 제고 등이 강조된다.

선지분석

① ㄱ모형은 내부과정모형으로, 안정성과 균형을 유지하고 통제 및 감독을 실현하는 것이 목표이며 그 수단으로서 구성원 간의 의사소통과 조직 내 정보관리가 강조된다.
③ ㄷ모형은 합리목표모형으로, 생산성 제고가 목표이며 그 수단으로서 기획 및 목표 설정, 합리적 통제 등이 강조된다.
④ ㄹ모형은 개방체제모형으로, 성장과 자원 획득이 목표이며 그 수단으로서 유연성이 강조된다.

답 ②

PART 2

정책학

CHAPTER 1 / 정책학의 개관

CHAPTER 2 / 정책의제설정 및 정책결정에 대한 시각

CHAPTER 3 / 정책결정론

CHAPTER 4 / 정책집행론

CHAPTER 5 / 정책평가론

CHAPTER 6 / 기획론

CHAPTER 1

정책학의 개관

THEME 024 정책과 정책학의 의의

01 □□□

2017년 서울시 7급

정책문제의 특성에 대한 설명으로 가장 옳지 않은 것은?

① 정책문제는 당위론적 가치관의 입장에서 정의하는 것이 중요하다.
② 정책주체와 객체의 행태는 주관적이지만 정책문제는 객관적이다.
③ 특정 문제의 발생 원인이나 해결 방안 등을 다른 문제들과 상호 연관성을 갖는다.
④ 정책수혜집단과 정책비용집단이 있다는 것을 의미하는 차별적 이해성을 갖는다.

02 □□□

2010년 국가직 7급

정책문제에 대한 설명으로 옳은 것으로만 연결된 것은?

ㄱ. 정책문제는 사익성을 띤다.
ㄴ. 정책문제는 객관적이고 자연적이다.
ㄷ. 정책문제는 복잡 · 다양하며 상호 의존적이다.
ㄹ. 정책문제는 정태적 성격을 갖는다.
ㅁ. 정책문제는 역사적 산물인 경우가 많다.

① ㄱ, ㄴ
② ㄱ, ㄷ
③ ㄷ, ㄹ
④ ㄷ, ㅁ

01 정책문제의 특성

정책문제는 정책주체와 객체의 형태에 따라 달라질 수 있는 주관적인 특성을 가진다.

정책문제

구분	내용
의의	바람직하지 못한 상황, 바람직한 상태와 현재 상태의 차이, 차이 중에서도 극복 가능한 차이, 극복 가능한 차이 중에서 개선을 위한 기회가 가미된 것 등으로 정책문제를 보는 견해가 있음
특징	• 역사성, 주관성, 인공성, 복잡성, 다양성, 상호의존성, 공공성, 정치성, 동태성 등의 특성을 가짐 • 정책결정자의 가치관과 태도가 큰 영향을 미치므로 갈등발생의 가능성이 높음

답 ②

02 정책문제

정책문제는 복잡·다양하고 상호 의존적이며, 역사적 산물인 경우가 많다.

(선지분석)
ㄱ. 정책문제는 공익성을 띤다.
ㄴ. 정책문제는 주관적이고 인공적이다.
ㄹ. 정책문제는 동태적 성격을 갖는다.

답 ④

03 □□□

2013년 서울시 9급

합리적 정책결정 과정에서 정책문제를 정의할 때의 주요 요인이 라고 보기 어려운 것은?

① 관련 요소 파악
② 관련된 사람들이 원하는 가치에 대한 판단
③ 정책대안의 탐색
④ 관련 요소들 간의 인과관계 파악
⑤ 관련 요소들 간의 역사적 맥락 파악

04 □□□

2013년 서울시 7급

정치적 관점에서 바라본 정책 개념의 설명으로 가장 거리가 먼 것은?

① 가치를 사실에 투사해서 얻은 행동계획
② 사회 전체를 위한 가치의 권위적 배분의 결과
③ 주어진 목표달성을 위한 자원의 효율적 · 효과적 활용 계획
④ 사회문제의 정의를 통한 문제의 해결방침
⑤ 목표와 수단에 대해 구속력 있는 정부기관이 내린 결정

03 정책문제

정책대안의 탐색은 정책문제를 정의할 때의 단계가 아니라, 정책목표설정 이후에 이루어지는 과정이다.

정책문제의 정의

1. 관련 요소 파악
2. 가치 간 관계 파악
3. 인과관계 파악
4. 역사적 맥락 파악

답 ③

04 정책 개념

정치적 관점이 아니라 경제적 관점에서 바라본 정책의 개념이다.

이스턴(Easton)과 드로(Dror)의 정책

구분	내용
이스턴(Easton)	사회 전체를 위한 가치의 권위적 배분을 정책이라고 보았음
드로(Dror)	매우 불확실하고 복잡한 동태적 상황 속에서 국가 및 공공단체가 공익의 구현을 위해 만든 미래지향적인 행동지침을 정책이라고 보았음

답 ③

05 □□□

2014년 사회복지직 9급

정부가 국민에게 영향을 미치는 정책산출은 정책결정 과정을 통해서 이루어진다. 이러한 정책결정 과정에서 정책의제에 영향을 미치는 공식적 참여자에 해당되지 않는 것은?

① 지방자치단체장
② 대통령 비서실장
③ 정당 사무국장
④ 국회의원

06 □□□

2017년 지방직 9급(6월 시행)

우리나라의 정책과정 참여자에 대한 설명으로 옳지 않은 것은?

① 대통령은 국회와 사법부에 대한 헌법상의 권한을 통하여 영향력을 행사하며, 행정부 주요 공직자에 대한 임면권을 통하여 정책 과정에서 주도적 역할을 수행한다.
② 행정기관은 법률 제정과 사법적 판단을 통하여 정책집행 과정에서 실질적인 영향력을 행사한다.
③ 국회는 국정조사나 예산 심의 등을 통하여 행정부를 견제하고, 국정감사나 대정부질의 등을 통하여 정책집행 과정을 평가한다.
④ 사법부는 정책집행으로 인한 사회적 갈등상황이 야기되었을 때 판결을 통하여 정책의 합법성이나 정당성을 판단한다.

05 정책과정 참여자

정당 및 정당의 사무국장은 비공식적 참여자에 해당한다.

정책과정의 참여자

구분		내용
공식적 참여자	중앙	행정부, 입법부(의회), 사법부(법원)
	지방	지방자치단체장, 지방의회, 지방공무원, 일선행정기관
비공식적 참여자		이익집단(압력단체), 정당, 전문가집단(정책공동체), 시민단체(NGO), 언론기관(대중매체), 일반국민 등

답 ③

06 정책과정 참여자

법률의 제정(입법)과 사법적 판단(사법)은 행정기관이 아니라 입법부와 사법부의 역할로, 입법부와 사법부는 법률 제정과 사법적 판단을 통하여 행정의 과정에서 실질적인 영향력을 행사한다. 다만, 행정기관이 준입법·준사법적 행위를 할 수는 있다.

답 ②

07 □□□

2017년 지방직 7급

정책과정 참여자에 대한 설명으로 옳지 않은 것은?

① 의회는 중요한 정부 정책을 결정하는 공식적 참여자이다.
② 헌법재판소는 위헌심사를 통해 정책과정 전반에 영향을 미친다.
③ 정책전문가는 정책을 분석 · 평가하여 정책대안을 제시한다.
④ 정당은 공식적 참여자로서 정책을 통제하기 위해 노력한다.

08 □□□

2013년 교육행정직 9급

정책과정에의 다양한 참여자에 대한 설명으로 옳은 것은?

① 행정부는 입법부에 비해 상대적으로 사회문제에 신속히 대응하기 어렵다고 평가된다.
② 위임입법과 자유재량의 확대는 정책과정에서 입법부의 기능이 강화되고 있음을 암시한다.
③ 이익집단은 이익을 표출하고 정당은 이익의 결집을 통해 정책의제화 기능을 수행한다.
④ 강력한 이익집단이 매개체가 되어 정책에 영향을 미치는 현상을 설명한 '철의 삼각'과 달리 '하위정부론'은 정책 행위자들의 관계가 항상 안정적인 것은 아니라고 본다.

07 정책과정 참여자

정당은 비공식적 정책과정의 참여자에 해당한다.

선지분석

① 의회는 공식적 참여자로, 주요 정책에 대한 입법권과 예산심의 등을 통해 정책과정의 전반에 참여하며 특히 정책결정단계에서 가장 큰 영향력 행사한다.
② 헌법재판소는 사법적 기능을 수행하는 헌법기관으로서 위헌심판이나 헌법소원 등을 통해 정책과정 전반에 영향력을 행사한다.
③ 정책전문가(정책공동체)는 전문가들로 구성된 정책분야별 네트워크로, 정부의 각종 정책내용을 분석·평가하고 대안을 제시하는 역할을 수행한다.

답 ④

08 정책과정 참여자

이익집단은 공동의 이해관계나 관심을 공유한 사람들의 자발적인 모인으로 선거에 개입하거나 로비활동을 하는 등을 통해 이익을 표출하고, 정당은 정권획득과 이익결집을 목적으로 의회 입법 과정을 주도한다.

선지분석

① 행정부는 입법부에 비해 상대적으로 사회문제에 신속하게 대응할 수 있다.
② 위임입법과 자유재량의 확대는 정책과정에서 행정부의 기능이 강화되고 있음을 암시한다.
④ 강력한 이익집단이 매개체가 되어 정책 행위자들의 관계가 매우 안정적이고, 이들이 정책에 영향을 미치는 현상을 설명한 '철의 삼각'은 '하위정부론'과 동일한 의미이다.

답 ③

THEME 025 정책의 구성요소

09 □□□

2012년 서울시 9급

조직목표 변동의 한 유형으로 조직이 추구하고자 하는 원래의 목표가 다른 목표로 뒤바뀌어 조직의 목표가 왜곡되는 현상을 일컫는 용어는?

① 목표의 대치
② 목표의 추가
③ 목표의 승계
④ 목표의 비중 변동
⑤ 목표의 감소

10 □□□

2019년 서울시 9급(2월 추가)

조직목표의 변동에 대한 설명으로 가장 옳은 것은?

① 목표의 대치(displacement)는 조직목표 달성이 어려울 때 기존 목표를 새로운 목표로 전환하는 것이다.
② 목표의 다원화(multiplication)는 조직목표 달성이 어려울 때 기존 목표에 새로운 목표를 추가하는 것이다.
③ 목표의 확대(expansion)는 본래 조직목표를 달성하였을 때, 새로운 목표를 발견하여 선택하는 것이다.
④ 목표의 승계(succession)는 본래 조직목표 달성이 불가능할 때 기존 목표의 범위를 확장하는 것이다.

09 조직목표의 변동

목표의 대치는 본래의 목표가 아닌 수단적 가치를 종국적 목표로 인식하는 것으로, 목표의 전환이라고도 한다.

정책목표의 변동 유형

목표의 전환	수단과 목표가 뒤바뀌는 목표의 대치, 전도
목표의 승계	목표가 미달성 또는 불가능 시 새로운 목표의 설정
목표의 다원화	새로운 목표의 추가
목표의 확대	목표달성이 낙관적일 때 목표를 높이는 것
목표의 비중 변동	목표 간 우선순위 변경
목표의 종결	목표 달성 후 목표의 폐지

답 ①

10 조직목표의 변동

목표의 다원화(multiplication)는 같은 종류뿐 아니라 다른 종류의 목표도 추가되는 것으로, 목표달성이 낙관적일 때 목표의 다원화, 목표의 확대가 발생한다.

(선지분석)
① 목표의 대치(displacement)는 규칙이나 절차에 대한 집착, 소수간부의 권력 강화, 할거주의 등이 원인이 되어 본래의 목표가 아닌 수단적 가치를 종국적 목표로 인식하는 것이다.
③ 목표의 확대(expansion)는 기존 목표의 범위 자체가 확대되는 것이다.
④ 목표의 승계(succession)는 조직 본래의 목표가 완전히 달성되었거나 그 반대로 달성이 불가능한 경우 조직이 다른 목표를 내세워 정통성을 확보하는 것이다.

답 ②

11 □□□

2018년 지방직 7급

조직목표에 대한 설명으로 옳지 않은 것은?

① 목표의 다원화(multiplication) 및 목표의 확대(expansion)는 기존 목표에 새로운 목표가 추가되거나 기존 목표의 범위가 넓어지는 것을 말한다.
② 목표의 전환(diversion)은 애초에 설정된 목표를 달성할 수 없거나 목표가 완전히 달성된 경우와 같은 유형의 다른 목표로 교체되는 것을 말한다.
③ 목표의 대치(displacement)란 조직의 목표 추구가 왜곡되는 현상으로, 조직이 정당하게 추구하는 종국적 목표가 다른 목표나 수단과 뒤바뀌는 것을 말한다.
④ 조직의 운영상 목표는 공식목표를 추진하는 과정에서 추구하는 목표로, 비공식적 목표이다.

12 □□□

2019년 지방직 7급

정책수단에 대한 설명으로 옳지 않은 것은?

① 비덩(Vedung)은 정책 도구를 규제적 도구(sticks), 유인적 도구(carrots), 정보적 도구(sermons) 등으로 유형화한다.
② 권위(authority)에 기반을 둔 정책수단은 예측가능성이 높기 때문에 사회적 위기 상황에 적합한 수단이다.
③ 정책수단의 선택은 정치적인 성격을 가지며, 특히 이념적으로 지향하는 가치는 정책수단의 선택에 핵심적인 영향을 미친다.
④ 살라몬(Salamon)에 따르면, 공적 보험은 공공기관을 전달체계로 활용한다는 점에서 직접적인 정책수단이다.

11 조직목표

애초에 설정된 목표를 달성할 수 없거나 목표가 완전히 달성된 경우, 같은 유형의 다른 목표로 교체되는 것은 목표의 승계이다. 목표의 전환은 조직이 추구한 종국적 목표가 다른 목표나 수단으로 바뀌는 현상을 의미한다.

선지분석

① 목표의 다원화는 기존 목표에 새로운 목표가 추가되는 것이고, 목표의 확대는 기존 목표의 범위가 넓어지는 것이다.
③ 목표의 대치는 조직의 목표 추구가 왜곡되는 현상으로, 조직이 정당하게 추구하는 종국적 목표가 다른 목표나 수단과 뒤바뀌는 것을 말하며 목적전치라고도 한다.
④ 조직의 운영상 목표는 공식적이고 대외적인 목표를 추진하는 과정에서 추구하는 목표로, 비공식적인 내부 목표이다.

답 ②

12 정책수단

살라몬(Salamon)은 공적 보험이 직접성은 높은 정책이지만, 간접적인 수단을 활용한다고 본다.

선지분석

① 비덩(Vedung)은 정책 도구를 규제적 도구(채찍), 유인적 도구(당근), 정보적 도구(설득)로 구분하였다.
② 권위에 기반을 둔 정책수단은 규제이다. 규제는 예측가능성이 높기 때문에 수단에 대한 즉각적인 반응이 필요한 사회적 위기 상황에 적합한 수단이다.
③ 정책수단의 선택은 선택권자의 가치판단의 영향을 받게 되는 정치적인 성격을 띤다.

답 ④

13 □□□

2016년 사회복지직 9급

정책수단(policy tools)에 대한 설명으로 옳지 않은 것은?

① 공기업은 정부의 소유 또는 통제하에 재화와 서비스를 제공한다.

② 살라몬(Salamon)은 형평성에 대한 고려가 특히 중요한 경우 간접적 수단이 직접적 수단보다 적절하다고 주장한다.

③ 행정지도에 대하여는 책임소재가 불분명하고 법치주의를 침해한다는 비판이 있다.

④ 규제는 정책적 이데올로기 차원에서 논란의 대상이 되기도 한다.

14 □□□

2018년 국가직 9급

살라몬(Salamon)이 제시한 정책수단의 유형에서 직접적 수단으로만 묶은 것은?

ㄱ. 조세지출(tax expenditure)
ㄴ. 경제적 규제(economic regulation)
ㄷ. 정부소비(direct government)
ㄹ. 사회적 규제(social regulation)
ㅁ. 공기업(government corporation)
ㅂ. 보조금(grant)

① ㄱ, ㄴ, ㄷ
② ㄱ, ㄹ, ㅂ
③ ㄴ, ㄷ, ㅁ
④ ㄹ, ㅁ, ㅂ

13 정책수단

살라몬(Salamon)은 형평성에 대한 고려가 특히 중요할 때는 정부가 직접 시행하는 직접적 수단이 간접적 수단보다 적절하다고 보았다.

선지분석

① 공기업은 공공의 목적을 달성하기 위해 정부가 직접적·간접적으로 투자해 소유권을 갖거나 통제권을 행사하는 기업으로, 정부의 소유 또는 통제하에 재화와 서비스를 제공한다.

③ 행정지도는 책임의 불명확성과 구제수단의 미흡성, 공무원의 재량권 남용 및 법치주의 침해 등의 문제점이 있다.

④ 규제는 정책적 이데올로기 차원에서 논란의 대상이 되는 정책수단이다.

답 ②

14 정책수단의 유형

경제적 규제(ㄴ), 정부소비(ㄷ), 공기업(ㅁ)은 살라몬(Salamon)이 제시한 정책수단의 유형 중 직접성이 높은 정책수단에 해당한다.

선지분석

ㄱ, ㄹ. 조세지출과 사회적 규제는 직접성이 중간 정도인 정책수단이다.
ㅂ. 보조금은 직접성이 낮은 정도인 정책수단이다.

살라몬(Salamon)이 제시한 정책수단의 유형

직접성 정도	정책수단
저	보조금, 지급보증, 정부지원기업, 불법행위책임, 바우처 등
중	조세감면, 사회규제, 라벨부착 요구, 교정조세, 부과금 등
고	직접시행, 공기업, 공공정보, 직접대부, 보험 등(단, 공적보험은 간접방식을 사용함)

답 ③

15 □□□

2015년 서울시 9급

살라몬(Salamon)의 '직접성의 정도에 따른 행정(정책)수단 분류'에 의할 때 다음 중 직접성이 가장 높은 행정(정책)수단은?

① 조세지출
② 정부출자기업
③ 사회적 규제
④ 정부소비

16 □□□

2016년 국가직 7급

살라몬(Salamon)의 정책수단 유형 중 간접수단에 해당하는 것은?

① 경제적 규제
② 조세지출
③ 직접대출
④ 공기업

15 정책수단

정부소비는 정부가 직접 지출을 시행하는 것으로 직접성이 가장 높은 정책수단에 해당하며 국방, 외교, 공중보건 등이 정부소비의 예이다.

선지분석

①, ③ 조세지출과 사회적 규제는 직접성의 정도가 중간인 정책수단이다.
② 정부출자기업은 직접성의 정도가 낮은 정책수단이다.

답 ④

16 살라몬(Salamon)의 정책수단 유형

조세지출은 살라몬(Salamon)의 정책수단 유형 중 직접성의 정도가 중간인 간접수단에 해당한다.

선지분석

①, ③, ④ 경제적 규제, 직접대출, 공기업 모두 직접성의 정도가 높은 직접수단에 해당한다.

답 ②

17 □□□

2011년 국가직 7급

살라몬(Salamon)의 정책수단분류에서 직접성의 정도가 낮은 유형에 속하는 것끼리 묶은 것은?

ㄱ. 경제규제(economic regulation)
ㄴ. 보조금(grant)
ㄷ. 바우처(voucher)
ㄹ. 공기업(government corporations)

① ㄱ, ㄷ
② ㄱ, ㄹ
③ ㄴ, ㄷ
④ ㄴ, ㄹ

17 살라몬(Salamon)의 정책수단 분류

보조금(ㄴ)과 바우처(ㄷ)는 직접성의 정도가 낮은 정책수단 유형에 해당한다.

선지분석

ㄱ. 경제규제는 정부의 직접통제방식에 해당한다.
ㄹ. 공기업은 정부의 직접생산방식에 해당한다.

답 ③

THEME 026 정책의 유형

18 □□□

2020년 국가직 7급

로위(Lowi)의 정책유형에 대한 설명 중 분배정책에 해당하는 것만을 모두 고르면?

ㄱ. 정책 과정에서 이해당사자들 간의 협상을 통해 비교적 안정적인 연합을 형성한다.
ㄴ. 누진소득세와 같이 이데올로기적인 기반에서 정책결정이 이루어진다.
ㄷ. 로그롤링(log-rolling)이나 포크 배럴(pork barrel)과 같은 정치적 현상이 나타난다.
ㄹ. 집단 사이의 갈등 수준이 상당히 높은 편이며, 개인이나 집단의 행위를 통제하기 위하여 정부의 강제력이 직접적으로 동원된다.

① ㄱ, ㄴ
② ㄱ, ㄷ
③ ㄴ, ㄷ
④ ㄷ, ㄹ

18 로위(Lowi)의 정책유형

ㄱ. 분배정책은 국민, 기업, 지역사회 등에게 재화나 서비스를 제공하는 정책으로, 비용부담집단이 특정되지 않기 때문에 정책의 이해당사자들 간의 협상을 통해 안정적인 연합을 형성할 수 있다.
ㄷ. 분배정책의 결정 및 집행과정에서는 참여자들 간의 갈라먹기식 결정(로그롤링)이 발생할 수 있다. 또한 분배정책은 한정된 자원을 수혜자에게 배분하는 정책이므로, 더 많은 서비스와 편익을 배분받기 위해 수혜자끼리의 다툼(포크 배럴)이 발생하기도 한다.

선지분석

ㄴ. 누진소득세와 같이 이데올로기적인 기반에서 정책결정이 이루어지는 것은 재분배정책이다.
ㄹ. 집단 사이의 갈등 수준이 상당히 높은 편이며, 개인이나 집단의 행위를 통제하기 위하여 정부의 강제력이 직접적으로 동원되는 정책은 재분배정책이다.

답 ②

19 □□□

2019년 서울시 9급

로위(Lowi)의 정책유형 중 선거구의 조정 등 헌법상 운영규칙과 관련된 정책으로 가장 옳은 것은?

① 구성정책
② 배분정책
③ 규제정책
④ 재분배정책

20 □□□

2019년 지방직 7급

로위(Lowi)의 정책유형 분류에서 강제력이 행위의 환경에 직접적으로 적용되는 것은?

① 재분배정책(redistributive policy)
② 규제정책(regulatory policy)
③ 구성정책(constituent policy)
④ 분배정책(distributive policy)

19 로위(Lowi)의 정책유형

선거구의 조정 등 헌법상 운영 규칙과 관련된 정책은 구성정책이다.

로위(Lowi)의 정책유형 분류

구분		강제력의 적용영역	
		개별적 행위	행위의 환경
강제력의 행사방법	간접적	분배정책	구성정책
	직접적	규제정책	재분배정책

1. 배분정책: 정부가 가진 재화와 서비스를 사회의 특정 부분에 배분하는 정책으로, 수혜자와 비용부담자 간 갈등이 없어 집행이 용이하다.
2. 규제정책: 특정한 개인이나 조직 또는 기업체에 제제나 통제를 가하는 정책으로, 정부의 정책유형 중 가장 많은 영역을 차지하며 정책의 불응자에게 강제력 행사가 가능하다.
3. 재분배정책: 재산, 권력 등을 소유하고 있는 고소득층으로부터 그렇지 못한 저소득층으로의 소득이전을 목적으로 하는 정책으로, 수혜자와 비용부담자가 모두 특정되고 계급대립적인 성격을 지닌다.
4. 구성정책: 헌정수행에 필요한 운영규칙에 관련된 정책으로, 정치체제에서 투입을 조직화하고 체제의 구조와 운영에 관련되어 있다.

답 ①

20 로위(Lowi)의 정책유형

로위(Lowi)의 정책유형 중 재분배정책은 강제력이 행위의 환경에 직접적으로 적용되며, 구성정책은 행위의 환경에 간접적으로 적용된다. 한편, 분배정책은 강제력이 개별 행위에 간접적으로 적용되며, 규제정책은 개별 행위에 직접적으로 적용된다.

답 ①

21 □□□

2019년 지방직 9급

로위(Lowi)가 제시한 구성정책의 사례로 옳지 않은 것은?

① 공직자 보수에 관한 정책
② 선거구 조정 정책
③ 정부기관이나 기구 신설에 관한 정책
④ 국유지 불하 정책

22 □□□

2014년 사회복지직 9급

'국공립학교를 통한 교육서비스의 제공'은 로위(Lowi)의 정책유형 중 어느 정책에 해당하는가?

① 배분정책
② 규제정책
③ 재분배정책
④ 구성정책

21 구성정책

국유지 불하 정책이란 정부가 행정목적으로 사용이 끝난 토지나 불필요한 토지 등의 재산을 국민에게 일반적으로 시세보다 저렴한 가격으로 매각하는 정책이다. 따라서 국민, 기업, 조직, 지역사회 등에게 재화나 서비스를 제공하는 정책인 배분정책에 해당한다.

선지분석

①, ②, ③ 구성정책은 헌정수행에 필요한 운영규칙에 관련된 정책으로, 정치체제에서 투입을 조직화하고 체제의 구조와 운영에 관련되어 있다. 공직자 보수에 관한 정책, 선거구 조정 정책, 정부기관이나 기구 신설에 관한 정책은 구성정책의 사례이다.

답 ④

22 로위(Lowi)의 정책유형

국공립학교와 같이 교육서비스를 정부가 직접 제공하는 것은 배분정책에 해당한다.

배분정책의 특징

1. 구유통 정치(pork-barrel politics): 한정된 자원을 수혜자에게 배분하므로 더 많은 서비스와 편익을 배분받기 위해 특정 다수의 수혜자끼리의 다툼이 발생한다.
2. 담합(log-rolling)과 표의 교환행위(vote trading): 분배정책의 결정 및 집행과정에서는 참여자들 간 정면대결보다 갈라먹기식 결정이 발생한다.
3. 논제로섬(non-zero sum): 분배에 소요되는 비용은 일반조세로 충당하여 조세를 부담하는 일반국민은 무관심하고 수혜자와 비용부담자의 정면대립이 없으므로, 상호 불간섭 내지 상호 수용을 특징으로 한다.
4. 자원배분절차의 정형화·표준화로 표준운영절차(SOP)의 확립이 용이하다.

답 ①

23 □□□

2017년 지방직 7급

다음 괄호 안에 들어갈 용어를 옳게 짝지은 것은?

> (ㄱ)은/는 의회에서 이권과 관련된 법안을 해당 의원들이 서로에게 이익이 되도록 협력하여 통과시키거나, 특정 이익에 대한 수혜를 대가로 상대방이 원하는 정책에 동의해 주는 방식으로 이루어진다. 반면, (ㄴ)은/는 각종 개발 사업과 관련된 법안이나 정책 교부금을 둘러싸고 의원들이 그 혜택을 서로 나누어 가지려고 노력하는 현상을 말한다.

	ㄱ	ㄴ
①	로그롤링(log rolling)	포크배럴(pork barrel)
②	로그롤링(log rolling)	지대추구(rent seeking)
③	지대추구(rent seeking)	로그롤링(log rolling)
④	포크배럴(pork barrel)	로그롤링(log rolling)

24 □□□

2016년 지방직 7급

로위(Lowi)는 강제력의 행사방법과 강제력의 적용영역 차이에 따라 정책을 네 가지(A~D)로 유형화하고, 정책 유형별 특징과 사례를 제시하였다. 이에 대한 설명으로 옳지 않은 것은?

강제력의 적용영역 / 강제력의 행사방법	개별적 행위	행위의 환경
간접적	A	B
직접적	C	D

① A에서는 정책내용이 세부단위로 쉽게 구분되고 각 단위는 다른 단위와 별개로 처리될 수 있다.

② B에서는 선거구 조정, 정부조직이나 기구 신설, 공직자 보수 등에 관한 정책이 포함된다.

③ C에서는 피해자와 수혜자가 명백하게 구분되며 정책결정자와 집행자가 서로 결탁하여 갈라먹기식(log rolling)으로 정책을 결정하는 것이 어렵다.

④ D에서는 지방적 수준에서 분산적인 정책결정이 이루어진다.

23 로그롤링(log rolling)과 포크배럴(pork barrel)

ㄱ은 로그롤링(log rolling), ㄴ은 포크배럴(pork barrel)이다.

ㄱ. 로그롤링(log rolling)은 서로 협력하여 통나무를 굴리는 현상을 보며, 이권이 결부된 몇 개의 법안을 관련 의원들이 서로 투표담합행위를 통해 통과시키는 형태를 빗댄 용어이다.

ㄴ. 포크배럴(pork barrel)은 한정된 자원을 수혜자에게 배분하기 때문에 더 많은 서비스와 편익을 배분받기 위해 특정한 다수가 다투는 것을 빗댄 용어이다.

답 ①

24 로위(Lowi)의 정책유형

A는 배분정책, B는 구성정책, C는 규제정책, D는 재분배정책이다. 재분배정책(D)에서는 지방적 수준이 아닌 중앙정부적 수준에서 집권적인 정책결정이 이루어진다.

선지분석

① 배분정책(A)에서는 정책의 내용이 세부단위로 구분되고 각 단위별로 개별화된 의사결정을 통해 이루어진다.

② 구성정책(B)에는 정부기관의 신설 또는 변경, 선거구 조정, 공무원 연금 등에 관한 정책이 포함된다.

③ 규제정책(C)에서는 수혜자와 비용부담자가 명백하게 구분되어 투쟁과 갈등 및 타협이라는 특징이 나타나며 포획현상(주로 경제적 규제)과 대립현상(주로 사회적 규제)이 발생한다.

답 ④

25 □□□

2015년 서울시 7급

정책유형의 분류에 대한 설명으로 가장 옳지 않은 것은?

① 로위(Lowi)는 정책을 강제력의 행사방법과 강제력의 적용 대상에 따라 분배정책, 구성정책, 규제정책, 재분배정책으로 구분하였다.

② 분배정책은 참여자들 간의 정면대결보다는 갈라먹기식(log rolling)에 의해 이루어지며, 이해관계보다는 이데올로기가 작용한다.

③ 구성정책은 헌정수행에 필요한 운영규칙과 관련된 정책으로 선거구의 조정, 정부의 새로운 조직이나 기구의 설립, 공직자의 보수 등에 관한 정책 등이 이에 해당된다.

④ 규제정책은 분배정책에 비해 피규제자(피해자)와 수혜자가 명백하게 구분된다.

25 | 정책유형의 분류

분배정책은 참여자들 간의 정면대결보다 갈라먹기식의 결정이 이루어지지만, 이데올로기보다는 이해관계가 작용한다.

(선지분석)

④ 규제정책은 분배정책에 비해 피규제자와 수혜자가 명백하게 구분되므로, 분배정책보다 정책집행이 곤란하다.

답 ②

26 □□□

2013년 국가직 7급

정책유형 중 국민들에게 권리나 혜택 또는 서비스를 나누어 주는 배분정책(distributive policy)에 속하는 것은?

① 고속도로, 항만, 공항 등 사회간접자본을 구축하는 정책

② 그린벨트 내 공장 건설을 금지하는 정책

③ 계층 간의 소득을 재분배하여 소득격차를 해소하는 정책

④ 정부체제를 유지하기 위하여 인적·물적 자원을 동원하는 정책

26 | 배분정책

배분정책(분배정책)은 국민, 기업, 조직, 지역사회 등에게 재화나 서비스를 제공하는 정책으로 정책의 내용이 세부단위로 구분되고 각 단위별로 개별화된 의사결정을 통해 이루어진다. 배분에 소요되는 비용은 일반조세로 충당하므로 패자(조세를 부담하는 일반국민)는 무관심하여, 승자와 패자의 정면대립이 없는 상호 불간섭 내지는 상호 수용을 특징으로 한다. SOC건설, 수출특혜금융, 국유지 관리, 신국제공항 건설 등이 이러한 배분정책의 예에 해당한다.

(선지분석)

② 규제정책에 해당한다.
③ 재분배정책에 해당한다.
④ 추출정책에 해당한다.

답 ①

27 □□□

2015년 서울시 9급

분배정책에 대한 설명으로 옳지 않은 것은?

① 이해당사자 간 제로섬(zero sum) 게임이 벌어지고 갈등이 발생될 가능성이 규제정책에 비해 상대적으로 더 크다.
② 일반적으로 포크배럴(pork barrel)현상이 발생한다.
③ 도로, 다리의 건설, 국공립학교를 통한 교육서비스의 제공 등이 분배정책에 해당한다.
④ 정책과정에서 이해당사자들이 서로 협력하는 로그롤링(log rolling)현상이 발생한다.

28 □□□

2018년 서울시 9급

정책유형에 대한 설명으로 가장 옳지 않은 것은?

① 로위(Lowi)는 정책의 유형에 따라 정책의 결정 및 집행 과정이 달라진다고 보았으며, 정책 유형에 따라 정치적 관계가 달라질 것으로 가정하고 있다.
② 로위(Lowi)는 정책유형을 배분정책, 구성정책, 규제정책, 재분배정책으로 구분하였으며, 구분의 기준이 되는 것은 강제력의 행사방법(간접적, 직접적)과 비용의 부담주체(소수에 집중 아니면 다수에 분산)이다.
③ 로위(Lowi)의 분류 중 재분배정책의 예는 연방은행의 신용통제, 누진소득세, 사회보장제도이고, 구성정책의 예는 선거구 조정, 기관신설 등이다.
④ 리플리 & 프랭클린(Ripley & Franklin)은 보호적 규제정책을 제시하는데, 이는 소수자나 사회적 약자, 그리고 일반대중을 보호하기 위해서 개인이나 집단의 권리 행사나 행동의 자유를 제한하는 정책이다.

27 | 분배정책

이해당사자 간 제로섬(zero sum) 게임이 벌어지고 갈등이 발생될 가능성이 규제정책에 비해 상대적으로 큰 정책은 재분배정책이다. 분배정책은 갈등과 대립이 상대적으로 약하고 정책이 공적 재원으로 이루어지기 때문에 제로섬(zero sum) 게임이 발생하지 않는다.

선지분석

② 분배정책에서는 정책의 수혜자 간 더 많은 수혜를 받기 위한 경쟁인 포크배럴 현상이 발생한다.
③ SOC 건설, 국공립학교의 교육서비스 제공 등은 대표적인 분배정책이다.
④ 분배정책에서는 수혜자들의 표의 담합현상인 로그롤링현상이 발생한다.

답 ①

28 | 정책유형

로위(Lowi)는 정책유형을 배분정책, 구성정책, 규제정책, 재분배정책으로 구분하였으며, 구분의 기준이 되는 것은 강제력의 행사방법(간접적, 직접적)과 강제력의 적용영역(개별적 행위, 행위의 환경)이다.

선지분석

④ 리플리와 프랭클린(Ripley & Franklin)은 규제정책을 보호적 규제정책과 경쟁적 규제정책으로 분류하였다. 이 중 보호적 규제정책은 소수자나 사회적 약자, 일반 대중을 보호하기 위해서 개인이나 집단의 권리 행사나 행동의 자유를 제한하는 정책이므로, 경쟁적 규제정책보다 집행의 난이도가 높다.

답 ②

29 □□□

2013년 지방직 7급

재분배정책에 대한 설명으로 옳지 않은 것은?

① 표준운영절차나 상례적 절차를 확립하여 원활하게 집행할 가능성이 상대적으로 낮다.
② 부나 권리의 편중을 해소하기 위하여 정부가 가진 자와 못 가진 자의 분포를 인위적으로 변화시키려고 하는 정책이다.
③ 누진세 · 사회보장 · 사회간접자본정책 등이 그 예이다.
④ 정책참여자들 간 이해 대립으로 갈등이 발생할 가능성이 높다.

30 □□□

2015년 사회복지직 9급

분배정책과 재분배정책에 대한 설명으로 옳은 것만을 모두 고른 것은?

ㄱ. 분배정책에서는 로그롤링(log rolling)이나 포크배럴(pork barrel)과 같은 정치적 현상이 나타나기도 한다.
ㄴ. 분배정책은 사회계급적인 접근을 기반으로 이루어지기 때문에 규제정책보다 갈등이 더 가시적이다.
ㄷ. 재분배정책에는 누진소득세, 임대주택 건설사업 등이 포함된다.
ㄹ. 재분배정책에서는 자원배분에 있어서 이해당사자들 간의 연합이 분배정책에 비하여 안정적으로 이루어진다.

① ㄱ, ㄴ
② ㄱ, ㄷ
③ ㄴ, ㄷ
④ ㄷ, ㄹ

29 재분배정책

사회간접자본은 배분정책의 대표적인 예로 정책의 집행 과정에서 구성원들의 대립이 발생하지 않는다.

(선지분석)

①, ④ 재분배정책은 수혜집단과 피해집단이 정확하게 특정되며 계급대립적 성격을 가지고 있어 정책집행이 곤란하고 갈등이 발생하며, 정책집행의 루틴화 가능성이 낮다.
② 재분배정책은 재산, 권력 등을 소유하고 있는 고소득층으로부터 그렇지 못한 저소득층으로의 소득이전을 목적으로 하는 정책이다.

답 ③

30 분배정책과 재분배정책

ㄱ. 분배정책의 특징으로는 로그롤링(log rolling), 포크배럴(pork barrel), 교환행위(vote trading), 논제로섬(non-zero sum) 등이 있다.
ㄷ. 재분배정책의 예로는 누진세, 부의 소득세, 생활보호법, 통합의료보험 정책 등이 있다.

(선지분석)

ㄴ. 분배정책은 정부가 가진 권익이나 서비스 등 자원을 배분하는 것으로 갈등이나 반발이 별로 없고, 집행이 용이하다.
ㄹ. 분배정책에서는 자원배분에 있어서 이해당사자들 간의 연합이 재분배정책에 비하여 안정적으로 이루어진다.

답 ②

31 □□□

2011년 서울시 9급

다음의 정책분류 가운데 알몬드(Almond)와 파웰(Powell)이 사용한 분류는?

① 분배정책, 규제정책, 재분배정책
② 분배정책, 규제정책, 재분배정책, 구성정책
③ 분배정책, 규제정책, 추출정책, 상징정책
④ 분배정책, 규제정책, 재분배정책, 자율규제정책
⑤ 분배정책, 경쟁적 규제정책, 보호적 규제정책, 재분배정책

31 알몬드(Almond)와 파웰(Powell)의 정책유형

알몬드(Almond)와 파웰(Powell)은 정책을 분배정책, 규제정책, 추출정책, 상징정책으로 구분하였다.

학자별 정책유형의 분류

학자	분류
로위(Lowi)	분배정책, 규제정책, 재분배정책, 구성정책
알몬드(Almond) & 파웰(Powell)	분배정책, 규제정책, 상징정책, 추출정책
셀리스버리(Salisbury)	분배정책, 규제정책, 재분배정책, 자율규제정책
리플리(Ripley) & 프랭클린(Franklin)	분배정책, 경쟁적·보호적 규제정책, 재분배정책, 외교·국방정책

답 ③

32 □□□

2020년 서울시 9급

리플리(Ripley)와 프랭클린(Franklin)의 정책유형 중 〈보기〉의 사례에 해당하는 것은?

> 〈보기〉
> 식품의약품안전처는 다이어트, 디톡스 효과 등을 내세우며 거짓 · 과장 광고를 한 유튜버 등 인플루언서 15명과 이들에게 법률에서 금지하고 있는 체험형 광고 등을 의뢰한 유통전문판매업자 8곳을 적발했다고 9일 밝혔다.

① 윤리정책
② 경쟁적 규제정책
③ 보호적 규제정책
④ 사회적 규제정책

32 리플리(Ripley)와 프랭클린(Franklin)의 정책유형

리플리(Ripley)와 프랭클린(Franklin)은 정책을 분배정책, 경쟁적 규제정책, 보호적 규제정책, 재분배정책, 외교·국방정책으로 분류하였고, 〈보기〉는 보호적 규제정책에 해당한다. 보호적 규제정책은 각종 민간 활동이 허용되는 조건을 설정하고 반사적으로 다수의 국민을 보호하는 정책으로, 약자보호적 성격이 강하고 공공복리를 꾀하는 정책이다.

답 ③

33 □□□

2019년 서울시 9급(2월 추가)

리플리(Ripley)와 프랭클린(Franklin)에 의해 제시된 정책분류 유형에 해당하지 않는 것은?

① 상징정책
② 경쟁적 규제정책
③ 재분배정책
④ 보호적 규제정책

34 □□□

2017년 국가직 7급(8월 시행)

리플리와 프랭클린(Ripley & Franklin)은 정책유형에 따라 집행 과정의 특징이 다르다고 주장한다. 다음과 같은 특징이 있는 정책유형은?

- 집행 과정의 안정성과 정형화의 정도가 높다.
- 집행에 대한 갈등의 정도가 낮다.
- 집행을 둘러싼 이념적 논쟁의 정도가 낮다.
- 참여자 간 관계의 안정성이 높다.
- 작은 정부에 대한 요구와 압력의 정도가 낮다.

① 분배정책
② 경쟁적 규제정책
③ 보호적 규제정책
④ 재분배정책

33 리플리(Ripley)와 프랭클린(Franklin)의 정책분류

리플리(Ripley)와 프랭클린(Franklin)은 정책을 분배정책, 경쟁적 규제정책, 보호적 규제정책, 재분배정책, 외교·국방정책으로 분류하였다.

리플리(Ripley)와 프랭클린(Franklin)의 정책분류

구분	내용
분배정책	반발이 별로 없고 집행이 가장 용이한 정책으로, 정책집행의 루틴화 가능성이 높음
경쟁적 규제정책	희소자원의 분배와 관련하여 경쟁의 범위를 제한하는 정책으로, 특정 개인이나 집단에게 특권을 부여하는 동시에 일반대중을 보호하기 위해 규제를 가함
보호적 규제정책	각종 민간 활동이 허용되는 조건을 설정함으로써 반사적으로 다수의 일반 국민을 보호하는 정책으로, 공공복리를 꾀함
재분배정책	비용부담자와 수혜자 간의 갈등으로 집행이 곤란하며, 정책집행의 루틴화 가능성이 낮음
외교·국방정책	구조정책, 전략정책(무기 및 군사력), 위기정책 등이 이에 속함

답 ①

34 리플리와 프랭클린(Ripley & Franklin)의 정책유형

제시문은 반발이 별로 없고 집행이 가장 용이한 정책으로, 정책집행의 루틴화 가능성이 높은 분배정책에 대한 설명이다.

(선지분석)

② 경쟁적 규제정책은 희소자원의 분배와 관련하여 경쟁의 범위를 제한하는 정책으로, 특정 개인이나 집단에게 특권을 부여하는 동시에 일반대중을 보호하기 위해 규제를 가하는 정책이다.
③ 보호적 규제정책은 경쟁적 규제정책보다 재분배적 성격이 강한 것으로, 각종 민간활동이 허용되는 조건을 설정함으로써 반사적으로 다수의 일반국민을 보호하는 정책이다.
④ 재분배정책은 계층별 또는 집단별로 불균형적인 자원을 사회적 형평성의 이념으로 재정리하는 정책으로, 누진세제도나 사회보장비 지출과 같은 것이 해당한다.

답 ①

35 □□□

2013년 지방직 9급

정책유형과 그 사례를 바르게 연결한 것은?

① 분배정책(distribution policy) - 사회간접자본의 구축, 환경오염방지를 위한 기업규제

② 경쟁적 규제정책(competitive regulatory policy) - TV · 라디오 방송권의 부여, 국공립학교를 통한 교육서비스

③ 보호적 규제정책(protective regulatory policy) - 작업장 안전을 위한 기업규제, 국민건강보호를 위한 식품위생규제

④ 재분배정책(redistribution policy) - 누진세를 통한 사회보장지출 확대, 항공노선 취항권의 부여

36 □□□

2018년 지방직 7급

리플리와 프랭클린(Ripley & Franklin)이 구분한 네 가지 정책유형에 대한 설명으로 옳지 않은 것은?

① 배분정책(distributive policy) - 정책 과정에서 이해당사자들 간에 로그롤링(log rolling) 또는 포크배럴(pork barrel)과 같은 정치적 현상이 나타나기도 한다.

② 재분배정책(redistributive policy) - 이념적 논쟁과 소득계층 간 갈등이 첨예하게 대립되어 표준운영절차(SOP)나 일상적 절차의 확립이 비교적 어렵다.

③ 경쟁적 규제정책(competitive regulatory policy) - 배분정책적 성격과 규제정책적 성격을 동시에 지니고 있고 규제정책은 거의 대부분 이러한 경쟁적 규제정책에 해당된다.

④ 보호적 규제정책(protective regulatory policy) - 소비자나 일반 대중을 보호하기 위해 특정 집단을 규제하므로 규제집행조직과 피규제집단 간 갈등의 가능성이 높다.

35 정책유형

보호적 규제정책은 각종 민간활동이 허용되는 조건을 설정함으로써 반사적으로 다수의 일반 국민을 보호하는 정책으로 식품의약품허가, 근로기준법, 개발제한구역 설정 등이 해당한다.

선지분석

① 환경오염방지를 위한 기업규제는 보호적 규제정책에 해당하는 사례이다.

② 국공립학교를 통한 교육서비스는 분배정책에 해당하는 사례이다.

④ 항공노선 취항권의 부여는 경쟁적 규제정책에 해당하는 사례이다.

답 ③

36 리플리와 프랭클린(Ripley & Franklin)의 네 가지 정책유형

경쟁적 규제정책은 배분정책적 성격과 규제정책적 성격을 동시에 지니고 있다. 경쟁적 규제정책은 진입규제, 생산량규제, 가격규제 등 모두를 포함하는 경제적 규제 중에서 진입규제와 특히 관련되며, 진입규제는 행정법상 특허를 의미하기 때문에 그 범위가 매우 협소하다. 따라서 대부분의 규제정책은 경쟁적 규제정책이 아니라 보호적 규제정책에 해당한다.

선지분석

① 배분정책은 정책 과정에서 수혜자들의 표의 담합 현상인 로그롤링이나, 수혜자들 간 더 많은 수혜를 받기 위해 경쟁하는 포크배럴과 같은 정치적 현상이 나타나기도 한다.

② 재분배정책은 정책의 수혜자와 비용부담자가 가장 확실하게 특정되므로 이념적 논쟁과 계층 간 갈등이 첨예하게 대립되어 표준운영절차(SOP)나 일상적 절차의 확립이 어렵고, 정책집행의 난이도가 높다.

④ 보호적 규제정책은 소비자나 일반 대중을 보호하기 위해 특정 집단을 규제하므로 규제집행조직과 피규제집단 간 갈등이 발생하며, 경쟁적 규제정책보다 집행의 난이도가 높다.

답 ③

37 □□□

2015년 지방직 9급

정책을 규제정책, 분배정책, 재분배정책, 추출정책으로 분류할 때 저소득층을 위한 근로장려금제도는 어느 정책으로 분류하는 것이 타당한가?

① 규제정책
② 분배정책
③ 재분배정책
④ 추출정책

38 □□□

2013년 교육행정직 9급

정책유형에 대한 설명 중 올바르지 않은 것은?

① 윌슨의 규제정치모형에서 편익은 다수에게 분산되고, 비용은 특정 집단에 집중될 경우 기업가의 정치이다.
② 로위의 정책 유형 구분은 상호 배타성이라는 분류의 요건을 만족시키지 않고 있다.
③ 보호적 규제정책은 경쟁에서 이겨 재화의 공급권을 획득한 업자들이 정부로부터 보조금을 받기도 하지만 동시에 재화의 공급방식에 관해 정부로부터 규제를 받는다는 특징이 있다.
④ 분배정책은 수혜자 간에 직접적인 다툼이 없어서 정책결정을 위한 행위자들 간의 협력양상이 보인다.

37 재분배정책

저소득층을 위한 근로장려금제도는 재분배정책에 해당한다.

(선지분석)

① 규제정책에는 독과점규제, 공공요금규제, 환경오염규제 등이 있다.
② 분배정책에는 보조금 제도, 사회기반시설 등이 있다.
④ 추출정책에는 징병, 조세(누진세 포함), 토지수용, 방위성금 등이 있다.

답 ③

38 정책유형

경쟁에서 이겨 재화의 공급권을 획득한 업자들이 정부로부터 보조금을 받기도 하지만 동시에 재화의 공급방식에 관해 정부로부터 규제를 받는 것은 경쟁적 규제정책에 대한 설명이다. 보호적 규제정책은 각종 민간활동이 허용되는 조건을 설정함으로써 반사적으로 다수의 일반 국민을 보호하는 정책을 의미한다.

(선지분석)

① 윌슨(Wilson)의 규제정치모형에서 편익은 다수에게 분산되고, 비용은 특정 집단에 집중될 경우를 기업가의 정치(운동가 정치)라고 한다. 대표적인 사례로 환경오염 규제정책 등이 있다.
② 상호 배타성이라는 분류의 요건은 정책유형 간에 그 유형이 서로 중복되지 않고 정책의 총합이 정부 전체의 정책이 된다는 의미이다. 로위(Lowi)의 정책유형 구분뿐만 아니라, 일반적으로 정책유형 구분은 상호 배타성이라는 분류의 요건을 만족시키지 않는다.
④ 분배정책은 수혜자 간에 직접적인 다툼이 없어서 정책결정을 위한 행위자들 간에 표의 거래와 담합, 로그롤링 등의 협력양상이 보인다.

답 ③

39 □□□

2015년 교육행정직 9급

정책의 유형과 관련된 설명으로 옳지 않은 것은?

① 한글날의 공휴일 지정은 상징정책에 속한다.
② 최저임금제도의 시행은 재분배정책에 속한다.
③ 규제정책은 분배정책보다 정책결정 과정에서 갈등이 더 심하다.
④ 밀어주기(log rolling), 나눠먹기(pork barrel) 등의 문제가 발생하는 정책은 분배정책이다.

40 □□□

2014년 국가직 7급

정책유형과 사례를 바르게 연결한 것만을 모두 고른 것은?

ㄱ. 추출정책 - 부실기업 구조조정
ㄴ. 상징정책 - 노령연금제도
ㄷ. 규제정책 - 최저임금제도
ㄹ. 구성정책 - 정부조직 개편
ㅁ. 분배정책 - 신공항 건설
ㅂ. 재분배정책 - 지방자치단체에 지원되는 국고보조금

① ㄱ, ㄴ, ㅁ
② ㄱ, ㄹ, ㅂ
③ ㄴ, ㄷ, ㅂ
④ ㄷ, ㄹ, ㅁ

39 정책유형

최저임금제도는 재분배정책이 아니라 규제정책 중에서 보호적 규제정책에 해당한다.

선지분석

① 공휴일 지정은 상징정책에 속한다. 상징정책은 정책의 대상집단인 국민으로 하여금 국가의 여러 가지 정책에 보다 잘 순응하고 정치체제를 신뢰하도록 홍보하는 정책으로 정치적 목적으로 주로 이용된다.
③ 규제정책은 수혜자와 비용부담자가 명백하게 구분되어 정책결정 과정에서 투쟁과 갈등 및 타협이 나타나는 특징이 있다.
④ 밀어주기(log rolling), 나눠먹기(pork barrerl)는 분배정책의 특징이다.

답 ②

40 정책유형

ㄷ. 최저임금제도, 독과점규제, 공공요금규제, 환경오염규제 등은 규제정책에 해당한다.
ㄹ. 정부조직 개편 등 정부기관의 신설 또는 변경은 구성정책에 해당한다.
ㅁ. 신공항 건설, SOC 건설, 수출특혜금융, 국유지 관리 등은 분배정책에 해당한다.

선지분석

ㄱ. 부실기업에 대한 구조조정은 규제정책에 해당한다.
ㄴ. 노령연금제도는 재분배정책에 해당한다.
ㅂ. 지방자치단체에 지원되는 국고보조금은 배분정책에 해당한다.

답 ④

정책의제설정 및 정책결정에 대한 시각

THEME 027 정책의제설정

01 □□□

2013년 국회직 8급

다음 중 정책의제설정에 대한 설명으로 옳지 않은 것은?

① 정책의제설정은 다양한 사회문제 중 특정한 문제가 정부의 정책에 의해 해결되기 위해 하나의 의제로 채택되는 과정이다.

② 정책의제는 어떤 사회문제가 사회적으로 이슈화되어 정부의 정책적 고려의 대상이 되어야 할 단계에 이른 문제를 의미한다.

③ 공중의제는 일반공중이 실제로 정책대응을 위한 구체적인 논의의 대상으로 표명하고 있는 사회문제를 말한다.

④ 정책의제설정은 외부주도형, 동원형, 내부접근형 등의 유형이 있다.

⑤ 정책의제설정 과정에는 주도집단, 정책체제, 환경 등의 변수들이 중요하게 작용한다.

02 □□□

2015년 지방직 7급

정책의제설정 과정에서 일반대중의 관심과 주의를 받고 있으며, 정부가 개입하여 문제를 해결하여야 한다고 인정되지만, 정부가 문제해결을 고려하기로 공식적으로 밝히지 않은 것은?

① 사회문제(social problem)

② 사회적 쟁점(social issue)

③ 공중의제(public agenda) 또는 체제의제(systemic agenda)

④ 정부의제(governmental agenda) 또는 제도의제(institutional agenda)

01 정책의제설정

정책의제가 아니라 체제의제에 대한 설명이다. 체제의제는 일반대중이 정부가 문제해결을 하는 것이 정당하다고 인정하는 사회문제로, 어떤 방식이든 정부의 조치가 필요하고 이는 정부의 권한에 속한다고 믿는 문제이다. 정책의제는 이러한 체제의제가 정책 과정으로 정식으로 채택되어 정부가 공식적인 의사결정을 통해 그 해결을 심각하게 고려하기로 명백하게 밝힌 의제이다. 일반적으로 정책의제는 제도적 의제를 의미한다.

답 ②

02 정책의제설정

공중의제(public agenda) 또는 체제의제(systemic agenda)는 일반대중이 정부가 문제해결을 하는 것이 정당하다고 인정하는 사회문제로, 어떤 방식이든 정부의 조치가 필요하고 이는 정부의 권한에 속한다고 믿는 문제를 의미한다.

선지분석

① 사회문제(social problem)는 사회의 많은 구성원들이 사회문제라고 느끼는 것이다.

② 사회적 쟁점(social issue)은 문제의 원인과 해결방법에 대해 집단들 사이에 의견 일치를 보기 어려워 논쟁의 대상이 되는 사회문제이다.

④ 정부의제(government agenda) 또는 제도의제(institutional agenda)는 정부가 공식적인 의사결정을 통해 그 해결을 심각하게 고려하기로 명백히 밝힌 문제이다.

답 ③

03 □□□

2012년 지방직 7급

아이스톤(Eyestone)이 제시한 정책의제형성 과정에 대한 설명으로 옳지 않은 것은?

① 사회문제(social problem)는 개인의 문제가 다수로부터 공감을 얻게 되어 많은 사람들의 문제로 인식된 상태를 말한다.

② 공공의제(public agenda)는 일반대중의 주목을 받을 가치는 있으나, 아직 정부가 문제해결을 하는 것이 정당한 것으로 인정되지 않는 상태를 말한다.

③ 사회논제(social issue)는 사회문제가 여러 가지 다른 견해를 갖는 다수의 집단들로 하여금 논쟁을 야기하며, 일반인의 관심을 집중하고 여론을 환기시키는 상태를 말한다.

④ 공식의제(official agenda)는 여러 가지 공공의제들 중에서 정부가 그 해결을 위하여 심각하게 관심과 행동을 집중하는 정부의제로 선별되는 상태를 말한다.

04 □□□

2008년 국가직 7급

정책의제설정이론에 대한 설명으로 옳지 않은 것은?

① 킹던(Kingdon)은 문제, 정책, 정치라는 세 변수가 각기 다른 맥락에서 흐르다가 어떤 기회가 주어지면 서로 만나게 되는데, 이때 정부의제가 정책의제로 전환하게 된다고 본다.

② 콥과 그 동료들(Cobb & Ross)에 따르면, 공식의제가 성립되는 단계는 외부주도모형의 경우에는 진입 단계, 동원모형과 내부접근모형의 경우에는 주도 단계이다.

③ 콥(Cobb)과 엘더(Elder)가 언급한 '체제의제'는 특정 쟁점에 대해 정책대안이나 수단을 모색할 수 있을 정도로 구체적이다.

④ 존스(Jones)는 정책의제설정 과정을 크게 문제의 인지와 정의, 문제에 대한 결집과 조직화, 대표, 의제설정으로 구분하고 있다.

03 정책의제형성 과정

공공의제(public agenda)는 일반대중이 정부가 해결방안을 강구해야 한다고 공감하는 일련의 문제를 말한다. 이는 일반대중의 주목을 받을 가치가 있으며 정부가 문제를 해결하는 것이 정당하다고 인정되는 상태의 사회문제이다.

정책의제형성 과정

사회문제(social problem)
↓
사회적 이슈(social issue)
↓
체제의제(systemic agenda) = 공중의제(public agenda)
↓
제도의제(institutional agenda) = 공식의제(official agenda)

답 ②

04 정책의제설정이론

'체제의제'는 정책적 해결을 필요로 하는 문제로, 체제의제 단계까지는 구체적이지 않으며 제도의제가 구체적이다.

선지분석

① 킹던(Kingdon)의 정책의제설정모형인 '정책의 창'모형에 대한 설명이다. 정책의 창모형은 정책결정모형으로 설명되기도 한다.

학자별 의제설정모형

학자	모형
콥(Cobb) & 로스(Ross)	이슈제기 → 구체화 → 확장 → 진입
아이스톤(Eyestone)	문제인지 → 사회이슈화 → 공중의제 → 공식의제
존스(Jones)	문제인지 및 정의 → 결속·조직화 → 대표화 → 의제채택

답 ③

05 □□□

2020년 국가직 7급

정책의제설정모형에 대한 설명으로 옳지 않은 것은?

① 내부접근형에서 정부기관 내부의 집단 혹은 정책결정자와 빈번히 접촉하는 집단은 공중의제화하는 것을 꺼린다.
② 동원형에서는 주로 정부 내 최고 통치자나 고위정책결정자가 주도적으로 정부의제를 만든다.
③ 외부주도형 정책의제설정은 다원화된 정치체제에서 많이 나타난다.
④ 공고화형은 대중의 지지가 낮은 정책 문제에 대한 정부의 주도적 해결을 설명한다.

06 □□□

2019년 서울시 7급

콥과 로스가 유형화한 정책의제 설정모형 중 사회문제 → 정부의제 → 공중의제의 순서로 전개되는 것은?

① 외부주도형
② 동원형
③ 내부접근형
④ 음모형

05 정책의제설정모형

공고화형은 굳히기형으로, 대중의 지지가 높은 정책 문제에 대한 정부의 주도적 해결을 설명하는 메이(May)의 모형이다.

(선지분석)

① 내부접근형은 정책의제설정 후 공중의제화를 생략하는 음모형이다.
② 동원형은 주로 정부 내 최고 통치자나 고위정책결정자가 주도적으로 정부의제를 만드는 형태로, 개발도상국에서 주로 나타난다.
③ 외부주도형 정책의제설정은 선진국의 다원화된 정치체제에서 많이 나타난다.

주도집단에 따른 정책의제설정모형

외부주도형	외부집단이 주도하여 사회문제에 대해 정부가 해결해 줄 것을 요구하여 이를 사회쟁점화하고 공중의제로 전환시켜 결국 정부의제로 채택하도록 하는 유형
동원형	정부가 정책의제를 미리 설정하고 난 다음, 정책의 중요성과 유용성을 일반대중에게 적극적으로 이해시키는 공중의제화 과정을 거치는 유형
내부접근형	정부 내에서 정부의제가 먼저 이루어지는 것으로서 정부 PR 등을 통한 정책의 대중 확산을 시도하지 않고, 고위관료에 의하여 비공개적으로 정부의제화되는 유형

답 ④

06 정책의제설정모형

사회문제 → 정부의제 → 공중의제의 순서로 전개되는 모형은 동원형이다.

(선지분석)

① 외부주도형은 사회문제 → 이슈화 → 공중의제 → 정부의제 순서로 정책의제화가 진행된다.
③, ④ 내부접근형(음모형)은 사회문제가 바로 정부의제화가 되고 공중의제 과정이 생략된다.

답 ②

07 □□□

2010년 국회직 9급

콥(Cobb)과 그의 동료들이 주장한 주도집단에 따른 정책의제설정의 유형에 대한 설명으로 옳지 않은 것은?

① 외부주도형은 정책담당자가 아닌 외부 사람들의 주도에 의해 특정 문제를 정부가 해결해야 할 문제로 받아들이게 되는 경우이다.

② 동원형은 정책담당자들에 의해 자발적으로 정책의제가 형성되는 경우이다.

③ 내부접근형은 일반 대중이나 관련 집단들의 지원을 유도하기 위한 노력을 수행한 뒤에 의제를 채택한다.

④ 동원형은 정부의 힘이 강하고 민간부문의 힘이 취약한 후진국에서 많이 나타난다. 내부접근형은 부와 권력이 집중된 나라에서 흔히 나타나는 유형이다.

08 □□□

2016년 지방직 7급

메이(May)는 정책의제설정의 주도자와 대중의 관여 정도에 따라 정책의제설정과정을 네 가지 유형(A~D)으로 구분하였는데, 이에 대한 설명으로 옳지 않은 것은?

대중의 관여 정도 / 정책의제설정의 주도자	높음	낮음
민간	A	B
정부	C	D

① A는 외부집단이 주도하여 정책의제 채택을 정부에게 강요하는 경우로 허쉬만(Hirschman)이 말하는 '강요된 정책문제'에 해당된다.

② B의 경우 정책결정에 영향력을 가진 집단은 대중들에게 정책을 공개하여 지지를 획득하려고 한다.

③ C에서는 이미 민간집단의 광범위한 지지가 형성된 이슈에 대하여 정책결정자가 지지의 공고화(consolidation)를 추진한다.

④ D는 정부의 힘이 강하고 이익집단의 역할이 취약한 후진국에서 일반적으로 많이 나타난다.

07 정책의제설정의 유형

내부접근형은 관료집단 또는 정책결정자에게 접근이 용이한 외부집단이 최고 정책결정자에게 접근하여 문제를 은밀하게 정책의제로 채택하는 모형이다. 내부접근형에서는 일반 대중이나 관련 집단들의 지원을 유도하기 위한 노력이 생략된 상태에서 의제의 채택이 이루어진다.

답 ③

08 정책의제설정

A는 외부주도형, B는 내부접근형, C는 굳히기형, D는 동원형이다. 내부접근형(B)의 경우 정책의제의 설정이 정부에 의해서 형성되고 결정된다. 따라서 대중들에게 정책을 공개하여 지지를 획득하려는 노력을 하지 않는다.

메이(May)의 정책의제설정모형

대중의 관여 정도 / 정책의제설정주도자	높음	낮음
민간	외부주도형	내부접근형
정부	굳히기형	동원형

1. 외부주도형: 사회적 행위자들이 외부로부터 의제설정을 주도하는 유형이다.
2. 내부접근형: 의사결정자들에게 접근할 수 있는 영향력 있는 집단들이 정책을 주도하는 유형이다.
3. 굳히기형: 대중적 지지가 높을 것으로 기대될 때 국가가 의제설정을 주도하는 유형으로, 정책결정자가 민간의 광범위한 지지가 형성된 이슈에 대하여 지지의 공고화(consolidation)를 추진한다.
4. 동원형: 정부 내의 정책결정자들이 주도하여 정부의제화한 후 대중적 지지를 확보하기 위하여 행정PR 등을 사용하는 유형이다.

답 ②

09 □□□

2010년 국가직 7급

정책의제의 설정에 대한 설명으로 옳지 않은 것은?

① 체제 의제(systematic agenda)란 개인이나 민간 차원에서 쉽사리 해결될 수 없어서 정부가 이를 해결해야 한다고 많은 사람이 생각하는 정책적 해결 필요성이 있는 의제를 말한다.
② 동원형은 정부의 힘이 강하고 민간부문의 힘이 취약한 후진국에서 많이 나타나며, 의도적이고 일방적으로 국민을 무시하는 정부에서 나타날 수 있는 유형이다.
③ 외부주도형은 정책담당자가 아닌 외부 사람들의 주도에 의해 정책문제의 정부 귀속화가 이루어지는 유형이다.
④ 내부접근형은 정책담당자들에 의해 자발적으로 정책의제화가 진행되는 유형이다.

10 □□□

2012년 국가직 7급

정책의제설정모형에 대한 설명 중 동원모형에 해당되는 것은?

① 정부 지도자들이 대중들의 지지를 확보하기 위하여 공공관계 캠페인(public relations campaign)을 벌인다.
② 정책확장이 정책과 관련된 주제에 대하여 특별한 지식이나 관심을 가진 집단들에 한정하여 이루어진다.
③ 심볼 활용(symbol utilization)이나 매스 미디어 등을 통해 쟁점이 확산된다.
④ 정책결정자들이 정치 과정을 통하여 사회적 이슈를 공식적 정책의제로 채택하는 전략적 과정을 설명하는 논리이다.

09 | 정책의제설정

동원형은 정부의 힘이 강하고 민간부문의 힘이 취약한 후진국에서 많이 나타나는 것은 맞지만, 의도적이고 일방적으로 국민을 무시하는 정부에서 나타날 수 있는 유형은 동원형이 아니라 내부접근형에 해당한다.

선지분석

① 체제 의제(systematic agenda)란 일반대중이 정부의 권한에 속하며 정부가 문제 해결을 하는 것이 정당하다고 인정하는 사회문제로, 어떤 방식이든 정부의 조치가 필요하고 아직까지는 포괄적인 것이 특징이다.
③ 외부주도형은 외부집단(고객, 환경 등)의 주도로 문제가 제기·확대되어 정부의제로 채택된다.
④ 내부접근형은 관료집단 또는 정책결정자에게 접근이 용이한 외부집단이 최고정책결정자에게 접근하여 문제를 은밀하게 정책의제로 채택되며, 사회문제가 바로 정부의제로 된 후 공중의제는 차단되는 모형이다.

답 ②

10 | 정책의제설정모형

동원형은 '사회문제 → 정부의제 → 공중의제(확산)'의 과정을 갖는다. 정부조직 내의 정책결정자들의 주도로 자동으로 공식의제화되고 행정PR을 통해 공중의제화되는 형태로 집행에 필요한 대중의 지지를 얻고 순응을 확보하기 위해 정부의제가 된 것이 공중의제로 역진하는 경우이다.

선지분석

② 내부접근형에 대한 설명이다.
③, ④ 외부주도형에 대한 설명이다.

답 ①

11 □□□

2015년 서울시 7급

정책의제설정모형에 대한 설명으로 가장 옳은 것은?

① 올림픽이나 월드컵 유치 등 국민들이 적극적인 관심을 보인 사례는 외부집단이 주도한 외부주도형이다.
② 내부접근형은 대중의 지지를 획득하기 위한 공중의제화 과정이 없다는 점에서 공중의제화 과정을 거치는 동원형과 다르다.
③ 사회문제가 바로 정책의제로 채택되는 과정을 거치는 모형은 외부주도형이다.
④ 동원형은 공중의제화 과정을 거치기 때문에 행정부의 영향력이 작고 민간부문이 발전된 선진국에서 많이 나타나는 모형이다.

12 □□□

2014년 서울시 9급

정책의제의 설정에 영향을 미치는 요인에 대한 설명으로 옳지 않은 것은?

① 일상화된 정책문제보다는 새로운 문제가 보다 쉽게 정책의제화된다.
② 정책 이해관계자가 넓게 분포하고 조직화 정도가 낮은 경우에는 정책의제화가 상당히 어렵다.
③ 사회 이슈와 관련된 행위자가 많고, 이 문제를 해결하기 위한 정책의 영향이 많은 집단에 영향을 미치거나 정책으로 인한 영향이 중요한 것일 경우 상대적으로 쉽게 정책의제화된다.
④ 국민의 관심 집결도가 높거나 특정 사회 이슈에 대해 정치인의 관심이 큰 경우에는 정책의제화가 쉽게 진행된다.
⑤ 정책문제가 상대적으로 쉽게 해결될 것으로 인지되는 경우에는 쉽게 정책의제화된다.

11 정책의제설정모형

내부접근형은 동원형과 다르게 사회문제가 바로 정부의제로 된 후 공중의제화 과정이 차단된다. 이는 일반 대중이 사전에 알면 곤란하거나 시간적으로 급박한 경우 주로 나타난다.

선지분석

① 올림픽이나 월드컵 유치 등은 정부조직 내의 정책결정자들의 주도로 공식의제화한 후 행정PR을 통해 공중의제화되는 형태인 동원형에 해당한다.
③ 사회문제가 바로 정책의제로 채택되는 과정을 거치는 모형은 내부접근형이다.
④ 동원형은 정부의 힘이 강하고 이익집단이 미발달한 후진국 혹은 계층사회, 권위주의사회 등에서 볼 수 있는 유형이다.

답 ②

12 정책의제설정에 영향을 미치는 요인

선례가 있는 일상화된 정책문제가 새로운 정책문제보다 상대적으로 쉽게 정책의제화된다.

정책의제설정에 영향을 미치는 요인

요인	내용
문제의 중요성	이해관계집단이 크고 문제의 내용이 중요할수록 의제화될 가능성이 높음
문제의 외형적 특성	문제가 단순하게 이해되고 포괄적일수록 의제화될 가능성이 높음
선례와 유형성	비슷한 선례가 있을 경우 일상화된 절차에 따라 쉽게 의제로 채택됨
집단의 규모	문제에 대해 인지하고 있는 집단의 규모가 클수록 의제화될 가능성이 높음

답 ①

13 □□□

2015년 국가직 9급

다음 중 어떠한 정책문제가 정책의제로 채택될 가능성이 가장 낮은 경우는?

① 정책문제의 해결가능성이 높은 경우
② 이해관계자의 분포가 넓고 조직화 정도가 낮은 경우
③ 선례가 있어 관례화(routinized)된 경우
④ 정책의제화를 요구하는 집단의 규모가 큰 경우

13 정책의제

이해관계자의 분포가 넓고 조직화 정도가 낮은 경우 정책문제가 정책의제로 채택될 가능성은 낮아진다.

(선지분석)

①, ③ 정부는 선례가 있거나 해결가능성이 높은 정책문제를 정책의제로 채택한다.
④ 정책의제화를 요구하는 집단의 규모가 크고 그 영향력이 강하면 정책의제로 채택될 가능성이 높아진다.

답 ②

14 □□□

2013년 국가직 7급

정책의제형성에 영향을 미치는 요인들에 대한 설명으로 옳지 않은 것은?

① 문제가 사회적 유의성이 높을수록 의제로 채택될 가능성이 높다.
② 단순한 문제가 의제로 채택될 가능성이 높다.
③ 극적인 사건이나 위기 등은 의제로 채택될 가능성이 높다.
④ 선례가 있는 문제들은 의제로 채택될 가능성이 낮다.

14 정책의제형성

선례가 있거나 일상화된 문제들은 정책의제로 채택될 가능성이 높다.

(선지분석)

① 정책문제가 중대할수록 정책의제로 채택될 가능성이 높다.
② 단순하게 이해되는 문제일수록 정책의제로 채택될 가능성이 높다.
③ 극적인 사건이나 위기 등은 정책의제 채택의 점화장치이다.

답 ④

THEME 028 정책의제설정에 대한 이론모형

15 □□□

2013년 국가직 9급

정책 메커니즘에 대한 설명으로 옳지 않은 것은?

① 정책은 편파적으로 이익과 손해를 나누어주는 성격도 갖고 있다.
② 모든 사회문제는 정책의제화 된다.
③ 정책목표와 정책수단 사이에는 인과 관계가 있어야 한다.
④ 정책대안 선택의 기준들 사이에는 갈등이 있을 수 있다.

16 □□□

2020년 서울시 9급

정책결정의 장(또는 정책하위시스템)에 대한 이론과 주장하는 내용을 짝지은 것으로 가장 옳지 않은 것은?

① 다원주의 - 정부는 조정자 역할에 머물거나 게임의 법칙을 진행하는 심판자 역할을 할 것으로 기대된다.
② 조합주의 - 정부는 이익집단 간 이익의 중재에 머물지 않고 국가이익이나 사회의 공공선을 달성하기 위한 주도적인 역할을 할 것으로 기대한다.
③ 엘리트주의 - 엘리트들은 사회의 다원화된 이익을 대변하는 것이 아니라 자신들의 이익을 추구한다.
④ 철의 삼각 - 입법부, 사법부 그리고 행정부 3자가 강철과 같은 장기적이고 안정적이며 우호적인 삼각관계의 역할을 형성하면서 정책결정을 지배하는 것으로 본다.

15	정책 메커니즘

모든 사회문제가 정책의제화 되는 것이 아니다. 일반적인 정책의제설정 과정의 단계에서 사회문제는 사회적 이슈의 과정을 거쳐 공중의제화되고, 이후에 정부의제의 과정을 거친 뒤 정책의제가 된다. 하지만 이 과정에서 신엘리트론의 무의사결정론에서와 같이 어떤 집단이 제기하는 의제가 정책의제 채택의 과정에 진입하지 못할 수도 있다. 이스턴(Easton)의 체제이론은 문지기에 의해 어떠한 의제가 정책의제가 되지 못함을 설명하기도 한다.

(선지분석)

① 정책은 정책의 편익수혜자에게는 이익을 주고 비용부담자에게는 손해를 끼치는 성격을 갖게 된다. 특히 분배정책이나 규제정책의 경우 편파적으로 이익과 손해를 나누어 주게 된다.
③ 정책수단은 정책목표를 달성할 수 있는 원인이 되어야 하고, 정책목표는 정책수단으로 달성하고자 하는 결과가 된다.
④ 정책대안 선택의 기준들은 각 선택자가 추구하는 가치가 반영되므로 갈등이 있을 수 있다.

답 ②

16	정책결정이론

철의 삼각(iron triangle)이란 정책네트워크모형 중 하위정부모형의 장기적·안정적·우호적인 삼각관계를 의미한다. 철의 삼각은 의회의 상임위원회, 해당 정책 영역의 정부 관료, 이익집단으로 구성된다.

(선지분석)

① 다원주의에서 정부는 중립적인 조정자나 심판자 역할을 수행한다.
② 조합주의에서는 국가(정부)가 국가이익이나 사회의 공공선을 달성하기 위한 적극적이고 능동적인 역할을 하며, 이익집단에도 강한 영향력을 행사한다.
③ 엘리트주의에서 엘리트들은 사회의 다원화된 이익을 대변하지 않고 자신들의 이익을 추구하여 정책을 결정하고 집행한다.

답 ④

17 □□□

2020년 국가직 7급

지역사회 권력구조에 관한 이론에 대한 설명으로 옳은 것은?

① 레짐이론은 기업을 비롯한 민간부문 주요 주체들과의 연합이나 연대를 배제하는 특성을 갖는다.
② 성장기구론에서 성장연합은 비성장연합에 비해 부동산의 사용가치, 즉 일상적 사용으로부터 오는 편익을 중시한다.
③ 지식경제 사회에서 엘리트 계층과 일반 대중 사이의 정보 비대칭성이 심화되면 엘리트 이론의 설명력은 더 높아진다.
④ 신다원론에서는 정책과정이 지역사회의 모든 구성원들에게 공정하게 개방되어 있으며, 엘리트 집단의 영향력은 의도적 노력의 결과다.

18 □□□

2010년 지방직 7급

정책의제설정이론에 대한 설명으로 옳지 않은 것은?

① 사이먼(Simon)의 의사결정론은 왜 특정의 문제가 정책문제로 채택되고 다른 문제는 제외되는가에 대한 설명에 한계가 있다.
② 무의사결정론은 사회문제에 대한 정책 과정이 진행되지 못하도록 막는 행동 등을 설명한 이론으로 엘리트이론의 관점을 반영하는 것이다.
③ 체제이론에서는 체제의 능력을 과시하기 위해 다수의 사회문제를 정책문제로 채택한다고 본다.
④ 다원론에서는 어떤 사회문제로 인하여 고통을 받고 있는 집단이 있으면, 이들의 지지를 필요로 하는 누군가에 의해 그 사회문제가 정책문제로 채택된다고 본다.

17 지역사회 권력구조에 관한 이론

지식경제 사회에서의 정책과정에 대한 이론은 엘리트에게 권한이 집중된다는 엘리트 이론과, 대중에게 권한이 분산된다는 다원론의 대립이 있다. 이때 엘리트 계층과 일반 대중 사이의 정보의 비대칭성이 심화되면 엘리트들이 정책에 관한 모든 상황을 지배하게 되므로 엘리트 이론의 설명력은 더 높아진다.

선지분석

① 레짐이론은 지방정부와 기업을 비롯한 민간부문 주요 주체들과의 연합이나 연대를 강조하는 거버넌스이론의 일종이다.
② 몰로치(Molotch)의 성장기구론에서 성장연합은 부동산의 교환가치를 중시하고, 비성장연합은 부동산의 사용가치를 중시한다.
④ 신다원론은 정책과정이 지역사회의 모든 구성원들에게 공정하게 개방되어 있다는 다원론을 비판하면서 등장한 이론으로, 정부는 완전한 중립적 조정자가 아니라 이익집단들 간 정치적 이익의 균형과 조정을 담당하여야 한다고 주장한다.

답 ③

18 정책의제설정이론

정책의제설정이론에서 체제이론은 체제의 능력을 과시하는 것이 아니라, 체제의 한계로 인하여 과중한 부담을 회피하려고 하기 때문에 그들이 선호하는 일부 특정한 문제들만 정책문제로 채택된다고 본다.

선지분석

① 사이먼(Simon)은 정책결정자의 주의집중력·인식능력의 한계로 인해 모든 문제가 정책문제로 채택될 수는 없다고 주장하였다.
② 무의사결정론은 바흐라흐(Bachrach)와 바라츠(Baratz)의 신엘리트이론을 반영하였다.
④ 다원론은 사회의 여러 집단이 정책의제설정에 동등하게 접근하는 기회를 가지는 결과가 도출된다고 보았다.

답 ③

19 □□□

2017년 지방직 9급(12월 추가)

정책 과정을 설명하는 이론의 내용으로 옳은 것은?

① 현대 엘리트이론은 국가가 소수의 지배자와 다수의 피지배자로 구분되기 어렵다고 본다.
② 공공선택론은 사적 이익보다는 집단 이익을 위한 합리적 선택에 초점을 둔다.
③ 다원주의이론은 정부정책을 다양한 행위자들 간의 협상과 경쟁의 결과로 본다.
④ 조합주의이론은 정책 과정에서 국가의 역할이 소극적 · 제한적이라고 본다.

20 □□□

2013년 서울시 7급

정책결정 참여자로서의 관료의 역할에 대한 설명으로 옳지 않은 것은?

① 조합주의는 관료의 적극적 역할을 옹호한다.
② 엘리트주의에서는 관료의 적극적 역할보다는 지배계층의 역할에 주목한다.
③ 철의 삼각에서 관료는 특수 이익집단의 이익에 종속되는 경향이 있다.
④ 다원주의에서는 외부집단이나 지배계층보다 관료의 역할을 더욱 중요시한다.
⑤ 이슈네트워크에서는 이슈에 따라 관료가 방관자가 되거나 주도적 역할을 하기도 한다.

19 정책 과정

다원주의이론은 권력이 소수에게 집중되지 않고 널리 분산되어 있어 다양한 집단 간 상호작용을 통해 합의가 이루어지는 정치적 균형과 타협을 강조하는 이론으로, 정부정책을 다양한 행위자들 간의 협상과 경쟁의 결과로 본다.

선지분석

① 현대 엘리트이론은 국가가 소수의 지배자와 다수의 피지배자로 구분된다는 것을 전제로 한다.
② 공공선택론은 합리적이고 이기적인 경제인 인간관을 전제로 하기 때문에 개인은 모든 행위에서 자기 이익의 극대화를 추구한다.
④ 정책 과정에서 국가의 역할을 소극적·제한적으로 보는 이론은 다원주의이론이다. 조합주의이론은 정책 과정에서 국가의 적극적이고 능동적인 역할을 강조한다.

답 ③

20 정책결정 참여자

다원주의는 이익집단과 정당 등의 외부집단의 역할을 중시하고 국가의 역할은 최소한으로 국한시킨다.

선지분석

① 조합주의는 정부 관료도 정책결정의 한 담당자로서, 적극적이고 능동적인 역할을 수행한다고 본다.
② 엘리트주의에서는 관료의 적극적인 역할보다 사회를 지배하는 동질적인 교육을 받은 유사한 성격의 지배계층(엘리트)의 역할에 주목한다.
③ 하위정부모형에서 의회의 상임위원(선출직 의원), 관료, 특수 이익집단은 철의 삼각을 형성한다고 본다.
⑤ 이슈네트워크에서 관료의 역할은 강할 수도 약할 수도 있다.

답 ④

21 □□□

2019년 서울시 9급

다원주의(Pluralism)에 대한 설명으로 가장 옳지 않은 것은?

① 권력은 다양한 세력들에게 분산되어 있다.
② 정책영역별로 영향력을 행사하는 엘리트들이 각기 다르다.
③ 이익집단들 간의 영향력 차이는 주로 정부의 정책과정에 대한 상이한 접근기회에 기인한다.
④ 이익집단들 간의 영향력 차이는 있지만 전체적으로 균형을 유지하고 있다.

22 □□□

2019년 서울시 7급(2월 추가)

다원주의론은 기본적으로 집단과정이론과 다원적 권력이론으로 크게 구분되는데 이들 이론에 공통된 다원주의의 주요 특성으로 가장 옳지 않은 것은?

① 이익집단들 간의 경쟁은 정치체제의 유지에 순기능적이라고 본다.
② 권력의 원천이 특정 세력에 집중되어 있는 것이 아니고 각기 분산된 불공평성을 띤다.
③ 이익집단들 간에 상호 경쟁적이지만 기본적으로는 게임의 규칙을 준수해야 하는 데 합의를 하고 있다고 본다.
④ 다양한 이익집단은 정부의 정책과정에 동등한 접근 기회를 가지고 있으며 이익집단들 간의 영향력에 차이가 있음을 인정하지 않는다.

21 다원주의

다원주의(Pluralism)는 이익집단 간의 흥정, 협상, 타협 등으로 정책이 결정된다는 입장이므로 영향력 차이는 있을 수 있지만, 집단들은 정부의 정책과정에 동등한 접근기회를 가진다고 본다.

(선지분석)

①, ④ 다원주의는 권력이 분산되어 있다고 보고, 정치적 균형과 타협을 강조하는 입장이다.
② 다원주의는 정책영역별로 영향력을 행사하는 엘리트들이 각기 다르기 때문에 특정 엘리트의 의사가 모든 정책에 반영될 수 없다고 본다.

답 ③

22 다원주의

다원주의론은 다양한 이익집단의 경쟁을 전제로 하고 이익집단들 간의 영향력에 차이가 있음을 인정(수정 다원주의는 타 집단에 비해 기업집단의 더 큰 영향력 인정)하나, 정부의 정책과정에 동등한 접근 기회를 가지고 있다고 본다.

(선지분석)

① 다원주의론은 민주화된 서구 선진국에 적합한 이론으로 이익집단들 간의 경쟁은 정치체제의 유지에 순기능을 가진다고 본다.
② 다원주의론은 권력의 원천이 특정 세력에 집중되어 있다는 엘리트주의를 비판한다.
③ 다원주의론에 따르면 이익집단들은 상호 경쟁하지만 사회의 규칙 내에서 경쟁한다.

답 ④

23 □□□

2011년 국가직 9급

다원주의적 민주국가의 정책 과정에 대한 설명으로 옳은 것은?

① 정책의제설정은 대부분 동원모형에 따라 이루어진다.
② 사법부가 정책결정 과정에서 담당하는 역할이 미미하다.
③ 엘리트가 모든 정책영역에서 지배적인 권력을 행사한다.
④ 각종 이익집단은 정책 과정에 동등한 정도의 접근기회를 갖는다.

24 □□□

2016년 국가직 7급

조합주의(corporatism)에 대한 설명으로 옳지 않은 것은?

① 정부활동은 다양한 이익집단 간 이익의 소극적 중재자 역할에 한정된다.
② 이익집단은 단일적 · 위계적인 이익대표체계를 형성한다.
③ 정부는 사회적 공동선을 달성하기 위해 중요 이익집단과 우호적 협력관계를 유지한다.
④ 이익집단은 상호 경쟁보다는 국가에 협조함으로써 특정 영역에서 자신의 요구를 정책과정에 투입한다.

23 민주국가의 정책 과정

다원주의는 다양한 이익집단의 활동에 의하여 정책문제가 제기되고, 국가는 사회 내의 이익집단 간 힘의 균형을 반영하는 풍향계나 중립적인 심판관에 불과하다는 이론이다. 다원주의에서 각종 이익집단의 영향력은 서로 다르지만 차별적 접근을 의미하는 것은 아니며 정책 과정에 있어서 동등한 정도의 접근기회를 갖게 된다.

선지분석

① 다원주의에서 정책의제설정은 대부분 외부주도형에 따라 이루어진다.
② 다원주의에서 사법부는 정책결정 과정에서 담당하는 역할이 강하다.
③ 엘리트가 모든 정책영역에서 지배적인 권력을 행사하는 것은 엘리트이론의 특징이다.

답 ④

24 조합주의

조합주의에서 정부는 국가이익이나 사회의 공동선을 달성하기 위해 주도적 역할을 담당하는 독립된 실체로 기능한다.

조합주의의 특징

1. 이익집단은 기능적으로 분화된 범주를 가지고 단일의 강제적·비경쟁적·협력적·위계적으로 조직화된다.
2. 정부는 국가의 이익이나 사회의 공동선을 달성하기 위해 주도적인 역할을 담당하는 독립적인 실체이며, 이익집단의 결성에 있어서 정부의 의도가 크게 작용한다.
3. 정책결정과정에서 정부와 이익집단은 공식화된 제도하에 합의를 형성하고, 이익집단의 협의 대상은 주로 행정부이다.

답 ①

25 □□□

2013년 국가직 9급

다국적 기업과 같은 중요 산업조직이 국가 또는 정부와 긴밀한 동맹 관계를 형성하고 이들이 경제 및 산업정책을 함께 만들어 간다고 설명하는 이론은?

① 신마르크스주의이론
② 엘리트이론
③ 공공선택이론
④ 신조합주의이론

26 □□□

2020년 국가직 9급

무의사결정론에 대한 설명으로 옳지 않은 것은?

① 정치체제 내의 지배적 규범이나 절차가 강조되어 변화를 위한 주장은 통제된다고 본다.
② 엘리트들에게 안전한 이슈만이 논의되고 불리한 이슈는 거론조차 못하게 봉쇄된다고 한다.
③ 위협과 같은 폭력적 방법을 통해 특정한 이슈의 등장이 방해받기도 한다고 주장한다.
④ 조직의 주의집중력과 가용자원은 한계가 있어 일부 사회문제만이 정책의제로 선택된다고 주장한다.

25 신조합주의

신조합주의(사회조합주의)이론에 대한 설명이다. 신조합주의이론은 산업조직(다국적 기업)의 영향력을 강조한 이론으로, 다국적 기업이 국가와 긴밀한 동맹 관계를 형성하고 주요 경제정책 및 산업정책을 함께 만들어 간다고 설명한다.

선지분석

① 신마르크스주의이론은 계급대립적 시각을 기본으로 하는 마르크스주의를 토대로 인본적 사상을 결합하고 이론과 실천을 통합하여 마르크스주의의 유물론에 대한 과학적 체계화를 주장한다.
② 엘리트이론이란 사회의 의사결정은 가치관과 세계관을 공유하는 특정 엘리트집단의 의사에 따라 이루어지고, 사회는 그들이 이끌어 나간다고 보는 이론이다.
③ 공공선택이론은 정부실패의 문제를 해결하고자 비시장적 의사결정을 시장경제학적으로 접근한 이론이다.

답 ④

26 무의사결정

조직의 주의집중력과 가용자원은 한계가 있어 일부 사회문제만이 정책의제로 선택된다고 주장한 이론은 사이먼(Simon)의 의사결정론이다.

선지분석

① 무의사결정은 기존 체제 내의 가치관이나 지배적 규범 및 절차를 강조하고, 이를 변화시키기 위한 주장은 엘리트의 기득권을 침해하므로 통제된다고 본다.
② 무의사결정론에 따르면 정책의제설정과정에서 엘리트들에게 안전한 이슈만이 논의되고 불리한 이슈는 거론조차 못하게 봉쇄된다.
③ 무의사결정의 수단과 방법은 편견 및 절차를 수정 내지 강화하는 간접적 수단에서부터, 편견을 동원하거나 권력을 행사하거나 심지어 가장 직접적인 폭력적 방법을 동원하기도 한다.

정책과정 속 무의사결정

정책의제설정	엘리트에게 불리한 문제는 거론조차 불가능함
정책결정	엘리트에게 유리하게 결정함
정책집행	집행을 연기하여 취소시키거나, 겉으로 척만 함
정책평가	사회에 오히려 부작용만 초래하였다는 식으로 평가를 하여 정책수정이나 정책변화를 가져오는 중요한 요인으로 작용시킴

답 ④

27 □□□

2019년 지방직 7급

ㄱ, ㄴ에 해당하는 권력모형을 옳게 짝지은 것은?

> • (ㄱ)은 전국적 차원이 아니라 지역사회의 지배구조에 초점을 맞추면서, 소수 엘리트가 강한 응집성을 가지고 정책을 결정하고 정치에 무관심한 일반대중들은 비판 없이 이를 수용한다고 설명한다.
> • (ㄴ)은 정치권력에 두 얼굴(two faces of power)이 있음을 주장하는 입장으로부터 권력의 어두운 측면이 갖는 영향력에 대해 관심을 가지지 않았다는 점을 비판받았다.

	ㄱ	ㄴ
①	밀즈의 지위접근법	달의 다원주의론
②	밀즈의 지위접근법	바흐라흐와 바라츠의 무의사결정론
③	헌터의 명성접근법	달의 다원주의론
④	헌터의 명성접근법	바흐라흐와 바라츠의 무의사결정론

28 □□□

2017년 국가직 9급(4월 시행)

무의사결정(non-decision making)에 대한 설명으로 옳은 것은?

① 지배적인 엘리트집단은 자신들의 이해관계와 부합하지 않는 이슈라도 정책의제설정 단계에서 논의하려고 한다.
② 무의사결정은 중립적인 행동으로 다원주의이론의 관점을 반영한다.
③ 집행 과정에서는 무의사결정이 일어나지 않는다.
④ 정책문제 채택 과정에서 기존 세력에 도전하는 요구는 정책문제화하지 않고 억압한다.

27 권력모형

ㄱ. 헌터(Hunter)는 명성접근법(1953)에서 미국 조지아주 애틀란타시의 명성이 있는 소수가 시정책의 중요한 기본방향을 결정하고 이는 정치에 무관심한 일반대중에 의해 비판 없이 수용한다고 설명하였다.
ㄴ. 바흐라흐(Bachrach)와 바라츠(Baratz)는 권력의 두 얼굴(Two face of power)을 통해 무의사결정론을 주장하며 모든 사회문제가 정부문제가 된다고 보는 달(Dahl)의 다원주의론을 비판하였다.

답 ③

28 무의사결정

무의사결정(non-decision making)이란 엘리트의 가치나 이익에 대한 도전을 억압하고 좌절시키며 의사결정의 범위를 기존의 가치나 권력에 악영향을 주지 않는 범위 내로 한정시키는 의도적 무결정을 의미한다. 무의사결정에 따르면 정책문제 채택 과정에서 기존 세력에 도전하는 요구는 정책문제화하지 않고 억압하게 된다.

선지분석

① 지배적인 엘리트집단은 자신들의 이해관계와 부합하지 않는 이슈는 정책의제설정 단계에서 논의하려고 하지 않는다.
② 무의사결정은 중립적인 행동이 아니며 다원주의이론이 아닌 신엘리트이론의 관점이다.
③ 무의사결정은 정책집행 과정에서뿐만 아니라 정책의 모든 과정에서 일어난다.

답 ④

29 □□□

2015년 지방직 9급

무의사결정(non-decision making)에 대한 설명 중 옳지 않은 것은?

① 사회문제에 대한 정책 과정이 진행되지 못하도록 막는 행동이다.

② 기득권 세력이 그 권력을 이용해 기존의 이익배분 상태에 대한 변동을 요구하는 것이다.

③ 기득권 세력의 특권이나 이익 그리고 가치관이나 신념에 대한 잠재적 또는 현재적 도전을 좌절시키려는 것을 의미한다.

④ 변화를 주장하는 사람으로부터 기존에 누리는 혜택을 박탈하거나 새로운 혜택을 제시하여 매수한다.

30 □□□

2013년 국가직 9급

다음은 정책 과정을 바라보는 이론적 관점들 중 하나를 제시한 것이다. 그 내용과 부합하는 것은?

> 사회의 현존 이익과 특권적 분배 상태를 변화시키려는 요구가 표현되기도 전에 질식 · 은폐되거나, 그러한 요구가 국가의 공식 의사결정 단계에 이르기 전에 소멸되기도 한다.

① 정책은 많은 이익집단의 경쟁과 타협의 산물이다.

② 정책 연구는 모든 행위자들이 이기적인 존재라는 기본 전제하에서 경제학적인 모형을 적용한다.

③ 실제 정책 과정은 기득권의 이익을 수호하려는 보수적인 성격을 나타낼 가능성이 높다.

④ 정부가 단독으로 정책을 결정 · 집행하는 것이 아니라 시장(market) 및 시민사회 등과 함께한다.

29 무의사결정

무의사결정은 기득권 세력이 기존의 이익배분 상태에 대한 다른 계층(소외계층 등)의 변동 요구를 억제하는 것이다.

선지분석

①, ③ 무의사결정은 엘리트의 가치나 이익에 대한 도전을 억압하고 좌절시키는 현상을 의미한다.

④ 무의사결정을 추진하는 수단으로는 권력의 행사, 폭력의 동원, 혜택의 박탈, 매수 등 다양한 방법이 있다.

답 ②

30 무의사결정

제시문은 무의사결정론에 대한 설명이다. 무의사결정은 의사결정자(엘리트)의 가치나 이익에 대한 잠재적이고, 현재적인 도전을 억압하거나 방해하는 결과를 초래하는 행위를 말하며, 이는 기존 엘리트세력의 이익을 옹호하거나 보호하는 데 목적이 있다.

선지분석

① 다원주의에 대한 설명이다.

② 공공선택론에 대한 설명이다.

④ 뉴거버넌스에 대한 설명이다.

답 ③

31 □□□

2014년 국가직 7급

바흐라흐와 바라츠(Bachrach & Baratz)의 무의사결정(non-decision making)을 추진하는 수단이나 방법으로 옳지 않은 것은?

① 폭력이나 테러행위는 사용되지 않는다.
② 정치체제의 규범, 규칙, 절차 자체를 수정 · 보완하여 정책 요구를 봉쇄한다.
③ 변화의 주창자에 대해서 현재 부여되고 있는 혜택을 박탈하거나 새로운 이익으로 매수한다.
④ 정치체제 내의 지배적 규범이나 절차를 강조하여 변화를 주장하는 요구가 제시되지 못하도록 한다.

32 □□□

2010년 지방직 9급

무의사결정론(non-decision making theory)에 대한 설명으로 옳지 않은 것은?

① 무의사결정은 특정 사회적 쟁점이 공식적 정책 과정에 진입하지 못하도록 막는 엘리트집단의 행동이다.
② 무의사결정은 정책의제설정 단계뿐만 아니라 정책결정이나 집행 단계에서도 나타날 수 있다.
③ 무의사결정론은 고전적 다원주의를 비판하며 등장한 이론으로 신다원주의론이라 불린다.
④ 무의사결정론은 정치권력이 두 얼굴을 가지고 있다고 주장한다.

31 무의사결정

바흐라흐와 바라츠(Bachrach & Baratz)는 무의사결정을 추진하기 위한 가장 직접적인 수단으로 폭력과 테러를 활용한다고 본다.

무의사결정론의 수단 및 방법

구분	내용
폭력의 행사	가장 직접적인 수단으로, 반대 의견이나 기존 질서의 변화를 주장하는 요구를 강제적으로 억압하는 방법
권력의 행사	• 폭력보다 온건한 수단으로, 현재 부여되고 있는 혜택을 박탈하는 소극적인 방법 • 새로운 혜택을 부분적으로 제공함으로써 매수하는 적극적인 방법
편견의 동원	간접적인 수단으로, 사회의 지배적 규범이나 절차를 강조하여 변화를 위한 요구를 봉쇄하는 방법
편견 및 절차의 수정·강화	가장 간접적인 수단으로, 정치체계의 규범과 절차 자체를 수정하고 보완하여 정책의 요구를 봉쇄하는 방법

답 ①

32 무의사결정

무의사결정론은 다원론을 비판하며 등장한 이론으로 신엘리트이론의 관점을 반영하였다.

(선지분석)

① 무의사결정론은 엘리트들이 자신들의 이해관계에 부합되지 않는 이슈는 의제화하지 않는다고 본다.
② 무의사결정은 정책과정 전반에 걸쳐서 나타난다.
④ 바흐라흐(Bachrach)와 바라츠(Baratz)는 권력의 두 얼굴(Two face of power)을 통해 무의사결정론을 주장하며, 달(Dahl)이 권력의 밝은 측면(명시적·1차원적 권력)은 고려하였으나, 어두운 측면(묵시적·2차원적 권력)은 보지 못했다고 비판하였다.

답 ③

33 □□□

2012년 국가직 9급

정책 과정에 대한 설명으로 옳지 않은 것은?

① 콥(Cobb)은 주도집단에 따라 정책의제설정 유형을 외부주도형, 동원형, 내부접근형으로 분류하였다.
② 바흐라흐(Bachrach)와 바라츠(Baratz)는 신다원론 관점에서 정치권력의 두 개의 얼굴 중 하나인 무의사결정을 주장하였다.
③ 킹던(Kingdon)은 어떤 중요한 시점에서 문제, 정책, 정치 등 세 가지 흐름의 결합에 의하여 정책의제가 설정된다고 주장하였다.
④ 달(Dahl)은 다원론(pluralism) 관점에서 미국은 민주주의 국가이기 때문에 특정한 어느 개인이나 집단도 주도권을 행사하기 어렵다고 주장하였다.

34 □□□

2018년 국가직 7급

신엘리트이론에 대한 설명으로 옳지 않은 것은?

① 엘리트들에게 안전한 이슈만을 논의하고 불리한 문제는 거론조차 못하게 봉쇄하는 무의사결정론과 밀접하게 연결되어 있다.
② 모스카(Mosca)나 미헬스(Michels) 등에 의해 대표되는 고전적 엘리트이론과 달리 밀즈(Mills)의 지위접근법이나 헌터(Hunter)의 명성적 접근방법을 도입하였다.
③ 정책결정에 영향을 미치는 정치권력은 두 가지 얼굴이 있다고 주장하며, 이 가운데 하나의 측면만을 고려하는 다원주의를 비판하였다.
④ 엘리트는 정책문제의 정의와 의제설정과정에서 은밀한 영향력을 행사하기 때문에 실증적 분석방법론의 활용이 어렵다고 주장하였다.

33 정책 과정

바흐라흐(Bachrach)와 바라츠(Baratz)는 신엘리트이론의 관점에서 권력의 두 얼굴을 통해 무의사결정론을 주장하였다.

선지분석

① 콥(Cobb)은 정책주도집단을 기준으로 정책의제설정 유형을 외부주도형(배양형), 동원형(속결형), 내부접근형(음모형)으로 분류하였다.
③ 킹던(Kingdon)은 문제, 정책, 정치의 흐름이 독자적으로 흘러다니다가 우연히 만나 의사결정이 이루어진다고 주장하였다.
④ 달(Dahl)은 1780년부터 1950년까지 약 170년 간에 걸쳐 미국 뉴헤븐시의 중요한 정책결정 사항들을 조사하여 과두제 사회에서 다원주의 사회로 변화해왔고, 특정한 어느 개인이나 집단이 주도권을 행사하기 어렵다고 주장하였다.

답 ②

34 신엘리트이론

신엘리트이론은 무의사결정론의 일종이다. 무의사결정론이란 엘리트의 가치나 이익에 대한 도전을 억압하고 좌절시키는 현상으로 의도적인 무결정현상을 의미한다. 권력을 단순하게 사회적 지위나 명성에 의한 엘리트의 권력행사로 파악한 밀즈(Mills)나 헌터(Hunter)의 엘리트이론과는 다르다.

선지분석

① 무의사결정론은 신엘리트이론의 관점을 반영하였다.
③ 바흐라흐(Bachrach)와 바라츠(Baratz)는 권력의 두 얼굴을 통해 무의사결정론을 주장함으로써 모든 사회문제가 정부문제가 된다는 달(Dahl)의 다원론을 비판하였다.
④ 무의사결정론은 엘리트에 의해서 결정된 정책이 아닌, 엘리트에 의해서 좌절된 문제에 집중하므로 실증적 분석방법을 활용하기 어렵다.

답 ②

35 □□□

2014년 국가직 9급

정책의제설정과 관련된 이론과 설명이 바르게 연결된 것은?

A. 사이먼(Simon)의 의사결정론
B. 체제이론
C. 다원주의론
D. 무의사결정론

ㄱ. 조직의 주의 집중력은 한계가 있어 일부의 사회문제만이 정책의제로 선택된다.
ㄴ. 문지기(gate-keeper)가 선호하는 문제가 정책의제로 채택된다.
ㄷ. 이익집단들이나 일반 대중이 정책의제설정에 상당한 영향력을 행사한다.
ㄹ. 대중에 대한 억압과 통제를 통해 엘리트들에게 유리한 이슈만 정책의제로 설정된다.

	A	B	C	D
①	ㄱ	ㄴ	ㄷ	ㄹ
②	ㄱ	ㄷ	ㄴ	ㄹ
③	ㄹ	ㄴ	ㄷ	ㄱ
④	ㄹ	ㄷ	ㄴ	ㄱ

36 □□□

2014년 국회직 8급

정책결정 과정에 대한 다음 〈보기〉의 설명 중 옳은 것은 모두 몇 개인가?

〈보기〉

ㄱ. 다원주의에서는 다양한 집단들의 선호를 반영하여 정책이 결정된다.
ㄴ. 바흐라흐(Bachrach) 등이 제시한 무의사결정론은 고전적 다원주의를 비판하며 등장한 신다원론에 해당한다.
ㄷ. 밀스(Mills)의 지위접근법은 사회적 명성이 있는 소수자들이 결정한 정책을 일반대중이 수용한다는 입장이다.
ㄹ. 조합주의는 국가의 독자성, 지도적 · 개입적 역할을 강조한다.
ㅁ. 다원주의는 사회 중심적 접근방법이다.

① 1개
② 2개
③ 3개
④ 4개
⑤ 5개

35 정책의제설정

정책의제설정과 관련된 이론과 설명을 바르게 연결하면 A – ㄱ, B – ㄴ, C – ㄷ, D – ㄹ이다.

ㄱ. 사이먼(Simon)의 의사결정론(A): 정책결정자의 인식능력(조직의 주의 집중력)의 한계로 인해 일부의 사회문제만이 정책의제로 선택되므로 의사결정에 있어 제한된 합리성을 강조하는 이론이다.
ㄴ. 체제이론(B): 체제의 과중한 부담 감소 또는 체제의 보호를 위해 문지기(gate-keeper, 최고결정자)가 선호하는 문제만이 정책의제로 채택된다.
ㄷ. 다원주의론(C): 이익집단들이나 일반대중이 정책의제설정에 상당한 영향력을 행사하므로 다양한 집단 간 정치적 균형과 타협을 강조한다.
ㄹ. 무의사결정론(D): 대중에 대한 억압과 통제를 통해 엘리트들에게 유리한 이슈만 정책의제로 설정된다. 이때 엘리트들에게 불리한 문제는 거론조차 불가능하다.

답 ①

36 정책결정 과정

ㄱ. 다원주의에서 권력은 분산되어 있고, 정책은 다양한 집단들의 선호를 반영하여 결정된다.
ㄹ. 조합주의는 정부가 국가의 이익이나 사회의 공동선을 달성하기 위해 주도적인 역할을 담당하는 독립적인 실체이며, 이익집단의 결성에 있어서 정부의 의도가 크게 작용한다고 본다.
ㅁ. 다원주의는 국가가 아닌 사회의 여러 (이익)집단이 중요하다고 본다.

선지분석

ㄴ. 바흐라흐(Bachrach) 등이 제시한 무의사결정론은 고전적 다원주의를 비판하며 등장한 신엘리트이론이다.
ㄷ. 밀스(Mills)의 지위접근법은 군사 · 경제 · 정치의 영역에서 지배엘리트들이 독점적으로 중요 정책을 결정한다는 이론이다. 사회적 명성이 있는 소수자들이 결정한 정책을 일반대중이 수용한다는 입장은 헌터(Hunter)의 명성접근법이다.

답 ③

37 □□□

2019년 국가직 9급

정책네트워크에 대한 설명으로 옳지 않은 것은?

① 정책네트워크의 참여자는 정부뿐만 아니라 민간부문까지 포함한다.

② 정책공동체(policy community)에 비해서 이슈네트워크(issue network)는 제한된 행위자들이 정책과정에 참여하며 경계의 개방성이 낮은 특성이 있다.

③ 헤클로(Heclo)는 하위정부모형을 비판적으로 검토하면서 정책이슈를 중심으로 유동적이며 개방적인 참여자들 간의 상호작용 현상을 묘사하기 위한 대안적 모형을 제안하였다.

④ 하위정부(sub-government)는 선출직 의원, 정부관료, 그리고 이익집단의 역할에 초점을 맞춘다.

38 □□□

2012년 국가직 7급

'정책네트워크(policy network)'에 대한 설명으로 옳지 않은 것은?

① 참여자 간 교호작용 속에서 형성되는 연계가 중요하고 참여자와 비참여자를 구분하는 경계가 없다.

② 정책형성뿐만 아니라 정책집행까지 설명하는 유용한 도구이다.

③ 정책네트워크 유형에는 하위정부, 정책공동체, 정책문제망 등이 있다.

④ 행위자들 사이에 나타나는 상호작용의 패턴을 찾아내는 데 사용된다.

37 정책네트워크

이슈네트워크(issue network)에 비해서 정책공동체(policy community)는 제한된 행위자들이 정책과정에 참여하며 경계의 개방성이 낮은 특성이 있다.

선지분석

① 정책네트워크는 정책을 다양한 공식·비공식 참여자들 간의 상호작용의 산물로 인식한다.

③ 헤클로(Heclo)는 미국에서 이익집단의 수가 증가하고 다원화됨에 따라 하위정부식 정책결정이 어려워져 철의 삼각을 비판하며 이슈네트워크를 주장하였다. 이슈네트워크는 공통의 기술적인 전문성과 다양한 견해를 가진 이익집단, 전문가, 언론, 개인 등 대규모의 참여자들을 함께 묶는 지식 공유 집단으로 특정한 경계가 존재하지 않는 광범위한 정책연계망을 의미한다.

④ 하위정부(sub-government)는 정책영역별 철의 삼각 형태로 설명된다.

답 ②

38 정책네트워크

정책네트워크(policy network)는 정책을 다양한 공식(국가) 또는 비공식(사회) 참여자들 간의 상호작용의 산물로 인식하여 사회연계망이나 네트워크 분석을 도입해 정책 과정을 포괄적이고 체계적으로 설명하기 위한 모형으로, 참여자와 비참여자를 구분하는 경계가 존재한다.

정책네트워크모형의 특징

구분	내용
정책문제별 형성	정책영역별·정책문제별로 형성됨
다양한 참여자	정책네트워크를 구성하는 참여자는 정부부문과 민간부문의 공식적·비공식적 개인 또는 조직이다. 참여자들은 자신의 목표달성을 위해 일정한 게임의 규칙에 따라 경쟁하고 협력함
연계의 형성	참여자들은 교호작용의 과정을 통해 연계를 형성함
경계의 존재	정책네트워크에는 참여자와 비참여자를 구분하는 경계가 있음
제도적 특성	정책네트워크는 상호작용을 규정하는 공식적·비공식적 규칙의 총체라고 하는 제도적 특성을 가짐
가변적 현상	정책네트워크는 외재적 및 내재적 원인에 의해 변동할 수 있음

답 ①

39 □□□

2017년 사회복지직 9급

오늘날 정책결정 과정에서 정책네트워크(policy network)의 역할이 증대되고 있다. 다음 중 정책네트워크의 유형으로 가장 거리가 먼 것은?

① 하위정부(subgovernment)
② 정책공동체(policy community)
③ 이음매 없는 조직(seamless organization)
④ 정책문제망(issue network)

40 □□□

2017년 국가직 9급(10월 추가)

하위정부모형(subgovernment model)에서 정책영역별로 정책의 결정과 집행에 영향을 미치는 3자 연합에 해당하지 않는 것은?

① 시민사회단체
② 소관부처(관료조직)
③ 관련 이익집단
④ 의회의 위원회

39 정책네트워크

린덴(Linden)의 이음매 없는 조직은 소비자 중심의 사회에 대응하려면 분산적 조직(전통적 관료제조직)들을 이음매 없는 조직으로 재설계해야 한다고 주장하였다. 이는 조직의 유형 중 하나로, 정책네트워크 유형과는 관련이 없다.

분산적 조직과 이음매 없는 조직의 비교

구분	분산적 조직	이음매 없는 조직
직무범위	협소, 단편적, 낮은 자율성	광범위, 종합적, 높은 자율성
역할구분	높은 명확성	비교적 낮은 명확성
평가기준	투입	성과와 고객만족
기술	통제지향적	분권화지향적
신속성	둔한 시간감각	예민한 시간감각

답 ③

40 하위정부모형

하위정부모형(또는 철의 삼각)은 공식 참여자라고 불리는 정부 관료, 의회의 상임위원회와 비공식 참여자라고 불리는 이익집단이 상호 이해관계를 공유하고 각 정책영역별로 정책의 결정과 집행에 주도적인 영향을 미친다고 본다.

(선지분석)

④ 의회의 위원회는 선출직 의원으로 구성된다.

답 ①

41 □□□

2017년 지방직 9급(12월 추가)

정책네트워크에 대한 설명으로 옳은 것은?

① 정책공동체(policy community)의 참여자는 하위정부(subgovernment)에 비해 제한적이다.
② 정책공동체(policy community)는 일시적이고 느슨한 형태의 집합체이다.
③ 이슈네트워크(issue network)에서는 비교적 소수의 엘리트들이 협력하여 특정한 영역의 정책결정을 지배한다.
④ 하위정부(subgovernment)의 주된 참여자는 정부관료, 선출직 의원, 이익집단이다.

42 □□□

2011년 지방직 7급

정책형성 과정에 대한 설명으로 옳지 않은 것은?

① 제3종 오류를 방지하는 것이 정책문제 구조화의 핵심으로 간주된다.
② 주요 정책행위자들 간의 치열한 경쟁적 갈등관계는 철의 삼각(iron triangle)관계라고 불린다.
③ 정책문제를 정의하고 해석하는 과정은 다양한 결과에 이를 수 있는 애매하고 불투명한 과정으로 간주된다.
④ 정책행위자들은 실질적인 제약과 절차적인 제약하에서 대안을 선택하게 된다.

41 정책네트워크

하위정부는 정책의 결정과 집행에 영향을 미치는 주된 참여자를 정부관료, 의회의 상임위원회, 이익집단이라고 보았다.

(선지분석)

① 정책공동체의 참여자는 하위정부에 비하여 개방적이지만, 이슈네트워크에 비해서는 비교적 폐쇄적이다.
② 일시적이고 느슨한 형태의 집합체는 이슈네트워크이다.
③ 이슈네트워크는 광범위한 다수의 이해관계자들이 참여하는 모형이다. 비교적 소수의 엘리트들이 협력하여 특정한 영역의 정책결정을 지배하는 것은 하위정부모형에 가까운 설명이다.

답 ④

42 정책형성 과정

철의 삼각은 행위자들이 이해관계를 공유하고 자신들의 이익을 정책에 반영하는 호혜적 동맹관계로서, 치열한 경쟁적 갈등관계는 형성되지 않는다.

(선지분석)

① 정책문제의 구조화는 복잡하고 상호의존적인 정책문제에 대해 문제의 본질, 범위, 심각성 등을 밝힘으로써 명확하게 정의하는 기법으로, 정책문제나 목표설정 자체를 잘못 정의하는 제3종 오류의 방지를 위한 질적 분석이다.
③, ④ 정책형성 과정은 점증적 성격을 가진다.

답 ②

43 □□□

2012년 국회직 8급

정책네트워크(policy network)에 관한 설명으로 옳지 않은 것은?

① 사회학에서 많이 사용되고 있는 사회연결망의 분석방법을 응용하였다.
② 하위정부의 자율성은 낮으나, 하위정부에서 형성되는 연계관계의 안정성은 높다.
③ 이슈네트워크(issue network)는 다양한 관련행위자들이 특정 이슈에 대해 공식적 · 비공식적 채널을 통해 영향을 미친다.
④ 현상에 대한 기술과 설명은 뛰어나나, 인과관계를 밝히는 데에는 약하다는 비평을 받는다.
⑤ 정책형성 과정 중 이해관계자(stakeholder)들을 정확히 파악해야 한다.

44 □□□

2016년 국가직 9급

다음 이론에 대한 설명 중 옳은 것만을 모두 고르면?

ㄱ. 이익집단론은 정치체제가 잠재이익집단과 중복회원 때문에 특수이익에 치우치지 않는다고 주장한다.
ㄴ. 신다원주의론은 자본주의 국가에서는 기업가 집단의 특권적 지위가 현실의 정책 과정에서 나타난다고 본다.
ㄷ. 하위정부론은 정책분야별로 이익집단, 정당, 해당 관료조직으로 구성된 실질적 정책결정권을 공유하는 네트워크가 존재한다고 주장한다.

① ㄱ
② ㄱ, ㄴ
③ ㄴ, ㄷ
④ ㄱ, ㄴ, ㄷ

43 정책네트워크

하위정부모형은 정부관료제, 의회위원회, 기업집단 등 3자의 이해관계가 일치하여 장기적·안정적·자율적으로 호혜적인 동맹관계가 형성되어 그들의 이익만을 일방적으로 반영하는 정책결정체계를 의미한다. 따라서 하위정부는 자율성이 높은 폐쇄적 정책망으로서 연계관계의 안정성이 높다.

선지분석

① 정책네트워크는 사회학이나 문화인류학에서 많이 사용되고 있는 사회연결망(네트워크)의 분석방법을 정책학에 응용하였다.
③ 이슈네트워크는 일부의 특정 행위자가 아닌 유동적이고 다양한 관련행위자들이 특정 이슈에 대해 공식적인 채널뿐만 아니라 비공식적인 채널을 통해 영향을 미친다고 본다.
④ 정책네트워크는 1970년대 이후의 정책결정 현상에 대한 기술과 설명을 할 수 있지만, 정책결정이 네트워크라는 결과로 발생된 원인을 설명하는 데는 약하다는 비평이 있다.
⑤ 이슈네트워크, 정책공동체, 하위정부모형별로 정책형성 과정의 이해관계자가 다르다.

답 ②

44 정책의제설정에 대한 이론모형

ㄱ. 이익집단론은 정책결정자들이 잠재집단을 염두에 두고 있고, 한 구성원은 여러 집단에 중복으로 소속되어 있기 때문에 특정집단의 이익만을 추구하는 것은 곤란하다고 주장한다.
ㄴ. 신다원주의론은 자본주의 국가에서 불황과 인플레이션 등이 정부의 존립 기반을 위태롭게 하기 때문에 정부가 기업집단에 특권을 부여하는 상황이 생길 수밖에 없다고 주장한다.

선지분석

ㄷ. 하위정부론은 정책분야별로 이익집단, 상임위원회, 해당 관료조직으로 구성된 실질적 정책결정권을 공유하는 네트워크가 존재한다고 본다.

답 ②

45 □□□

2011년 지방직 7급

정책참여자들 간의 권력모형에 대한 설명으로 옳은 것은 모두 몇 개인가?

ㄱ. 신엘리트론자인 바흐라흐(Bachrach)와 바라츠(Baratz)는 정책문제 정의와 의제설정 과정에 관한 엘리트론의 관점을 무의사결정론으로 설명하고자 하였다.
ㄴ. 다원주의와 신다원주의는 집단 간 경쟁의 중요성을 인정하는 점에서 같은 입장을 취하고 있다.
ㄷ. 다원주의는 정책결정에 있어서 정부의 이해관계와 영향력을 간과하고 있다고 비판을 받는다.
ㄹ. 하위정부모형은 공식적 · 비공식적 참여자들 간의 상호작용과 영향력 관계를 동태적으로 묘사하고 있다.

① 1개
② 2개
③ 3개
④ 4개

46 □□□

2012년 지방직 7급

정책네트워크모형에 대한 설명으로 옳지 않은 것은?

① 사회학이나 문화인류학의 연구에서 이용되어 왔던 네트워크 분석을 다양한 참여자들의 행위들로 특징지어지는 정책과정의 연구에 적용한 것이다.
② 행위자들 간의 연계는 의사소통과 전문지식, 신뢰 그리고 여타 자원을 교환하는 통로로 작용한다.
③ 미국의 경우 정당과 의회 중심의 정책 과정 설명이 한계에 부딪히면서 등장하였다.
④ 이슈네트워크는 정부부처의 고위관료, 의원, 기업가, 로비스트, 학자, 언론인 등 특정 영역에 이해관계가 있거나 관심을 가지는 사람들 간의 네트워크이다.

45 정책참여자

ㄱ, ㄴ, ㄷ, ㄹ 모두 옳은 설명이므로 4개이다.
ㄱ. 바흐라흐(Bachrach)와 바라츠(Baratz)는 정책의제설정에서 지배엘리트의 이해관계와 일치하는 사회문제만 정책의제화 된다는 무의사결정론을 설명하였다.
ㄴ. 다원주의와 신다원주의는 집단 간 경쟁의 중요성을 인정하는 점에서 같은 입장을 취하고 있으나, 신다원주의는 순수다원주의를 부분적으로 비판하면서 정부가 좀 더 전문적·능동적으로 기능한다고 보았다.
ㄷ. 신다원주의는 다원주의에 대해 이익집단의 중요성을 지나치게 강조한 나머지 관료와 정부의 이해관계, 활동 등을 등한시한다고 비판받는다.
ㄹ. 하위정부모형은 공식 참여자인 관료와 의회의 상임위원회, 비공식 참여자인 이익집단이 상호 이해관계를 공유하면서 정책영역별로 결정과 집행에 영향을 미치는 현상을 설명한다.

답 ④

46 정책네트워크모형

미국이 아니라 영국에 대한 설명이다. 영국에서는 정당과 의회를 중심으로 정책 과정을 파악해왔던 한계를 발견하고 정책공동체 개념을 부각시키면서 정책네트워크모형을 발전시켜왔다. 로즈(Rhodes)를 중심으로 영국 학자들이 제시한 정책네트워크모형으로는 정책공동체와 이슈네트워크모형이 있다. 미국은 정책네트워크가 하위정부모형 등의 정당과 의회 중심으로 발전하였다.

선지분석

④ 이슈네트워크의 참여자는 일부의 특정 행위자가 아니라 고위관료, 의원, 기업가, 로비스트, 학자, 언론인 등 특정 영역에 이해관계가 있거나 관심을 가지는 유동적인 사람들이다.

답 ③

47 □□□

2012년 국가직 9급

정책네트워크이론(모형)에 대한 설명으로 옳지 않은 것은?

① 정책네트워크이론의 대두배경은 정책결정의 부분화와 전문화 추세를 반영한다.
② 철의 삼각(iron triangle)모형은 소수 엘리트 행위자들이 특정 정책의 결정을 지배한다는 점을 강조한다.
③ 이슈네트워크(issue network)모형은 쟁점을 둘러싼 정책참여자들 간의 상호작용을 중시한다.
④ 정책 과정에 대한 국가 중심 접근방법과 사회 중심 접근방법이라는 이분법적 논리를 극복하지 못하고 있다.

48 □□□

2017년 국회직 9급

정책네트워크 모형 중 하위정부모형과 이슈네트워크를 비교한 내용으로 옳지 않은 것은?

		하위정부	이슈네트워크
①	결정과정에 접근	폐쇄적	개방적
②	정치적 제휴	불안정적	안정적
③	이해관계	동맹적	경쟁적, 갈등적
④	문제해결	해결됨	종종 해결되지 않음
⑤	집단 참여	자발적	자발적

47 정책네트워크이론

철의 삼각, 이슈네트워크, 정책공동체 등 정책네트워크이론은 정책 및 정책환경이 전문화·복잡화되면서 더 이상 국가나 사회의 특정 세력이 정책 과정을 주도할 수 없게 되고, 정책이 다양한 이해관계와 전략을 가진 세력들 간의 연합의 산물이라는 관점이 등장함으로써 형성된 이론이다.

하위정부, 이슈네트워크, 정책공동체 비교

구분	하위정부	이슈네트워크	정책공동체
참여자 수	제한적	매우 광범위	비교적 제한적
참여자	특정 세력	다수의 관심집단	전문가 집단
상호의존 참여배제 지속성	높음	낮음	비교적 낮음

답 ④

48 하위정부모형과 이슈네트워크

하위정부모형은 공식 참여자인 정부 관료, 의회의 상임위원회, 비공식 참여자인 이익 집단이 상호 이해관계를 공유하면서 각 정책영역별로 정책의 결정과 집행에 주도적인 영향을 미치는 현상이다. 즉, 소수행위자로 구성된 안정적 정책망에 해당된다. 이슈네트워크는 미국에서 이익집단의 수가 증가하고 다원화됨에 따라 하위정부식 정책결정이 어려워져 철의 삼각을 비판하며 등장하였고, 특정 이슈를 중심으로 이해관계나 전문성을 갖는 개인 및 조직으로 구성되는 네트워크를 제시하였다. 정치적 제휴의 관점에서 본다면 하위정부는 안정적인 반면, 이슈네트워크는 불안정적이다.

답 ②

49 □□□

2015년 지방직 7급

정책네트워크모형에 대한 설명으로 옳지 않은 것은?

① 로즈와 마쉬(Rhodes & Marsh)에 따르면, 이슈네트워크는 비교적 폐쇄적이고 안정적인 반면 정책공동체는 개방적이고 유동적이다.

② 헤클로(Heclo)는 하위정부모형에 대한 비판적 입장에서 이슈네트워크모형을 제안하였다.

③ 많은 학자들은 1960년대에 등장한 하위정부모형이나 1970년대에 등장한 이슈네트워크모형이 정책네트워크모형의 기원이라고 본다.

④ 정책공동체의 경우, 모든 참여자가 자원을 가지며 참여자 사이의 근본적인 관계는 교환관계이다.

50 □□□

2010년 국가직 7급

이슈네트워크(issue network)와 비교한 정책공동체(policy community)의 상대적 특성으로 옳지 않은 것은?

① 정책결정을 둘러싼 권력게임은 공동의 이익을 추구하는 정합게임(positive-sum game)의 성격을 띤다.

② 참여자들이 기본가치를 공유하며 그들 간의 접촉빈도가 높다.

③ 참여자의 범위가 넓고 경계의 개방성이 높다.

④ 모든 참여자가 교환할 자원을 가지고 참여한다.

49 정책네트워크모형

로즈와 마쉬(Rhodes & Marsh)에 따르면, 이슈네트워크는 정책공동체에 비해 개방적·유동적이고, 정책공동체는 제한적·폐쇄적·지속적이다.

이슈네트워크와 정책공동체 비교

구분	이슈네트워크	정책공동체
정책 행위자	다양한 행위자가 참여하며, 상황에 따라 수시로 변동 → 개방적·유동적(불안정)	조직화된 행위자(관료와 전문가)에 한정 → 제한적·폐쇄적·지속적
상호관계	불균등한 권력을 보유하는 경쟁적·수평적 관계 → 제로섬, 네거티브 게임	균등한 권력을 보유하는 협력적·수평적 관계 → 넌 제로섬, 포지티브 게임
정책 산출	결정 과정에서 정책내용의 변동이 가능하므로 예측가능성이 낮음 → 결정과 집행의 상이성	처음 의도한 내용 그대로 진행되므로 예측가능성이 높음 → 결정과 집행의 유사성
배경	미국식 다원주의	유럽식 사회조합주의
접촉 빈도	유동적	높음
이익	모든 이익	경제적·전문직업적 이익
합의	제한적 합의	가치관 공유, 성과의 정통성 수용
국가의 역할	• 국가는 자신의 이해를 가지고 이를 관철시키고자 하는 하나의 행위자 • 국가기관의 범주에는 행정부, 의회, 사법부 모두 포함되는데 이들 모두 개별적 행위자로 간주(낮은 응집성)	

답 ①

50 이슈네트워크와 정책공동체

정책공동체(policy community)는 이슈네트워크(issue network)에 비해 참여자의 범위가 전문가 집단으로 비교적 제한적이며 경계의 개방성이 좁다.

선지분석

① 정책공동체에서는 정합게임의 성격이 나타나고, 이슈네트워크에서는 제로섬게임 성격이 나타난다.

② 이슈네트워크의 구성원은 제한적 합의 수준에 머무르나 정책공동체는 참여자들이 기본가치를 공유한다.

④ 이슈네트워크는 불균등한 권력과 자원을 보유하는 경쟁적 관계이나, 정책공동체는 모든 참여자가 교환할 자원을 가지고 네트워크에 참여한다.

답 ③

51 □□□

2016년 국가직 9급

정책커뮤니티와 이슈네트워크를 비교한 것으로 옳지 않은 것은?

① 네트워크 내 자원배분과 관련하여 정책커뮤니티는 근본적인 관계가 교환관계이고 모든 참여자가 자원을 보유하고 있으나, 이슈네트워크는 근본적인 관계가 제한적 합의이고 어떤 참여자는 자원보유가 한정적이다.

② 참여자 수와 관련하여 정책커뮤니티는 극히 제한적이며 의식적으로 일부 집단의 참여를 배제하기도 하나, 이슈네트워크는 개방적이며 다양한 행위자들이 참여한다.

③ 이익의 종류와 관련하여 정책커뮤니티는 경제적 또는 전문직업적 이익이 지배적이나, 이슈네트워크는 관련된 모든 이익이 망라된다.

④ 합의와 관련하여 정책커뮤니티는 어느 정도의 합의는 있으나 항상 갈등이 있고, 이슈네트워크는 모든 참여자가 기본적인 가치관을 공유하며 성과의 정통성을 수용한다.

52 □□□

2017년 국회직 8급

다음 중 정책참여자 간의 관계에 대한 설명으로 옳지 않은 것은?

① 다원주의는 개인 차원에서 정책결정에 직접적 영향력을 행사하기가 수월하다.

② 조합주의(corporatism)는 정책결정에서 정부의 보다 적극적인 역할을 인정하고 이익집단과의 상호 협력을 중시한다.

③ 엘리트주의에서는 권력은 다수의 집단에 분산되어 있지 않으며 소수의 힘 있는 기관에 집중되고, 기관의 영향력 역시 일부 고위층에 집중되어 있다고 주장한다.

④ 하위정부(subgovernment)는 철의 삼각과 같이 정부관료, 선출직 의원 그리고 이익집단의 역할에 초점을 맞춘다.

⑤ 정책공동체는 일시적이고 느슨한 형태의 집합체가 아니라 안정적인 상호 의존관계를 유지하는 공동체의 시각을 반영한다.

51 정책커뮤니티와 이슈네트워크

이슈네트워크는 합의와 관련하여 어느 정도의 합의는 있으나 항상 갈등이 있고, 정책커뮤니티는 모든 참여자가 기본적인 가치관을 공유하며 성과의 정통성을 수용한다.

선지분석

② 정책커뮤니티는 정책 행위자를 관료와 전문가 등 조직화된 행위자로 한정하지만, 이슈네트워크는 특정한 경계 없이 공통의 기술적인 전문성과 다양한 견해를 가진 이익집단, 전문가, 언론, 개인 등 대규모의 참여자들을 함께 묶는 지식 공유 집단이다.

답 ④

52 정책참여자

다원주의는 특정 세력이나 개인이 정책결정에 직접적으로 영향력을 행사하거나 주도할 수 없다고 보며, 타협과 협상을 통한 이익집단 간 권력의 균형을 강조한다.

선지분석

② 조합주의(corporatism)는 정부를 국가의 이익이나 사회의 공동선을 달성하기 위해 주도적인 역할을 담당하는 독립적인 실체로 보며, 사용자단체(자본), 노동자단체(노동), 정부대표로 구성된 3자 연합이 주요 경제정책을 결정하고 정부와 이익집단의 합의를 중요시한다.

③ 엘리트주의는 소수의 동질적·폐쇄적인 엘리트가 권력을 가지고 있으며 이들이 사회나 국가를 지배하고 이끌어나가야 한다고 믿는 입장으로, 정책의 과정은 다원적 세력이 아닌 엘리트가 주도하고 결정한다고 본다.

④ 하위정부(subgovernment)는 공식 참여자인 정부 관료, 의회의 상임위원회, 비공식 참여자인 이익 집단이 상호 이해관계를 공유하면서 각 정책영역별로 정책의 결정과 집행에 주도적인 영향을 미치는 현상이다.

답 ①

정책결정론

THEME 029 정책결정의 의의

01 □□□

2014년 국가직 9급

정책결정요인론 중 도슨과 로빈슨(Dawson & Robinson)이 주장한 '경제적 자원모형'의 내용으로 옳지 않은 것은?

① 소득, 인구 등의 사회 · 경제적 요인이 정책내용을 결정한다.
② 정치적 변수는 정책에 단독으로 영향을 미치지 못한다.
③ 정치체제는 환경변수와 정책내용 간의 매개변수가 아니다.
④ 사회경제적 변수, 정치체제, 정책은 순차적 관계에 있다.

02 □□□

2016년 국가직 9급

재니스(Janis)가 주장한 집단사고(groupthink) 예방전략에 대한 설명으로 옳지 않은 것은?

① 조직에서 결정하는 사안이나 정책에 대해서 외부 인사들이 재평가할 수 있는 체계를 구축해야 한다.
② 최고 의사결정자는 대안탐색 단계마다 참여자 중 한 명에게 악역을 맡겨 다수의견에 반대되는 의견을 강제로 개진하게 한다.
③ 집단적 의사결정에서는 의사결정단위를 2개 이상으로 나눈다.
④ 최종 대안을 도출한 후에는 각 참여자들에게 반대의견을 제시할 수 있는 기회를 부여하지 않는다.

01 경제적 자원모형

도슨과 로빈슨(Dawson & Robinson)이 주장한 '경제적 자원모형'은 사회경제적 변수와 정치체제, 정책의 순차적 관계를 부인하였다.

(선지분석)

① 소득, 인구 등 사회·경제적 요인이 정책내용을 결정한다는 것은 파브리컨트(Fabricant) 등 경제학자의 입장이다.

도슨(Dawson)과 로빈슨(Robinson)의 경제적 자원모형(1963)

1. 정당 간 경쟁이 치열할수록 사회복지비가 증가하는 현상은 도시화, 산업화, 소득이라는 사회·경제적 변수의 작용 때문이다.
2. 사회·경제적 변수가 정치체제와 정책 모두에 대해서 영향을 미친다는 결론을 제시하며 정치체제와 정책은 허위관계에 불과함을 주장한다.

답 ④

02 집단사고(groupthink) 예방전략

최종 대안을 도출한 후에는 각 참여자들에게 반대의견을 제시할 수 있는 기회를 부여하여야 한다.

집단사고(groupthink)

구분	내용
의의	응집력 강한 집단 구성원들이 어떠한 판단을 내릴 때, 만장일치를 이루고자 하는 성향이 강하여 현실적으로 올바른 평가를 하지 못하는 현상
공통 징후	• 지나친 낙관주의와 무모한 도전이 남발함 • 경고나 의문이 제기되어도 합리화시킴 • 집단 내부의 도덕성에 대하여 과도한 신뢰를 보임 • 침묵을 동의로 해석하고 집단의견에 벗어난 아이디어는 검열함

답 ④

THEME 030 정책결정의 과정

03 □□□

2013년 서울시 9급

정책의제설정에 관한 설명 중 옳지 않은 것은?

① 일반적으로 정책의제는 정치성, 주관성, 동태성 등의 성격을 가진다.
② 정책대안이 아무리 훌륭하더라도 정책문제를 잘못 인지하고 채택하여 정책문제가 여전히 해결되지 않은 상태로 남아있는 현상을 2종 오류라 한다.
③ 킹던(Kingdon)의 정책의 창모형은 정책문제의 흐름, 정책대안의 흐름, 정치의 흐름이 어떤 계기로 서로 결합함으로써 새로운 정책의제로 형성되는 것을 말한다.
④ 콥(Cobb)과 엘더(Elder)의 이론에 의하면 정책의제설정과정은 사회문제 - 사회적 이슈 - 체제의제 - 제도의제의 순서로 정책의제가 선택됨을 설명하고 있다.
⑤ 정책의제의 설정은 목표설정기능 및 적절한 정책수단을 선택하는 기능을 하고 있다.

04 □□□

2015년 국가직 9급

통계적 결론의 타당성 확보에 있어서 발생할 수 있는 오류와 그에 대한 설명을 바르게 연결한 것은?

ㄱ. 정책이나 프로그램의 효과가 실제로 발생하였음에도 불구하고 통계적으로 효과가 나타나지 않은 것으로 결론을 내리는 경우
ㄴ. 정책의 대상이 되는 문제 자체에 대한 정의를 잘못 내리는 경우
ㄷ. 정책이나 프로그램의 효과가 실제로 발생하지 않았음에도 불구하고 통계적으로 효과가 나타난 것으로 결론을 내리는 경우

	제1종 오류	제2종 오류	제3종 오류
①	ㄱ	ㄴ	ㄷ
②	ㄱ	ㄷ	ㄴ
③	ㄴ	ㄱ	ㄷ
④	ㄷ	ㄱ	ㄴ

03 정책의제설정

정책문제 자체를 잘못 인지한 상태에서 계속 해결책을 모색하여 정책문제가 해결되지 못하고 남아있는 상태는 3종 오류, 메타오류라고 한다.

(선지분석)
① 정책의제설정은 정책과정의 출발점이며 가장 많은 갈등이 수반되는 정치적 과정으로, 주관적·자의적·인공적 성격을 띠며 고도의 복잡성과 역동성, 동태성을 특징으로 한다.
③ 킹던(Kingdon)의 정책의 창(Policy Window)모형에서 정책의 창은 정책문제 및 대안을 관철시키기 위해 열리는 기회로 정의되고, 정책의제가 재구성되려면 반드시 독자적으로 흐르는 문제의 흐름, 정치의 흐름, 정책의 흐름이 모두 연결되어야 한다고 본다.
④ 콥(Cobb)과 엘더(Elder)는 정책의제설정의 일반적 과정은 사회문제 - 사회적 이슈 - 체제의제 - 제도의제의 순서를 거친다고 주장한다.
⑤ 정책의제를 설정함으로써 추후 이루어지는 정책목표를 설정하고, 정책수단을 선택하게 된다.

답 ②

04 통계적 결론의 타당성 확보

ㄱ. 제2종 오류에 대한 설명이다. 정책효과가 있는데 없다고 판단하여 옳은 대안을 선택하지 않는 경우이다.
ㄴ. 제3종 오류에 대한 설명이다. 정책 문제 자체를 잘못 인지하여 틀린 정의를 내린 경우이다.
ㄷ. 제1종 오류에 대한 설명이다. 정책효과가 없는데 있다고 판단하여 틀린 대안을 선택하는 경우이다.

답 ④

05 □□□

2014년 국가직 9급

정책문제의 구조화기법과 설명이 바르게 연결된 것은?

A. 경계분석(boundary analysis)
B. 가정분석(assumption analysis)
C. 계층분석(hierarchy analysis)
D. 분류분석(classification analysis)

ㄱ. 정책문제와 관련된 여러 구조화되지 않은 가설들을 창의적으로 통합하기 위해 사용하는 기법으로 이전에 건의된 정책부터 분석한다.
ㄴ. 간접적이고 불확실한 원인으로부터 차츰 확실한 원인을 차례로 확인해 나가는 기법으로 인과관계 파악을 주된 목적으로 한다.
ㄷ. 정책문제의 존속기간 및 형성과정을 파악하기 위해 사용하는 기법으로 포화표본추출(saturation sampling)을 통해 관련 이해당사자를 선정한다.
ㄹ. 문제상황을 정의하기 위해 당면문제를 그 구성요소들로 분해하는 기법으로 논리적 추론을 통해 추상적인 정책문제를 구체적인 요소들로 구분한다.

	A	B	C	D
①	ㄱ	ㄷ	ㄴ	ㄹ
②	ㄱ	ㄷ	ㄹ	ㄴ
③	ㄷ	ㄱ	ㄴ	ㄹ
④	ㄷ	ㄱ	ㄹ	ㄴ

06 □□□

2008년 국가직 7급

정책문제의 구조화에 이용되는 기법들 중 연결이 옳은 것은?

① 경계분석(boundary analysis) - 문제의 구성요소 식별
② 계층분석(hierarchy analysis) - 문제상황의 원인 규명
③ 유추분석(analogy analysis) - 상충적 전제들의 창조적 통합
④ 분류분석(classification analysis) - 문제의 위치 및 범위 파악

05 정책문제의 구조화기법

ㄱ은 가정분석(B), ㄴ은 계층분석(C), ㄷ은 경계분석(A), ㄹ은 분류분석(D)에 해당한다.

정책문제의 구조화기법

가정분석	정책 과정의 참여자들 간 문제형성에 합의를 이룰 수 없거나 문제의 구조화가 잘 되지 않을 경우에 사용하는 가장 포괄적인 분석
계층분석	• 문제의 원인을 계층적으로 규명해 나가는 기법으로, 인과관계 파악을 주된 목적으로 하여 인과분석이라고도 불림 • 간접적이고 불확실한 원인에서 직접적이고 확실한 원인으로 나아가며 확인을 거치는데, 이때 개별분석가의 직관과 판단에 의존함
경계분석	문제의 영역을 구체화하여 경계선상에서의 메타문제를 해결함
분류분석	문제되는 상황을 정의하고 분류하기 위해 사용되는 개념들을 명확히 하여 문제의 구성요소를 식별함

답 ③

06 정책문제의 구조화

계층분석은 문제의 원인을 계층적으로 규명해 나가는 기법으로 문제의 원인을 정확하게 밝히는 것이다.

선지분석

① 경계분석은 문제의 위치 및 범위를 파악하는 것이다.
③ 유추분석은 문제들 간의 유사성을 파악하는 것이다.
④ 분류분석은 문제의 구성요소를 식별하는 것이다.

답 ②

07 □□□

2011년 국회직 9급

던(Dunn)은 예측의 기법을 연장적 예측, 이론적 예측, 직관적 예측으로 분류하였다. 〈보기〉에서 이론적 예측기법은 모두 몇 개인가?

〈보기〉

ㄱ. 시계열분석
ㄴ. 선형경향추정
ㄷ. 구간추정
ㄹ. 회귀분석
ㅁ. 상관분석
ㅂ. 정책델파이
ㅅ. 교차영향분석
ㅇ. 브레인스토밍

① 1개
② 2개
③ 3개
④ 4개
⑤ 5개

07 이론적 예측기법

구간추정(ㄷ), 회귀분석(ㄹ), 상관분석(ㅁ)이 이론적 예측에 해당하므로 3개이다.

선지분석

ㄱ. 시계열분석, ㄴ. 선형경향추정은 연장적 예측에 해당한다.
ㅂ. 정책델파이, ㅅ. 교차영향분석, ㅇ. 브레인스토밍은 직관적 예측에 해당한다.

정책대안의 결과 예측 방법(Dunn)

투사(project)	• 연장적 예측 • 과거의 변동추세를 모아둔 시계열 데이터에 대한 분석을 토대로 이를 연장하여 미래를 예측하는 귀납적·양적 분석기법 • 기법: 자료변환법, 시수가중법, 시계열분석, 선형경향추정, 격변방법론 등
예견(predict)	• 이론적 예측 • 여러 이론의 인과관계의 가정에 기초하여 미래를 예측하는 연역적·양적 분석기법 • 기법: 상관분석, 선형계획법, 경로분석(PERT, CPM), 회귀분석, 구간(간격), 추정, 투입산출분석, 이론지도 등
추측(conjecture)	• 주관적 예측 • 예측가의 통찰력이나 직관적 판단에 의존하여 대상 분야를 예측하는 질적 분석기법 • 기법: 브레인스토밍, 전통적 델파이, 정책델파이, 교차영향분석, 실현가능성분석, 명목집단기법, 비계량적 시나리오 작성 등

답 ③

08 □□□

2017년 지방직 9급(6월 시행)

정책분석에 있어서 문제구조화에 대한 설명으로 옳지 않은 것은?

① 던(Dunn)은 정책문제를 구조화가 잘된 문제(well-structured problem), 어느 정도 구조화된 문제(moderately structured problem), 구조화가 잘 안된 문제(ill-structured problem)로 분류한다.
② 구조화가 잘된 문제의 해결을 위해서 분석가는 전통적인(conventional) 방법을 사용하기도 한다.
③ 문제구조화는 상호 관련된 4가지 단계인 문제의 감지, 문제의 정의, 문제의 추상화, 문제의 탐색으로 구성되어 있다.
④ 문제구조화의 방법으로는 경계분석, 분류분석, 가정분석 등이 있다.

08 문제구조화

던(Dunn)은 문제의 원인과 문제의 발생에 영향을 미치는 요인이 무엇인가를 기준으로 문제의 감지(problem sensing), 문제의 탐색(problem searching), 문제의 정의(problem definition), 문제의 구체화(problem specification)로 4가지 단계를 제시하였다. 이는 상호 관련된 단계가 아니라 독립된 단계이다.

선지분석

① 던(Dunn)은 구조화된 정도에 따라 정책문제를 세 가지로 구분하였다.
② 구조화가 잘된 문제는 문제가 명확하고 대안의 결과를 예측 가능하게 만들기 때문에 대안의 개발, 비교분석, 평가라는 전통적인 방법으로 문제의 해결이 가능하다고 보았다.
④ 문제구조화의 방법으로 경계분석, 분류분석, 가정분석, 계층화분석, 유추분석 등이 있다.

답 ③

09 □□□

2009년 국가직 7급

두 개 이상의 표본에 대한 평균 차이를 검정하는 분석방법은?

① 분산분석
② 부분상관분석
③ 경로분석
④ 확인적 요인분석

10 □□□

2020년 서울시 9급

〈보기〉가 설명하는 분석 방법은?

〈보기〉

- 대안 간의 쌍대 비교를 한다.
- 사티(Saaty)가 제시한 원리에 따라 상대적 중요도를 설정한다.
- 우선순위를 판단하는 데 도움이 된다.

① 브레인스토밍
② 델파이
③ 회귀분석
④ 분석적 계층화 과정(AHP)

09 분산분석

평균값을 기초로 하여 두 개 이상의 다수 집단을 비교하고 각 집단 평균 차이에 의한 집단 간 분산비교를 통해 만들어진 분포도를 이용하여 상관관계를 파악하는 분석법은 분산분석이다.

선지분석

② 부분상관분석은 세 개 이상의 변수들이 상호 상관을 갖는 경우 다른 변수와 함께 변화하는 부분을 제거하여 두 변수의 고유 상관관계를 측정하는 기법이다.
③ 경로분석은 특정 현상에 영향을 미치는 변수의 식별 및 그 경로모형을 밝히고자 하는 기법이다.
④ 확인적 요인분석은 요인분석의 한 종류로서 기존의 연구이론 혹은 경험에 근거하여 각각의 측정변수와 잠재변수 간의 관계를 미리 가정하고 이 관계를 검증하기 위해 사용하는 기법이다.

답 ①

10 의사결정방법

〈보기〉는 의사결정의 전 과정을 여러 단계로 나눈 후, 단계별 대안 간의 쌍대 비교를 통하여 대안별 상대적 중요도를 설정한 뒤 우선순위를 판단하는 과정인 분석적 계층화 과정(Analytic Hierarchy Process)에 대한 설명이다.

선지분석

① 브레인스토밍은 집단의 대면토론을 과정에서 아이디어 도출을 아이디어 산출단계와 아이디어 평가단계로 나눈 후, 아이디어 산출단계에서 다양한 편승기법 등을 활용하여 최대한 많은 아이디어를 도출해내는 기법이다. 브레인스토밍에서는 아이디어의 질보다 양을 중시한다.
② 델파이는 특정 분야의 미래예측을 위하여 관련 분야의 전문지식을 가진 전문가들에게 익명성을 보장해주고, 각각 독자적으로 형성한 판단을 종합·정리하여 예측결과를 도출하는 기법이다.
③ 회귀분석은 통계적 관계를 이용하여 종속변수에 영향을 미치는 독립변수를 찾아내어, 독립변수와 종속변수 사이의 인과관계를 파악함으로써 미래를 예측하는 기법이다.

답 ④

11 □□□

2020년 국가직 7급

다음 설명을 특징으로 하는 정책분석기법의 기본 원칙이 아닌 것은?

> 그리스 현인들이 미래를 예견하던 아폴로 신전이 위치한 도시의 이름을 따서 붙여졌다. 1948년 미국 랜드연구소의 연구진에 의해 개발되어 공공부문이나 민간부문의 예측 활동에서 활용된다.

① 조건부확률과 교차영향행렬의 적용
② 익명성 보장과 반복
③ 통제된 환류와 응답의 통계처리
④ 전문가 합의

12 □□□

2017년 국가직 9급(10월 추가)

미래예측을 위한 일반적 델파이기법에 대한 설명으로 옳지 않은 것은?

① 전문가들의 의견을 종합하여 보다 합리적인 아이디어를 만들려는 시도이며, 정책대안의 결과 예측뿐 아니라 정책대안의 개발 · 창출에도 사용된다.
② 전문가집단의 의사소통은 구조화된 설문지를 통해 반복적으로 이루어진다.
③ 불확실한 먼 미래보다는 가까운 미래를 예측하기 위하여 통계분석을 활용하는 객관적 미래예측방법이다.
④ 전문가집단은 익명성이 보장된 상태에서 답변하며 자신의 답변을 수정할 수 있다.

11 정책분석기법

설명은 델파이기법에 대한 설명이다. 델파이기법은 개별적 사건의 발생가능성만 분석한다는 한계가 있다. 이를 보완하기 위하여 관련 사건들 사이의 잠재적 관계를 고려하여 어떠한 사건에 영향을 미치는 선행사건을 규명함으로써 현재의 상황을 기반으로 미래를 예측하는 기법이 교차영향행렬(교차영향분석)이다.

선지분석

②, ③ 델파이기법은 익명성을 보장하고 질문에 대한 응답을 반복적으로 환류한 뒤 그 응답을 통계처리 한다.
④ 델파이기법은 전문가들의 합의 도출이 목적이므로 전문가들의 의견의 평균값을 중시한다. 단, 정책델파이는 양극화된 통계처리를 통한 참여자의 의견 표출이 목적이다.

델파이기법(전통적 델파이)의 특징

구분	내용
익명성	참여자들의 철저한 익명성 보장을 통해 대면토론의 문제점을 해소함
반복성	개별적 판단을 집계하여 다시 배부함으로써 의견의 수정기회를 제공하는 과정을 반복적으로 수행함
통제된 환류	응답을 종합하여 요약된 수치를 제공함
응답의 통계 처리	응답을 평균값, 중위수 등 통계 처리된 일반적 자료로 정리하여 제시함
전문가의 합의 도모	합의된(근접한) 의견 도출이 최종 목표임

답 ①

12 일반적 델파이기법

델파이기법은 전문가들의 주관적인 판단을 토대로 하는 질적·직관적 미래예측기법으로, 단기적인 문제보다는 중장기적인 문제에 대한 예측기법이다.

델파이기법의 종류

구분	내용
전통적 델파이	철저한 익명성, 관련분야의 전문가, 통제된 환류, 응답의 통계처리, 합의된 의견 도출
정책델파이	선택적 익명성, 식견 있는 다수, 유도된 대립의견, 양극화된 통계처리

답 ③

13 □□□

2019년 지방직 9급

조직의 의사결정에 대한 설명으로 옳지 않은 것은?

① 전통적 델파이기법은 전문가들의 다양성을 고려해 의견일치를 유도하지 않는다.

② 현실의 세계에서는 완벽한 합리성이 아닌 제한된 합리성의 상황에서 의사결정이 이루어진다.

③ 브레인스토밍 과정에서는 타인의 아이디어를 비판하거나 평가하지 말아야 한다.

④ 고도로 집권화된 구조나 기능을 중심으로 편제된 조직의 의사결정은 최고관리자 개인이 주도하는 경우가 많다.

14 □□□

2016년 지방직 9급

정책분석에서 사용되는 주요 미래예측기법 중 미국 랜드(RAND)연구소에서 개발된 것으로, 전문가들을 대상으로 설문을 반복하여 특정 주제에 대한 합의를 도출하는 접근방식은?

① 델파이분석

② 회귀분석

③ 브레인스토밍

④ 추세연장기법

13 조직의 의사결정

전통적 델파이기법은 전문가들의 다양한 의견을 수렴한 뒤 의견일치를 유도하여 합의 도출을 목적으로 하며, 의견일치를 유도하지 않는 것은 정책델파이기법이다. 정책델파이기법은 전문가들뿐만 아니라 이해관계자 등 식견 있는 다수를 참여시킴으로써 다양한 의견의 표출을 유도한다.

전통적 델파이와 정책델파이의 비교

구분	전통적 델파이	정책델파이
적용 영역	일반문제	정책문제
목적	합의 도출	의견 표출
응답자	동일영역의 일반전문가	정책전문가, 이해관계자 등 다양한 대상자
익명성	철저한 익명성	선택적 익명성
통계처리	의견의 평균값 중시	양극화된 통계처리

답 ①

14 델파이분석

지문은 델파이분석에 대한 설명이다. 델파이기법은 1948년 미국의 랜드(RAND)연구소에서 개발된 전문가의 직관에 의존하는 주관적이고 질적인 미래예측기법으로, 관련분야의 전문지식을 가진 전문가들에게 익명성을 보장하여 각각 독자적으로 형성한 판단을 종합·정리하여 예측결과를 도출한다.

선지분석

② 회귀분석은 통계적 관계를 이용하여 독립변수와 종속변수 사이의 인과관계를 파악함으로써 미래를 예측하는 기법이다.

③ 브레인스토밍은 여러 사람이 모여 자유로운 분위기 속에서 어느 한 문제에 대한 아이디어를 공동으로 제시하는 회의 방식의 집단사고기법이다.

④ 추세연장기법은 과거의 추세치가 앞으로도 계속될 것이라는 가정하에 과거의 시계열 자료들을 분석하여 그 변화 방향을 탐색하는 미래예측기법이다.

답 ①

15 □□□

2012년 지방직 9급

정책델파이에 대한 설명으로 옳지 않은 것은?

① 일반적인 델파이와 달리 개인의 이해관계나 가치판단이 개입될 수 있다.
② 정책문제해결을 위한 정책대안을 개발하고 그 결과를 예측하기 위해 만들어진 방법이다.
③ 대립되는 정책대안이나 결과가 표면화되더라도 모든 단계에서 익명성이 보장되어야 한다.
④ 정책문제의 성격이나 원인, 결과 등에 대해 전문성과 통찰력을 지닌 사람들이 참여한다.

16 □□□

2009년 국가직 7급

델파이기법에 대한 설명으로 옳은 것을 모두 고르면?

ㄱ. 문제해결의 아이디어를 제공하는 사람들 간에 서로 대면접촉을 하지 않는다.
ㄴ. 익명성이 유지되는 사람들이 각각 독자적으로 형성한 판단을 조합 · 정리한다.
ㄷ. 다른 사람의 아이디어에 자기 의견을 첨가해 새로운 아이디어를 도출한다.
ㄹ. 익명성이 보장되도록 개인의 의견을 컴퓨터를 통하여 입력하고 각 개별 의견에 대하여 컴퓨터를 통하여 표결한다.
ㅁ. 구성원 간의 성격마찰, 감정대립, 지배적 성향을 가진 사람의 독주, 다수의견의 횡포 등을 피할 수 있다.

① ㄱ, ㄴ, ㅁ
② ㄱ, ㄷ, ㄹ
③ ㄴ, ㄷ, ㄹ
④ ㄷ, ㄹ, ㅁ

15 정책델파이

모든 단계에서 익명성이 보장되어야 하는 것은 전통적 델파이의 특징이다. 정책델파이는 어느 정도 결론이 표면화되고 나면, 선택적 익명성을 가진다.

정책델파이의 특징

선택적 익명성	초기에는 익명성을 유지하지만 의견들이 어느 정도 종합되어 몇 가지의 대립되는 대안이 표면화된 이후에는 공개적으로 대면토론을 진행함
식견 있는 다수의 의견 중시	정책전문가뿐만 아니라 이해당사자 등 다양한 대상자의 참여가 가능함
유도된 의견대립	창의적 문제해결을 위해 갈등은 불가피한 것이라는 전제하에 의도적으로 갈등을 조장하여 이를 활용함
양극화된 통계처리	불일치와 갈등의 의도적 부각을 위해 차이가 선명하게 나타나는 양극화된 통계처리를 사용함
컴퓨터 회의방식 (전자회의방식)	멀리 떨어져 있는 개인들 간의 의견 교환을 익명 상태로 진행하는 데 컴퓨터를 활용함으로써 부드러운 진행을 유도함

답 ③

16 델파이기법

ㄱ. 델파이기법은 참여자들의 익명성을 철저히 보장한다.
ㄴ. 델파이기법은 관련분야의 전문지식을 가진 전문가들에게 익명성을 보장해주고 각각 독자적으로 형성한 판단을 종합하고 정리하여 예측결과를 도출한다.
ㅁ. 델파이기법은 감정대립, 다수 의견의 횡포, 집단사고 등을 방지할 수 있다는 장점이 있다.

선지분석

ㄷ. 브레인스토밍에 대한 설명이다.
ㄹ. 전자회의방식에 대한 설명이다.

답 ①

17 □□□

2016년 서울시 7급

다음 집단의 의사결정기법에 대한 설명 중 가장 옳은 것은?

① 델파이(Delphi)기법은 미래 예측을 위해 전문가가 아닌 일반인 다수를 활용하는 의사결정기법이다.
② 브레인스토밍(brainstorming)은 아이디어가 많은 소수에게 여러 개 주제에 대해 아이디어를 제시하도록 해 좋은 아이디어를 발굴하는 기법이다.
③ 지명반론자기법(devil's advocate method)은 작위적으로 특정 조직원들 또는 집단을 반론을 제기하는 집단으로 지정해 반론자 역할을 부여하고 이들이 제기하는 반론과 이에 대한 제안자의 옹호 과정을 통해 의사결정을 유도하는 기법이다.
④ 명목집단기법(nominal group technique)은 관련자들이 의사결정에 직접 참여하여 대안에 대한 아이디어를 제출하도록 하고 충분한 토의를 거쳐 투표로 의사결정을 하는 기법이다.

18 □□□

2014년 국회직 8급

다음 중 정책문제의 구조화방법의 일종인 브레인스토밍(brainstorming)에 대한 설명으로 옳지 않은 것은?

① 브레인스토밍 집단은 조사되고 있는 문제상황의 본질에 따라 구성되어야 한다.
② 아이디어 평가의 마지막 단계에서 아이디어에 우선순위를 부여한다.
③ 아이디어 평가는 첫 단계에서 모든 아이디어가 총망라된 다음에 시작되어야 한다.
④ 아이디어 개발단계에서의 브레인스토밍 활동의 분위기는 개방적이고 자유롭게 유지되어야 한다.
⑤ 아이디어 개발과 아이디어 평가는 동시에 이루어져야 한다.

17 집단의 의사결정기법

지명반론자기법 또는 악마의 옹호자법이라고도 불리는 의사결정기법은 집단을 둘로 나누어 한 집단이 제시한 의견에 대해서 반대자로 지명된 집단의 반론을 듣고 토론을 벌여 본래의 안을 수정하고 보완하는 일련의 과정을 거친 후 최종 대안을 도출하는 기법이다.

선지분석

① 델파이기법은 관련분야의 전문지식을 가진 전문가들에게 익명성을 보장하여 각각 독자적으로 형성한 판단을 종합·정리하여 예측결과를 도출하는 기법이다.
② 브레인스토밍은 다수가 모인 자유로운 분위기 속에서 어느 한 문제에 대한 아이디어를 공동으로 제시하는 회의방식의 집단사고기법이다.
④ 명목집단기법은 관련자들이 의사결정에 직접 참여하지 않은 채 비대면(서면)으로 대안에 대한 아이디어를 제출하도록 하고 제한된 토의를 거쳐 투표로 의사결정을 하는 기법이다.

답 ③

18 브레인스토밍

브레인스토밍의 단계는 아이디어 개발과 아이디어 평가로 나눌 수 있는데, 이 두 단계는 동시에 이루어지지 않는다. 아이디어 개발단계에서는 구성원들의 아이디어를 자유롭고 다양하게 이끌어내기 위해서 타인의 아이디어를 평가하거나 비판할 수 없도록 한다.

선지분석

① 브레인스토밍 집단은 조사되고 있는 문제상황의 본질에 따라 구성되어야 하며, 브레인스토밍은 집단이 다루고 있는 특정한 주제에 대해서 이루어진다.
②, ③ 아이디어 평가는 첫 단계에서 모든 아이디어가 총망라된 다음에 시작되어야 하며, 마지막 단계에서 아이디어에 우선순위를 부여하여야 한다.
④ 아이디어 개발단계에서 최대한 많은 아이디어를 도출하여야 하기 때문에 개발단계의 브레인스토밍 활동 분위기는 개방적이고 자유롭게 유지되어야 한다.

답 ⑤

19 □□□

2013년 국가직 7급

집단적 문제해결의 방법을 수정한 대안과 그 특징을 바르게 연결하지 않은 것은?

① 델파이기법(delphi method) - 문제해결의 아이디어를 제공하는 사람들이 서로 대면적인 접촉을 하지 않고 각각 독자적으로 형성한 판단들을 종합·정리하는 방법이다.
② 브레인스토밍(brain storming) - 참가자들이 될 수 있는 대로 많은 독창적 의견을 내도록 노력해야 하므로, 이미 제안된 여러 아이디어들을 종합하여 새로운 아이디어를 만들어내는 편승기법(piggy backing)의 사용을 지양한다.
③ 변증법적 토론(dialectical inquiry) - 두 집단으로 나누어 토론을 하기 때문에 특정 대안의 장점과 단점이 최대한 노출될 수 있다.
④ 명목집단기법(nominal group method) - 개인들이 개별적인 해결방안을 구상하고 그에 대해 제한된 집단적 토론만 한 다음, 표결로 의사를 결정하는 방법이다.

20 □□□

2016년 사회복지직 9급

집단적 의사결정기법에 대한 설명으로 옳지 않은 것은?

① 델파이기법(delphi method)은 미래예측을 위해 전문가집단을 활용하는 의사결정방법이다.
② 브레인스토밍(brainstorming)을 통하여 새로운 아이디어를 만들기 위해서는 초기 단계에서 타인의 아이디어를 비판하거나 평가하지 말아야 한다.
③ 지명반론자기법(devil's advocate method)이 성공하려면 반론자들이 고의적으로 본래 대안의 단점과 약점을 적극적으로 지적하여야 한다.
④ 명목집단기법(normal group technique)은 집단 구성원 간 의사소통을 원활하게 진행할 수 있다는 장점이 있다.

19 브레인스토밍

브레인스토밍(brain storming)은 여러 사람이 자유로운 분위기 속에서 어느 한 문제에 대한 아이디어를 공동으로 제시하는 회의방식의 집단사고기법이다. 참가자들이 될 수 있는 대로 많은 독창적 의견을 내도록 노력해야 하기 때문에 이미 제안된 여러 아이디어를 종합하여 새로운 아이디어를 만들어내는 편승기법의 사용을 지양한다.

선지분석

① 델파이기법(delphi method)은 문제해결의 아이디어를 제공하는 전문가들이 익명성이 보장된 상태에서 서로 대면적인 접촉을 하지 않고 독자적으로 형성된 판단들을 반복적 수렴을 통하여 종합 정리하는 방법이다.
③ 변증법적 토론(dialectical inquiry)은 정과 반의 두 집단으로 나누어 토론을 진행하기 때문에, 정·반·합의 과정을 거치는 동안 특정 대안의 장점과 단점이 최대한 노출되게 된다.
④ 명목집단기법(nominal group method)은 토론이 진행되기 전에 개인들이 각각 해결방안을 구상하고 그에 대해 제한된 집단 토론만 한 다음, 대안에 대한 표결로 의사를 결정하는 기법이다.

답 ②

20 집단적 의사결정기법

명목집단기법은 집단 구성원 간 활발한 의사소통이 어렵다는 단점이 있다. 명목집단기법은 의사결정의 과정이 구조화되어 있기 때문에 융통성이 적고 도중에 문제를 바꾸거나 수정하는 것이 곤란하며, 구성원들은 자신의 아이디어를 서면으로 정리하고 모든 아이디어가 제안될 때까지는 토의를 하지 않기 때문에 활발한 의사소통이 이루어지기는 어려운 방식이다.

선지분석

① 델파이기법은 문제해결의 아이디어를 제공하는 전문가들이 익명성이 보장된 상태에서 서로 대면적인 접촉을 하지 않고 독자적으로 형성된 판단들을 반복적 수렴을 통하여 종합 정리하는 방법이다.
② 브레인스토밍은 아이디어 개발단계와 평가단계로 나누어서 진행되며, 아이디어 개발단계에서는 최대한 많은 아이디어를 도출하여야 하기 때문에 개발단계의 분위기는 개방적으로 자유롭게 유지되며, 타인의 아이디어를 비판하거나 평가하지 말아야 한다.
③ 지명반론자기법은 특정 개인이나 집단을 반론자로 지명하고, 반론자들이 의도적으로 본래 대안의 단점과 약점을 적극적으로 지적하여 대안을 도출해내는 기법이다.

답 ④

21 □□□

2019년 지방직 9급

정책 환경의 불확실성을 극복하는 대처방안 중 소극적인 방법에 해당하는 것은?

① 상황에 대한 정보의 획득
② 정책실험의 수행
③ 협상이나 타협
④ 지연이나 회피

22 □□□

2019년 국가직 7급

다음에서 설명하는 의사결정 휴리스틱스(heuristics)의 오류는?

> 사람들에게 10명의 사람으로부터 무작위로 k명의 위원회를 구성하라고 하고, k가 2일 때와 8일 때 어느 경우에 구성되는 위원회의 '경우의 수'가 더 클 것인지를 판단하게 하였다. 이때 대부분의 사람들은 2일 경우가 더 많다고 답한다. 이는 2명의 위원회를 생각하는 것이 8명의 서로 다른 위원회를 생각하는 것보다 더 쉽기 때문이다. 하지만 실제로 2명일 때와 8명일 때의 조합 가능한 위원회의 수는 같다.

① 고착화와 조정(anchoring & adjustment)으로 인한 오류
② 허위상관(illusory correlation)으로 인한 오류
③ 상상의 용이성(imaginability)으로 인한 오류
④ 사례의 연상가능성(retrievability of instances)으로 인한 오류

21 | 불확실성을 극복하는 대처방안

지연이나 회피 방법은 정책 환경의 불확실성을 극복하는 대처방안 중 소극적인 방법에 해당한다.

선지분석

①, ②, ③ 상황에 대한 정보의 획득, 정책실험의 수행, 협상이나 타협은 불확실성에 적극적으로 대처하는 방안에 해당한다.

답 ④

22 | 휴리스틱스(heuristics)의 오류

휴리스틱스(heuristics)란 경험에 기반하여 문제를 해결하거나 학습하거나 발견해내는 방법을 말한다. 제시문은 의사결정자가 생각 또는 상상이 쉬운 방향으로 의사결정을 하는 것으로, 상상의 용이성으로 인한 오류에 해당한다.

선지분석

① 고착화와 조정으로 인한 오류란 상황의 초기 값으로부터 추정을 시작하고 조정은 불충분하게 이루어져 서로 다른 출발점은 서로 다른 결과를 유발하게 되는 오류이다.
② 허위상관으로 인한 오류란 실제로 상관관계가 없음에도 불구하고 두 변수 간에 상관관계가 높을 것이라고 착각하기 쉬운 경우, 두 변수가 함께 일어날 가능성을 높게 평가하는 오류이다.
④ 사례의 연상가능성으로 인한 오류란 사건의 빈도를 판단할 때 그 사례가 친숙할수록, 현저하게 클수록, 최근의 사례일수록 연상가능성이 증가하는 오류이다.

답 ③

23 □□□

2010년 국가직 9급

미래에 대한 불확실성을 주어진 조건으로 보고 그 안에서 결과를 예측하는 방법으로, 미래에 발생할 수 있는 최악의 상황을 전제하고 정책대안의 결과를 예측하는 방법은?

① 중복적 또는 가외적 대비(redundancy)
② 민감도분석(sensitivity analysis)
③ 보수적 결정(conservation decision)
④ 분기점분석(break-even analysis)

24 □□□

2011년 지방직 9급

나카무라(Nakamura)와 스몰우드(Smallwood)가 정책대안의 소망스러움(desirability)을 평가하는 기준으로 제시하지 않은 것은?

① 노력
② 능률성
③ 효과성
④ 실현가능성

23 보수적 결정

미래에 발생할 수 있는 최악의 상황을 전제하고 정책대안의 결과를 예측하는 것은 보수적 결정방법에 해당한다.

(선지분석)

① 중복적 또는 가외적 대비는 특정한 체제가 장래에 불확실한 상황에 노출되었을 때 발생하게 될지도 모르는 적응의 실패를 방지함으로써 특정체제의 환경에 대한 신뢰성과 안정성을 제고시키는 개념이다.
② 민감도분석은 모형의 파라미터가 불확실할 때 여러 가지 가능한 값에 따라 대안의 결과가 어떻게 달라지는지를 분석하는 것이다.
④ 분기점분석은 악조건 가중분석의 결과 대안의 우선순위가 달라질 경우 대안들이 동등한 결과를 가져오기 위해서는 어떤 가정이 필요한지를 밝히는 분석방법이다.

답 ③

24 나카무라와 스몰우드의 정책대안 평가기준

나카무라(Nakamura)와 스몰우드(Smallwood)는 정책대안의 평가기준을 소망성과 실현가능성으로 나누고, 소망성에 능률성, 효과성, 형평성, 대응성, 적합성, 적절성, 노력을 포함시켰다.

나카무라와 스몰우드의 정책대안 평가기준 - 소망성

기준	내용
능률성	• 최소의 투입으로 최대의 산출 • 장점: 자원의 최적배분 도모 • 단점: 평등성·공평성의 문제 고려 불가
효과성	• 목표의 달성 여부 • 장점: 정책목표달성의 극대화 • 단점: 지불해야 하는 비용을 고려하지 않음
형평성	• 다양한 집단 간에 비용과 편익의 배분 • 장점: 다수의 사람(특히 소외계층)에게 보다 적은 비용으로 많은 혜택 제공 • 단점: 능률성·효과성과 상충할 가능성이 큼
대응성	정책 대상집단의 요구 충족 정도(정책만족도와 관련하여 평가)
적합성	목표가 바람직한 정도(중요 가치의 반영 여부) → 방향성
적절성	문제해결에 기여한 정도 → 충분성
노력	사업활동에 투자될 질적·양적 투입이나 에너지

답 ④

25 □□□
2020년 지방직 9급

비용편익분석에 대한 설명으로 옳지 않은 것은?

① 분야가 다른 정책이나 프로그램은 비교할 수 없다.
② 정책대안의 비용과 편익을 모두 가시적인 화폐가치로 바꾸어 측정한다.
③ 미래의 비용과 편익의 가치를 현재가치로 환산하는데 할인율(discount rate)을 적용한다.
④ 편익의 현재가치가 비용의 현재가치를 초과하면 순현재가치(NPV)는 0보다 크다.

26 □□□
2019년 서울시 7급

정책, 사업 등에 대한 타당성을 평가하는 비용편익분석 결정을 위한 기준에 해당하지 않는 것은?

① 편익 비용 비율
② 생산성 지표
③ 순현재가치
④ 내부 수익률

25 비용편익분석

비용편익분석은 비용과 편익 모두를 화폐가치로 환산하여 평가하기 때문에 분야가 다른 정책이나 프로그램도 비교가 가능하다.

(선지분석)
③ 비용편익분석 시 추정된 미래에 투입될 비용과 발생할 편익을 현재가치로 환산하기 위하여 할인율을 결정하여 적용하여야 한다.
④ 편익의 현재가치가 비용의 현재가치를 초과하면 순현재가치(NPV)는 0보다 크고, 편익비용비(B/C ratio)는 1보다 크다.

답 ①

26 비용편익분석

비용편익분석 결정을 위한 기준은 '편익의 현재가치/비용의 현재가치'인 편익 비용 비율, '편익의 현재가치 - 비용의 현재가치'인 순현재가치, '연평균 기대 투자수익률'인 내부 수익률 등이 있다. 생산성 지표는 기업의 성과와 효율을 측정하는 지표로, 자본 생산성 지표와 노동 생산성 지표가 있으며 비용편익분석 결정을 위한 기준에는 해당하지 않는다.

답 ②

27 □□□

2013년 지방직 9급

경제적 비용편익분석(benefit cost analysis)에 대한 설명으로 옳지 않은 것은?

① 비용과 편익을 가치의 공통단위인 화폐로 측정한다.
② 장기적인 안목에서 사업의 바람직한 정도를 평가할 수 있는 방법이다.
③ 편익비용비(B/C ratio)로 여러 분야의 프로그램들을 비교할 수 있다.
④ 형평성과 대응성을 정확하게 대변할 수 있는 수치를 제공한다.

28 □□□

2017년 서울시 7급

정부의 예산분석에 활용되는 비용편익분석에 대한 설명으로 가장 옳지 않은 것은?

① 예산편성 과정에서 사업의 타당성과 우선순위를 식별하는 분석도구로 사용된다.
② 완전경쟁적인 가격으로 조정된 시장가격을 잠재가격(shadow price)이라 한다.
③ 전체 이자를 계산하는 데 사용되는 일반적인 방법은 복리접근방법이다.
④ 높은 할인율을 적용하면 장기간에 걸쳐 편익이 발생하는 장기 투자에 유리하다.

27 비용편익분석

비용편익분석은 공공지출의 비용과 편익을 경제적인 시각에서 분석하여 자원배분의 효율성을 극대화시키기 위한 방법이다. 따라서 형평성과 대응성을 분석하는 기법이 아니며, 오히려 경제적인 지표만을 분석대상으로 삼기 때문에 형평성과 대응성을 저해할 수 있다.

선지분석

① 비용편익분석은 공공투자사업에 따른 모든 비용과 편익을 현재가치로 산정한 화폐단위로 환산하여 비교하고 평가한다.
② 비용편익분석은 장기적인 시각으로 분석하는 기법이다.
③ 비용편익비(B/C ratio)는 사업의 규모가 상이할 경우 순현재가치(NPV)의 한계를 보완하기 위해 보조적으로 이용되며, 여러 분야의 프로그램들을 비교할 수 있다.

답 ④

28 비용편익분석

할인율은 미래에 투입될 비용과 편익을 현재가치로 환산할 때 사용하는 비율로서 현재가치와 비례하지만 미래가치와는 반비례 관계에 있다. 따라서 높은 할인율을 적용하면 장기간에 걸쳐 편익이 발생하는 장기 투자에 불리하다.

선지분석

① 비용편익분석은 공공사업의 경제적 타당성을 파악하는 기법으로, 다양한 공공사업의 우선순위에 대한 비교가 가능하다.
② 비용편익분석은 기회비용의 산정 시 시장가격이 아닌 완전경쟁시장에서 형성되는 잠재가격을 사용하는 경우가 많다.
③ 단리접근방법은 거의 사용되지 않는다.

답 ④

29 □□□

2018년 국가직 7급

비용편익분석에 대한 내용으로 옳지 않은 것은?

① 재화에 대한 잠재가격(shadow price)의 측정과정에서 실제 가치를 왜곡할 수 있다.
② 내부수익률(internal rate of return)은 순현재가치를 영으로 만드는 할인율을 말한다.
③ 칼도 - 힉스기준(Kaldor - Hicks criterion)은 재분배적 편익의 문제를 중시한다.
④ 정책대안이 가져오는 모든 비용과 편익을 측정하려고 하며, 화폐적 비용이나 편익으로 쉽게 측정할 수 없는 무형적인 것도 포함된다.

30 □□□

2008년 국가직 7급

비용편익분석(cost-benefit analysis)에 관한 설명으로 옳지 않은 것은?

① 기회비용에 의해 모든 가치가 평가되어야 한다는 가정하에서 이루어진다.
② 미래에 발생할 비용과 편익을 화폐적 단위로 표시하고 계량적인 환산을 한다.
③ 비용에 비해 효과가 장기적으로 발생한다면, 할인율이 높을수록 순현재가치가 커져 경제적 타당성이 높게 나타난다.
④ 적절한 할인율이 주어지지 않을 때는 내부수익률 기준을 사용하며, 내부수익률이 시장이자율을 상회하면 일단 투자가치가 있다고 판단한다.

29 | 비용편익분석

칼도-힉스기준은 사회총편익이 사회총비용보다 크다면 사업의 타당성이 있다고 인정하는 능률성 판단의 기준이다. 이는 형평성이나 재분배적 편익의 문제를 다루지 못하며, 분배정책의 비용편익분석에 일반적으로 활용되고 있다.

선지분석

① 비용편익분석의 적절한 수행을 위해서는 재화를 현시장가격이 아닌 완전경쟁시장에서의 잠재가격을 적용하는데, 잠재가격 산정 시 측정과정에서 실제 가치가 왜곡될 수 있다.
② 내부수익률은 총편익의 현재가치와 총비용의 현재가치를 같게 만드는 할인율을 말한다.
④ 비용편익분석 시 화폐적 비용과 편익으로 쉽게 측정할 수 없는 무형적인 것도 화폐로 환산하여 평가한다.

답 ③

30 | 비용편익분석

비용에 비해서 효과가 장기적으로 발생한다면, 할인율이 높을수록 순현재가치가 낮아지기 때문에 경제적 타당성이 작게 나타난다.

선지분석

① 비용편익분석 시 기회비용을 고려하여 모든 가치에 대한 평가가 이루어져야 한다.
② 미래에 발생가능한 비용과 편익을 현재가치로 산정한 화폐단위로 추정한다.
④ 내부수익률은 적절한 할인율이 주어지지 않을 때 사용하는 일종의 예상수익률로, 내부수익률이 사회적 할인율보다 클 때 경제성이 있다고 간주한다.

답 ③

31 □□□

2014년 지방직 7급

비용편익분석에 대한 설명으로 옳지 않은 것은?

① 바람직한 대안을 선택하는 것뿐만 아니라, 단일 정책의 비용과 편익의 비교에도 이용된다.
② 적용되는 할인율이 낮을수록 미래 금액의 현재가치는 높아지게 된다.
③ 비용편익비(B/C ratio)가 1보다 큰 사업은 경제적으로 타당성이 있다고 볼 수 있다.
④ 내부수익률(IRR)은 순현재가치(NPV)를 1로 만드는 할인율을 의미한다.

32 □□□

2010년 국가직 9급

정책대안의 비교평가기준 중 내부수익률(IRR; Internal Rate of Return)에 대한 설명으로 옳지 않은 것은?

① 여러 가지 정책대안들을 비교할 때, 내부수익률이 낮은 대안일수록 좋은 대안이다.
② 정책대안의 순현재가치를 0으로 만드는 할인율을 의미한다.
③ 사업이 종료된 후 또다시 투자비가 소요되는 변이된 사업 유형에서는 복수의 내부수익률이 존재할 수 있다.
④ 내부수익률에 의한 사업의 우선순위는 순현재가치에 의한 사업의 우선순위와 다를 수 있다.

31 비용편익분석

내부수익률(IRR)이란 총편익(B)의 현재가치와 총비용(C)의 현재가치를 같게 만드는 할인율을 의미한다. 즉, 순현재가치(NPV)를 0으로, 편익비용비(B/C)를 1로 만드는 할인율이다.

(선지분석)

① 비용편익분석은 여러 대안을 비교할 경우 사용되고, 단일 정책의 비용 대비 편익의 분석 시에도 활용된다.
② 할인율은 미래에 투입될 비용과 발생할 편익을 현재가치로 환산할 때 사용하는 비율로, 편익이 장기간에 걸쳐 발생하는 장기투자사업일 경우 할인율이 낮은 것이 유리하다.
③ 비용편익비(B/C ratio)는 비용의 현재가치에 대한 편익의 현재가치의 비율을 의미하는 것으로, 비용편익비(B/C ratio)가 1보다 클 경우 경제성이 있다고 간주된다.

답 ④

32 내부수익률

내부수익률(IRR)은 사회적 할인율보다 클 때 경제성이 있다고 간주하며, 내부수익률(IRR)이 클수록 경제성이 커진다.

(선지분석)

③ 사업이 우선 종료된 후 재화 투자비 등이 소요되는 형태의 사업에서는 여러 개의 내부수익률이 존재할 가능성이 있다.
④ 순현재가치만으로 우선순위를 판단할 경우 사업 규모가 크면 우선순위가 올라갈 수 있으므로, 내부수익률에 의한 사업의 우선순위와 순현재가치에 의한 사업의 우선순위는 다를 수 있다.

답 ①

33 □□□

2014년 서울시 9급

A사업을 집행하기 위하여 소요된 총비용은 80억 원이고, 1년 후의 예상 총편익은 120억 원일 경우에, 내부수익률은 얼마인가?

① 67%
② 50%
③ 40%
④ 25%
⑤ 20%

34 □□□

2016년 지방직 9급

비용편익분석과 비용효과분석에 대한 설명으로 옳지 않은 것은?

① 순현재가치(NPV)는 할인율의 크기에 따라 그 값이 달라지지만, 편익비용비(B/C ratio)는 할인율의 크기에 영향을 받지 않는다.
② 내부수익률은 공공프로젝트를 평가하는 데 적절한 할인율이 알려져 있지 않을 경우 유용하게 사용할 수 있다.
③ 비용효과분석은 비용과 효과가 서로 다른 단위로 측정되기 때문에 총효과가 총비용을 초과하는지의 여부에 대한 직접적 증거는 제시하지 못한다.
④ 비용효과분석은 산출물을 금전적 가치로 환산하기 어렵거나, 산출물이 동일한 사업의 평가에 주로 이용되고 있다.

33 | 내부수익률

내부수익률은 총비용과 총편익을 같게 만들어주는 할인율로, 공식에 대입해보면 80 = 120(1/1+r)이 된다. 따라서 내부수익률(r)은 0.5(50%)이다.

답 ②

34 | 비용편익분석과 비용효과분석

순현재가치(NPV)와 편익비용비(B/C ratio)는 모두 할인율을 기준으로 현재가치를 평가하기 때문에 할인율의 크기에 영향을 받는다.

(선지분석)

② 내부수익률은 적절한 할인율이 주어지지 않을 때 사용하는 일종의 예상수익률로, 국제기구에서 가장 많이 활용된다.
③ 비용효과분석은 비용과 효과가 서로 다른 단위로 측정되기 때문에 둘의 직접적인 비교가 불가능하다.
④ 비용효과분석은 효과를 화폐가치로 환산하기 어려운 국방·경찰·보건 등 무형 사업의 분석에 효과적이며, 동종 사업간 비교에 이용된다.

답 ①

35 □□□

2011년 국가직 7급

다음이 설명하는 정책분석방법은?

> 정책의 우선순위를 설정하고 예측을 하는 데 있어서, 하나의 문제를 더 작은 구성요소로 분해하고, 이 요소들을 둘씩 짝을 지어 비교하는 일련의 비교판단을 통해 각 요소들의 영향력에 대한 상대적인 강도와 효용성을 나타내는 방법이다.

① 계층화분석법(analytical hierarchy process)
② 교차충격매트릭스방법(cross inpactmatrix)
③ 정책델파이방법(policy delphi method)
④ 외삽법(extrapolation)

36 □□□

2009년 지방직 7급

계층화분석법(AHP; Analytical Hierarchy Process)에 대한 설명으로 옳지 않은 것은?

① 1970년대 사티(Thomas Saaty) 교수에 의해 개발되어 광범위한 분야의 예측에 활용되어 왔다.
② 불확실성을 나타내는 데 확률 대신에 우선순위를 사용한다.
③ 두 대상의 상호 비교가 불가능한 경우에도 사용할 수 있다는 장점을 지니고 있다.
④ 기본적으로 시스템이론에 기초를 두고 있다.

35 계층화분석법

계층화분석법은 정책문제상황의 가능성 있는 원인을 식별하기 위한 방법이다. 의사결정대안의 우선순위를 결정하거나 미래를 예측하는 데 널리 이용되며, 하나의 문제를 시스템으로 보고 당면한 문제를 여러 개의 계층으로 분해한 후 각 계층별로 복수의 평가기준들을 얼마나 만족시키는가에 따라 대안들의 선호도를 종합적으로 평가하는 질적 분석방법이다.

(선지분석)
② 교차충격매트릭스방법은 여러 가지 다른 예측결과 간의 상호작용을 비교·분석한 것으로 교차영향분석의 일종이다.
③ 정책델파이방법은 델파이방법을 정책대안의 분석에 적용하여 정책대안을 광범위하게 추출하고 비교·평가하는 것이다.
④ 외삽법은 알려진 구간 값을 이용하여 알려지지 않은 값을 추정하는 시계열분석에 해당한다.

답 ①

36 계층화분석법

계층화분석법은 의사결정의 목표나 평가기준이 다수이며 복합적인 경우, 이를 계층화하여 요인들을 나누고 그 나눈 요인들을 쌍대 비교하여 중요 우선순위를 분석하는 방법으로서 두 대상의 상호 비교가 불가능한 경우에는 사용할 수 없다.

(선지분석)
② 계층화분석법은 불확실성을 나타내는 데 확률이 아닌, 대안 간 쌍대 비교(짝짓기 비교)를 통한 우선순위를 사용한다.
④ 계층화분석법은 하나의 문제를 더 작은 구성요소로 분해한 뒤 분석하므로, 문제가 시스템(체제)이론에 기반하여 상위 체제와 하위 체제로 구성된다는 점에 기초한다.

답 ③

37 □□□

2017년 서울시 7급

정책분석의 기법과 그 내용의 연결로 가장 옳은 것은?

① DEA 분석 - 정책의 우선순위 선정을 위한 기법
② AHP 분석 - 생산성 · 효율성 분석을 위한 기법
③ Q-방법론 - 주관적 요인을 측정하기 위한 기법
④ 시나리오기법 - 전문가들의 주관적 의견을 수렴하기 위한 기법

38 □□□

2015년 국회직 8급

미래예측기법에 대한 설명 중 옳지 않은 것은?

① 비용편익분석은 정책의 능률성 내지 경제성에 초점을 맞춘 정책분석의 접근방법이다.
② 판단적 미래예측에서는 경험적 자료나 이론이 중심적인 역할을 한다.
③ 추세연장적 미래예측기법들 중 하나인 검은줄기법(black thread technique)은 시계열적 변동의 굴곡을 직선으로 표시하는 기법이다.
④ 교차영향분석은 연관사건의 발생 여부에 따라 대상 사건이 발생할 가능성에 관한 주관적 판단을 구하고 그 관계를 분석하는 기법이다.
⑤ 이론적 미래예측은 인과관계분석이라고도 하며 선형계획, 투입 · 산출분석, 회귀분석 등을 예로 들 수 있다.

37 정책분석의 기법

Q-방법론은 인간의 주관성 연구를 위해 심리학은 물론 사회과학 전반에 걸쳐 사용되고 있는 접근방법으로, 연구방법인 동시에 분석방법에 해당한다. 이것은 여러 사람들에 걸쳐 어떤 속성들 사이의 상관관계에 초점을 맞춘 행태주의와는 달리, 주관적 속성들에 걸쳐 사람들 사이의 상관관계를 찾아내는 방법이다.

선지분석

① DEA 분석, 즉 자료표괄분석(Data Envelopment Analysis)은 생산성·효율성 분석을 위한 성과분석기법이다.
② AHP 분석, 즉 계층화분석법(Analysis of Hierarchical Process)은 쌍대비교 등으로 정책의 우선순위 선정을 위한 시스템분석기법이다.
④ 시나리오기법은 미래에 나타날 가능성이 있는 여러 가지 시나리오를 구상해 각각의 전개 과정을 추정하는 기법이다. 전문가들의 주관적 의견을 수렴하기 위한 기법에는 델파이기법이 있다.

답 ③

38 미래예측기법

판단적 미래예측기법은 경험적 자료나 이론이 아니라 전문가나 경험자들의 주관적인 견해에 의존하는 질적이고 주관적인 예측기법이다.

선지분석

① 비용편익분석은 분배적 차원의 형평성이 아닌 경제적 효율성에 초점을 둔다.
④ 교차영향분석은 어떠한 사건에 영향을 미치는 선행사건을 규명함으로써 현재의 상황을 기반으로 미래를 예측하는 주관적·질적 분석기법이다.
⑤ 이론적 미래예측은 여러 이론의 인과관계의 가정에 기초하여 미래를 예측하는 연역적·양적 분석기법이며, 선형계획, 투입·산출분석, 회귀분석, 상관분석, 경로분석, 구간추정, 이론지도 등이 있다.

답 ②

THEME 031 정책결정모형

39 □□□

2020년 지방직 9급

정책결정모형에 대한 설명으로 옳은 것만을 모두 고르면?

ㄱ. 만족모형에서는 정책결정을 근본적 결정과 세부적 결정으로 구분한다.
ㄴ. 점증주의 모형은 현상유지를 옹호하므로 보수적이라는 비판을 받고 있다.
ㄷ. 쓰레기통모형에서 의사결정의 4가지 요소는 문제, 해결책, 선택기회, 참여자이다.
ㄹ. 갈등의 준해결과 표준운영절차(SOP)의 활용은 최적모형의 특징이다.

① ㄱ, ㄴ
② ㄱ, ㄹ
③ ㄴ, ㄷ
④ ㄷ, ㄹ

40 □□□

2019년 서울시 9급

합리성의 제약요인으로 가장 옳지 않은 것은?

① 다수 간의 조화된 가치선호
② 감정적 요소
③ 비용의 과다
④ 지식 및 정보의 불완전성

39 정책결정모형

ㄴ. 점증모형은 현 상황에서의 소폭적 변화만을 추구하므로 현상유지적이고 보수적인 성격을 보인다.
ㄷ. 쓰레기통모형에서는 의사결정의 4가지 요소가 독립적으로 흘러다니다가 우연히 결합할 때 의사결정이 이루어진다고 본다.

선지분석

ㄱ. 정책결정을 근본적 결정과 세부적 결정으로 구분하는 것은 에치오니(Etzioni)의 혼합모형이다. 혼합모형은 정책결정을 근본적 결정과 세부적 결정으로 구분하여 근본적 결정은 합리적으로, 세부적 결정은 점증적으로 접근한다. 만족모형은 사이먼(Simon)과 마치(March)가 주장한 정책결정모형이다. 만족모형은 정책결정자를 합리모형이 가정하는 완전한 합리성을 지닌 경제인이 아닌 제한적 합리성을 지닌 행정인으로 가정하여, 여러 제약요인의 고려하에 만족할만한 수준에서 정책을 결정하는 모형이다.
ㄹ. 갈등의 준해결과 표준운영절차(SOP)의 활용은 최적모형이 아닌 회사모형의 특징이다.

답 ③

40 합리성의 제약요인

다수 간의 조화된 가치를 선호한다면 합리성이 증진될 수 있다.

합리성의 제약요인

구분	내용
인적 요인	• 정책결정자의 가치관 및 태도의 차이로 인한 갈등 발생 • 인지능력과 전문지식의 부족 • 권위주의적 사고방식, 무사안일 등의 병리적 행태 • 결정자의 편견 등과 같은 선입견
구조적 요인	• 표준운영절차(SOP) 등에 집착하는 선례답습적 보수주의 • 집권적·할거적 조직구조 • 정책참모기관의 약화와 전담기구의 부재 • 정보와 자료의 부족과 부정확성 • 집단사고로 인한 대안분석과 이의제기 억제 현상
환경적 요인	• 사회문제와 목표의 다양성·무형성 • 이미 지출되어 회수가 불가능한 매몰비용에 집착 • 공적 문제에 대해 국민의식이 부족한 피동적인 사회문화적 관습 • 결정자가 속한 외부 준거집단(이익집단)의 영향력 • 지대추구나 포획 현상 등으로 정책결정 과정 폐쇄화

답 ①

41 □□□

2019년 서울시 7급

의사결정모형에 대한 설명으로 가장 옳지 않은 것은?

① 합리모형은 대안을 포괄적으로 탐색하고 대안의 결과도 포괄적으로 고려한다.

② 합리모형은 국가권력이 사회 각 계층에 분산된 사회에서 주로 활용된다.

③ 점증모형은 다원화된 민주사회에 적합하다.

④ 혼합주사모형은 범사회적 지도체제로서의 틀을 갖춘 능동적 사회에 적용하는 것이 바람직하다.

42 □□□

2017년 국회직 8급

다음 중 정책결정모형에 대한 설명으로 옳지 않은 것은?

① 사이먼(Simon)은 결정자의 인지능력의 한계, 결정상황의 불확실성 및 시간의 제약 때문에 결정은 제한적 합리성의 조건하에 이루어지게 된다고 주장한다.

② 점증모형은 이상적이고 규범적인 합리모형과는 대조적으로 실제의 결정상황에 기초한 현실적이고 기술적인 모형이다.

③ 혼합모형은 점증모형의 단점을 합리모형과의 통합으로 보완하려는 시도이다.

④ 쓰레기통모형에서 가정하는 결정상황은 불확실성과 혼란이 심한 상태로 정상적인 권위구조와 결정규칙이 작동하지 않는 경우이다.

⑤ 합리모형에서 말하는 합리성은 정치적 합리성을 의미한다.

41 의사결정모형

국가권력이 사회 각 계층에 분산된 사회에서 주로 활용되는 모형은 점증모형이다. 합리모형은 주로 개발도상국에서 활용된다.

선지분석

① 합리모형은 대안 및 대안의 결과를 포괄적·총체적으로 고려한다.

③ 점증모형은 서구 선진사회의 의사결정을 설명하는 데 적합한 모형이다.

④ 에치오니(Etzioni)는 합리모형은 전체주의 사회에, 점증모형은 민주주의 사회에, 혼합주사모형은 능동적·활동적 사회에 적합하다고 주장하였다.

답 ②

42 정책결정모형

합리모형에서 말하는 합리성은 경제적 합리성을 의미한다. 정치적 합리성은 점증모형에서 강조하는 합리성이다.

선지분석

① 사이먼(Simon)은 인간을 제한적 합리성을 가진 행정인으로 가정하여 인지능력, 시간, 경비 부족 등 현실에서의 여러 제약요인들의 영향을 고려할 수밖에 없음을 주장한다.

② 점증모형은 합리적 정책결정의 비현실성이나 복잡성을 비판한 현실적이고 실증적인 모형으로 정책결정의 현실적 모습을 기술하고, 복잡한 환경 속의 불확실성을 극복할 수 있는 방안을 제시한다.

③ 혼합모형은 에치오니(Etzioni)가 주장한 것으로, 합리모형과 점증모형을 절충하여 개발한 모형이다.

④ 쓰레기통모형은 조직화된 무정부 상태에서 의사결정이 이루어진다고 강조한 모형이다.

답 ⑤

43 □□□ 2016년 서울시 7급

다음 중 정책결정모형에 대한 설명으로 가장 옳지 않은 것은?

① 점증모형에서는 기존 정책을 수정 보완해 약간 개선된 상태의 정책대안을 채택하는 것이 일반적이다.
② 사이버네틱스(cybernetics)모형은 습관적 의사결정을 설명하는 데에 활용된다.
③ 최적모형(optimal model)은 기존의 계량적 분석뿐만 아니라 직관적 판단에 의한 결정도 중요시한다.
④ 합리모형은 제한된 합리성(bounded rationality)에 의거하여 효용을 계산하며 효용을 극대화할 수 있는 대안을 선택한다.

44 □□□ 2013년 서울시 7급

합리모형에서 설명하는 합리성의 가정과 가장 거리가 먼 것은?

① 문제상황에 대한 명확성
② 각 대안 간의 우선순위의 명확성
③ 목표달성에 대한 만족기준의 명확성
④ 각 대안의 비용과 편익의 명확성
⑤ 달성하고자 하는 목표의 명확성

43 정책결정모형

합리모형은 목표나 가치가 명확하게 고정되어 있고 정책결정자가 이를 달성하기 위해 고도의 이성과 합리성에 근거하여 결정하고 행동한다고 주장하는 이론으로, 인간을 전지전능한 경제인으로 가정한다. 따라서 합리모형은 완전한 합리성에 의거하여 효용을 계산하며 효용을 극대화할 수 있는 대안을 선택한다.

(선지분석)

① 점증모형은 현재 시행 중인 혹은 과거에 시행했던 정책에 약간의 가감을 하여 정책을 결정하는 것으로, 비교적 한정된 수의 정책대안과 그 결과만을 검토하고 평가한다.
② 사이버네틱스(cybernetics)모형은 고차원의 목표가 반드시 사전에 존재하는 것으로 전제하지 않아 의사결정자는 대안의 결과에 대한 고려를 하지 않으며, 일정한 중요 변수를 바람직한 상태로 유지하기 위한 끊임없는 적응에 초점을 두고 적응적·비목적적·습관적 의사결정을 한다.
③ 최적모형(optimal model)은 정책이 합리적 요인과 초합리적 요인을 동시에 다루므로 결정자의 직관적 판단도 중요한 요소로 고려하여, 양적 분석과 질적 분석을 모두 중시한다고 본다.

답 ④

44 합리모형

목표달성에 대한 만족기준의 명확성은 합리모형이 아닌 만족모형과 관련이 있다. 만족모형은 합리모형이 가정하는 완전한 합리성을 지닌 경제인이 아닌 제한적 합리성을 지닌 행정인을 가정하여, 여러 제약요인의 고려하에서 만족할 만한 대안을 선택하는 모형이다.

답 ③

45 □□□

2015년 사회복지직 9급

다음 설명에 해당하는 정책결정모형은?

- 정책결정은 부분적 · 순차적으로 이루어진다.
- 집단의 합의를 중시하는 특징이 있다.
- 정책을 축소하거나 종결하기 어렵다.

① 합리모형
② 최적모형
③ 점증모형
④ 만족모형

45 점증모형

제시문은 점증모형에 대한 설명이다. 점증모형은 인간의 지적 능력의 한계와 정책결정수단의 기술적 제약을 인정하고, 정책결정 과정에 있어 대안선택은 종래의 정책이나 결정의 수정 내지 약간의 향상으로 이루어진다고 본다.

합리모형, 만족모형, 점증모형 비교

합리모형	만족모형	점증모형
• 완전한 합리성 • 목표와 수단 구분 • 모든 대안 고려 • 최적대안 선택 • 규범적	• 제한된 합리성 • 목표 간소화 • 중요 대안 고려 • 만족대안 선택 • 경험적	• 정치적 합리성 • 목표와 수단 미구분 • 기존 대안 ± α • 향상된 대안 선택 • 규범적 + 경험적

답 ③

46 □□□

2014년 국가직 9급

정책결정모형 중에서 점증모형을 주장하는 논리적 근거로 적절하지 않은 것은?

① 정치적 실현가능성
② 정책 쇄신성
③ 매몰비용
④ 제한적 합리성

46 점증모형

정책 쇄신성은 합리모형의 특징이다. 점증모형은 약간 향상된 대안을 중시하기 때문에 점진적인 변화를 추구한다.

합리모형과 점증모형 비교

합리모형	점증모형
• 경제적 합리성(객관적) • 모든 대안 • 매몰비용 무시 • 합리적 경제인 • 연역적 접근 • 목표와 수단의 구분 • 전체적 최적화 • 단발적 · 동시적 · 총체적 · 하향적 분석 • 평가: 목표달성도	• 정치적 합리성(협상, 조정) • 한정된 대안 • 매몰비용 고려 • 정치적 인간 • 귀납적 접근 • 목표와 수단의 상호 의존성 • 부분적 최적화 • 계속적 · 점진적 · 부분적 · 상향적 분석 • 평가: 바람직하지 않은 상황 수정

답 ②

47 □□□

2015년 국가직 7급

정책결정모형 중 점증모형에 대한 설명으로 옳지 않은 것은?

① 정치적 현상유지를 옹호하므로 보수적이라는 비판을 받고 있다.
② 가장 합리적인 대안을 선택하기 위해 모든 대안을 검토해야 한다.
③ 정책결정과정에서 참여집단의 합의를 중시한다.
④ 목표와 수단이 뚜렷하게 구분되지 않기 때문에 목표 - 수단에 대한 분석은 부적절하다.

48 □□□

2014년 사회복지직 9급

정책결정의 유형 가운데 린드블럼(Lindblom)과 윌다브스키(Wildavsky) 등이 주장한 점증주의(Incrementalism)에 대한 설명으로 옳지 않은 것은?

① 합리적인 요소뿐만 아니라 직관과 통찰력과 같은 초합리적 요소의 중요성을 강조한다.
② 기존의 정책에서 소폭의 변화를 조정하여 정책대안으로 결정한다.
③ 정책결정은 다양한 정치적 이해관계자들의 타협과 조정의 산물이다.
④ 정책의 목표와 수단은 뚜렷이 구분되지 않으므로 목표와 수단 사이의 관계분석은 한계가 있다.

47 점증모형

가장 합리적인 대안을 선택하기 위해 모든 대안을 검토하는 것은 합리모형의 특징이다. 점증모형은 모든 대안을 검토하는 것이 아니라 몇 개의 대안만을 분석하여 점진적인 변화를 추구한다.

선지분석

① 기존세력의 이익을 반영하여 불평등한 사회를 초래할 수 있고, 정치적 현상유지를 옹호하여 보수적이라는 비판을 받는다.
③ 정책과정을 한계적 변화를 추구하며 그러한 과정에서 갈등과 대립이 발생하는 진흙탕 헤쳐 나가기(muddling through)의 과정으로 보면서, 타협이나 협상을 통해 극복하려고 하는 정치적 합리성을 중시한다.
④ 목표를 고정된 것으로 보지 않고 목표와 수단을 상호 조정하는 방식으로 정책결정을 시도하며, 목표-수단분석을 실시하지 않는다.

답 ②

48 점증주의

합리적인 요소뿐만 아니라 직관과 통찰력과 같은 초합리적 요소의 중요성을 강조하는 것은 드로(Dror)가 주장한 최적모형에 대한 설명이다.

선지분석

② 점증주의는 상황변화를 고려하며 여러 차례 소폭적·점진적으로 결정을 수행하여 좀 더 합리적인 상태로 접근하며, 변화의 폭이 크지 않다.
③ 점증주의는 타협과 협상을 중시한다.
④ 점증주의는 목표와 수단의 상호의존성을 강조하며, 목표와 수단 사이의 관계분석에는 한계가 있다고 본다.

답 ①

49 □□□

2016년 국회직 8급

다음 중 점증주의적 정책결정에 대한 설명으로 옳지 않은 것은?

① 점증주의는 현실에서 이루어지는 정책결정의 실상을 비교적 정확하게 기술하고 있다.
② 인간의 제한된 합리성과 다원주의의 정치적 정당성을 정교하게 결합시켰다.
③ 정치적 갈등을 줄이고 실현가능성을 확보하여 정책결정과 집행을 용이하게 한다.
④ 상황이 복잡하여 정책대안의 결과가 극히 불확실할 때, 지속적인 수정과 보완을 통해 불확실성을 극복할 수 있다.
⑤ 비가분적(indivisible) 정책의 결정에 적용하기 용이한 모형이다.

50 □□□

2020년 국가직 9급

다음 설명에 해당하는 정책결정모형은?

> 지난 30년간 자료를 중심으로 전국의 자연재난 발생현황을 개략적으로 파악한 다음, 홍수와 지진 등 두 가지 이상의 재난이 한 해에 동시에 발생한 지역을 중심으로 다시 면밀하게 관찰하여 정책을 결정한다.

① 만족모형
② 점증모형
③ 최적모형
④ 혼합탐사모형

49 점증주의적 정책결정

비가분적, 즉 정책의 분할이 불가능한 경우에는 점증주의의 적용이 곤란하다.

선지분석

① 점증주의는 합리적 정책결정의 비현실성이나 복잡성을 비판한 현실적이고 실증적인 모형으로 정책결정의 현실적 모습을 기술한다.
② 점증주의는 인간을 완전하고 합리적인 존재로 보지 않으며, 다원주의적 정치 상황인 선진국에 적합한 정책결정 방식이다.
③ 점증주의는 정치적 합리성과 실현가능성의 제고로 인해 정책 안정성을 유지하고 정치적 갈등을 완화시킨다.
④ 점증주의는 복잡한 환경 속의 불확실성을 극복할 수 있는 방안을 제시하고, 상황이 고도로 복잡하여 합리모형의 적용이 곤란할 때 불확실성을 극복하는 하나의 방법으로 사용된다.

답 ⑤

50 정책결정모형

혼합탐사모형에 대한 설명이다. 혼합탐사모형은 에치오니(Etzioni)가 주장한 것으로, 합리모형과 점증모형을 절충하여 개발한 모형이다.

선지분석

① 만족모형은 사이먼(Simon)에 의해 주장된 사회적·심리적 의사결정모형이다. 인간을 합리모형이 가정하는 완전한 합리성을 지닌 경제인이 아닌 제한적 합리성을 지닌 행정인으로 가정하여, 여러 제약요인의 고려 하에 만족할 만한 대안을 선택한다.
② 점증모형은 린드블룸(Lindblom), 윌다브스키(Wildavsky) 등에 의해 제시된 모형이다. 인간의 지적 능력의 한계와 정책결정수단의 기술적 제약을 인정하고, 정책결정의 과정에 있어 대안선택은 종래의 정책이나 결정의 수정 내지 약간의 향상으로 이루어진다고 본다.
③ 최적모형은 드로(Dror)가 주장한 모형으로 경제적 합리성과 직관력, 판단력과 같은 초합리성을 함께 고려하여 의사결정의 최적화를 꾀하는 모형이다.

답 ④

51 □□□

2014년 국회직 8급

다음 중 정책결정의 혼합모형(Mixed Scanning Model)에 대한 설명으로 옳은 것은?

① 비정형적인 결정의 경우 직관의 활용, 가치판단, 창의적 사고, 브레인스토밍(brainstorming)을 통한 초합리적 아이디어까지 고려할 것을 주장한다.
② 거시적이고 장기적인 안목에서 대안의 방향성을 탐색하는 한편 그 방향성 안에서 심층적이고 대안적인 변화를 시도하는 것이 바람직하다.
③ 불확실성과 혼란이 심한 상태로 정상적인 권위구조와 결정규칙이 작동하지 않는 상황에 주로 적용된다.
④ 목표와 수단이 분리될 수 없으며 전체를 하나의 패키지로 하여 정치적 지지와 합의를 이끌어 내는 것이 중요하다.
⑤ 이상적인 상태를 고려한 최상의 결정은 아니지만 제약조건을 고려하여 충분히 만족할 만한 수준에서 현실적인 결정을 한다.

52 □□□

2018년 국가직 7급

혼합주사모형(mixed-scanning model)에 대한 설명으로 옳은 것은?

① 정책결정 과정을 이미 프로그램화 되어 있는 특정한 상태를 유지하기 위한 것으로 파악한다.
② 정책의 결정을 근본적 결정과 세부적 결정으로 구분한다.
③ 갈등의 준해결, 문제 중심의 탐색, 불확실성의 회피, 조직의 학습, 표준운영절차(SOP)의 활용 등을 특징으로 한다.
④ 상황 변화에 따른 새로운 정보에 초점을 맞추는 것이 아니라 극히 제한된 투입변수의 변동에 주의를 집중하여 의사결정을 한다.

51 혼합모형

혼합모형은 정책결정을 근본적 결정과 세부적 결정으로 나누어 근본적 결정은 합리모형에 따라 거시적·장기적인 안목에서 대안의 방향성을 탐색하고, 세부적 결정은 점증모형에 따라 심층적·대안적인 변화를 시도하는 것이 바람직하다고 본다.

선지분석

① 최적모형에 대한 설명이다.
③ 쓰레기통모형에 대한 설명이다.
④ 점증모형에 대한 설명이다.
⑤ 만족모형에 대한 설명이다.

답 ②

52 혼합주사모형

혼합주사모형은 합리모형과 점증모형을 절충하여 근본적 결정은 합리모형에, 세부적 결정은 점증모형에 입각하여 정책을 결정해야 한다고 보았다.

선지분석

①, ④ 사이버네틱스모형에 대한 설명이다.
③ 회사모형의 전제조건에 대한 설명이다.

답 ②

53 □□□

2013년 지방직 9급

정책결정모형 중에서 합리적인 요소와 초합리적인 요소의 조화를 강조하는 모형은?

① 최적모형(Optimal Model)
② 점증주의(Incrementalism)
③ 혼합탐사모형(Mixed-Scanning Model)
④ 만족모형(Satisficing Model)

54 □□□

2015년 국회직 8급

정책결정모형 가운데 드로(Dror)의 최적모형에 대한 설명으로 옳지 않은 것은?

① 합리적 정책결정모형이론이 과도하게 계량적 분석에 의존해 현실적합성이 떨어지는 한계를 보완하기 위해 제시되었다.
② 정책결정자의 직관적 판단도 중요한 요소로 간주한다.
③ 경제적 합리성의 추구를 기본원리로 삼는다.
④ 느슨하게 연결되어 있는 조직의 결정을 다룬다.
⑤ 양적 분석과 함께 질적 분석결과도 중요한 고려요인으로 인정한다.

53 최적모형

합리적인 요소와 초합리적인 요소의 조화를 강조하는 모형은 드로(Dror)의 최적모형(Optimal Model)이다. 최적모형은 경제적 합리성뿐만 아니라 합리모형에서 놓칠 수 있는 결정자의 직관, 영감 등을 동시에 중요시하게 다루었다.

(선지분석)

② 점증모형은 린드블럼(Lindblom), 윌다브스키(Wildavsky) 등에 의해 제시된 모형으로 정치적 다원주의의 입장을 가지고 경제적 합리성보다 정치적 합리성을 더 중시하는 모형이다.
③ 혼합탐사모형은 에치오니(Etzioni)가 주장한 것으로 합리모형과 점증모형을 절충하여 개발한 모형이다.
④ 만족모형은 사이먼(Simon)과 마치(March)에 의해 주장된 사회적·심리적 의사결정모형으로, 인간을 제한적 합리성을 지닌 행정인으로 가정하고 여러 제약요인의 고려하에서 만족할 만한 대안을 선택하는 모형이다.

답 ①

54 드로(Dror)의 최적모형

느슨하게 연결되어 있는 조직의 결정을 다루는 모형은 앨리슨(Allison)의 조직모형이다. 최적모형은 경제적 합리성과 직관, 판단력, 창의력과 같은 요인을 중심으로 한 초합리성을 고려하여 의사결정의 최적화를 꾀하는 모형이다.

(선지분석)

③ 최적모형은 경제적 합리성의 추구를 기본 원리로 삼고 이에 초합리성을 함께 고려하는 이론이다.

최적모형의 특징

1. 초합리성 강조
2. 양적인 동시에 질적인 모형
3. 경제성을 감안한 합리성
4. 확장된 환류과정

답 ④

55 □□□

2018년 서울시 7급(6월 시행)

드로(Dror)의 최적모형(optimal model)에서 말하는 메타정책결정(metapolicy making)에 대한 설명으로 가장 옳은 것은?

① 정책을 어떻게 평가할 것인가를 결정하는 '정책평가를 위한 정책결정'을 의미한다.
② 정책을 어떻게 집행할 것인가를 결정하는 '정책집행을 위한 정책결정'을 의미한다.
③ 정책을 어떻게 결정할 것인가를 결정하는 '정책결정을 위한 정책결정'을 의미한다.
④ 정책을 어떻게 종결할 것인가를 결정하는 '정책종결을 위한 정책결정'을 의미한다.

56 □□□

2016년 국회직 8급

다음 중 정책결정과 관련하여 드로(Dror)가 제시한 최적모형에서 메타정책결정 단계(meta-policy making stage)에 해당하지 않는 것은?

① 정책결정전략의 결정
② 정책결정체제의 설계 · 평가 및 재설계
③ 정책집행을 위한 동기부여
④ 문제 · 가치 및 자원의 할당
⑤ 자원의 조사 · 처리 및 개발

55 메타정책결정

최적모형(optimal model)의 메타정책결정(metapolicy making)은 최적모형에서 가장 중시하는 단계로, 정책을 어떻게 결정할 것인가를 결정하는 '정책결정을 위한 정책결정'을 의미한다.

최적모형의 정책결정의 단계

초정책결정 단계 (meta-policy making stage)	• 정책결정을 어떻게 할 것인가에 대한 결정이 이루어지는 단계 • 고도의 초합리성이 작용함
정책결정 단계 (policy making stage)	• 본래 의미의 정책결정이 이루어지는 단계 • 주로 합리성이 결정 기준으로 작용함
후정책결정 단계 (post-policy making stage)	정책결정 이후에 진행되는 정책 집행 및 평가 단계

답 ③

56 메타정책결정 단계

정책집행을 위한 동기부여는 정책결정 이후에 진행되는 정책집행 및 평가의 단계, 후정책결정 단계에 해당한다. 메타정책결정 단계는 정책결정을 어떻게 할 것인가에 대한 결정이 이루어지고 고도의 초합리성이 작용하는 단계이며 '가치의 처리 → 현실의 처리 → 문제의 처리 → 자원의 조사·처리·개발 → 정책결정시스템의 설계·평가·재설계 → 문제·가치 및 자원의 할당 → 정책결정전략의 결정'의 총 7가지 단계로 이루어진다.

답 ③

57 □□□

2015년 국가직 9급

정책결정모형 중에서 회사모형에 대한 설명으로 옳지 않은 것은?

① 회사조직이 서로 다른 목표를 지닌 구성원들의 연합체(coalition)라고 가정한다.

② 연합모형 또는 조직모형이라고 불리기도 한다.

③ 조직이 환경에 대해 장기적으로 대응하고 환경변화에 수동적으로 적응한다고 한다.

④ 문제를 여러 하위문제로 분해하고 이들을 하위조직에게 분담시킨다고 가정한다.

58 □□□

2014년 서울시 9급

사이어트(Cyert)와 마치(March)가 주장한 회사모형(firm model)의 내용이 아닌 것은?

① 조직의 전체적 목표달성의 극대화를 위하여 장기적 비전과 전략을 수립 · 집행한다.

② 조직 내 갈등의 완전한 해결은 불가능하며 타협적 준해결에 불과하다.

③ 정책결정능력의 한계로 인하여 관심이 가는 문제 중심으로 대안을 탐색한다.

④ 조직은 반복적인 의사결정의 경험을 통하여 결정의 수준이 개선되고 목표달성도가 높아진다.

⑤ 표준운영절차(SOP: Standard Operation Procedure)를 적극적으로 활용한다.

57 회사모형

회사모형에서 의사결정자들은 가능한 불확실성을 회피하거나 통제하려는 경향을 보이며 이는 장기 전략보다는 단기 전략에 치중하는 것을 의미한다. 불확실성 때문에 장기적 대응이 어렵기 때문에 불확실성을 극복하기보다는 회피하는 방법으로 환경을 통제한다.

회사모형의 특징

1. 갈등의 준해결
2. 표준운영절차(SOP)
3. 단기적 대응, 단기적 환류를 통한 불확실성 회피
4. 휴리스틱적(도구적) 학습

답 ③

58 회사모형

조직의 전체적 목표달성의 극대화를 위하여 장기적 비전과 전략을 수립·진행하는 것은 합리모형에 대한 설명이다. 회사모형은 환경의 불확실성으로 인하여 단기적인 대응을 통해 불확실성을 회피·통제한다.

선지분석

② 회사모형은 갈등의 완전한 해결은 불가능하고 결국 준해결(quasi-solution)에 머물게 된다고 본다.

③ 의사결정자들은 시간과 능력의 제약으로 인해 모든 상황을 다 고려하기보다 특별한 문제에 대해서만 고려하여 결정한 후, 문제가 해결되면 다음 문제가 등장할 때까지 기다리는 문제 중심적 탐색을 한다.

④ 의사결정이 반복되는 과정에서 구성원들은 점차 경험을 쌓음으로써 좀 더 능숙하고 세련된 결정이 가능해지고, 목표달성도는 높아지게 된다.

⑤ 경험이 축적됨에 따라 가장 효율적이라고 생각되는 표준운영절차(SOP)를 마련해두고 이를 의사결정에 활용한다.

답 ①

59 □□□

2019년 서울시 9급(2월 추가)

앨리슨(Allison)모형에 대한 설명으로 가장 옳지 않은 것은?

① 쿠바 미사일 사건에 대한 세 가지 상이한 이론모형을 제시한다.
② 합리적 행위자모형은 정책이 최고지도자와 같은 단일행위자의 합리적 선택이라고 간주한다.
③ 조직과정모형은 정책결정 결과가 참여자들 간 타협, 협상 등에 의해 좌우된다고 본다.
④ 관료정치모형은 조직 내 권력이 독립적 개인 행위자들의 정치적 자원에 의존한다고 본다.

60 □□□

2019년 국가직 9급

앨리슨(Allison)모형에 대한 설명으로 옳은 것은?

① 합리적 행위자모형에서는 국가전체의 이익과 국가목표 추구를 위해서 개인의 이익을 고려하지 않는 것을 경계하며 국가가 단일적인 결정자임을 부정한다.
② 조직과정모형에서 조직은 불확실성을 회피하기 위하여 정책결정을 할 때 표준운영절차(SOP)나 프로그램목록 (program repertory)에 의존하지 않는다.
③ 관료정치모형은 여러 다양한 문제에 관심을 갖는 다수의 행위자를 상정하며 이들의 목표는 일관되지 않는다.
④ 외교안보문제 분석에 있어서 설명력을 높이기 위한 대안적 모형으로 조직과정모형을 고려하지는 않는다.

59 앨리슨(Allison)모형

정책결정 결과가 참여자들 간 타협, 협상 등에 의해 좌우되는 것은 관료정치모형이다.

앨리슨(Allison)의 모형 간 비교

구분	합리모형	조직과정모형	관료정치모형
적용계층	전 계층	중하위 계층	상위 계층
응집성	매우 강함	약함	매우 약함
조직관	잘 조직된 유기체	느슨하게 연결된 하위 조직들의 연합체	독립적인 개인 행위자들의 집합
권력의 소재	최고지도자	하위 조직들이 분산 소유	개인적 행위자
목표	매우 강함	약함	매우 약함
정책결정	최고지도자의 명령에 따른 동시적·분석적 해결	SOP에 대한 프로그램 목록에서 대안 추출	정치적 게임에 규칙에 따른 타협·흥정·지배
합리성	완전한 합리성	제한된 합리성	정치적 합리성

답 ③

60 앨리슨(Allison)모형

관료정치모형의 정책결정 주체는 단일주체의 정부나 하위조직들의 집합체가 아니라 목표에 대한 공유감이 약하고 다원화된 개개인의 참여자이며, 참여자들 간 응집성이 약해 타협·갈등·흥정 등의 정치적 결과에 의해 정책이 결정되고, 정책은 약한 일관성을 보인다.

(선지분석)

① 합리적 행위자모형에서는 국가전체의 이익과 국가목표 추구를 위해서 개인의 이익을 고려하지 않고 국가가 단일적인 결정자임을 인정한다.
② 조직과정모형에서 조직은 불확실성을 회피하기 위하여 정책결정을 할 때 표준운영절차(SOP)나 프로그램목록 (program repertory)에 의존한다.
④ 외교안보문제 분석에 있어서 설명력을 높이기 위한 대안적 모형으로 조직과정모형을 고려한다.

답 ③

61 □□□

2015년 국가직 9급

앨리슨(Allison)의 세 가지 의사결정모형에 대한 설명으로 옳지 않은 것은?

① 집단적 의사결정을 국가의 정책결정에 적용하기 위해 합리적 행위자모형, 조직과정모형, 관료정치모형으로 분류하였다.

② 관료정치모형은 조직 하위계층에의 적용가능성이 높고, 조직과정모형은 조직 상위계층에의 적용가능성이 높다.

③ 실제 정책결정에서는 어느 하나의 모형이 아니라 세 가지 모형이 모두 적용될 수 있다.

④ 원래 국제정치적 사건과 위기적 사건에 대응하는 정책결정을 설명하기 위한 모형으로 고안되었으나, 일반정책에도 적용 가능하다.

62 □□□

2015년 국가직 7급

앨리슨(Allison)은 쿠바 미사일 위기에 대한 분석을 통해 합리적 행위자모형, 조직과정모형, 관료정치모형이라는 세 가지 정책결정모형을 제시하였다. 다음 중 조직과정모형의 가정은?

① 정책산출물은 주로 관행과 표준적 절차에 따라 만들어진다.

② 의사결정자는 완벽한 정보를 가지고 주어진 목표의 극대화를 추구하는 합리적 존재이다.

③ 정책은 정치적 경쟁, 협상, 타협의 산물이다.

④ 정책결정의 행위주체는 독자성이 강한 다수 행위자들의 집합이다.

61 앨리슨(Allison)모형

관료정치모형은 조직 상위계층에의 적용가능성이 높고, 조직과정모형은 조직 중하위계층에의 적용가능성이 높은 모형이다. 앨리슨(Allison)의 세 가지 의사결정모형은 조직의 응집성을 기준으로 집단적 의사결정모형을 유형별로 분류한 것으로, 정부의 정책결정 과정을 설명하기 위하여 세 가지 상호 배타적인 모형을 제시하였다.

선지분석

③ 앨리슨(Allison)은 서로 다른 세 가지 의사결정모형을 제시하였지만, 현실의 정책결정에서는 하나의 모형이 아니라 두 가지 또는 세 가지 모형이 중복으로 적용될 수 있다고 보았다.

④ 앨리슨(Allison)모형은 케네디 행정부의 쿠바 미사일 위기 사태에 대응하는 정책결정을 설명하기 위한 모형으로 고안되었으나, 일반정책으로 적용 영역이 확대되었다.

답 ②

62 앨리슨(Allison)모형

조직과정모형은 정책결정의 주체를 정부는 단일의 결정주체가 아니라 목표에 대한 합의가 비교적 약하게 연결된 반독립적인 하위조직들의 집합체로 인식하고, 하위조직들은 각각 상이한 목표를 지니고 문제의 해결보다는 문제의 해소를 위한 정책결정을 강조하여 타협적 결정과 갈등의 준해결 양상이 나타난다. 이 과정에서 조직은 학습을 통해 표준적 절차를 만들고 이를 활용하여 의사결정을 한다고 전제한다.

선지분석

② 합리적 행위자모형에 대한 설명이다.

③, ④ 관료정치모형에 대한 설명이다.

답 ①

63 □□□

2013년 국가직 9급

앨리슨(Allison)의 정책결정모형 중 ModelⅡ(조직과정모형)에 대한 설명으로 옳지 않은 것은?

① 정부는 느슨하게 연결된 연합체이다.
② 권력은 반독립적인 하위조직에 분산된다.
③ 정책결정은 SOP에 의해 프로그램 목록에서 대안을 추출한다.
④ 정책결정의 일관성이 강하다.

64 □□□

2019년 서울시 7급(2월 추가)

<보기>는 정책결정에 관한 어떤 모형을 설명하고 있다. 이 모형을 제안한 학자는?

> 〈보기〉
> 이 모형은 조직화된 혼란상태에서의 의사결정을 다루고 있다. 이 모형은 합리모형에 전제하고 있는 것처럼 모든 대안을 비교, 평가해 최선의 대안을 선택할 수 없다고 전제하고 문제의 선호, 불분명한 기술, 유동적 참여의 세 가지 요인이 의사결정 기회를 찾아 끊임없이 움직이며 이들의 흐름이 교차하는 시점에서 의사결정이 이루어진다고 설명한다.

① 드로(Dror)
② 스미스와 메이(Smith & May)
③ 코헨, 마치와 올슨(Cohen, March & Olsen)
④ 에치오니(Etzioni)

63 앨리슨(Allison)모형

ModelⅡ(조직과정모형)는 ModelⅠ(합리모형)에 비하여 정책결정의 일관성이 약하다.

선지분석

① 정부를 잘 조정된 유기체로 가정하고, 개인적인 차원에서 합리적이고 분석적인 결정을 하는 최고지도자와 같은 단일한 행동주체로 파악한다.
② 권력은 하위조직들이 분산하여 소유한다.
③ 조직은 학습을 통해 표준운영절차(SOP)를 만들고 이를 활용하여 의사결정을 한다.

답 ④

64 쓰레기통모형

〈보기〉는 코헨, 마치와 올슨(Cohen, March & Olsen)이 제시한 쓰레기통모형에 대한 설명이다.

쓰레기통모형의 의의

1. 코헨(Cohen), 마치(March), 올센(Olsen)이 주장한 것으로, 조직화된 무정부상태(무질서상태)에서 응집성이 매우 약한 조직이 어떠한 의사결정을 하는지에 분석 초점을 두는 모형이다.
2. 조직화된 무정부상태에서 나타나는 몇 가지 흐름에 의해 정책이 우연히 결정된다고 본다.
3. 일정한 규칙에 따르지 않는 정책결정의 불합리성을 강조하기 위해 쓰레기통 속에서 복잡하고 혼란하게 얽혀있는 쓰레기들에 빗대어 이름이 붙혀진 모형이다.
4. 계층제적 권위가 없고 상하관계가 분명하지 않은 조직(대학, 친목단체 등)의 의사결정에 잘 적용된다.

답 ③

65 □□□

2015년 사회복지직 9급

쓰레기통모형에 대한 설명으로 옳지 않은 것은?

① 명확하지 않은 인과관계를 토대로 해결책이 제시되는 경우가 많다.
② 이해관계자들의 지속적인 의사결정 참여가 어렵다.
③ 목표나 평가기준이 명확하지 않은 경우가 많다.
④ 현실 적합성이 낮아 이론적으로만 설명이 가능한 모형이다.

66 □□□

2016년 지방직 7급

의사결정모형 중 쓰레기통모형의 내용이 아닌 것은?

① 진빼기 결정
② 의사결정을 구성하는 네 가지의 흐름
③ 조직화된 무정부 상태
④ 갈등의 준해결

65 쓰레기통모형

현실 적합성이 낮아 이론적으로만 설명이 가능한 모형은 합리모형이다. 합리모형은 인간이 완전한 합리성을 지니고 모든 대안을 철저하게 분석한다는 것은 현실적으로 불가능하다는 비판을 받는다. 쓰레기통모형은 조직화된 혼란상태에서 흔하게 일어나는 의사결정 과정을 현실성 있게 설명한다.

선지분석

① 쓰레기통모형은 대안(수단)과 목표(결과) 사이의 인과관계에 대한 지식과 기술이 불분명함을 전제하고, 문제, 해결책, 선택기회, 참여자가 아무 관계없이 독자적으로 흘러 다니다가 우연히 만날 때 정책결정이 이루어진다고 본다. 따라서 해결책의 인과관계가 불명확한 경우가 많다.
② 쓰레기통모형은 참여자의 유동적 참여를 전제하므로 이해관계자들의 지속적인 의사결정 참여가 어렵다.
③ 쓰레기통모형은 의사결정 참여자들의 선호가 불명확하고, 어떤 선택이 바람직한가에 대한 합의가 없는 문제성 있는 선호를 전제한다. 따라서 목표나 평가기준이 명확하지 않은 경우가 많다.

답 ④

66 쓰레기통모형

갈등의 준해결은 쓰레기통모형이 아니라 회사모형과 관련이 있다.

선지분석

① 진빼기 결정은 관련된 문제들이 스스로 다른 의사결정기회를 찾아 떠날 때까지 기다린 후 결정하는 것으로, 쓰레기통모형의 의사결정방식 중 하나이다.
②, ③ 쓰레기통모형은 의사결정의 네 가지 요소인 문제, 해결책, 참여자, 선택기회의 흐름이 조직화된 무정부 상태에서 아무 관계없이 독자적으로 흘러 다니다가 우연히 한 곳에서 만나게 되면 의사결정이 이루어져 정책이 결정된다고 본다.

답 ④

67 □□□

2018년 국가직 9급

킹던(Kingdon)의 '정책의 창(policy windows)이론'에 대한 설명으로 옳지 않은 것은?

① 마치(March)와 올슨(Olsen)이 제시한 쓰레기통 모형을 발전시킨 것이다.

② 문제 흐름, 이슈 흐름, 정치 흐름이 만날 때 '정책의 창'이 열린다고 본다.

③ '정책의 창'은 국회의 예산주기, 정기회기 개회 등의 규칙적인 경우뿐만 아니라, 우연한 사건에 의해 열리기도 한다.

④ 문제에 대한 대안이 존재하지 않을 경우 '정책의 창'이 닫힐 수 있다.

67 | 킹던(Kingdon)의 정책의 창 이론

킹던(Kingdon)의 정책의 창은 3가지 흐름인 문제의 흐름, 정치의 흐름, 정책의 흐름이 정치적 사건이나 극적 사건이 발생하면서 만나게 되고 창이 열리면서 새로운 정책이 결정된다는 모형이다.

정책의 창모형의 세 가지 흐름

문제의 흐름	특정 사회문제에 관심을 집중시켜 문제를 규정함
정치의 흐름	특정 대안에 대해 주요 참여자들 사이에 협상이 이루어져 합의에 도달하는 과정으로, 정치의 흐름 변화에 의해 정책창이 열리는 경우가 가장 많음 예 정권교체, 의석수 변경, 여론 변동, 이익집단의 로비활동 등
정책의 흐름	결정의제가 선정된 후 긴 연성화 과정을 거치며 관심의 대상으로 부각되고, 정치의 흐름과 달리 협상이 아닌 설득과 합리적 논의를 통해 정책대안에 대한 합의에 도달함

답 ②

68 □□□

2013년 국가직 7급

킹던(Kingdon)의 '정책의 창 이론(Policy Window Theory)'에서 서로 결합하여 새로운 정책의제로 형성되는 독립된 흐름이 아닌 것은?

① 정보의 흐름(information stream)

② 정치의 흐름(political stream)

③ 정책의 흐름(policy stream)

④ 문제의 흐름(problem stream)

68 | 킹던(Kingdon)의 정책의 창 이론

정책의 창(Policy Window Theory)이론은 킹던(Kingdon)이 쓰레기통모형을 근거로 제시한 이론으로, 서로 무관하게 각자의 규칙에 따라 흘러 다니던 문제의 흐름, 정치의 흐름, 정책의 흐름 등 3가지 흐름이 만나게 되는 경우 정책의 창이 열려 정책의제설정이 이루어진다는 것이다.

답 ①

69 □□□

2015년 국가직 7급

킹던(Kingdon)의 '정책의 창(정책흐름)'모형에 대한 설명으로 옳지 않은 것은?

① 정책과정 중 정책의제설정 단계에 초점을 맞춘 모형이다.
② 정치의 흐름은 국가적 분위기 전환, 선거에 따른 행정부나 의회의 인적 교체, 이익집단들의 로비활동과 압력행사 등과 같은 요소들로 구성된다.
③ 문제의 흐름, 정책의 흐름, 정치의 흐름의 세 가지 흐름은 상호 의존적 경로를 따라 진행된다.
④ 정책의 흐름은 문제를 검토하여 해결방안들을 제안하는 전문가들과 분석가들로 구성되며, 여기서 여러 가능성들이 탐색되고 그 범위가 좁혀진다.

70 □□□

2011년 국가직 9급

킹던(Kingdon)이 주장한 '정책 창문(policy window)이론'에 대한 설명으로 옳지 않은 것은?

① 정책 창문은 문제의 흐름, 정치적 흐름, 정책적 흐름 등이 함께 할 때 열리기 쉽다.
② 정책 창문은 정책의제설정에서부터 최고의사결정에 이르기까지 필요한 여러 가지 여건이 성숙될 때 열린다.
③ 정책 창문은 한번 열리면 문제에 대한 대안이 도출될 때까지 상당한 기간 동안 열려있는 상태로 유지된다.
④ 정책 창문은 한번 닫히면 다음에 다시 열릴 때까지 많은 시간이 걸리는 편이다.

69 킹던(Kingdon)의 정책의 창 이론

문제의 흐름, 정치의 흐름, 정책의 흐름의 세 가지 흐름이 아무런 연관성이 없이 독자적으로 흘러 다니다가, 사회적 사건이나 정치적 사건과 같은 점화장치에 의하여 결합하게 되었을 때 정책의 창이 열린다.

선지분석

① 정책의 창모형은 쓰레기통모형이 진화된 모형으로, 정책의제설정모형인 흐름모형이 정책결정모형으로 확장된 모형이다.
② 정치의 흐름은 정권교체, 의석수 변경, 여론 변동, 이익집단의 로비활동 등 정치의 흐름 변화에 의해 정책의 창이 열리는 경우가 가장 많다.
④ 정책의 흐름이란 결정의제가 선정된 후 긴 연성화 과정을 거치며 관심의 대상으로 부각되고, 전문가들과 분석가들이 여러 가능성들을 탐색하며 설득과 합리적 논의를 통해 정책대안에 대한 범위를 좁혀서 합의에 도달하는 흐름이다.

답 ③

70 킹던(Kingdon)의 정책의 창 이론

정책 창문은 한번 열리면 문제에 대한 대안이 도출될 때까지 상당한 기간 동안 열려있는 것이 아니라 아주 짧은 시간 동안 열렸다가 다시 닫히게 된다.

선지분석

① 정책의제가 재구성되려면 반드시 독자적으로 흐르는 세 흐름이 모두 연결되어야 하고, 이를 통해 정책 창문이 열리게 된다.
② 정책 창문은 정책의제설정부터 최고의사결정에 이르기까지 필요한 여러 가지 여건이 성숙될 때 열리며, 여러 가지 여건이 성숙되기는 쉽지 않다.
④ 정책 창문이 한번 닫히면 다시 열릴 때까지 많은 시간이 걸린다.

답 ③

71 □□□

2018년 국가직 9급

사이버네틱스(cybernetics) 의사결정모형에 대한 설명으로 옳지 않은 것은?

① 주요 변수가 시스템에 의하여 일정한 상태로 유지되는 적응적 의사결정을 강조한다.

② 문제를 해결하고 목표를 달성하기 위해 정보와 대안의 광범위한 탐색을 강조한다.

③ 자동온도조절장치와 같이 사전에 프로그램된 메커니즘에 따라 의사결정이 이루어진다.

④ 한정된 범위의 변수에만 관심을 집중함으로써 불확실성을 통제하려는 모형이다.

72 □□□

2009년 국가직 7급

정책딜레마(policy dilemma)에 대한 설명으로 옳지 않은 것은?

① 상호 갈등적인 정책대안들이 구체적이고 명료하지 못할 때 나타나는 경향이 있다.

② 정책대안들 가운데 반드시 하나를 선택해야 할 경우에 발생한다.

③ 갈등집단들의 내부응집력이 강할 때 딜레마가 증폭된다.

④ 새로운 딜레마 상황을 조성하는 것도 정책딜레마에 대한 대응방안이다.

71 사이버네틱스모형

문제를 해결하고 목표를 달성하기 위해 정보와 대안의 광범위한 탐색을 강조하는 모형은 합리모형이다. 사이버네틱스모형은 광범위한 탐색을 거치지 않고 표준운영절차(SOP)에 따라 문제를 처리하고 문제가 이 범위를 벗어나면 새로운 대안을 탐색하는 방법으로 문제를 해결한다.

합리모형과 사이버네틱스모형 비교

구분	합리모형	사이버네틱스모형
합리성	완전한 합리성	제한된 합리성
해답	최선의 답 추구	그럴듯한 답 추구
학습	인과적 학습	도구적 학습
인간관	전지전능인	인지능력의 한계 인정
대안분석	동시적 분석	순차적 분석
접근방식	알고리즘(연역적 접근)	휴리스틱(귀납적 접근)
이념	경제적 효율성	배분적 형평성

답 ②

72 정책딜레마

정책딜레마란 상호 갈등적인 대안들이 구체적이고 명료하지만, 상호 절충이 불가능하여 분명한 선택이 어려운 상태를 말하며 상충되는 대안의 내용이 뚜렷할수록 심화되는 것이다.

선지분석

② 대안의 선택이 곤란한 상황이지만 반드시 그중 하나를 선택해야하는 압박을 받을 때 발생한다.

③ 갈등집단 간의 권력이 균형적이며 각각의 내부응집력이 강할 경우 딜레마가 증폭된다.

④ 새로운 딜레마의 조성을 통해 관심을 전환시키는 것은 정책딜레마에 대한 적극적인 대응 방안이다.

답 ①

73 □□□

2013년 서울시 7급

딜레마(dilemma)이론에서 딜레마상황이란 정책결정자가 선택을 하지 못하고 있는 곤란한 상황에서 무엇인가를 선택해야 하는 상황에 처해 있는 상태를 의미한다. 이러한 딜레마상황을 예방하고 관리하는 데 바람직한 방법으로 보기 어려운 것은?

① 정책결정자가 개인적 이익이나 판단으로 시스템 전체가 딜레마에 빠지지 않도록 한다.

② 이해관계자가 정책결정자에게 직접적인 영향력을 행사할 수 있도록 장치를 설계하거나 마련할 필요가 있다.

③ 딜레마를 예방하기 위한 궁극적 방법은 제도를 정비하는 것이다.

④ 딜레마를 예방하기 위한 방법으로 토론 장치를 마련해야 한다.

⑤ 행위자들이 가지고 있는 이익으로 인해 문제상황이 영향을 받지 않도록 해야 한다.

73 | 딜레마(dilemma)이론

딜레마상황을 예방하고 관리하기 위해 이해관계자가 정책결정자에게 직접적인 영향력을 행사할 수 없도록 장치를 설계하거나 마련할 필요가 있다.

딜레마에 대한 소극적 대응과 적극적 대응

소극적 대응	결정의 지연, 책임 전가, 상황의 호도, 무의사결정 등
적극적 대응	딜레마 상황의 변화, 새로운 딜레마의 조성을 통한 관심 전환, 정책문제 재규정, 상충되는 대안들의 동시선택 등

답 ②

74 □□□

2019년 지방직 9급

정책결정모형에 대한 설명으로 옳지 않은 것은?

① 린드블롬(Lindblom)과 같은 점증주의자들은 합리모형이 불가능한 일을 정책결정자에게 강요함으로써 바람직한 정책결정에 도움을 주지 못한다고 주장한다.

② 사이먼(Simon)의 만족모형은 합리모형에 대한 심각한 도전이자, 인간의 인지능력이라는 기본적인 요소에서 출발했기에 이론적 영향이 컸다.

③ 에치오니(Etzioni)는 합리모형과 점증모형의 단점을 극복하기 위하여 최적모형을 주장하였다.

④ 스타인부르너(Steinbruner)는 시스템 공학의 사이버네틱스 개념을 응용하여 관료제에서 이루어지는 정책결정을 단순하게 묘사하고자 노력하였다.

74 | 정책결정모형

에치오니(Etzioni)는 합리모형과 점증모형의 단점을 극복하기 위하여 최적모형이 아닌 혼합모형을 주장하였다. 혼합모형은 근본적 결정은 합리모형을, 세부적 결정은 점증모형을 적용한 모형이다.

선지분석

① 점증주의자들은 합리모형이 전제하는 인간의 완전한 합리성 자체가 현실에서는 불가능하기 때문에 합리모형이 실제 정책결정에는 도움을 주지 못한다고 비판한다.

② 사이먼(Simon)의 만족모형은 인간의 제한된 인지능력이라는 기본적인 요소에서 출발했고, 이후 점증모형과 사이버네틱스모형 성립에 영향을 주게 되었다.

④ 사이버네틱스모형은 시스템 공학의 현상 유지 개념을 바탕으로 적응적·습관적 의사결정을 설명하는 모형이며, 합리모형과 가장 대립된다.

답 ③

75 □□□

2019년 국가직 7급

정책결정모형에 대한 설명으로 옳은 것은?

① 쓰레기통모형은 의사결정을 위해서는 문제, 해결책, 참여자의 세 가지 요소가 필요하다고 본다.
② 만족모형은 의사결정자들이 만족할 만하고 괜찮은 해결책을 얻기 위해 몇 개의 대안만을 병렬적으로 탐색한다고 본다.
③ 앨리슨(Allison) 모형II는 긴밀하게 연결된 하위 조직체들이 표준운영절차를 통해 상호의존적인 의사결정을 한다고 본다.
④ 최적모형에 따르면 정책결정과 관련해 위험최소화전략 대신 혁신전략을 취하는 것은 상위정책결정(meta-policy making)에 해당한다.

75 | 정책결정모형

최적모형에서 정책결정과 관련해 위험최소화전략 대신 혁신전략을 취하는 것은 상위정책결정(meta-policy making)이다. 상위정책결정은 가치의 처리 → 현실의 처리 → 문제의 처리 → 자원의 조사·처리·개발 → 정책결정시스템의 설계·평가·재설계 → 문제, 가치 및 자원의 할당 → 정책결정전략의 결정 순으로 진행된다.

(선지분석)

① 쓰레기통모형은 의사결정을 위해서는 문제, 해결책, 선택기회, 참여자의 네 가지 요소가 필요하다고 본다.
② 만족모형은 의사결정자들이 만족할 만하고 괜찮은 해결책을 얻기 위해 몇 개의 대안만을 무작위적이고 순차적으로 탐색한다고 본다.
③ 앨리슨(Allison) 모형II는 느슨하게 연결된 하위 조직체들이 표준운영절차를 통해 상호의존적인 의사결정을 한다고 본다.

답 ④

76 □□□

2017년 사회복지직 9급

정책결정모형에 대한 설명 중 가장 옳지 않은 것은?

① 쓰레기통모형은 불확실한 상황에서의 의사결정을 설명한다.
② 최적모형은 정책결정자의 직관적 판단을 배제하고 있다.
③ 점증모형은 정책결정의 상황적 특성에 초점을 맞추고 있다.
④ 합리모형은 정책결정자가 확실성을 갖고 행위결과를 예측할 수 있다고 전제한다.

76 | 정책결정모형

최적모형은 합리모형과 점증모형을 동시에 비판하며 경제적 합리성과 직관적 판단을 동시에 고려한다.

(선지분석)

① 쓰레기통모형은 조직화된 무정부(무질서) 상태에서 응집성이 매우 약한 조직이 어떠한 의사결정을 하는지에 분석 초점을 두는 모형이다.
③ 점증모형은 인간의 지적 능력의 한계와 정책결정수단의 기술적 제약을 인정하고, 정책결정과정에 있어 대안선택은 종래의 정책이나 결정의 수정 내지 약간의 향상으로 이루어진다고 본다.
④ 합리모형은 목표나 가치가 명확하게 고정되어 있고 정책결정자가 이를 달성하기 위해 고도의 이성과 합리성에 근거하여 결정하고 행동한다고 주장하는 이론으로, 인간을 전지전능한 경제인으로 가정한다.

답 ②

77 □□□

2017년 국가직 9급(4월 시행)

정책결정모형에 대한 설명으로 옳지 않은 것은?

① 점증모형 - 기존의 정책을 수정 보완해 약간 개선된 상태의 정책대안이 선택된다.
② 최적모형 - 정책결정자의 직관적 판단은 정책결정의 중요한 요인으로 인정되지 않는다.
③ 혼합주사모형 - 거시적 맥락의 근본적 결정에 해당하는 부분에서는 합리모형의 의사결정방식을 따른다.
④ 쓰레기통모형 - 조직화된 무질서 상태에서 어떠한 계기로 인해 우연히 정책이 결정된다.

78 □□□

2017년 서울시 9급

정책결정모형에 대한 설명 중 가장 옳지 않은 것은?

① 만족모형은 제한된 합리성을 반영하고 있다.
② 점증모형은 기존 정책을 중요시한다.
③ 회사모형은 의사결정자에 의해 조직의 의사결정이 통제된다고 본다.
④ 앨리슨(Allison)은 관료정치모형의 중요성을 언급하였다.

77 정책결정모형

최적모형은 드로(Dror)가 주장한 것으로, 합리모형의 비현실성과 점증모형의 보수적인 성격을 동시에 비판하며 등장하였다. 최적모형은 경제적 합리성과 직관·판단력·창의성과 같은 요인을 중심으로 한 초합리성을 동시에 고려하여 의사결정의 최적화를 꾀하는 모형이다.

선지분석

① 점증모형은 현재 시행 중인 혹은 과거에 시행했던 정책에 약간의 가감을 하여 정책을 결정한다.
③ 혼합주사모형은 합리모형과 점증모형을 절충하여 개발한 모형으로, 근본적·맥락적 결정은 합리모형을 따르고 세부적·부분적 결정은 점증모형을 따른다.
④ 쓰레기통모형은 조직화된 무정부 상태에서 나타나는 몇 가지 흐름에 의해 정책이 우연히 결정된다고 보는 이론이다.

답 ②

78 정책결정모형

의사결정자에 의해 조직의 의사결정이 통제된다고 보는 이론은 합리모형이다. 합리모형은 목표나 가치가 명확하게 고정되어 있고 정책결정자가 이를 달성하기 위해 고도의 합리성에 근거하여 결정하고 행동한다고 강조한다. 회사모형은 조직을 상이한 목표를 지닌 하위 단위들의 상호작용에 의해 움직이는 것으로 파악하고, 정책결정자에 의하여 조직의 의사결정이 완전하게 통제되지 못한다고 본다.

선지분석

① 사이먼(Simon)의 만족모형은 인간의 완전한 합리성을 부정하고, 제한된 합리성을 전제로 한다.
② 점증모형은 기존 정책을 토대로, 소폭적이고 점증적인 정책결정을 하게 된다.
④ 앨리슨(Allison)은 정책결정모형을 합리모형(I모형), 조직모형(II모형), 관료정치모형(III모형)으로 분류하였고, 이 중 관료정치모형의 중요성을 언급하였다.

답 ③

79 □□□

2014년 지방직 9급

정책결정모형에 관한 설명으로 옳은 것은?

① 합리모형 - 일반적으로 인간의 제한된 분석 능력을 보완할 수 있는 기능을 포함한다.
② 점증모형 - 정책결정 과정에서 정치적 합리성보다 경제적 합리성을 더욱 중요시한다.
③ 사이버네틱스모형 - 습관적인 의사결정을 설명하는 데 유용하며, 반복적인 의사결정 과정의 수정이 환류된다.
④ 쓰레기통모형 - 위계적인 조직구조의 의사결정 과정에 적용되며, 정책갈등상황 해결에 유용하다.

80 □□□

2015년 서울시 9급

다음 중 정책결정모형과 그 내용의 연결이 옳지 않은 것은?

① 쓰레기통모형 - 문제, 해결책, 수혜자, 선택기회의 흐름
② 만족모형 - 행정인(administrative man)
③ 조직과정모형 - SOP와 프로그램 목록
④ 최적모형 - 초합리성 강조

79 정책결정모형

사이버네틱스모형은 고도의 불확실성하에서 정보를 지속적으로 제어하고 환류하면서 적응적으로 의사결정을 하는 시스템으로, 합리모형과 가장 극단적으로 대립되는 적응적·관습적 의사결정모형이다.

선지분석

① 만족모형에 대한 설명이다. 합리모형은 인간의 완전한 합리성을 전제로 한다.
② 점증모형은 경제적 합리성보다 정치적 합리성을 더욱 중요시한다.
④ 쓰레기통모형은 조직화된 혼란 또는 갈등상황하에서의 의사결정 과정을 설명하는 데 적절한 모형이다.

답 ③

80 정책결정모형

쓰레기통모형에서 네 가지의 의사결정요소는 문제, 해결책, 참여자, 선택기회의 흐름이며 이 네 가지 요소가 조직화된 무정부 상태에서 아무 관계 없이 독자적으로 흘러 다니다가 우연히 만나게 되면 의사결정이 이루어져 정책이 결정된다.

선지분석

② 만족모형은 인간을 합리모형이 가정하는 완전한 합리성을 지닌 경제인이 아닌, 제한적 합리성을 지닌 행정인으로 가정한다.
③ 앨리슨(Allison)의 조직과정모형은 조직이 학습을 통해 표준운영절차를 만들고 이를 활용하여 의사결정을 한다고 주장한다.
④ 최적모형은 경제적 합리성과 직관·판단력·창의력과 같은 요인을 중심으로 한 초합리성을 고려하여 의사결정의 최적화를 꾀하는 모형이다.

답 ①

81 □□□

2014년 국가직 7급

정책결정모형에 대한 설명으로 옳은 것만을 모두 고른 것은?

ㄱ. 점증모형은 기존 정책을 토대로 하여 그보다 약간 개선된 정책을 추구하는 방식으로 결정하는 것이다.
ㄴ. 만족모형은 모든 대안을 탐색한 후 만족할 만한 결과를 도출하는 것이다.
ㄷ. 사이버네틱스모형은 설정된 목표달성을 위해 정보제어와 환류 과정을 통해 자신의 행동을 스스로 조정해 나간다고 가정하는 것이다.
ㄹ. 앨리슨모형은 정책문제, 해결책, 선택기회, 참여자의 네 요소가 독자적으로 흘러 다니다가 어떤 계기로 교차하여 만나게 될 때 의사결정이 이루어진다고 보는 것이다.

① ㄱ, ㄴ
② ㄱ, ㄷ
③ ㄴ, ㄹ
④ ㄷ, ㄹ

82 □□□

2010년 국가직 7급

정책결정모형에 관한 설명으로 옳지 않은 것은?

① 만족모형은 정책결정자나 정책분석가가 절대적 합리성을 가지고 있고, 주어진 상황하에서 목표의 달성을 극대화할 수 있는 최선의 정책대안을 찾아낼 수 있다고 본다.
② 쓰레기통모형은 '조직화된 무정부 상태' 속에서 나타나는 몇 가지 흐름에 의하여 정책결정이 우연히 이루어진다고 보는 정책모형이다.
③ 최적모형은 정책결정을 체계론적 시각에서 파악하고 정책성과를 최적화하려는 정책결정모형이다.
④ 혼합모형은 합리모형의 이상주의적 특성에서 나오는 단점과 점증모형의 지나친 보수성이라는 약점을 극복할 수 있는 전략으로 제시된 모형이다.

81 정책결정모형

ㄱ. 점증모형은 인간의 지적 능력의 한계와 정책결정수단의 기술적 제약을 인정하고, 정책결정과정에 있어 대안선택은 종래의 정책이나 결정의 수정 내지 약간의 향상으로 이루어진다고 본다.
ㄷ. 사이버네틱스모형은 기계와 같이 인간이 중요 변수의 일정 범위 내 유지라는 목표달성을 위해 정보와 환류를 통해 자신의 행동을 조정해 나가면서 환경에 적응하는 것을 조직의 의사결정에 적용한 모형이다.

선지분석

ㄴ. 모든 대안을 탐색한 후 만족할 만한 결과를 도출하는 것은 합리모형이다.
ㄹ. 정책문제, 해결책, 선택기회, 참여자의 네 요소가 독자적으로 흘러 다니다가 어떤 계기로 교차하여 만나게 될 때 의사결정이 이루어진다고 보는 것은 쓰레기통모형이다.

답 ②

82 정책결정모형

만족모형이 아니라 합리모형에 대한 설명이다. 만족모형은 사이먼(Simon)과 마치(March)에 의해 주장된 사회적·심리적 의사결정모형으로, 개인적·실증적·귀납적인 정책결정 접근방법이다. 합리모형이 가정하는 완전한 합리성을 지닌 경제인이 아니라 제한적 합리성을 지닌 행정인을 가정하고, 여러 제약요인의 고려하에서 만족할 만한 대안을 선택한다.

선지분석

② 쓰레기통모형은 '조직화된 무정부 상태' 속에서 나타나는 문제의 흐름, 해결책의 흐름, 선택기회의 흐름, 참여자의 흐름이 각자 독자적으로 흘러 다니다가 우연히 만나게 될 때 정책결정이 이루어지게 된다고 본다.
③ 드로(Dror)의 최적모형은 정책결정을 체계론적 시각에서 파악하여 메타정책결정단계, 정책결정단계, 후정책결정단계로 체계화하여 메타정책결정단계에서는 초합리성을, 정책결정단계에서는 합리성을 적용하여 정책성과를 최적화하려는 모형이다.
④ 혼합모형은 에치오니(Etzioni)가 제시한 모형으로, 합리모형과 절충모형을 결합한 제3모형이다.

답 ①

83 □□□

2013년 국회직 8급

다음 중 정책결정과 관련된 이론에 대한 설명으로 옳지 않은 것은?

① 쿠바 미사일 사태에 대한 사례 분석인 앨리슨(Allison)모형은 정부의 정책결정 과정은 합리모형보다는 조직과정모형과 정치모형으로 설명하는 것이 더 바람직하다고 주장한다.

② 드로(Dror)가 주장한 최적모형은 기존의 합리적 결정방식이 지나치게 수리적 완벽성을 추구해 현실성을 잃었다는 점을 지적하고 합리적 분석뿐만 아니라 결정자의 직관적 판단도 중요한 요소로 간주한다.

③ 쓰레기통모형은 문제, 해결책, 선택기회, 참여자의 네 요소가 독자적으로 흘러 다니다가 어떤 계기로 만나게 될 때 결정이 이루어진다고 설명한다.

④ 에치오니(Etzioni)의 혼합탐사모형에 의하면 결정은 근본적 결정과 세부적 결정으로 나누어질 수 있으며, 합리적 의사결정모형과 점진적 의사결정모형을 보완적으로 사용할 수 있다.

⑤ 사이먼(Simon)의 만족모형에 의하면 정책담당자들은 경제인과 달리 최선의 합리성을 추구하기보다는 시간과 공간, 재정적 측면에서의 여러 요인을 고려해 만족할 만한 수준에서 정책을 결정하게 된다.

84 □□□

2011년 지방직 9급

정책결정모형에 대한 설명 중 옳은 것을 모두 고른 것은?

ㄱ. 점증주의모형에 따르면 합리적 방법에 의한 쇄신보다는 기존의 상태에 바탕을 둔 점진적 변동을 시도한다고 본다.
ㄴ. 공공선택모형은 관료들의 자기이익 추구를 배제한 공익 차원의 집단적 의사결정방식이다.
ㄷ. 앨리슨모형은 정책결정모형을 합리모형, 조직과정모형, 관료정치모형 관점에서 정리한 것이다.
ㄹ. 쓰레기통모형에 따르면 문제 흐름, 선택기회 흐름 및 참여자 흐름이 만나 무의사결정을 하게 된다고 본다.

① ㄱ, ㄴ
② ㄱ, ㄷ
③ ㄴ, ㄹ
④ ㄷ, ㄹ

83 정책결정

앨리슨(Allison)모형은 쿠바 미사일 사태와 관련된 미국의 외교정책 과정을 분석하고 정부의 정책결정 과정을 설명·예측하기 위한 분석의 틀로 합리모형, 조직과정모형, 관료정치모형을 제시하였다. 앨리슨(Allison)은 이 중 한 가지 모형만이 아니라 세 가지 모형 모두 적용될 수 있다고 본다.

선지분석

② 드로(Dror)는 결정자의 직관적 판단과 같은 초합리성과 기존의 합리성 모두를 중시한 최적모형을 주장하였다.

답 ①

84 정책결정모형

ㄱ. 점증주의모형은 현재 시행 중인 혹은 과거에 시행했던 정책에 약간의 가감을 하여 정책을 결정하는 것으로, 상황변화를 고려하며 여러 차례 소폭적·점진적으로 결정을 수행하여 조금 더 합리적인 상태로 접근하는 모형이다.
ㄷ. 앨리슨(Allison)은 정책결정모형으로 합리모형, 조직과정모형, 관료정치모형을 제시하였다.

선지분석

ㄴ. 공공부문에 경제학적 관점을 도입한 공공선택모형은 의사결정에 참여하는 모든 사람, 즉 관료, 정치인, 시민, 이익집단 모두가 자기 이익을 추구한다고 가정한다.
ㄹ. 쓰레기통모형에 따르면 의사결정에 필요한 네 가지 요소가 만나서 의사결정이 이루어진다고 보는데, 의사결정에 필요한 요소는 문제의 흐름, 해결책의 흐름, 선택기회의 흐름, 참여자의 흐름으로 네 가지이다.

답 ②

85 □□□

2016년 교육행정직 9급

정책결정모형에 관한 설명으로 〈보기〉에서 옳은 것을 모두 고른 것은?

〈보기〉

ㄱ. 점증모형은 집단의 합의 과정이 반영되는 장점이 있다.
ㄴ. 만족모형은 대안선택의 객관적 기준을 제시하기가 어렵다.
ㄷ. 회사모형은 조직이 단일한 목표를 지닌 구성원들의 연합체라고 가정한다.
ㄹ. 합리모형은 정치적 합리성에 기반하기 때문에 현실에 대한 설명력이 높다.

① ㄱ, ㄴ
② ㄱ, ㄹ
③ ㄴ, ㄷ
④ ㄷ, ㄹ

86 □□□

2012년 국가직 7급

정책결정모형에 대한 설명으로 옳지 않은 것은?

① 점증주의적 정책결정모형은 합리주의적 정책결정모형의 현실적 한계를 비판하면서 등장한 모형으로서 다원적 정치체제의 정책결정에 대한 설명력이 높다.
② 에치오니(Etzioni)의 혼합탐색모형에서는 세부적 결정 단계에서 대안의 종류를 한정적으로 고려하고 대안들에 대한 분석은 개략적으로 한다.
③ 쓰레기통모형에서는 문제, 해결책, 선택기회, 참여자의 네 요소가 독자적으로 흘러다니다가 어떤 계기로 교차해 만나게 될 때 결정이 이루어진다고 본다.
④ 사이먼(Simon)은 현실적 제약조건을 고려하여 제한된 합리성을 추구하는 정책결정모형을 제시하였다.

85 정책결정모형

ㄱ. 점증모형은 정책과정을 한계적 변화를 추구하며 그러한 과정에서 갈등과 대립이 발생하는 진흙탕 헤쳐 나가기(muddling through)의 과정으로 보면서, 타협이나 협상을 통해 극복하는 것을 중시한다.
ㄴ. 만족할 만한 수준에서 대안을 선택한다는 것은 주관적인 기준의 문제이며, 검토하지 않은 대안 중 훨씬 더 중요한 대안이 무시될 수 있어 규범적·처방적 모형으로는 약점이 존재한다.

선지분석

ㄷ. 회사모형은 조직이 다양한 목표를 지닌 구성원 또는 하부조직의 연합체라고 가정한다.
ㄹ. 합리모형은 경제적 합리성을 추구한다. 정치적 합리성에 기반하여 현실에 대한 설명력이 높은 것은 점증모형에 대한 특징이다.

답 ①

86 정책결정모형

에치오니(Etzioni)가 주장한 혼합탐색모형은 합리모형과 점증모형을 절충하여 개발한 모형으로 세부적·부분적 결정은 근본적 결정의 테두리 내에서 선정된 소수의 대안에 대해서만 검토하는 점증모형을 따른다. 그러나 그 결과에 대해서는 세밀하게 분석한다.

에치오니(Etzioni)의 혼합탐색모형

구분	대안 탐색	결과 예측
근본적 결정	포괄적	한정적
세부적 결정	제한적	포괄적

답 ②

87 □□□

2008년 지방직 7급

정책결정모형에 관한 설명으로 적절하지 않은 것은?

① 점증모형 - 합리모형의 의사결정은 당위적으로는 바람직하지만, 합리적 의사결정에 필요한 정보와 분석능력의 부족으로 현실적으로 불가능하다고 비판한다.

② 합리모형 - 정책결정의 기준이 되는 목표와 가치는 그 중요성에 따라 분명히 제시되고 서열화될 수 있다.

③ 만족모형 - 정책결정의 합리성을 제약하는 요인들을 고려할 때 한정된 대안의 비교분석을 통해 최선을 모색하는 선에서 만족하는 것이 합리적이다.

④ 혼합주사모형 - 근본적 결정과 세부적 결정으로 나누어 근본적 결정의 경우 합리모형을, 세부적 결정의 경우 점증모형을 선별적으로 적용하는 것이 합리적이다.

88 □□□

2013년 지방직 7급

하이예스(Hayes)는 정책결정 상황을 참여자들 간 목표 합의 여부, 수단적 지식 합의 여부에 따라 아래 표와 같이 구분한다. 다음 설명 중 옳지 않은 것은?

구분	목표 갈등	목표 합의
수단적 지식 갈등	Ⅰ	Ⅱ
수단적 지식 합의	Ⅲ	Ⅳ

▲ 정책결정 상황의 분류

① 상황 Ⅰ에서는 점증주의적 결정이 불가피하며, 점증적이지 않은 대안은 입법 과정에서 제외될 수밖에 없다.

② 상황 Ⅱ에서는 사이버네틱스(cybernetics)모형에 따라 정책이 결정된다.

③ 상황 Ⅲ에서는 수단에 대한 합의로 인하여 합리적 의사결정이 이루어진다.

④ 상황 Ⅳ에서는 비교적 기술적이고 행정적인 문제가 포함되어 큰 변화가 일어날 수 있다.

87 정책결정모형

점증주의자들은 합리모형이 지극히 이상적이어서 현실가능성이 없으며 정보의 수집과 대안의 탐색 과정 및 비교 과정에 소요되는 시간과 비용이 크다는 점을 지적하며 합리모형의 의사결정이 당위적으로 바람직하다는 의견에 동의하지 않는다.

선지분석

② 합리모형은 목표나 가치가 명확하게 고정되어 있고 정책결정자가 이를 달성하기 위해 고도의 이성과 합리성에 근거하여 결정하고 행동한다고 주장하는 이론이다.

③ 만족모형은 인간을 제한적 합리성을 지닌 행정인으로 가정하여 여러 제약요인의 고려하에서 만족할 만한 대안을 선택하는 모형으로, 대안 선택이 곤란할 경우에는 만족의 수준을 조정하여 의사결정을 한다.

④ 혼합주사모형은 에치오니(Etzioni)가 주장한 것으로, 합리모형과 점증모형을 절충하여 개발한 모형이다. 근본적 결정은 세부적 결정을 위한 테두리나 맥락에 대한 결정으로 합리모형을 따르고, 세부적 결정은 기본적 결정의 구체화 혹은 집행 과정으로, 점증모형을 따른다.

답 ①

88 하이예스(Hayes)의 정책결정 상황

상황 Ⅲ에서는 수단은 합의가 되지만 목표는 합의가 되지 않기 때문에 가치갈등이 일어날 수 있다. 합리적 의사결정은 목표와 수단이 모두 합의되는 상황인 상황 Ⅳ에서 이루어진다.

하이예스(Hayes)의 정책결정 상황

구분	목표 갈등	목표 합의
수단적 지식 갈등	상황 Ⅰ (정상적 점증주의 영역)	상황 Ⅱ (순수한 지식기반의 문제)
수단적 지시 합의	상황 Ⅲ (순수한 가치갈등의 문제)	상황 Ⅳ (합리적 의사결정의 영역)

1. 상황Ⅰ(정상적 점증주의 영역): 합의가 이루어지지 않아 목표-수단 분석이 불가하여 점증주의 전략이 불가피하다.
2. 상황Ⅱ(순수한 지식기반의 문제): 수단에 대한 합의를 위한 지식이나 정보의 지속적 수집·분석이 필요하여 사이버네틱스 모형을 적용한다.
3. 상황Ⅲ(순수한 가치갈등의 문제): 타협전략 등을 통해 목표에 대한 합의가 이루어져야 한다.
4. 상황Ⅳ(합리적 의사결정의 영역): 목표와 수단에 대한 합의가 모두 이루어져 있으므로 합리적 의사결정이 가능하다.

답 ③

정책집행론

THEME 032 정책집행의 본질

01 □□□

2007년 국가직 9급

정책집행의 중요성이 대두된 배경이 아닌 것은?

① 법 규정의 명확성
② 중간매개자의 개입
③ 정책대상집단의 비협조
④ 권력분립과 조직 변화

02 □□□

2014년 지방직 7급

정책집행과 그 연구방법에 대한 설명으로 옳은 것만을 모두 고른 것은?

> ㄱ. 정책을 성공적으로 설계하기 위해서는 적절한 인과모형이 필요하다.
> ㄴ. 프레스만(Pressman)과 윌다브스키(Wildavsky)는 정책집행연구의 초기 학자들로서 집행을 정책결정과 분리하지 않고 연속적인 과정으로 정의한다.
> ㄷ. 정책대상집단 중 수혜집단의 조직화가 강할수록 정책집행이 용이하다.
> ㄹ. 립스키(Lipsky)는 상향적 접근방법을 주장한 학자로서 분명한 정책목표의 가능성을 부인하고 집행문제해결에 초점을 맞춘다.

① ㄱ, ㄴ, ㄷ
② ㄱ, ㄷ, ㄹ
③ ㄴ, ㄷ, ㄹ
④ ㄱ, ㄴ, ㄷ, ㄹ

01 정책집행

일반적으로 정책집행이 실패하는 이유는 집행 과정에서 다수의 중간매개자의 개입, 정책대상집단의 비협조, 분권화와 조직 변화 등 때문이다. 법 규정이나 집행에 있어서 규칙이 명확하다면 정책집행은 오히려 용이하게 이루어질 수 있다.

(선지분석)

② 정책결정과 정책집행 사이에 중간매개자의 개입은 정책이 결정된 대로 집행되지 않을 수 있게 함으로써 정책집행 연구의 배경이 되었다.
③ 정책대상집단이 결정된 정책에 비협조하게 됨으로써 실제 정책집행의 중요성이 대두되었다.
④ 기존의 집권화 되어있던 권력이 분권화되고, 정책을 집행하는 조직 하층부의 영향력이 커지면서 정책집행의 중요성이 부각되었다.

답 ①

02 정책집행

ㄱ. 정책을 성공적으로 설계하기 위해서는 문제를 야기한 원인과 그 원인의 제거를 위한 수단을 설명하는 적절한 인과모형이 필요하다.
ㄴ. 프레스만(Pressman)과 윌다브스키(Wildavsky)는 고전적 정책집행론이 정책결정과 집행을 이질적으로 인식한 것에 반해 정책결정과 집행은 본질적인 차이가 없고, 연속적인 과정으로 이해한다.
ㄷ. 정책 대상집단 중 수혜집단의 조직화와 그 규모가 클수록 정책집행이 용이하다.
ㄹ. 립스키(Lipsky)의 일선관료제는 정책집행의 상향적 접근방법을 주장한 것으로 업무환경에서의 일선공무원의 집행문제해결에 초점을 맞춘다.

답 ④

THEME 033 정책집행의 유형

03 □□□

2020년 지방직 9급

정책집행의 하향식 접근(top-down approach)에 대한 설명으로 옳은 것만을 모두 고르면?

ㄱ. 집행이 일어나는 현장에 초점을 맞춘다.
ㄴ. 일선공무원의 전문지식과 문제해결능력을 중시한다.
ㄷ. 하위직보다는 고위직이 주도한다.
ㄹ. 정책결정자는 정책집행에 영향을 미치는 정치적 · 조직적 · 기술적 과정을 충분히 통제할 수 있다.

① ㄱ, ㄴ
② ㄱ, ㄷ
③ ㄴ, ㄹ
④ ㄷ, ㄹ

03 정책집행의 하향식 접근

ㄷ. 하향식 접근은 고위직인 정책결정자가 집행과정에 절대적 영향력을 행사한다고 본다.
ㄹ. 하향식 접근은 정책결정자가 정책집행에 영향을 미치는 정치적·조직적·기술적 과정을 충분히 통제할 수 있다고 보면서, 정책결정자에 의한 명확한 정책결정을 강조한다.

선지분석

ㄱ. 상향식 접근에 대한 설명이다. 하향식 접근은 집행이 일어나는 현장보다는 성공적인 집행을 위한 조건이나 전략의 규명에 초점을 두고, 정책결정자의 관점을 중시한다.
ㄴ. 상향식 접근에 대한 설명이다. 하향식 접근은 일선공무원의 전문지식과 문제해결능력이 아닌 정책결정자와 최고결정자의 리더십을 중시한다.

하향식 접근방법과 상향식 접근방법 비교

구분	하향식 접근방법	상향식 접근방법
정책상황	안정적·구조화	유동적·동태화
정책목표	명확한 목표	수정이 요구되는 목표
결정과 집행	정치행정이원론	정치행정일원론
집행자의 재량	불인정	인정
평가기준	공식목표의 달성	환경에의 적응성
초점	결정자의 의도 구현	행위자의 전략적 상호작용
성공요건	정책결정자의 리더십	집행자의 적응력
핵심적 법률	있음	없음
관리자의 참여	축소	확대
민주주의	엘리트 민주주의	참여 민주주의

답 ④

04 □□□

2020년 국가직 7급

정책집행의 접근방법에 대한 설명으로 옳은 것은?

① 하향식 접근방법에서는 정책목표의 신축적 조정이 효과적인 정책집행을 가져온다고 하였다.
② 사바티어(Sabatier)와 매즈매니언(Mazmanian)은 상향식 접근방법의 대표적인 모형을 제시하였다.
③ 엘모어(Elmore)가 제안한 전방향적 연구는 상향식 접근방법과 유사하다.
④ 고긴(Goggin)은 통계적 연구설계의 바탕 위에서 이론의 검증을 시도하는 제3세대 집행 연구를 주장하였다.

04 정책집행의 접근방법

고긴(Goggin)은 통계적 연구설계의 바탕 위에서 관심 있는 변수의 수를 축소하고 측정의 수(사례의 수)를 증가함으로써 이론의 검증을 시도하는 제3세대 집행 연구를 제시하였다.

선지분석

① 정책목표의 신축적 조정이 효과적인 정책집행을 가져온다고 한 것은 상향식 접근방법이다. 하향식 접근방법에서 정책목표는 고정되어 있다.
② 사바티어(Sabatier)와 매즈매니언(Mazmanian)은 명확하고 일관성을 지닌 정책목표가 성공적인 정책집행을 위한 가장 중요한 요인이라고 봄으로써 하향식 접근방법 발전에 기여하였다.
③ 엘모어(Elmore)가 제안한 전방향적 연구는 하향식 접근방법과 유사하다. 상향식 접근방법과 유사한 것은 후방향적 연구이다.

답 ④

05 □□□

2019년 서울시 9급(2월 추가)

현대적·상향적 집행(bottom-up) 방식에 대한 설명으로 가장 옳은 것은?

① 정책목표의 설정과 정책목표 간 우선순위는 명확하다.
② 엘모어(Elmore)는 전향적 집행이라고 하였다.
③ 버먼(Berman)은 정형적 집행이라고 하였다.
④ 일선관료는 정책집행과정에서 가장 큰 영향력을 행사한다.

06 □□□

2016년 사회복지직 9급

정책집행연구의 하향식 접근에서 효과적인 정책집행의 조건이 아닌 것은?

① 정책목표와 정책수단 사이에 타당한 인과관계가 있어야 한다.
② 일선공무원의 재량과 자율을 확대하여야 한다.
③ 정책과 관련된 이익집단, 주요 입법가, 행정부의 장 등으로부터 지속적인 지지를 받아야 한다.
④ 정책이 집행되는 동안 정책목표의 우선순위가 변하지 않아야 한다.

05 | 현대적·상향적 집행(bottom-up) 방식

현대적·상향적 집행의 경우 일선관료가 정책집행과정에서 큰 영향력을 행사한다고 본다.

(선지분석)

① 정책목표의 설정과 정책목표 간 우선순위가 명확한 것은 고전적·하향적 집행 방식이다.
② 엘모어(Elmore)의 전(방)향적 집행은 고전적·하향적 집행 방식이다.
③ 버먼(Berman)의 정형적 집행은 하향적 집행 방식이다.

하향적 접근방법과 상향적 접근방법의 비교

구분	내용
하향적 접근방법	• 상위 부서의 정책결정자들에 의해 결정되어 집행담당자에게 내려지는 지침으로 정의함 • 성공적인 집행을 위한 조건이나 전략의 규명에 추점을 두고 정책결정자의 관점을 중시함
상향적 접근방법	• 정책집행을 다수의 참여자들 사이에서 발생하는 상호 작용으로 인식함 • 실제 현장에서 이루어지는 현상을 기술하고 설명하는 것을 목적으로 함 • 정책집행을 주도하는 상위 집단보다 현장에서 집행을 담당하고 있는 관료들의 역량을 중시함 • 문제해결능력의 측면에서 민간조직 및 시장의 역할과 정부프로그램의 상대적 중요도를 평가할 수 있음

답 ④

06 | 하향식 접근

일선공무원의 재량과 자율을 확대하는 것은 정책집행연구의 상향식 접근에서 효과적인 정책집행의 조건이다.

(선지분석)

① 명확한 목표와 인과성 있는 수단의 보유를 전제로, 집행과정에서 나타나는 여러 요인들을 연역적으로 도출하고자 하는 단계주의 모형이다.
③ 하향식 접근에서는 정책과 관련된 이익집단, 주요 입법가, 행정부의 장 등으로부터 지속적인 지지를 받아야 정책집행을 효과적으로 수행할 수 있다고 보았다.
④ 하향식 접근에서 정책목표는 고정되어 있다.

답 ②

07 □□□

2013년 지방직 9급

정책집행에 관한 연구 중에서 하향적(topdown) 접근방법이 중시하는 효과적 정책집행의 조건으로 옳은 것만을 모두 고른 것은?

> ㄱ. 일선관료의 재량권 확대
> ㄴ. 지배기관들(sovereigns)의 지원
> ㄷ. 집행을 위한 자원의 확보
> ㄹ. 명확하고 일관성 있는 목표

① ㄱ, ㄴ
② ㄱ, ㄷ
③ ㄴ, ㄹ
④ ㄴ, ㄷ, ㄹ

08 □□□

2015년 국회직 8급

다음 중 정책집행의 하향식 접근과 상향식 접근에 대한 설명으로 옳지 않은 것은?

① 상향식 접근은 정책문제를 둘러싸고 있는 행위자들의 동기, 전략, 행동, 상호작용 등에 주목하며 일선공무원들의 전문지식과 문제해결능력을 중시한다.
② 상향식 접근은 집행이 일어나는 현장에 초점을 맞추고 그 현장을 미시적이고 현실적이며 상호작용적인 차원에서 관찰한다.
③ 하향식 접근은 하나의 정책에만 초점을 맞추므로 여러 정책이 동시에 집행되는 경우를 설명하기 곤란하다.
④ 하향식 접근의 대표적인 것은 전방향접근법(forward mapping)이며 이는 집행에서 시작하여 상위 계급이나 조직 또는 결정 단계로 거슬러 올라가는 방식이다.
⑤ 하향식 접근은 정책결정을 정책집행보다 선행하는 것이고 상위의 기능으로 간주한다.

07 하향적(topdown) 접근방법

하향적(topdown) 접근방법은 지배기관들(sovereigns)의 지원, 집행을 위한 자원의 확보, 명확하고 일관성 있는 목표 등을 중시한다.

선지분석

ㄱ. 일선관료의 재량권 확대는 하향적 접근방법이 아니라 상향적 접근방법이 중시하는 효과적 정책집행의 조건이다. 하향적 접근방법은 상급자가 정책을 일방적으로 결정하여 하급 구성원의 재량권을 축소시키는 접근방법이다.

답 ④

08 하향식 접근과 상향식 접근

정책집행의 하향식 접근의 대표적인 전방향접근법(forward mapping)은 결정기관에서 시작해서 집행기관으로 내려오는 방식이다. 집행에서 시작하여 상위 계급이나 조직 또는 결정 단계로 거슬러 올라가는 방식은 상향식 접근이다.

선지분석

① 상향식 접근은 정책문제를 둘러싸고 있는 행위자들의 실제 동기와 행동 및 그들 간 상호작용 등에 주목하며, 정책집행자인 일선공무원의 전문지식과 문제해결능력을 중시한다.
② 상향식 접근은 집행이 일어나는 정책 현장에 초점을 맞추고 그 현장을 미시적이고 현실적이며 현장의 집행자들 간, 집행 간의 상호작용적 차원에서 관찰한다.
③ 하향식 접근은 하나의 정책에만 초점을 맞추므로 여러 정책이 동시에 집행되는 경우를 설명하기 곤란한 반면, 상향식 접근은 여러 정책이 동시에 집행되는 경우를 설명하기 용이하다.
⑤ 하향식 접근은 정책결정을 정책집행보다 선행하는 것이고 상위의 기능으로 간주하나, 상향식 접근은 정책결정과 정책집행이 연쇄적으로 상호작용한다고 본다.

답 ④

09 □□□

2017년 국가직 9급(4월 시행)

정책집행의 상향적 접근방법에 대한 설명으로 옳은 것은?

① 대표적인 모형은 사바티어(Sabatier)의 정책지지 연합모형(Advocacy Coalition Framework)이다.
② 정책결정과 정책집행은 뚜렷하게 구분된다고 본다.
③ 집행현장에서 일선관료의 재량과 자율을 강조한다.
④ 안정되고 구조화된 정책상황을 전제로 한다.

10 □□□

2010년 국가직 9급

정책집행에 대한 연구방법 중 상향적 접근방법(bottom-up approach 또는 backward mapping)에 대한 설명으로 옳지 않은 것은?

① 분명하고 일관된 정책목표의 존재가능성을 부인하고, 정책목표 대신 집행문제의 해결에 논의의 초점을 맞춘다.
② 집행의 성공 또는 실패의 판단기준은 '정책결정권자의 의도에 얼마나 순응하였는가'가 아니라 '일선집행관료의 바람직한 행동이 얼마나 유발되었는가'이다.
③ 말단집행 계층부터 차상위 계층으로 올라가면서 바람직한 행동과 조직운용절차를 유발하기 위하여 필요한 재량과 자원을 파악한다.
④ 일선집행관료의 재량권을 축소하고 통제를 강화한다.

09 상향적 접근방법

집행현장에서 일선관료의 재량과 자율을 강조하는 립스키(Lipsky)의 일선관료제모형은 정책집행의 상향적 접근방법의 대표적인 모형이다.

(선지분석)

① 사바티어(Sabatier)의 정책지지 연합모형(Advocacy Coalition Framework)은 하향식과 상향식 접근방법을 통합한 통합모형을 대표한다.
② 상향적 접근방법에서는 정책결정과 정책집행이 뚜렷하게 구분되지 않는다.
④ 안정되고 구조화된 정책상황을 전제로 하는 것은 하향적 접근방법의 특징이다.

답 ③

10 상향적 접근방법

일선집행관료들의 재량권을 축소하고 통제를 강화하는 것은 정책집행의 하향적 접근방법(top-down)에 해당한다.

(선지분석)

① 상향적 접근방법은 목표가 상대적으로 일반성과 모호성을 띠고 있어 목표의 달성보다는 문제 해결에 논의의 초점을 맞춘다.
② 성공적인 정책집행을 위한 일선관료의 전문지식과 문제해결 능력을 중시하며, 정책결정자의 의도보다 집행의 현장에서 발생하는 구체적인 현상들과 일선관료의 행태에 중점을 둔다.
③ 상향적 접근은 가장 하부의 말단집행 계층부터 계층을 올라가면서 각 계층의 재량과 자원을 파악한다.

답 ④

11 □□□

2019년 서울시 7급

사바티어(Sabatier)의 통합모형에 대한 설명으로 가장 옳지 않은 것은?

① 정책변화 이해에 가장 유효한 분석 단위는 정책하위시스템이다.
② 정책하위시스템에는 서로 다른 목표를 가진 지지연합이 있다.
③ 정책하위시스템 참여자의 활동에 영향을 미치는 요소는 상향식 접근방법으로 도출하였다.
④ 정책집행을 한 번의 과정이 아니라 연속적인 정책변동으로 보았다.

12 □□□

2019년 지방직 9급

다음 특징을 가진 정책변동 모형은?

> • 분석단위로서 정책하위체제(policy sub-system)에 초점을 두고 정책변화를 이해한다.
> • 신념체계, 정책학습 등의 요인은 정책변동에 영향을 준다.
> • 정책변동 과정에서 정책중재자(policy mediator)가 중요한 역할을 한다.

① 정책흐름(Policy Stream)모형
② 단절적 균형(Punctuated Equilibrium)모형
③ 정책지지연합(Advocacy Coalition Framework)모형
④ 정책패러다임 변동(Paradigm Shift)모형

11 통합모형

사바티어(Sabatier)의 통합모형은 하향적·상향적 접근방법을 통합하여 하나의 분석틀을 구성하고자 한 것이다. 정책하위시스템 참여자의 활동에 영향을 미치는 요소를 도출하기 위하여 기본적으로 상향적 접근방법을 채택하고, 사회·경제적 상황 등의 하향적 접근방법을 가미하여 상·하향식이 통합된 접근방법을 사용하였다.

선지분석

① 사바티어(Sabatier)의 통합모형은 정책변화를 이해하기 위해서 정책하위시스템(체제)을 분석 단위로 설정한다.
② 정책하위시스템(체제)에는 각각 상이한 목표를 보유한 지지연합이 존재하고, 그들은 서로 경쟁한다.
④ 사바티어(Sabatier)의 통합모형은 정책집행을 한 번에 완성, 종료되는 것이 아니라 연속적인 정책변동의 과정으로 파악하였다.

답 ③

12 정책지지연합모형

제시문은 사바티어(Sabatier)와 마즈매니언(Mazmanian)의 정책지지연합모형의 특징이다.

선지분석

② 단절적 균형모형은 정책이 어떤 계기로 인해 급격하게 변화하는 이유를 설명하는 모형이다.
④ 정책패러다임 변동모형은 정책변동에 대한 모형으로 정책목표와 정책수단에 의해 급격한 정책변동이 발생하는 모형이다.

정책지지연합모형(Advocacy Coalition Framework)

1. 하향적 접근방법과 상향적 접근방법을 통합하여 하나의 분석틀을 구성하며, 기본적으로 상향적 접근방법의 분석단위를 채택하고 사회 경제적 상황 등의 하향적 접근방법을 가미한 모형이다.
2. 신념체계를 지닌 정책하위연합들 간의 상호작용을 통한 정책변화를 추구하는 정책지향학습을 강조한다.
3. 정책집행을 한 번에 완료되는 과정이 아닌 지속적인 변동차원으로 파악한다.

답 ③

13 □□□

2011년 국가직 9급

정책옹호연합모형(advocacy coalition framework)에 대한 설명으로 옳지 않은 것은?

① 신념체계별로 여러 개의 연합으로 구성된 정책행위자 집단이 자신들의 신념을 정책으로 관철하기 위하여 경쟁한다는 점을 강조한다.
② 사바띠에(Sabatier) 등에 의해 종전의 정책 과정 단계모형의 한계를 극복하기 위하여 개발되었다.
③ 정책문제나 쟁점에 적극적으로 관심을 가지는 공공 및 민간조직의 행위자들로 구성되는 정책하위체계(policy subsystem)라는 개념을 활용한다.
④ 정책변화 또는 정책학습보다 정책집행 과정에 초점을 맞춘 이론이다.

13 정책옹호연합모형

정책옹호연합모형은 하향적·상향적 접근방법을 통하여 하나의 분석틀을 구성하고자 한 것으로, 기본적으로 상향적 접근방법을 채택하고 사회경제적 상황 등의 하향적 접근방법을 가미하였다. 이 모형은 신념체계를 가지고 있는 정책하위연합들 간의 상호작용을 통해 정책변화를 추구하는 정책지향학습을 강조한다.

선지분석

① 정책옹호연합모형에 따르면 정책행위자 집단은 신념체계별로 여러 개의 연합을 구성하게 되고, 그 집단들은 자신들의 신념을 정책화하기 위하여 상호 경쟁한다.

답 ④

14 □□□

2020년 군무원 9급

윈터(S. Winter)가 제시하는 정책집행성과를 좌우하는 주요 변수로 옳지 않은 것은?

① 정책형성과정의 특성
② 일선관료의 행태
③ 조직 상호 간의 집행 형태
④ 정책결정자의 행태

14 윈터(Winter)의 통합모형

윈터(Winter)는 합리모형, 쓰레기통모형, 갈등-타협모형별로 정책결정과정에서의 특징들이 정책집행에 영향을 끼치는 과정을 연구하였다. 윈터(Winter)의 연구에 따르면 정책집행에 영향을 주는 요인은 정책형성과정의 특성, 조직 상호 간의 집행 형태, 일선관료의 행태, 정책 대상 집단의 행태이다. 정책결정자의 행태는 포함되지 않는다.

답 ④

15 □□□

2015년 지방직 7급

매틀랜드(Matland)가 모호성(ambiguity)과 갈등(conflict)이라는 두 차원에 따라 분류한 네 가지 정책집행상황 중에서, 모호성이 낮고 갈등이 높은 상황에 대한 설명으로 옳지 않은 것은?

① 갈등은 매수(side payment)나 담합(log rolling) 등과 같은 방식으로 해결되기도 한다.
② 순응을 확보하기 위해서는 강압적 또는 보상적 수단이 중요해진다.
③ 정책집행 과정은 대립적 이해관계를 가진 집행조직 외부의 행위자에 의해 영향을 많이 받는다.
④ 정책목표가 명확하지 않기 때문에 집행 과정은 목표의 해석과정으로 이해될 수 있다.

15 매틀랜드(Matland)의 통합모형

매틀랜드(Matland)가 분류한 네 가지 정책집행상황 중에서, 모호성이 낮고 갈등이 높은 상황은 정치적 집행이다. 정책목표가 명확하지 않기 때문에 집행 과정이 목표의 해석 과정으로 이해될 수 있는 것은 상징적 집행에 해당한다.

매틀랜드(Matland)의 통합모형

구분		갈등	
		낮음	높음
정책목표의 모호성	낮음	관리적 집행	정치적 집행
	높음	실험적 집행	상징적 집행

답 ④

16 □□□

2009년 국가직 7급

나카무라(Nakamura)와 스몰우드(Smallwood)가 분류한 정책집행의 유형 중 '관료적 기업가형'에 대한 설명으로 옳은 것은?

① 정책결정가는 명백한 목표를 설정하고, 정책집행가는 이러한 목표의 바람직성에 동의한다.
② 정책결정가와 정책집행가는 정책목표의 바람직성에 대해서 반드시 의견을 같이 하지는 않는다.
③ 정책결정가가 정책형성에 정통하고 있지 않아 많은 재량권을 정책집행가에게 위임한다.
④ 정책집행가는 정책결정에 필요한 정보를 산출하고 통제함으로써 정책과정을 지배한다.

16 나카무라와 스몰우드(Nakamura & Smallwood)의 정책집행 유형

관료적 기업가형은 정책집행가가 실질적으로 정책목표를 결정하고 이를 공식적 정책결정가가 채택하도록 설득 또는 강제함으로써 집행가가 결정가의 결정권을 장악하여 정책 과정을 지배하는 모형이다.

(선지분석)
① 지시적 위임가형에 대한 설명이다.
② 협상가형에 대한 설명이다.
③ 재량적 실험가형에 대한 설명이다.

나카무라와 스몰우드(Nakamura & Smallwood)의 정책집행 유형

구분	정책결정자	정책집행자	정책평가 기준
고전적 기술자형	• 구체적 목표 설정 • 집행자에게 기술적 권한 위임	• 정책결정자의 목표 지지 • 목표달성을 위한 기술적 수단 강구	효과성
지시적 위임가형	• 구체적 목표 설정 • 집행자에게 기술적·행정적 권한 위임	• 정책결정자의 목표 지지 • 집행자 상호 간 행정적 권한에 관한 교섭	능률성
협상가형	• 목표 설정 • 집행자와 목표와 달성수단에 관한 협상	정책목표와 수단에 관해 정책결정자와 협상	주민 만족도
재량적 실험가형	• 추상적 목표 지지 • 집행자에게 광범위한 재량권 위임	구체적 목표와 수단을 명백히 하고 확보	수익자 대응성
관료적 기업가형	집행자가 설정한 목표와 달성수단 지지	• 목표와 달성수단을 형성 • 정책결정자가 이를 받아들이도록 설득	체제 유지도

답 ④

17 □□□

2019년 국가직 9급

나카무라(Nakamura)와 스몰우드(Smallwood)의 정책결정자와 정책집행자의 관계 유형 중 다음 설명에 해당하는 것은?

> • 정책집행자는 공식적 정책결정자로 하여금 자신이 결정한 정책목표를 받아들이도록 설득 또는 강제할 수 있다.
> • 정책집행자는 목표를 달성하기 위한 수단을 획득하기 위해 정책결정자와 협상한다.
> • 미국 FBI의 국장직을 수행했던 후버(Hoover) 국장이 대표적인 예이다.

① 지시적 위임형
② 협상형
③ 재량적 실험가형
④ 관료적 기업가형

18 □□□

2018년 지방직 9급

버먼(Berman)의 '적응적 집행'에 대한 설명으로 옳은 것은?

① 미시집행 국면에서 발생하는 정책과 집행조직 사이의 상호 적응이 이루어질 때 성공적으로 집행된다.
② 거시적 집행구조는 동원, 전달자의 집행, 제도화의 세 단계로 구분된다.
③ '행정'은 행정을 통해 구체화된 정부프로그램이 집행을 담당하는 지방정부의 사업으로 받아들여지는 것을 의미한다.
④ '채택'은 지방정부가 채택한 사업을 실행사업으로 변화시키는 것을 의미한다.

17 나카무라와 스몰우드(Nakamura & Smallwood)의 정책집행 유형

정책집행자가 정책목표 자체를 결정하고, 그 목표를 정책결정자로 하여금 받아들이도록 강제할 수 있는 유형은 정책집행자의 권한이 가장 강력한 관료적 기업가형이다. 미국 FBI의 후버(Hoover) 국장은 정책집행자이지만 미국 정보 정책의 추상적 목표 및 구체적 목표까지 자신이 모두 결정한 후, 그 목표를 정책결정자인 대통령이 받아들이도록 설득하고 강제한 대표적인 인물이다.

선지분석

② 협상형에서도 정책집행자와 정책결정자의 협상이 있기는 하지만, 이는 정책결정자와 정책집행자 간의 목표와 수단 자체에 대한 의견불일치 시 발생하는 협상이다.

유형별 정책집행자의 권한 보유 여부

구분	고전적 기술자형	지시적 위임자형	협상자형	재량적 실험가형	관료적 기업가형
정책 목표	X	X	협상 결과에 따라	구체적	추상적, 구체적
정책 수단	기술적	행정적, 기술적		행정적, 기술적	행정적, 기술적

나카무라(Nakamura)와 스몰우드(Smallwood)가 제시한 정책집행자의 유형 중 광범위한 재량을 가지는 순서는 '관료적 기업가형 > 재량적 실험가형 > 협상가형 > 지시적 위임가형 > 고전적 기술자형'이다.

답 ④

18 버먼(Berman)의 적응적 집행

버먼(Berman)은 정책집행을 거시적 집행구조(정형적 집행)와 미시적 집행구조(적응적 집행)로 구분하고, 미시적 집행을 중요하다고 하였다. 즉, 미시적 구조는 직접 서비스를 전달하는 일선집행기관이나 지방정부의 하위조직으로서, 정책결정자가 결정한 정책을 그대로 집행하는 것이 아니라 정책과 집행조직의 상호작용으로 개별적인 집행환경에 부합하는 적응적 집행이 바람직하다고 보았다.

선지분석

② 거시적 집행구조는 행정, 채택, 미시적 집행, 기술적 타당성 네 단계로 구분된다. 한편, 미시적 집행국면에서는 불집행, 적응적 흡수, 기술적 학습, 상호적응의 네 가지 '적응'이 발생하는데, 버먼(Berman)은 집행조직과 정책사업 사이의 상호적응이 가장 성공적인 집행유형이라고 보았다.
③ '채택'은 행정을 통해 구체화된 정부프로그램이 집행을 담당하는 지방정부의 사업으로 받아들여지는 것을 의미한다.
④ '행정'은 지방정부가 채택한 사업을 실행사업으로 변화시키는 것을 의미한다.

답 ①

19 □□□

2018년 국가직 9급

립스키(Lipsky)의 일선관료제(Street-Level Bureaucracy) 이론에 대한 설명으로 옳은 것은?

① 일선관료는 고객에 대한 고정관념(stereotype)을 타파함으로써 복잡한 문제와 불확실한 상황에 대처한다.
② 일선관료가 업무를 수행하는 기관에 대한 고객들의 목표기대는 서로 일치하고 명확하다.
③ 일선관료는 집행에 필요한 자원이 부족할 경우 대체로 부분적이고 간헐적으로 정책을 집행한다.
④ 일선관료는 계층제의 하위에 위치하기 때문에 직무의 자율성이 거의 없고 의사결정에 있어서 재량권의 범위가 좁다.

20 □□□

2016년 사회복지직 9급

립스키(Lipsky)의 일선관료제론에서 일선관료들이 처하게 되는 문제성 있는 업무환경이 아닌 것은?

① 불충분한 자원
② 권위에 대한 위협과 도전
③ 집행업무의 단순성과 정형화
④ 모호하고 대립되는 기대

19 립스키(Lipsky)의 일선관료제

단순화란 일선관료들이 수단적 효율성을 증대시키거나 부담을 경감하기 위하여 업무를 쉬운 형태로 전환시키는 것이고, 정형화란 습관적이고 규칙적인 형태로 상황을 재정립하는 것으로서 일선관료들은 집행에 필요한 자원이 부족할 경우 부담을 경감하기 위해 단순화와 정형화를 시도하여 부분적이고 간헐적으로 정책을 집행한다.

선지분석

① 일선관료들은 오히려 인종이나 학력, 계급 등의 고정관념을 가지고 고객을 다시 정의한 뒤에 고객에게 책임을 전가하거나 자신의 책임을 회피한다.
② 일선관료가 업무를 수행하는 기관의 업무환경은 모호하고 내립되는 기대가 존재하므로 고객들의 목표기대는 서로 일치하기 어렵다.
④ 일선관료는 직무의 자율성이 높고 많은 재량권을 가진다.

답 ③

20 립스키(Lipsky)의 일선관료제

집행업무의 단순성과 정형화는 일선관료들이 처하게 되는 문제성 있는 업무환경으로 인해 나타나는 일선관료의 업무관행에 해당한다. 일선관료들은 과도한 업무량과 복잡한 직무에 대처하기 위하여 업무의 단순화, 정형화, 관례화를 꾀하게 된다.

일선관료의 업무환경

1. 주어진 업무량에 비해 제공되는 인적·물적 자원과 시간 등 자원이 만성적으로 부족하다.
2. 일선관료의 서비스 공급능력에 비해 수요가 항상 더 많아서 업무량이 과도하다.
3. 일선관료가 속한 부서의 목표는 모호하고 대립되며 비현실적인 경우가 많다.
4. 업무수행을 목표와 연계시켜 평가할 객관적 기준을 정하기 어려우며, 고객집단도 비자발적이어서 관료들의 성과를 평가할 능력이 없고 효과적 통제장치 또한 부재한다.
5. 권위에 대한 도전과 위협이 존재한다.

답 ③

21 □□□

2013년 지방직 7급

립스키(Lipsky)의 일선관료제이론에 대한 설명으로 옳지 않은 것은?

① 일선관료(street-level bureaucrats)는 시민들과 직접 대면하면서 정책을 집행하는 사람들이다.
② 일선관료들은 일반적으로 과중한 업무 부담을 가진다.
③ 일선관료들은 모호하고 대립적인 기대들이 존재하는 업무환경 때문에 정책목표를 달성할 수 없는 경우가 많다.
④ 일선관료들은 재량권이 부족하여 업무가 지연된다.

22 □□□

2017년 서울시 9급

정책집행에 대한 설명으로 가장 옳지 않은 것은?

① 나카무라(Nakamura)와 스몰우드(Smallwood)는 정책결정자와 집행자 간의 관계에 따라 정책집행을 유형화하였다.
② 사바티어(Sabatier)는 정책지지연합모형을 제시하였다.
③ 버만(Berman)은 집행현장을 강조하는 입장을 취하였다.
④ 엘모어(Elmore)는 일선현장에 종사하는 공무원이 정책집행에 가장 큰 영향을 미치는 행위자라고 하면서, 이를 전방접근법(forward mapping)이라고 하였다.

21 립스키(Lipsky)의 일선관료제

립스키(Lipsky)의 일선관료제이론에서 일선관료란 정책의 최종적 과정에서 시민들과 직접 접촉하는 공무원을 뜻하며, 이들로 구성된 공공서비스 조직을 일선관료제라고 한다. 일선관료는 상당한 재량권을 기반으로 하여 정책을 수행하지만, 인적·물적 자원 및 시간 등의 부족으로 업무 지연이 나타날 수 있다.

선지분석

① 일선관료는 정책집행 현장에서 시민들과 직접 대면하면서 정책을 집행하는 하급직 경찰, 국공립학교 교사, 사회복지 공무원, 하급법원 판사 등이다.
② 일선관료들은 자원은 부족하고 업무는 과중하다.
③ 일선관료들에게 요구되는 행동양식은 일정하지 않으며 모호하고 대립적인 경우가 많다. 따라서 정책목표를 달성하기가 곤란해지는 경우가 발생한다.

답 ④

22 정책집행

엘모어(Elmore)는 정책집행모형에서 정책집행을 전방접근법과 후방접근법으로 구분하였다. 정책결정자의 역할을 중시하는 것은 전방접근법이고 일선현장에 종사하는 공무원의 역할을 중시하는 것은 후방접근법으로, 엘모어(Elmore)는 이러한 후방접근법을 중시하였다.

선지분석

① 나카무라(Nakamura)와 스몰우드(Smallwood)는 정책결정자와 정책집행자의 관계를 다섯 가지 유형으로 구분하여 각 유형의 기본 가정과 발생가능성이 높은 정책집행의 실패원인에 대해 설명하였다.
② 사바티어(Sabatier)는 하향적 접근방법과 상향적 접근방법을 통합하여 하나의 분석틀을 구성하며, 기본적으로 상향적 접근방법의 분석단위를 채택하고 사회 경제적 상황 등의 하향적 접근방법을 가미한 정책지지연합모형을 제시하였다.
③ 버만(Berman)은 정책집행을 거시적 집행구조(정형적 집행, 하향적)와 미시적 집행구조(적응적 집행, 상향적)로 구분하고 미시적 집행구조를 강조하였다. 미시적 집행구조는 정책결정자가 결정한 정책을 그대로 수행하는 것이 아니라 각 지방정부가 개별적 환경에 의거하여 채택한 사업을 실행하는 것이다.

답 ④

23 □□□

2015년 서울시 9급

정책집행에 대한 다음 설명 중 옳지 않은 것은?

① 프레스만과 윌다브스키(Pressman & Wildavsky)는 집행과정상의 공동행위의 복잡성을 강조하였다.

② 버만(Berman)은 집행현장에서 집행조직과 정책사업 사이의 상호적응의 중요성을 강조하였다.

③ 나카무라와 스몰우드(Nakamura & Smallwood)의 정책집행자 유형 중 관료적 기업가형은 정책의 대략적인 방향을 정책결정자가 정하고 정책집행자들은 이 목표의 구체적 집행에 필요한 폭넓은 재량권을 위임받아 정책을 집행하는 유형이다.

④ 사바티어(Sabatier)는 정책집행의 하향식 접근법과 상향식 접근법의 통합모형을 제시했다.

24 □□□

2012년 국가직 7급

정책집행연구의 접근방법에 대한 설명으로 옳은 것은?

① 나카무라(Nakamura)와 스몰우드(Smallwood)의 관료적 기업가(bureaucratic entrepreneur) 모형에 따르면 정보, 기술, 현실 여건들 때문에 정책결정자들은 구체적인 정책이나 목표를 설정하지 못하고 추상적인 수준에 머문다.

② 사바티어(Sabatier)의 정책지지연합모형(advocacy coalition framework)은 하향적 접근방법의 분석 단위를 채택하고, 여기에 영향을 미치는 요인으로 상향적 접근방법의 여러 가지 변수를 결합한다.

③ 일선집행관료이론을 주장한 립스키(Lipsky)는 일선의 문제성 있는 업무환경으로 자원부족, 권위에 대한 도전, 정책담당자의 보수성 등 세 가지를 제시하였다.

④ 버만(Berman)의 상황론적 집행모형에 따르면 거시적 집행구조는 실질적인 집행이 가능하고 의도한 효과가 발생되도록 프로그램을 어느 정도 구체화하는 것을 의미한다.

23 정책집행

나카무라와 스몰우드(Nakamura & Smallwood)의 정책집행자 유형 중에서 정책의 대략적인 방향을 정책결정자가 정하고 정책집행자들은 이 목표의 구체적 집행에 필요한 폭넓은 재량권을 위임받아 정책을 집행하는 유형은 재량적 실험가형이다. 관료적 기업가형은 정책집행자가 실질적으로 정책목표를 결정하고 이를 공식적 정책결정자가 채택하도록 설득 또는 강제함으로써 정책집행자가 정책결정자의 결정권을 장악한 모형이다.

선지분석

① 프레스만과 윌다브스키(Pressman & Wildavsky)는 집행과정상의 공동행위의 현실적 복잡성을 강조하였으며, 정책집행이 성공하기 위해서는 집행이 단순하여야 한다고 주장하였다.

② 버만(Berman)에 따르면 미시적 집행국면에서는 불집행, 적응적 흡수, 기술적 학습, 상호적응의 네 가지 '적응'이 발생하는데, 버만은 집행조직과 정책사업 사이의 상호적응이 가장 성공적인 집행유형이라고 보았다.

④ 사바티어(Sabatier)의 통합모형은 하향적·상향적 접근법을 통합하여 하나의 분석 틀을 구성하고자 한 모형이다. 정책하위시스템 참여자의 활동에 영향을 미치는 요소를 도출하기 위하여 기본적으로 상향적 접근법을 채택하고, 사회·경제적 상황 등의 하향적 접근법을 가미하였다.

답 ③

24 정책집행연구의 접근방법

버만(Berman)의 정책집행모형에 따르면 거시적 집행구조는 실질적인 집행이 가능하여 의도한 효과가 발생하도록 하위 집행구조를 설계하고 프로그램을 어느 정도 구체화시킬 수 있는 것을 의미한다.

선지분석

① 나카무라(Nakamura)와 스몰우드(Smallwood)의 재량적 실험가모형에 따르면 정보, 기술, 현실 여건들 때문에 정책결정자들은 구체적인 정책이나 목표를 설정하지 못하고 추상적인 수준에 머문다.

② 사바티어(Sabatier)의 통합적 접근법은 정책지지연합모형이라고 불리며, 두 접근법의 특성을 결합하여 하나의 분석틀을 구성하려는 시도이다. 기본적 관점은 상향적 접근방법의 분석 단위를 채택하고, 여기에 영향을 미치는 요인으로 하향적 접근방법의 여러 가지 변수와 사회경제적 상황과 법적 수단을 결합하는 것이다.

③ 립스키(Lipsky)가 제시한 일선의 문제성 있는 업무환경은 불충분한 자원(자원의 부족), 권위에 대한 위협과 도전, 모호하고 대립되는 기대 등 세 가지이다.

답 ④

25 □□□

2017년 지방직 9급(6월 시행)

정책집행의 성공가능성에 대한 설명으로 옳지 않은 것은?

① 정책집행연구의 하향론자들은 복잡한 조직구조가 정책의 성공적 집행을 도와준다고 주장한다.
② 정책목표와 정책수단이 구체적일수록 정책집행의 성공가능성이 커진다는 주장이 있다.
③ 불특정다수인이 혜택을 보는 경우보다 특정한 집단이 배타적으로 혜택을 보는 경우에 강력한 지지를 얻을 수도 있다.
④ 배분정책은 규제정책이나 재분배정책에 비해 표준운영절차(SOP)에 따라 원만한 집행이 이루어질 가능성이 더 크다.

25 정책집행의 성공가능성

복잡한 조직구조보다 단순한 조직구조가 성공적 집행을 가져온다고 본다.

선지분석

② 정책의 목표와 수단이 서로 대립되거나 추상적이지 않고 명확할수록 정책집행의 성공가능성이 커진다.
③ 혜택을 보는 집단이 명확할수록 강력한 지지가 발생한다.
④ 배분정책은 표준운영절차(SOP)에 따라 안정된 집행이 가능하므로 규제정책이나 재분배정책에 비해 원만하게 집행이 이루어질 가능성이 더 크다.

답 ①

26 □□□

2014년 국회직 8급

다음 중 정책집행에 영향을 미치는 요인들에 대한 설명으로 옳지 않은 것은?

① 정책집행자의 전문성, 사기, 정책에 대한 인식 등이 집행효율성에 상당한 영향을 미친다.
② 정책결정자의 관심과 지도력은 정책집행의 성과에 큰 영향을 미친다.
③ 정책집행은 대상집단의 범위가 광범위하고 활동이 다양한 경우 더욱 용이하다.
④ 정책을 통해 해결하려는 문제가 정책집행체계의 역량을 넘어서는 경우에는 정책집행이 지체된다.
⑤ 집행효율성은 정책문제를 해결할 수 있는 기술이 확보되어 있다면 높아질 수 있다.

26 정책집행에 영향을 미치는 요인

정책집행의 대상집단 범위가 광범위하고 활동이 다양한 경우 정책집행이 어렵다. 반면, 정책집행의 대상집단 범위가 협소하고 활동이 일정한 경우에는 정책집행이 용이하다.

성공적인 정책집행의 학자별 판단 기준

학자	판단 기준
나카무라(Nakamura) & 스몰우드(Smallwood)	효과성, 체제유지도, 능률성, 주민만족도, 수익자 대응성
던(Dunn)	효과성, 능률성, 형평성, 적합성, 적절성, 대응성
레인(Rein) & 라비노비츠(Rabinovitz)	결정자의 정책의도 실현, 집행자의 관료적 합리성, 집행 관련 집단의 요구 충족
리플리(Ripley) & 프랭클린(Franklin)	집행 관료의 순응, 집행 과정의 완만성, 바람직한 결과의 달성

답 ③

27 □□□

2013년 서울시 9급

정책집행에 대한 설명 중 옳지 않은 것은?

① 정책의 희생집단보다 수혜집단의 조직화가 강하면 정책집행이 곤란하다.
② 집행은 명확하고 일관되게 이루어져야 한다.
③ 규제정책의 집행 과정에서도 갈등은 존재한다고 본다.
④ 정책집행 유형은 집행자와 결정자와의 관계에 따라 달라진다.
⑤ 정책집행에는 환경적 요인도 작용한다.

28 □□□

2011년 지방직 9급

사바티어(Sabatier)와 마즈매니언(Mazmanian)이 효과적인 정책집행을 위해서 필요하다고 본 전제조건에 해당되지 않는 것은?

① 정책결정의 내용은 타당한 인과이론에 바탕을 둔 것이어야 한다.
② 법령은 명확한 정책지침을 가지고 대상집단의 순응을 극대화시켜야 한다.
③ 정책목표의 집행 과정에서 우선순위를 탄력적이고 신축적으로 조정하여야 한다.
④ 유능하고 헌신적인 관료가 정책집행을 담당해야 한다.

27 정책집행

정책의 희생집단보다 수혜집단의 조직화가 강할 경우 정책을 집행하기가 더욱 용이해진다.

(선지분석)

② 정책집행은 결정된 정책을 일련의 정치·행정적 활동을 통해 실행에 옮기는 과정으로, 명확성과 일관성이 있어야 한다.
③ 규제정책은 수혜자와 비용부담자가 명백하게 구분되어 투쟁과 갈등 및 타협이라는 특징이 나타난다.
④ 나카무라(Nakamura)와 스몰우드(Smallwood)는 정책결정자와 정책집행자의 관계에 따라 정책집행을 다섯 가지 유형으로 구분하였다.
⑤ 정책집행에는 경제적·정치적 요인뿐만 아니라 환경적 요인도 작용한다.

답 ①

28 성공적인 정책집행을 위한 요인

사바티어와 마즈매니언(Sabatier & Mazmanian)은 정책목표의 탄력적이고 신축적인 조정보다 명확하고 일관성을 지닌 정책목표를 성공적인 정책집행을 위한 요인으로 제시하였다.

성공적인 정책집행을 위한 요인
- 사바티어와 마즈매니언(Sabatier & Mazmanian)

1. 명확하고 일관성을 지닌 정책목표
2. 타당성을 지닌 인과이론
3. 정책집행자 및 정책대상집단의 순응을 확보할 수 있는 제재와 유인수단
4. 능력을 보유한 의욕적인 정책집행자
5. 정책관련 집단의 지지

답 ③

29 □□□

2015년 국가직 7급

정책집행 연구에 대한 설명으로 옳지 않은 것은?

① 마즈마니언(Mazmanian)과 사바티어(Sabatier)는 하향식 접근방법의 발전에 기여하였다.

② 상향식 접근방법은 정책결정과 정책집행 간의 엄밀한 구분에 의문을 제기한다.

③ 상향식 접근론자들은 정책집행을 이해하기 위해서는 일선관료의 행태를 고찰하여야 한다고 본다.

④ 하향식 접근방법은 공식적 정책목표를 중요한 변수로 취급하지 않는다.

30 □□□

2012년 지방직 9급

정책집행에 영향을 미치는 요인에 대한 설명으로 옳은 것은?

① 사바티어(Sabatier)는 정책대상집단의 행태 변화의 정도가 크면 정책집행의 성공은 어렵다고 본다.

② 집행주체의 집행역량은 집행구조나 조직의 분위기에 영향을 받지 않는다.

③ 정책집행 과정에서 의사결정점(decision point)이 많을수록 신속하게 집행된다.

④ 정책수혜집단의 규모가 크고 조직화 정도가 강한 경우 집행이 어렵다.

29 정책집행 연구

하향식 접근방법은 정책을 상위 부서의 정책결정자들에 의해 결정되어 집행담당자에게 내려지는 지침으로 정의하며, 명확하고 공식적인 정책목표와 인과성 있는 수단의 보유를 전제로 정책집행은 단순히 결정 내용을 충실하게 이해하는 과정이라고 본다.

선지분석

① 마즈마니언(Mazmanian)과 사바티어(Sabatier)는 정책집행이 성공하기 위해서는 명확한 정책목표의 설정이 중요하다고 보아 하향식 접근방법의 발전에 기여하였다.

② 상향식 접근방법은 정책결정과 정책집행이 엄밀히 구분되지 않고 상호연쇄적으로 작용한다고 본다.

③ 상향식 접근론자들은 정책집행을 이해하기 위해서는 정책집행 현장의 일선관료의 행태를 고찰하여야 한다고 본다.

답 ④

30 정책집행에 영향을 미치는 요인

사바티어(Sabatier)는 정책대상집단의 행태 변화의 정도가 크면 정책집행의 성공가능성이 낮아진다고 본다.

선지분석

② 집행주체의 집행역량은 집행구조나 조직의 분위기에 영향을 받는다.

③ 윌다브스키와 프레스만(Wildavsky & Pressman)의 견해에 따르면 정책집행 과정에서 의사결정점이 많을수록 정책집행이 복잡해지므로 신속한 집행이 어렵다.

④ 정책수혜집단의 규모가 크고 조직화 정도가 강한 경우 집행이 용이하다.

답 ①

정책평가론

THEME 034 정책평가

01 □□□

2014년 국가직 7급

정책평가에 대한 설명으로 옳은 것은?

① 정책평가를 통해 최선의 정책대안을 선택한다.
② 정책평가의 양적 기법으로는 참여관찰법, 심층면접법 등을 들 수 있다.
③ 정책평가의 목적은 정책결정과 집행에 필요한 정보제공 및 정책 과정의 책임성 확보에 있다.
④ 정책평가연구에서는 현실적 제약으로 인해 준실험적 방법보다는 진실험적 방법이 많이 사용된다.

02 □□□

2010년 서울시 9급

정책평가의 목적으로 적절하지 않은 것은?

① 정책대안의 예측 결과에 대한 비교 · 평가
② 목표의 충족 여부 파악
③ 성공과 실패의 원인 제시
④ 목표달성을 위해 사용된 수단과 하위 목표의 재규정
⑤ 효과성을 증진시키기 위해 여러 기법을 사용하는 실험 과정으로의 유도

01 정책평가

정책평가란 정책이 대상에 미치는 효과를 목표와 관련하여 객관적·체계적으로 검도하는 과정이다. 정책이나 사업계획의 집행결과가 의도된 정책목표를 실현하였는지, 당초 생각된 정책문제의 해결에 기여하였는지, 어떤 파급효과가 있었는지를 체계적으로 분석한다.

(선지분석)

① 가장 최선의 정책대안을 선택하는 것은 정책분석이다.
② 참여관찰법, 심층면접법 등은 정책평가의 질적 기법이다.
④ 정책평가연구에서는 현실적 제약으로 진실험적 방법보다 준실험적 방법이 더 많이 사용된다.

답 ③

02 정책평가의 목적

정책대안의 예측 결과에 대한 비교와 평가는 정책평가가 아니라 정책분석에 해당하는 개념이다.

정책평가의 목적

1. 선거를 통해 국민들에게 책임을 지는 등 정책과정의 법적·관리적·정치적 책임성 확보
2. 정책결정과 집행에 필요한 정보 제공
3. 프로그램의 성공과 실패의 원인 파악 및 원칙 발견
4. 효과성 제고를 위한 여러 기법들의 실험 및 대안적 기법들의 평가 기초 제공
5. 정책수단과 결과에 대한 이론을 구축하여 학문적 인과성 확보

답 ①

03 □□□

2017년 사회복지직 9급

일반적인 정책평가의 절차를 순서대로 연결한 것은?

> ㄱ. 인과모형의 설정
> ㄴ. 자료 수집 및 분석
> ㄷ. 정책목표의 확인
> ㄹ. 정책평가 대상 및 기준의 확정
> ㅁ. 평가 결과의 환류

① ㄱ → ㄴ → ㄷ → ㄹ → ㅁ
② ㄴ → ㄷ → ㄱ → ㄹ → ㅁ
③ ㄷ → ㄹ → ㄱ → ㄴ → ㅁ
④ ㄹ → ㄱ → ㄴ → ㄷ → ㅁ

04 □□□

2016년 국가직 7급

정책평가의 유형에 대한 설명으로 옳지 않은 것은?

① 총괄평가(summative evaluation)는 정책집행이 종료된 후에 그 성과나 효과를 평가하는 것이다.
② 형성평가(formative evaluation)는 정책집행 도중에 과정의 적절성과 수단 · 목표 간 인과성 등을 평가하는 것이다.
③ 총괄평가는 주로 내부 평가자에 의해 수행되며, 평가 결과를 환류하여 최종안을 개선하는 것이 목적이다.
④ 형성평가는 주로 내부 평가자 및 외부 평가자의 자문에 의해 평가를 진행하며, 정책집행단계에서 정책 담당자 등을 돕기 위한 것이다.

03 정책평가의 절차

정책평가의 절차는 정책목표의 확인(ㄷ) → 정책평가 대상 및 기준의 확정(ㄹ) → 인과모형의 설정(ㄱ) → 자료 수집 및 분석(ㄴ) → 평가 결과의 환류(ㅁ)로 이루어진다.

정책평가의 과정

정책평가의 목표 확인	조직의 공식적 목표뿐 아니라 정책관련자들이 지닌 목표들까지 현재화시키고 확인하는 작업을 수행함
정책평가 기준의 선정	효과성, 능률성, 주민만족도, 수익자 대응성, 체제 유지도 등 정책평가의 기준을 선정함
인과모형의 설정	독립변수와 종속변수 간의 관계를 가설로 설정함
연구설계의 개발	인과모형을 검증하기 위한 실험설계가 필요함
자료의 수집과 분석	1차·2차 자료 등의 자료를 수입하고 상관분석이나 회귀분석 등을 이용하여 자료를 분석함
평가 결과의 제시 및 환류	결과를 검토한 후 필요한 시정조치를 수행함

답 ③

04 정책평가의 유형

총괄평가는 정책집행 후 정책수단과 정책효과 간의 인과관계 결과를 추정하는 것으로, 일반적 의미의 정책평가에 해당한다. 주로 외부 평가자에 의해 수행되며, 평가 결과를 환류하여 최종안을 개선하는 것이 목적이다.

정책평가의 목적에 따른 분류

총괄평가		• 정책집행 후 정책수단과 정책효과 간의 인과관계 결과를 추정하는 것 • 일반적 의미의 정책평가 • 구분: 효과성평가, 능률성평가, 영향평가
과정평가	협의의 과정평가	• 정책수단과 정책효과 간의 구체적인 인과관계 경로를 검증하는 평가 • 총괄평가 중 효과성평가를 보완하는 방법
	형성평가(집행분석, 집행과정 평가)	• 정책집행이 의도대로 집행되었는지를 확인하고 문제점을 발견·시정하는 평가 • 핵심은 집행분석이며, 주요수단은 사업 감시(프로그램 모니터링)
메타평가		• 평과 결과를 다시 평가하는 '평가에 대한 평가' • 상급자나 외부 전문가 등의 제3자가 기존 평가의 방법·절차·결과 등이 제대로 되었는지를 다시 평가하는 사후적 총괄평가

답 ③

05 □□□

2018년 서울시 9급

정책평가에 대한 설명으로 가장 옳지 않은 것은?

① 총괄평가(summative evaluation)는 정책이 종료된 후에 그 정책이 당초 의도했던 효과를 가져왔는지의 여부를 판단하는 활동이다.
② 메타평가(meta evaluation)는 평가 자체를 대상으로 하며, 평가활동과 평가체제를 평가해 정책평가의 질을 높이고 결과활용을 증진하기 위한 목적으로 활용한다.
③ 평가성 사정(evaluability assessment)은 영향평가 또는 총괄평가를 실시한 후에 평가의 유용성, 평가의 성과증진효과 등을 평가하는 활동이다.
④ 형성평가(formative evaluation)란 프로그램이 집행과정에 있으며 여전히 유동적일 때 프로그램의 개선을 위해서 실시하는 평가이다.

05 정책평가

평가성 사정이란 영향평가 또는 총괄평가를 실시하기 이전에 평가의 유용성과 평가의 성과증진효과 등을 미리 평가하는 일종의 예비평가 활동이다.

(선지분석)

① 총괄평가는 정책이 종료된 후에 그 정책이 당초 의도했던 효과를 가져왔는지의 여부를 판단하는 활동으로, 일반적 의미의 정책평가이다.
② 메타평가는 평가 자체를 대상으로 하며 평가활동과 평가체제를 평가하여 정책평가의 질을 높이고 결과활용을 증진하기 위한 목적으로 활용되는 평가로, 상급자나 외부 전문가 등의 제3자가 기존 평가의 방법, 절차, 결과 등이 제대로 되었는지를 다시 평가하는 평가이다.
④ 형성평가란 프로그램이 집행과정에 있으며 여전히 유동적일 때 프로그램의 개선을 위해서 실시하는 평가로, 핵심은 집행분석이다.

답 ③

06 □□□

2019년 국가직 9급

「정부업무평가 기본법」상 정책평가에 대한 설명으로 옳지 않은 것은?

① 지방자치단체의 장은 정부업무평가시행계획에 기초하여 자체평가계획을 매년 수립하여야 한다.
② 국무총리는 2 이상의 중앙행정기관 관련 시책, 주요 현안시책, 혁신관리 및 대통령령이 정하는 대상부문에 대하여 특정평가를 실시하고, 그 결과를 공개하여야 한다.
③ 중앙행정기관 또는 지방자치단체의 소속기관이 행하는 정책은 정부업무평가의 대상에 포함된다.
④ 정부업무평가위원회는 위원장 1인과 14인 이내의 위원으로 구성한다.

06 정책평가

정부업무평가위원회는 위원장 1인과 14인 이내의 위원이 아닌, 위원장 2인을 포함한 15인 이내의 위원으로 구성한다.

> **「정부업무평가 기본법」 제10조 【위원회의 구성 및 운영】** ① 위원회는 위원장 2인을 포함한 15인 이내의 위원으로 구성한다.

답 ④

07 □□□

2019년 국가직 7급

「정부업무평가 기본법」상 정부업무평가제도에 대한 설명으로 옳지 않은 것은?

① 공공기관도 정부업무평가의 대상에 포함된다.
② 중앙행정기관뿐만 아니라 지방자치단체도 자체평가를 실시하여야 한다.
③ 재평가는 이미 실시된 평가의 결과, 방법 및 절차에 관하여 그 평가를 실시한 기관 외의 기관이 다시 평가하는 것이다.
④ 국가위임사무에 대하여 평가가 필요한 경우에는 행정안전부장관이 중앙행정기관의 장과 함께 특정평가를 실시할 수 있다.

08 □□□

2017년 지방직 9급(12월 추가)

「정부업무평가 기본법」상 정부업무평가제도에 대한 설명으로 옳은 것은?

① 정부업무평가의 평가대상기관에 지방자치단체의 소속기관은 포함되지 않는다.
② 자체평가는 국무총리가 중앙행정기관을 대상으로 국정을 통합적으로 관리하기 위하여 필요한 정책 등을 평가하는 것이다.
③ 정부업무평가의 실시와 평가기반의 구축을 체계적 · 효율적으로 추진하기 위하여 국무총리 소속하에 정부업무평가위원회를 둔다.
④ 특정평가는 중앙행정기관 또는 지방자치단체가 소관 정책 등을 스스로 평가하는 것이다.

07 정부업무평가제도

국가위임사무에 대하여 행정안전부장관이 중앙행정기관의 장과 함께 하는 평가는 특정평가가 아닌 합동평가이다. 특정평가는 국무총리가 중앙행정기관을 대상으로 국정을 통합적으로 관리하기 위하여 필요한 정책 등을 평가하는 것이다.

(선지분석)

① 기관의 특수성·전문성을 고려하고 평가의 객관성 및 공정성을 확보하기 위하여 외부기관이 공공기관 평가를 실시한다.
② 중앙행정기관은 중앙행정기관의 장이, 지방자치단체는 지방자치단체의 장이 그 소속기관의 정책 등을 포함하여 자체평가를 실시하여야 한다.
③ 우리나라의 중앙행정기관은 국무총리가 중앙행정기관의 자체평가결과를 확인·검토 후 평가의 객관성 및 신뢰성에 문제가 있어 재평가할 필요가 있다고 판단되면 위원회의 심의·의결을 거쳐 재평가 실시할 수 있다.

답 ④

08 정부업무평가제도

정부업무평가의 실시와 평가기반의 구축을 체계적·효율적으로 추진하기 위하여 국무총리 소속하에 정부업무평가위원회를 두며, 위원회는 위원장 2명을 포함한 15인 이내의 위원으로 구성한다.

(선지분석)

① 정부업무평가의 평가대상기관에는 중앙행정기관(대통령 소속기관 및 국무총리 소속기관·보좌기관 포함), 지방자치단체, 중앙행정기관 또는 지방자치단체의 소속기관, 공공기관, 지방공사 및 지방공단, 연구기관 등이 포함된다.
② 국무총리가 중앙행정기관을 대상으로 국정을 통합적으로 관리하기 위하여 필요한 정책 등을 평가하는 것은 특정평가이다. 국무총리는 중앙행정기관 관련 시책, 주요 현안시책, 혁신관리 및 대통령령이 정하는 대상부문에 대하여 특정평가를 실시하고, 그 결과를 공개하여야 한다.
④ 중앙행정기관 또는 지방자치단체가 소관 정책 등을 스스로 평가하는 것은 자체평가이다.

답 ③

09 □□□

2017년 국가직 9급(4월 시행)

「정부업무평가 기본법」에 의한 정부업무평가제도에 대한 설명으로 옳지 않은 것은?

① 김포시와 도로교통공단은 평가대상에 포함된다.
② 관세청장은 자체평가위원회를 운영한다.
③ 행정안전부장관은 지방자치단체합동평가위원회의 당연직 위원장이다.
④ 기획재정부장관은 정부업무평가위원회의 위원이다.

10 □□□

2017년 지방직 9급(6월 시행)

「정부업무평가 기본법」상 정부업무평가의 종류가 아닌 것은?

① 중앙행정기관의 자체평가
② 공공기관에 대한 평가
③ 환경영향평가
④ 지방자치단체의 자체평가

09 정부업무평가제도

「정부업무평가 기본법 시행령」 제18조에 지방자치단체합동평가위원회의 구성이 규정되어 있다. 제2항에 "위원장은 제3항의 민간위원 중에서 행정안전부장관이 지명한다."라고 되어 있기 때문에 지방자치단체합동평가위원회의 위원장은 행정안전부장관이 아니라 민간전문가이다.

(선지분석)

① 중앙행정기관, 지방자치단체, 중앙행정기관 또는 지방자치단체의 소속기관, 공공기관 등이 평가대상기관으로 규정되어 있으며 따라서 지방자치단체인 김포시와 공공기관인 도로교통공단은 평가대상에 포함된다.
② 중앙행정기관의 장과 지방자치단체의 장은 자체평가조직 및 자체평가위원회를 구성·운영하여야 한다. 따라서 중앙행정기관의 장인 관세청장은 자체평가위원회를 운영하게 된다.

> **「정부업무평가 기본법」 제10조 【위원회의 구성 및 운영】** ③ 위원은 다음 각 호의 자가 된다.
> 1. 기획재정부장관, 행정안전부장관, 국무조정실장
> 2. 다음 각 목의 어느 하나에 해당하는 자로서 대통령이 위촉하는 자
>   가. 평가관련 분야를 전공한 자로서 대학이나 공인된 연구기관에서 부교수 이상 또는 이에 상당하는 직에 있거나 있었던 자
>   나. 1급 이상 또는 이에 상당하는 공무원의 직에 있었던 자
>   다. 그 밖에 평가 또는 행정에 관하여 가목 또는 나목의 자와 동등한 정도로 학식과 경험이 풍부하다고 인정되는 자

답 ③

10 정부업무평가의 종류

환경영향평가는 「정부업무평가 기본법」상 정부업무평가에 해당하지 않는다. 환경영향평가는 정책이나 사업이 환경에 미치는 영향을 사전에 예측하는 활동으로, 정책평가가 아니라 정책분석의 단계에서 실시된다.

> **우리나라 정책평가의 종류**
> 1. 중앙행정기관 평가: 자체평가, 재평가
> 2. 지방자치단체 평가: 자체평가, 평가지원, 합동평가
> 3. 특정평가
> 4. 공공기관 평가

답 ③

11 □□□

2017년 사회복지직 9급

「정부업무평가 기본법」에 따른 정부업무평가의 종류가 아닌 것은?

① 중앙행정기관의 자체평가
② 지방자치단체의 자체평가
③ 중앙행정기관에 대한 합동평가
④ 공공기관에 대한 평가

12 □□□

2016년 서울시 9급

정부업무평가제도에 대한 설명으로 가장 옳지 않은 것은?

① 「정부업무평가 기본법」에 의한 정부업무평가 대상은 중앙행정기관과 지방자치단체를 포함하며, 공공기관은 제외된다.
② 지방자치단체 합동평가위원회는 행정안전부 소속 위원회로 「정부업무평가 기본법」에 설치근거를 둔다.
③ 정부업무평가 중 특정평가는 국무총리가 중앙행정기관을 대상으로 정책을 평가하는 것을 의미한다.
④ 중앙행정기관의 장은 그 소속 기관의 정책 등을 포함하여 자체평가를 실시하여야 한다.

11 정부업무평가의 종류

중앙행정기관에 대한 합동평가는 없다. 「정부업무평가 기본법」에 따르면 행정안전부장관은 지방자치단체의 국고보조사업 등 국가위임사무 등에 대해 관계중앙행정기관의 장과 합동으로 평가를 실시할 수 있다. 따라서 합동평가는 지방자치단체에 대하여 하는 것이다.

답 ③

12 정부업무평가제도

「정부업무평가 기본법」에 의한 정부업무평가 평가대상기관은 중앙행정기관, 지방자치단체, 중앙행정기관 또는 지방자치단체의 소속기관, 공공기관 등으로 구성되어 있다.

선지분석

② 지방자치단체 합동평가위원회는 「정부업무평가 기본법」 제21조 제4항에 근거한 「정부업무평가기본법 시행령」 제17조, 제18조에 의해 설치되었다.
③ 특정평가는 국무총리가 중앙행정기관을 대상으로 국정을 통합적으로 관리하기 위해 필요한 정책 등을 평가하는 것이다.
④ 중앙행정기관의 자체평가는 연 2회 실시되며, 평가의 공정성과 객관성 확보를 위해 자체평가위원의 3분의 2 이상은 민간위원으로 구성·운영하여야 한다.

답 ①

13 □□□

2013년 국회직 8급

다음 중 「정부업무평가 기본법」에서 규정하고 있는 내용으로 옳은 것은?

① 국무총리는 정부업무평가기본계획에 대해 최소한 2년마다 그 계획의 타당성을 검토하여 수정·보완 등의 조치를 하여야 한다.

② 중앙행정기관의 장은 자체평가조직 및 자체평가위원회를 구성·운영하여야 하며, 이 경우 평가의 공정성과 객관성을 확보하기 위하여 자체평가위원의 2분의 1 이상은 민간위원으로 하여야 한다.

③ 정부업무평가의 실시와 평가기반의 구축을 체계적·효율적으로 추진하기 위하여 국무총리 소속하에 정부업무평가위원회를 두며, 위원회는 위원장 2인을 포함한 15인 이내의 위원으로 구성한다.

④ 국무총리는 중앙행정기관의 자체평가 결과를 확인·점검 후 평가의 객관성·신뢰성에 문제가 있어 다시 평가할 필요가 있다고 판단되는 때에는 정부업무평가위원회의 심의·의결을 거쳐 재평가를 실시하여야 한다.

⑤ 국무총리는 지방자치단체에 대한 합동평가를 효율적으로 추진하기 위하여 국무총리 소속하에 지방자치단체합동평가위원회를 설치·운영할 수 있다.

14 □□□

2008년 지방직 7급

현행 「정부업무평가 기본법」에 대한 설명으로 옳지 않은 것은?

① 중앙행정기관의 장은 성과관리전략계획에 기초하여 당해 연도의 성과목표를 달성하기 위한 연도별 시행계획을 수립·시행하여야 한다.

② 행정안전부장관은 정부업무평가위원회의 심의·의결을 거쳐 정부업무의 성과관리 및 정부업무평가에 관한 정책목표와 방향을 설정한 정부업무평가기본계획을 수립하여야 한다.

③ 전자통합평가체계는 평가과정, 평가결과 및 환류과정의 통합적인 정보관리 및 평가관련기관 간 정보공유가 가능하도록 하여야 한다.

④ 중앙행정기관의 장은 성과관리전략계획에 당해 기관의 임무·전략목표 등을 포함하여야 하고 최소한 3년마다 그 계획의 타당성을 검토하여 수정·보완 등의 조치를 하여야 한다.

13 「정부업무평가 기본법」

「정부업무평가 기본법」 제9조 제1항 및 제10조 제1항에 규정되어 있다.

> **「정부업무평가 기본법」 제9조 【정부업무평가위원회의 설치 및 임무】** ① 정부업무평가의 실시와 평가기반의 구축을 체계적·효율적으로 추진하기 위하여 국무총리 소속하에 정부업무평가위원회를 둔다.
> **제10조 【위원회의 구성 및 운영】** ① 위원회는 위원장 2인을 포함한 15인 이내의 위원으로 구성한다.

선지분석

① 국무총리는 정부업무평가기본계획에 대해 최소한 3년마다 그 계획의 타당성을 검토하여 수정·보완 등의 조치를 하여야 한다.

② 자체평가위원의 3분의 2 이상은 민간위원으로 하여야 한다.

④ 재평가를 실시할 수 있다. 이는 임의규정이다.

⑤ 행정안전부장관은 지방자치단체에 대한 합동평가를 효율적으로 추진하기 위하여 행정안전부 소속하에 지방자치단체합동평가위원회를 설치·운영할 수 있다.

답 ③

14 「정부업무평가 기본법」

국무총리는 위원회의 심의·의결을 거쳐 정부업무의 성과관리 및 정부업무평가에 관한 정책목표와 방향을 설정한 정부업무평가기본계획을 수립하여야 한다(「정부입무평가 기본법」 제8조 제1항).

답 ②

15 □□□

2020년 국가직 9급

정책변수에 대한 설명으로 옳은 것만을 모두 고르면?

ㄱ. 매개변수 - 독립변수의 원인인 동시에 종속변수의 원인이 되는 제3의 변수
ㄴ. 조절변수 - 독립변수와 종속변수 간에 상호작용 효과를 나타나게 하는 제3의 변수
ㄷ. 억제변수 - 독립변수와 종속변수 간에 상관관계가 없는데도 있는 것으로 나타나게 하는 제3의 변수
ㄹ. 허위변수 - 독립변수와 종속변수 모두에게 영향을 미치며 이들 사이의 공동변화를 설명하는 제3의 변수

① ㄱ, ㄷ
② ㄱ, ㄹ
③ ㄴ, ㄷ
④ ㄴ, ㄹ

16 □□□

2019년 서울시 7급(2월 추가)

효과성 성과감사를 위한 질문과 가장 거리가 먼 것은?

① 부처 간 공통목적 달성을 위해 잘 협조하고 있는가?
② 사업의 대상 집단은 정확히 정의되었는가?
③ 사람들은 제공된 사업내용이나 수단에 만족하는가?
④ 선택된 수단들은 추구하는 목적 달성에 어느 정도로 기여하는가?

15 정책변수

ㄴ. 조절변수란 독립변수와 종속변수 간 상호작용 효과를 조절하여 발생시키는 제3의 변수이다.
ㄹ. 허위변수란 독립변수와 종속변수 간에 아무런 관계가 없음에도 불구하고 겉으로는 상관관계가 있는 것처럼 보이게 만들어, 두 변수 모두에게 영향을 끼치는 변수로 이들 사이의 공동변화를 설명하는 제3의 변수이다.

선지분석

ㄱ. 매개변수란 독립변수의 결과인 동시에 종속변수의 원인이 되는 제3의 변수이다.
ㄷ. 억제변수란 독립변수와 종속변수 간에 상관관계가 있는데도 없는 것으로 나타나게 하는 제3의 변수이다.

답 ④

16 효과성 성과감사

'부처 간 공통목적 달성을 위해 잘 협조하고 있는가?'는 효과성 성과감사를 위한 질문이 아닌, 정책의 집행 과정 점검에 대한 질문이다.

평가내용 및 지표(중앙행정기관 평가중심)

구분	평가기준	착안사항
정책형성	목표의 적합성	• 목표가 명확하게 제시되었는가? • 목표가 상위 국정지표에 부합하는가? • 목표가 환경변화에 대응하고 있는가
	내용의 충실성	• 하위 정책목표 및 수단이 충실히 구비되었는가? • 관련기관 정책과 연계협조는 충분히 고려하였는가
정책집행	과정의 효율성	• 계획에 맞추어 사업이 추진되는가? • 투입 자원을 효율적으로 사용하는가
	과정의 적절성	• 국민 및 이해당사자에게 제대로 알리고 있는가? • 변화를 적절히 포착하여 대응하고 있는가?
정책성과	목표 달성도	미리 설정한 정책목표는 달성되었는가?
	정책 효과성	정책의 효과가 실질적으로 국민에게 도움이 되고 있는가?

답 ①

17 □□□

2020년 지방직 9급

정책평가의 논리에서 수단과 목표 간의 인과관계에 대한 설명으로 옳은 것만을 모두 고르면?

ㄱ. 정책목표의 달성이 정책수단의 실현에 선행해서 존재해야 한다.
ㄴ. 특정 정책수단 실현과 정책목표 달성 간 관계를 설명하는 다른 요인이 배제되어야 한다.
ㄷ. 정책수단의 변화 정도에 따라 정책목표의 달성 정도도 변해야 한다.

① ㄱ
② ㄷ
③ ㄱ, ㄴ
④ ㄴ, ㄷ

18 □□□

2016년 지방직 9급

다음 제시문의 ㄱ, ㄴ에 들어갈 용어가 바르게 연결된 것은?

(ㄱ)는 독립변수인 정책수단과 함께 종속변수인 정책효과를 가져오는 요인으로 정책수단과 정책효과 사이의 인과관계를 과대 또는 과소평가하며, (ㄴ)는 독립변수인 정책수단의 효과가 전혀 없을 때, 숨어서 정책효과를 가져오는 변수로 정책수단과 정책효과 사이의 인과관계를 완전히 왜곡하는 요인이다.

	ㄱ	ㄴ
①	허위변수 (spurious variable)	매개변수 (mediating variable)
②	혼란변수 (confounding variable)	허위변수 (spurious variable)
③	혼란변수 (confounding variable)	매개변수 (mediating variable)
④	허위변수 (spurious variable)	혼란변수 (confounding variable)

17 정책평가

인과관계가 성립되기 위해서는 시간적 선행성, 공동 변화의 입증, 경쟁가설의 배제 조건이 갖추어져야 한다.

ㄴ. 경쟁가설의 배제: 정책 이외의 다른 경쟁적 요인이 종속변수에 영향을 미치지 않은 비허위적 관계임을 입증하여야 한다.
ㄷ. 공동 변화의 입증(변수 간 상시연결성): 독립변수와 종속변수는 일정한 방향으로 같이 변화하여야 하므로, 정책수단의 변화 정도와 정책목표의 달성 정도는 공동으로 변해야 한다.

선지분석

ㄱ. 시간적 선행성: 독립변수는 종속변수보다 시간적으로 선행하여야 한다. 원인에 해당하는 정책수단이 독립변수이고, 결과에 해당하는 정책목표의 달성이 종속변수이다. 따라서 정책수단의 실현이 정책목표의 달성에 선행해서 존재해야 한다.

답 ④

18 혼란변수와 허위변수

제시문의 ㄱ은 혼란변수, ㄴ은 허위변수에 대한 설명이다.

ㄱ. 혼란변수: 독립변수와 종속변수 간에 존재하는 상관관계를 과대평가 혹은 과소평가하여 정확한 인과관계 추론을 위협하는 제3의 변수이다.
ㄴ. 허위변수: 독립변수와 종속변수 간에 아무런 관계가 없음에도 불구하고 겉으로는 상관관계가 있는 것처럼 보이게 만들어 두 변수에 영향을 미치는 제3의 변수이다.

선지분석

매개변수는 독립변수와 종속변수의 사이에서 독립변수의 결과인 동시에 종속변수의 원인이 되는 변수이다.

답 ②

19 □□□

2020년 국가직 9급

정책평가를 위한 측정도구의 타당성과 신뢰성에 대한 설명으로 옳지 않은 것은?

① 타당성은 없지만 신뢰성이 높은 측정도구가 있을 수 있다.
② 신뢰성은 없지만 타당성이 높은 측정도구는 있을 수 없다.
③ 신뢰성은 측정도구의 타당성을 담보할 수 있는 충분조건이다.
④ 타당성이 없는 측정도구는 제1종 오류를 범하는 원인이 될 수 있다.

20 □□□

2012년 지방직 7급

측정의 타당성에 대한 설명으로 옳은 것은?

① 추상적 개념과 측정지표 간의 일치 정도를 구성개념 타당성이라 한다.
② 어떤 개념의 측정지표와 이미 타당성이 검증된 다른 기준과의 상관성 정도를 내용 타당성이라 한다.
③ 측정지표가 지표의 모집단을 대표하고 있는 정도를 기준 타당성이라 한다.
④ 같은 개념을 상이한 측정방법으로 측정했을 때, 그 측정값 사이의 상관관계의 정도를 차별적 타당성이라 한다.

19 타당성과 신뢰성

신뢰성은 측정도구의 타당성에 대한 필요조건이다.

(선지분석)

①, ② 신뢰성은 측정도구의 타당성에 대한 필요조건이므로 타당성은 없지만 신뢰성이 높은 측정도구는 있을 수 있고, 신뢰성이 없지만 타당성이 높은 측정도구는 있을 수 없다.
④ 통계적 결론의 타당성이 없는 측정도구는 제1종 오류 및 제2종 오류를 범하는 원인이 될 수 있다.

답 ③

20 타당성

구성개념 타당성은 시험이 이론적으로 구성(추정)된 능력요소를 얼마나 정확하게 측정할 수 있느냐에 관한 기준이다.

(선지분석)

② 내용 타당성이 아니라 기준 타당성에 대한 설명이다.
③ 기준 타당성이 아니라 내용 타당성에 대한 설명이다.
④ 차별적 타당성이 아니라 수렴적 타당성에 대한 설명이다.

답 ①

21 □□□

2014년 서울시 9급

쿡(Cook)과 캠벨(Cambell)이 분류한 정책타당도에 대한 설명으로 옳지 않은 것은?

① 내적 타당도는 정책수단과 정책효과 사이의 인과관계를 파악할 수 있게 한다.

② 외적 타당도는 정책이 다른 상황에서도 실험에서 발견된 효과들이 그대로 나타날 수 있는가이다.

③ 구성 타당도(개념적 타당도)란 처리, 결과, 상황 등에 대한 이론적 구성요소들이 성공적으로 조작화된 정도를 의미한다.

④ 결론 타당도(통계적 타당도)란 정책실시와 영향의 관계에서 정확도를 의미한다.

⑤ 크리밍(creaming)효과, 호손(Hawthorne)효과는 내적 타당도를 저해하는 요인이다.

21 | 정책타당도

크리밍(creaming)효과와 호손(Hawthorne)효과는 외적 타당도를 저해하는 요인이다.

타당도의 종류 - 쿡(Cook)과 캠벨(Campbell)의 분류

구분	내용
구성적 타당도	• 처리 및 결과, 모집단, 상황에 대한 이론적 구성요소들이 성공적으로 조작화된 정도 • 정책평가에 사용된 이론적 구성개념과 이를 측정하는 도구의 상호 일치되는 정도를 나타내는 개념
통계적 결론의 타당도	• 만일 정책의 결과가 존재하고 이것이 제대로 조작되었다고 할 때 그 효과를 찾아낼 만큼 충분히 정밀하고 강력하게 연구설계가 이루어졌는지의 정도 • 제1종 및 제2종 오류가 빌생하지 않을 정도를 의미하며, 내적 타당도의 전제가 됨
내적 타당도	• 조작화된 결과에 대하여 찾아낸 효과가 다른 경쟁적 원인들에 의해서라기보다는 조작화된 처리에 기인된 것이라고 볼 수 있는 정도 • 정책과 결과 간 인과관계를 밝히는 것으로 일반적 의미의 타당도에 해당하며, 외적 타당도에 앞서 확보되어야 함
외적 타당도	• 조작화된 구성요소들 가운데에서 관찰된 효과들이 당초의 연구가설에 구체화된 것들 이외에 다른 이론적 구성요소들까지도 일반화될 수 있는 정도 • 내적 타당도를 통해 얻은 인과적 추론을 다른 상황에도 그대로 적용시킬 수 있는가의 정도

답 ⑤

22 □□□

2016년 국가직 9급

다음 내용에서 정책평가의 내적 타당성을 위협하는 요인은?

> 정부는 혼잡통행료제도의 효과를 측정하기 위해 혼잡통행료 실시 이전과 실시 후의 도심의 교통 흐름도를 측정 · 비교하였다. 그런데 두 측정시점 사이에 유류가격이 급등하는 상황이 발생하였다.

① 상실요인(mortality)

② 회귀요인(regression)

③ 역사요인(history)

④ 검사요인(testing)

22 | 정책평가의 내적 타당성

역사요인은 실험기간 동안에 실험자의 의도와는 관계없이 발생한 사건이 실험집단에 영향을 미쳐 대상변수에 중요한 영향을 끼치는 경우를 뜻하며 내적 타당도의 저해요인 중 내재적 요인에 해당한다.

선지분석

④ 검사요인은 동일한 측정도구를 사용하여 두 번 이상 평가를 실시하는 행위 자체가 종속변수에 영향을 미치는 것이다.

내적 타당성 저해요인

구분	내용
선발요소 (외재적 요인)	실험집단과 통제집단의 표본선정 과정상의 오류(동질성 부족)
역사적 요소 (사건효과)	실험기간 동안에 일어난 역사적 사건이 실험에 영향을 미치는 것
성숙효과 (성장효과)	실험기간 중 집단 구성원의 자연적 성장이나 발전에 의한 효과로서 실험기간이 길어질수록 사건효과나 성장효과는 커짐
회귀-인공요소	실험이 진행되는 동안 구성원들이 원래 자신의 성향으로 돌아갈 경우에 나타나는 오차
측정요소	실험 전에 측정한 사실 그 자체가 연구되고 있는 현상에 영향을 주는 것
측정도구의 변화	프로그램의 집행 전과 집행 후에 사용하는 측정절차 및 측정도구의 변화로 인한 오류
상실요소	연구기간 중 집단으로부터 이탈 등 두 집단 간 구성상 변화에 의한 효과
모방효과 (오염효과)	통제집단 구성원이 실험집단 구성원의 행동을 모방하는 것
선발과 성숙의 상호작용	두 집단의 선발에서부터 차이가 있었을 뿐만 아니라 두 집단의 성숙 속도가 다름으로 인한 내적 타당도 저해현상
처치와 상실의 상호작용	집단들의 서로 다른 처치로 인하여 두 집단으로부터 처치기간 동안에 서로 다른 성질의 구성원들이 상실되는 경우 남아있는 개인들을 대상으로 처치효과를 추정하게 되면 그 결과가 왜곡될 가능성이 존재함

답 ③

23 □□□

2019년 지방직 9급

정책평가에서 내적 타당성에 대한 설명으로 옳지 않은 것은?

① 준실험 설계보다 진실험 설계를 사용할 때 내적 타당성의 저해요인이 다양하게 나타난다.
② 정책의 집행과 효과 사이에 존재하는 인과관계의 추론이 가능한 평가가 내적 타당성이 있는 평가이다.
③ 허위변수나 혼란변수를 배제할 수 있다면 내적 타당성을 높일 수 있다.
④ 선발요인이나 상실요인을 통제하기 위해서는 무작위배정이나 사전측정이 필요하다.

24 □□□

2016년 국가직 7급

내적 타당성의 위협요인에 대한 설명으로 바르게 연결한 것은?

ㄱ. 실험(testing)효과　　ㄴ. 회귀(regression)효과
ㄷ. 성숙(maturation)효과　　ㄹ. 역사(history)효과

A. 순전히 시간의 경과 때문에 발생하는 조사대상 집단의 특성 변화가 나타나는 경우
B. 정책 및 프로그램의 실시 전후 유사한 검사를 반복하는 경우에 시험에 친숙도가 높아져 측정값에 영향을 미치는 경우
C. 특정 프로그램 처리가 집행될 즈음에 발생한 다른 어떤 외부적 사건 때문에 나타난 효과
D. 극단적인 점수를 얻은 실험대상들이 시간이 흐름에 따라 보다 덜 극단적인 상태로 표류하게 되는 경향

	ㄱ	ㄴ	ㄷ	ㄹ
①	B	A	D	C
②	B	D	A	C
③	D	C	B	A
④	D	C	A	B

23 내적 타당성

준실험 설계란 진실험 실시의 어려움으로 진실험에 준하는 실험 설계이다. 따라서 진실험 설계보다 준실험 설계를 사용할 때 내적 타당성의 저해요인이 다양하게 나타난다.

(선지분석)

② 정책의 집행이 원인변수가 되고 정책집행의 효과가 결과변수가 될 때 이들 간에 존재하는 인과관계를 추론할 수 있는 평가가 내적 타당성이 있는 평가이다.
③ 허위변수는 정책의 집행과 집행효과 간의 인과관계가 없음에도 있는 것처럼 보이게 만드는 변수이고, 혼란변수는 그 관계를 과대평가 또는 과소평가하게 하는 변수이다. 따라서 허위변수나 혼란변수를 배제할 수 있다면 내적 타당성을 제고할 수 있다.
④ 기본적으로 무작위배정은 실험집단과 통제집단의 동질성을 확보하여 내적 타당도의 저해요인인 선발요인을 예방한다.

답 ①

24 내적 타당성의 위협요인

A. 성숙효과(ㄷ)에 대한 설명이다. 성숙효과는 실험집단이 시간의 경과에 따라 정책효과와는 관계없이 자연스레 성장하거나 발전함으로써 나타날 수 있는 효과를 뜻한다.
B. 실험효과(ㄱ)에 대한 설명이다. 실험효과는 측정 그 자체가 연구되고 있는 현상에 영향을 주는 것으로, 측정 경험이 축적되어 처치 후의 동일한 영향을 끼쳐 엄밀한 측정이 이루어지지 못하는 현상을 뜻한다.
C. 역사효과(ㄹ)에 대한 설명이다. 역사효과는 실험기간 동안에 실험자의 의도와 관계없이 발생한 사건이 실험집단에 영향을 미쳐 대상변수에 중요한 영향을 끼치는 현상을 뜻한다.
D. 회귀효과(ㄴ)에 대한 설명이다. 회귀효과는 실험 직전의 측정결과를 토대로 집단을 구성할 때 평소와는 달리 극단적으로 좋거나 나쁜 결과를 얻은 사람들을 선발한 후, 실험이 진행되는 동안 본래의 모습이나 성격으로 회귀하는 현상을 뜻한다.

답 ②

25 □□□

2010년 지방직 7급

정책평가의 내적 타당도 저해요인에 대한 설명으로 옳지 않은 것은?

① 사건효과는 실험기간 동안에 일어난 역사적 사건이 실험에 영향을 미치는 것을 의미한다.
② 성숙(성장)효과는 실험기간 중 실험집단의 특성이 변화함으로써 결과에 영향을 미치는 것을 의미한다.
③ 시험효과는 측정자와 측정방법이 달라짐으로써 측정결과에 영향을 미치는 것을 의미한다.
④ 통계적 회귀는 실험집단으로 선정된 집단이 잘못 선정되어 측정하고자 하는 결과변수의 수준이 지나치게 높거나 낮았다가 다음 측정에서는 평균치로 향하는 것을 의미한다.

25 정책평가의 내적 타당도 저해요인

시험효과가 아니라 측정수단요인(도구요인)에 대한 설명으로, 프로그램이나 정책의 집행 전과 후에 사용하는 측정절차나 도구가 변화함으로 인해 나타나는 현상이다. 시험효과는 측정 그 자체가 연구되고 있는 현상에 영향을 주는 것으로, 측정경험이 축적되어 처치 후에 동일한 영향을 끼치거나 자신이 측정받고 있다는 사실 자체를 감지함으로 인해서 의도적인 행위가 수반되어 엄밀한 측정이 이루어지지 못하는 현상이다.

(선지분석)

① 사건효과는 실험기간 동안에 실험과 관계없이 발생한 역사적 사건이 실험에 영향을 미치는 것을 의미한다.
② 성숙효과는 실험기간 중 집단 구성원의 자연적 성숙(성장)이나 발전에 의한 효과로서, 실험기간이 길어질수록 성숙효과는 커진다.
④ 통계적 회귀는 실험집단을 선정할 때 성향을 제대로 파악하지 못하여, 실험이 진행되는 동안 구성원들이 원래 자신의 성향으로 돌아갈 경우에 발생하는 오차이다.

답 ③

26 □□□

2017년 국가직 9급(10월 추가)

정책평가에 있어서 조건이 양호한 집단을 대상으로 정책수단을 실시한 후 그 결과가 좋게 나타난 정책수단을 다른 상황에 적용하려고 하는 경우에 나타나는 외적 타당성의 문제는?

① 크리밍효과(creaming effect)
② 성숙효과(maturation effect)
③ 허위상관(spurious correlation)
④ 호손효과(Hawthorne effect)

26 크리밍효과

지문은 크리밍효과에 대한 설명이다. 크리밍효과는 정책효과가 크게 나타날 대상만을 실험집단에 배정함으로써 발생하는 오차로, 외적 타당도와 내적 타당도를 모두 저해하는 요인이다.

(선지분석)

② 성숙효과는 실험집단이 시간의 경과에 따라 정책효과와는 관계없이 자연스레 성장하거나 발전함으로써 나타날 수 있는 효과이다.
④ 호손효과는 실험집단의 구성원들이 실험을 위해 자신이 관찰되고 있다는 사실을 인식하고 있는 경우 심리적 긴장감으로 인해 평소와는 다른 행동을 보이는 현상을 말한다.

외적 타당성 저해요인

구분	내용
표본의 비대표성	두 집단 간 동질성이 있더라도 사회적 대표성이 없으면 일반화하기 곤란
호손효과	실험집단 구성원이 실험의 대상이라는 사실로 인하여 평소와는 다른 특별한 심리적 행동을 보이는 현상으로 일반화하기 곤란
다수적 처리에 의한 간섭	동일 집단에 여러 번의 실험적 처리를 실시하는 경우 실험조작에 익숙해짐으로 인한 영향이 발생하면 일반화하기 곤란
실험조작과 측정의 상호작용	실험 전 측정과 피조사자의 실험조작의 상호작용으로 실험의 결과가 나타난 경우 이를 일반화하기 곤란
크리밍효과	표본선정 시에 실험의 효과가 크게 나타날 사람들만을 실험집단에 포함시켜 실시할 경우 그 효과를 일반화하기 곤란

답 ①

27 □□□

2008년 국가직 7급

정책평가의 외적 타당성의 저해요인을 설명하고 있는 것을 모두 고르면?

> ㄱ. 사전 측정(pre-test)이 실험 처리에 대한 피조사자의 감각에 영향을 줄 수 있으므로 그에 따라 얻은 결과를 모집단에 일반화하면 편의(bias)가 발생할 수 있다.
> ㄴ. 일정한 연령층을 대상으로 선정한 실험집단과 통제집단으로부터 얻은 평가 결과는 다른 연령층에 그대로 적용되지 않을 수 있다.
> ㄷ. 인위적인 실험환경에서 얻은 정책평가 결과는 실제 사회현실에의 적용가능성에 다소 의문이 있을 수 있다.
> ㄹ. 동일 집단에 여러 번 실험적 처리를 할 경우 실험처리에 어느 정도 익숙해짐으로써 얻은 결과는 그렇지 않은 경우와 동일한 결과를 얻는다는 보장을 할 수 없다.
> ㅁ. 실험집단과 통제집단이 무작위로 배정된 경우에도 실험적 처리의 기간 동안 서로 다른 성질의 구성원이 각 집단으로부터 상실되어 나머지 구성원만으로 처리효과를 추정한다면 그 결과가 왜곡될 가능성이 있다.

① ㄱ, ㄴ
② ㄱ, ㄴ, ㄷ
③ ㄱ, ㄴ, ㄷ, ㄹ
④ ㄱ, ㄴ, ㄷ, ㄹ, ㅁ

28 □□□

2012년 국가직 9급

정책평가에 대한 설명으로 옳지 않은 것은?

① 정책평가의 외적 타당도란 특정한 상황에서 얻은 정책평가의 결과를 일반화할 수 있는 정도를 말한다.
② 정책평가의 내적 타당도란 관찰된 결과가 다른 경쟁적 요인들보다는 해당 정책에 기인하는 것이라고 판단할 수 있는 정도를 의미한다.
③ A라는 정책이 집행된 이후에 그 정책의 목표 B가 달성된 것을 발견한 경우, 정책평가자는 A와 B 사이에 인과관계가 존재한다고 결론을 내릴 수 있다.
④ 신뢰도는 동일한 측정도구를 반복하여 사용하였을 때 동일한 결과를 얻을 확률을 의미한다.

27 정책평가의 외적 타당성의 저해요인

ㄱ, ㄴ, ㄷ, ㄹ이 외적 타당성을 저해하는 요인으로 옳은 설명이다.
ㄱ. 실험조작과 측정의 상호작용에 대한 설명이다.
ㄴ. 표본의 대표성 결여에 대한 설명이다.
ㄷ. 실험조작의 반응효과(호손효과)에 대한 설명이다.
ㄹ. 다수적 처리에 의한 간섭에 대한 설명이다.
이 외에도 외적 타당성을 저해하는 요인에는 표본의 비대표성, 크리밍효과 등이 있다.

선지분석

ㅁ. 내적 타당성을 저해하는 상실요소에 관한 설명이다.

답 ③

28 정책평가

정책평가는 정책목표와 수단 사이의 인과관계에 대하여 설정한 가설을 검증하려는 과학적인 조사·연구이다. 그러나 정책 A가 집행된 후 목표 B가 달성되었다고 해서 양자 간의 인과관계가 반드시 존재한다고 결론을 내릴 수 없다. 정책의 실시와 정책목표의 달성이 일어났다고 해도, 두 사건 간에 인과관계를 단정지으려면 정책(독립변수)은 목표달성(종속변수)보다 시간적으로 선행해야 하고, 정책과 목표달성은 모두 일정한 방향으로 변화해야 하며, 그 정책 이외의 다른 요인이 목표달성에 영향을 미치지 않았음을 입증해야 한다.

선지분석

② 정책평가의 내적 타당도란 관찰된 정책집행의 결과가 다른 경쟁적 요인이 아닌 해당 정책에 기인하는 것으로 판단할 수 있는 정도로, 정책의 집행이 원인변수이고 정책집행의 효과가 결과변수가 될 때 이들 간에 존재하는 인과관계를 추론할 수 있는 정도를 의미한다.
④ 신뢰도는 동일한 측정도구를 반복하여 사용하였을 때 동일한 결과가 도출되는 정도를 의미한다.

답 ③

29 □□□

2017년 서울시 7급

다음 중 정책평가의 타당성 검토에 대한 설명으로 가장 옳지 않은 것은?

① '청렴'이라는 이론적 구성요소에 대한 측정지표가 성공적으로 조작화되어 있는가를 살펴본다.
② '까마귀 날자 배 떨어진다'는 속담에서처럼 정책의 효과가 우연히 나타난 것은 아닌지, 다시 말해서 오직 정책에 기인한 것인지를 살펴본다.
③ 서울특별시를 대상으로 시범실시하여 효과적으로 나타난 A사업을 전국 광역시를 대상으로 확대 실시한 경우에도 효과적인지를 검토한다.
④ 정책의 대상집단과 내용 등이 동질적이나 정책평가시기를 달리하는 경우 각 시기별 정책결과 측정값의 상관관계를 분석한다.

30 □□□

2018년 국가직 7급

정책평가의 내적 타당성과 외적 타당성에 대한 설명으로 옳은 것은?

① 역사요인, 성숙요인, 회귀요인은 모두 외적 타당성의 저해요인이다.
② 준실험이 갖는 약점은 주로 외적 타당성보다는 내적 타당성에 관한 것이다.
③ 실험대상자들이 실험의 대상으로 자신들이 관찰되고 있다는 사실을 알게 되어 평소와는 다른 행동을 함으로써 발생하는 효과는 내적 타당성의 저해요인이다.
④ 정책집행과 정책효과 사이의 인과관계를 정확히 파악할 수 있는 평가는 외적 타당성을 갖추었다고 볼 수 있다.

29 정책평가의 타당성 검토

정책평가시기와 관계없이 일관성 있는 측정결과를 도출할 수 있는지 여부는 신뢰성 검토와 관련이 있다. 정책평가의 타당성은 측정의 과정이나 절차가 그것이 내세운 목표를 얼마나 정확하게 달성하였느냐 하는 정도를 의미하므로, 타당성 검토는 측정하고자 하는 대상을 측정도구가 실제로 정확하게 또는 적합하게 측정하는지에 관해 검토하는 것이다.

(선지분석)

① '청렴'이라는 이론적 구성요소에 대한 측정지표가 성공적으로 조작화되어 있는가를 살펴봄으로써 구성적 타당성을 제고할 수 있다.
② '까마귀 날자 배 떨어진다'는 속담에서처럼 정책의 효과가 우연히 나타난 것은 아닌지, 다시 말해서 오직 정책에 기인한 것인지를 살펴봄으로써 내적 타당성을 제고할 수 있다.
③ 서울특별시를 대상으로 시범실시하여 효과적으로 나타난 A사업을 전국 광역시를 대상으로 확대 실시한 경우에도 효과적인지를 검토함으로써 외적 타당성을 높일 수 있다.

답 ④

30 내적 타당성과 외적 타당성

준실험은 무작위 배정에 의한 방법을 사용하지 않고 실제 상황에서 가능한 한 외생변수를 통제하고 독립변수를 조작화함으로써 실험변수의 효과를 검증하려는 실험설계이다. 진실험보다는 외적 타당성(일반화의 가능성)이 높으나 내적 타당성(실험의 정확도)은 상대적으로 낮다.

(선지분석)

① 역사요인, 성숙요인, 회귀요인은 모두 내적 타당성 저해요인이다.
③ 호손효과(실험조작의 반응효과)에 대한 설명으로, 호손효과는 외적 타당성의 저해요인이다.
④ 실험의 정확도에 대한 설명으로, 내적 타당성을 갖추었다고 볼 수 있다.

답 ②

31 □□□

2020년 국가직 7급

실험설계에 대한 설명으로 옳지 않은 것은?

① 특정 정책의 효과성 판단을 위한 인과관계 입증에 활용될 수 있다.
② 진실험과 준실험의 차이는 실험집단과 통제집단의 무작위 배정에 의한 동질성 확보 여부다.
③ 회귀-불연속 설계나 단절적 시계열 설계는 과거지향적인 성격을 갖는 진실험설계에 해당한다.
④ 짝짓기를 통하여 제3의 요인에 관하여 실험집단과 통제집단을 동등화시킬 수 있다.

32 □□□

2014년 지방직 9급

정책평가방법에 대한 설명으로 옳지 않은 것은?

① 진실험 설계는 정책을 집행하는 실험집단과 집행하지 않는 통제집단을 구성하되, 두 집단이 동질적인 집단이 되도록 한다.
② 정책의 실험 과정에서 실험대상자와 통제대상자들이 서로 접촉하는 경우에는 모방효과가 나타날 수 있다.
③ 준실험 설계는 짝짓기(matching)방법으로 실험집단과 통제집단을 구성하여 정책영향을 평가하거나, 시계열적인 방법으로 정책영향을 평가한다.
④ 준실험 설계는 자연과학 실험과 같이 대상자들을 격리시켜 실험하기 때문에 호손효과(Hawthorne effects)를 강화시킨다.

31 실험설계

회귀-불연속 설계나 단절적 시계열 설계는 과거지향적인 성격을 갖는 준실험설계에 해당한다.

(선지분석)

① 실험설계를 통하여 원인변수와 종속변수의 인과관계를 분석함으로써, 특정 정책의 효과성 판단에 활용할 수 있다.
② 진실험은 실험집단과 통제집단의 동질성을 확보한 실험이고, 준실험은 실험집단과 통제집단의 동질성을 확보하지 못한 실험이다.
④ 실험집단과 통제집단의 구성을 짝짓기를 통하여 동등화시킬 수 있다.

답 ③

32 정책평가방법

준실험 설계가 아니라 진실험 설계에 대한 설명이다. 진실험 설계는 대상자들을 격리시키는 등 인위적인 통제하에 실험을 진행하기 때문에 호손효과를 강화시킨다.

(선지분석)

① 진실험 설계는 실험집단과 통제집단을 무작위로 배정함으로써 두 집단 간의 동질성을 확보한 상태에서 행하는 실험이다.
② 실험집단과 통제집단이 접촉하는 경우, 통제집단의 구성원이 실험집단 구성원의 행동을 모방하여 오류가 발생할 수 있다.
③ 준실험 설계는 무작위 배정에 의한 방법을 사용하지 않고 실제 상황에서 가능한 한 외생변수를 통제하고 독립변수를 조작화함으로써 실험변수의 효과를 검증하려는 실험설계로, 짝짓기방법이나 시계열적 방법을 사용한다.

답 ④

33 □□□

2011년 국가직 7급

다음이 설명하는 연구방법은?

> 준실험 설계방법 중에서 실험집단과 통제집단에 실험대상을 배정할 때 분명하게 알려진 자격기준(eligibility criterion)을 적용하는 방법으로, 투입자원이 희소하여 오직 대상집단의 일부에게만 희소자원이 공급될 수밖에 없는 경우에 정책효과를 파악하기 위한 연구에 적합하다.

① 비동질적 통제집단 설계(non - equivalent control group design)
② 회귀 - 불연속 설계(regression discontinuity design)
③ 단절적 시계열 설계(interrupted time - series design)
④ 통제 - 시계열 설계(control - series design)

34 □□□

2008년 지방직 7급

진실험적 방법과 준실험적 방법에 대한 설명으로 옳지 않은 것은?

① 진실험적 방법은 실험집단과 통제집단의 동질성을 확보하여 행하는 실험이다.
② 실험집단과 통제집단을 서로 동질적인 것으로 구성하기 위해서는 대상들을 이들 두 집단에 무작위적으로 배정하지 말아야 한다.
③ 진실험 설계에서 실험집단과 통제집단은 관찰기간 동안에 동일한 시간과 관련된 과정을 경험해야 한다.
④ 준실험적 방법에는 비동질적 통제집단 설계, 사후측정 비교집단 설계 등이 있다.

33 회귀 - 불연속 설계

회귀 - 불연속 설계(regression discontinuity design)는 준실험 설계방법 중 하나이다. 실험집단과 통제집단에 실험대상을 배정할 때 명확한 자격기준을 적용하여 두 집단을 다르게 구성한 뒤 집단 간 회귀분석 결과를 비교하는 방식이다. 회귀 - 불연속 설계는 전체 실험집단이 주어진 프로그램의 수용범위보다 너무 커서, 그 중에서도 가장 받을 만한 가치가 있는 일부 구성원들에게만 희소자원을 제공했을 때의 효과를 점검할 수 있다.

선지분석

③ 단절적 시계열 설계란 시계열 곡선의 단절이 일어난 시점을 기준으로 전후 여러 시점에서 시계열 측정치로 비교하여 정책효과를 파악하는 준실험 설계이다.

답 ②

34 진실험적 방법과 준실험적 방법

진실험적 방법은 실험집단과 통제집단을 서로 동질적인 것으로 구성하기 위해서 대상들을 이들 두 집단에 무작위로 배정해야 한다.

진실험과 준실험의 비교

구분	내용
진실험	• 실험집단과 통제집단을 무작위로 배정함으로써 두 집단 간의 동질성을 확보한 상태에서 행하는 실험 • 엄격한 외생변수의 통제 하에 독립변수를 조작화하여 인과관계를 밝히는 설계유형 • 연구자의 사전계획대로 실험집단과 통제집단을 무작위적으로 배정할 수 있어 미래지향적인 경향이 강함
준실험	• 무작위 배정에 의한 방법을 사용하지 않고 실제 상황에서 가능한 한 외생변수를 통제하고 독립변수를 조작화함으로써 실험변수의 효과를 검증하려는 실험설계 • 무작위 배정에 의한 통제에 의하여 평가를 하기 어려운 경우에 사용하는 방법 • 연구자가 과거에 발생한 실험처리의 효과를 추정하기 위한 목적으로 연구를 진행하는 경우가 많아 과거지향적 성격이 강함

답 ②

35 □□□

2020년 지방직 7급

정책평가를 위한 조사설계의 유형 중 진실험설계에 해당하는 것은?

① 단절적 시계열설계
② 통제집단 사전사후측정설계
③ 비동질적 통제집단설계
④ 단일집단 사전사후측정설계

36 □□□

2018년 지방직 7급

정책평가방법 중 자연실험(natural experiment)에 대한 설명으로 옳지 않은 것은?

① 자연실험은 준실험(quasi-experiment)이 아닌 진실험(true experiment)에 가까운 실험설계방식이다.
② 자연실험에서는 사회실험에 비해 비용 문제나 윤리적 문제 때문에 어려움을 겪을 가능성이 적다.
③ 자연실험에서 실험 여건은 자연적인 충격(shock)뿐만 아니라 급격한 정책이나 제도의 변화에 의해서도 형성된다.
④ 독립변수와 종속변수가 서로 영향을 주고받는 동시적 관계에 있을 때 이를 통제하기 위한 수단으로 자연실험을 이용할 수 있다.

35 진실험설계

통제집단 사전사후측정설계는 실험집단과 통제집단을 설정하고 동질성을 확보하면서 통제집단에도 사전사후측정을 통해 외부변수의 개입을 방지하는 방식으로, 진실험설계에 해당한다.

선지분석

① 단절적 시계열설계는 정책결과 변수의 시계열곡선의 단절을 이용하여 정책효과를 파악하는 기법으로, 실험집단과 통제집단의 동질성을 확보하지 못한 준실험설계에 해당한다.
③ 비동질적 통제집단설계는 통제집단이 있지만 실험집단과 통제집단의 동질성을 확보하지 못한 것으로, 준실험설계에 해당한다.
④ 단일집단 사전사후측정설계는 통제집단이 구성되지 않은 실험으로, 대표적 비실험설계에 해당한다.

답 ②

36 자연실험

자연실험은 인위적으로 환경을 조성하지 않고 자연스러운 상태에서 이루어지는 실험을 의미한다. 진실험은 실험집단과 비교집단의 동질성을 확보하는 인위적인 실험이기 때문에 자연실험은 진실험이 아닌 준실험에 가까운 실험설계방식이다.

사회실험의 비교

구분	진실험	준실험	비실험
내적 타당성	높음	낮음	가장 낮음
외적 타당성	낮음	높음	가장 높음
실현 가능성	낮음	높음	가장 높음

답 ①

37 □□□

2010년 국회직 9급

정책평가에 대한 설명으로 가장 옳은 것은?

① 선발요인은 정책평가에서 내적 타당성을 저해하는 외재적 요소이다.
② 정책평가 결과를 일반화할 수 있는 정도를 통계적 결론의 타당성이라고 한다.
③ 평가의 신뢰성은 측정이나 절차가 그 효과를 얼마나 정확하게 평가하는가를 의미한다.
④ 정책평가를 위한 진실험방법은 다른 방법에 비해 실행가능성 문제가 심각하게 발생하지 않는다.
⑤ 두 사건 간에 시간적 선행성, 공동 변화라는 두 가지 조건만 있으면 인과관계가 있는 것으로 인정된다.

38 □□□

2016년 지방직 7급

정책평가의 논리와 방법에 대한 설명으로 옳지 않은 것은?

① 내적 타당성이란 다른 요인들이 작용한 효과를 제외하고 오로지 정책 때문에 발생한 순수한 효과를 정확히 추출해 내는 것과 관련되는 개념이다.
② 내적 타당성을 위협하는 성숙요인이란 순전히 시간의 경과 때문에 발생하는 조사대상집단의 특성 변화를 말한다.
③ 진실험 설계의 주요 형태 중 하나인 단일집단 사전사후측정 설계는 동일한 정책대상집단에 대한 사전측정과 사후측정을 통해 정책효과를 추정하는 방식이다.
④ 결과변수에 영향을 미친다고 생각되는 제3변수들을 식별하여 통계분석모형에 포함시킨 후 정책효과를 추정하는 것은 비실험적 설계의 한 예이다.

37 정책평가

선발요인은 정책평가에서 두 집단 간 선발상 차이에 기인한 것으로 내적 타당성을 저해하는 외재적 요소이다.

(선지분석)

② 결론의 타당성이 아니라 외적 타당성이라고 한다.
③ 평가의 신뢰성이 아니라 평가의 타당성이다.
④ 진실험방법은 다른 방법에 비해 실행가능성 문제가 심각하게 발생한다.
⑤ 인과관계의 세 가지 조건은 시간적 선행성, 공동 변화, 비허위적 관계이다.

답 ①

38 정책평가의 논리와 방법

단일집단 사전사후측정설계는 비실험적 설계의 주요 형태 중 하나이다.

비실험설계의 유형

대표적 비실험	정책을 실시하기 전·후를 비교하거나 사후적으로 비교집단을 선정하는 방법(단일집단 사전사후측정설계)
통계적 비실험	실험설계 없이 통계분석만을 통해 외생변수의 영향을 제거함으로써 정책이 결과변수에 미치는 순수한 영향을 파악하려고 하는 방법
포괄적 비실험	포괄적인 규범 및 목표를 통제하여 사회적 규범과 비교함으로써 실험의 목적을 달성하려는 방법
잠재적 비실험	전문가, 패널 등의 잠재적 집단이 판단한 내용과 비교하고 이에 따라 통제함으로써 그 내용을 활용하는 방법

답 ③

39 □□□

2017년 국가직 9급(10월 추가)

정책평가의 방법을 논리모형(논리 매트릭스)과 목표모형으로 구분할 경우, 논리모형에 대한 설명으로 옳지 않은 것은?

① 정책 프로그램이 특정 성과를 산출하기 위해 어떤 논리적 인과구조를 가지고 있는지를 명시적으로 보여준다.

② 프로그램이 해결하려는 정책문제 및 정책의 결과물이 무엇인지를 명확히 해주기 때문에 정책형성 과정의 인과관계에 대한 가정의 오류와 정책집행의 실패를 구분할 수 있도록 한다.

③ 정책이 달성하려는 장기목표와 중단기목표들을 잘 달성했는지에 초점을 맞춘 평가모형이다.

④ 프로그램 논리의 분석 및 정리 과정이 이해관계자의 정책 프로그램에 대한 이해를 높인다.

39 논리모형

정책이 달성하려는 장기목표와 중단기목표들을 잘 달성했는지에 초점을 맞춘 평가모형은 목표모형에 해당한다. 목표모형은 프로그램과 목표의 달성도를 평가하는 총괄평가의 일종이다.

목표모형과 논리모형의 비교

목표모형	논리모형
• 정책이 달성하려는 장기 목적과 중단기 목표들을 잘 달성했는지에 초점을 둠 • 당초 설정된 정책 프로그램 목표와 일치하는지 확인함 • 목표달성에 대한 측정과 발생한 정책 결과물이 프로그램 실행으로 인한 것인지 확인함 • 목적달성 여부를 선별적으로 보여주어 명확하고 단순함	• 정책 프로그램이 성과를 산출하기 위해 어떤 논리적 인과구조를 가지고 있는지에 초점을 둠 • 정책형성 과정의 인과관계에 대한 가정의 오류와 정책집행의 실패를 구분함 • 성과의 타당성을 제고시킴 • 프로그램 논리의 분석 및 정리 과정이 이해관계자의 정책 프로그램에 대한 이해를 높이고 정책 프로그램의 논리적 구조를 해결함

답 ③

THEME 035 정책변동

40 □□□

2020년 국가직 9급

정책변동에 대한 설명으로 옳지 않은 것은?

① 킹던(Kingdon)의 정책흐름이론에 따르면 정책변동은 정책문제의 흐름, 정치의 흐름, 정책대안의 흐름이 결합하면 이루어진다.

② 무치아로니(Mucciaroni)의 이익집단 위상변동모형에서 이슈맥락은 환경적 요인과 같이 정책의 유지 혹은 변동에 영향을 미치는 정책요인을 말한다.

③ 실질적인 정책내용이 변하더라도 정책목표가 변하지 않는다면 이를 정책유지라 한다.

④ 정책목표를 달성하기 위한 전반적인 정책수단을 소멸시키고 이를 대체할 다른 정책을 마련하지 않는 것을 정책종결이라 한다.

40 정책변동

실질적인 정책내용이 변하더라도 정책목표가 변하지 않는다면 이를 정책승계라고 한다. 정책유지란 정책목표를 달성하기 위해 정책의 기본적 내용은 그대로 유지하면서 약간의 수정과 변경만을 가하는 것을 의미한다.

(선지분석)

① 킹던(Kingdon)의 정책흐름이론(흐름 창 이론)에 따르면 정책변동은 정책문제의 흐름, 정치의 흐름, 정책대안의 흐름이 독자적으로 흐르다가 결합할 때 이루어진다.

② 무치아로니(Mucciaroni)의 이익집단 위상변동모형은 이슈맥락과 제도맥락의 유·불리에 의한 네 가지 이익집단 위상의 변동을 제시한다. 이때 이슈맥락은 환경적 요인과 같이 정책의 유지 혹은 변동에 영향을 미치는 정책요인이며, 제도맥락은 규정이나 제도 등의 정책요인이다. 이에 따르면 제도맥락과 이슈맥락이 모두 유리하면 이익집단의 위상이 상승하고, 모두 불리하면 위상이 쇠락한다. 한편, 제도맥락은 유리하고 이슈맥락은 불리할 경우는 위상은 유지되며, 제도맥락은 불리하고 이슈맥락이 유리할 경우 위상은 다소 저하된다.

④ 전반적인 정책수단, 예산투입 등을 모두 소멸시키고 소멸된 정책수단을 대체하기 위한 다른 정책도 마련하지 않는 경우를 정책종결이라고 한다.

답 ③

41 □□□

2014년 사회복지직 9급

정책변동의 유형 중 정책평가로부터 얻은 정보가 정책채택 단계에서 다시 활용되는 경우로, 정책목표는 유지하면서 정책수단을 새로운 수단으로 대체하는 것은?

① 정책유지
② 정책혁신
③ 정책종결
④ 정책승계

42 □□□

2018년 서울시 7급(6월 시행)

정책승계의 유형에 대한 설명으로 가장 옳지 않은 것은?

① 선형승계 - 새로운 정책이 과거의 정책을 대체하여 양자의 관계가 명확하게 나타나는 가장 단순한 형태의 정책승계
② 부분적 종결 - 하나의 정책이 다수의 새로운 정책으로 분할되는 형태의 정책승계
③ 정책통합 - 같은 분야의 정책이 합하여짐으로써 새로운 정책이 나타나는 형태의 정책승계
④ 우발적 승계 - 타 분야의 정책변동에 연계하여 우발적인 변화가 나타나는 형태의 정책승계

41 정책승계

지문은 정책승계에 대한 설명이다. 정책공간의 과밀화로 인하여 완전하게 새로운 정책이 등장하는 것은 거의 불가능하다는 점에서, 정책승계는 정책변동 중 가장 중요한 유형이라고 볼 수 있다.

호그우드(Hogwood)와 피터스(Peters)의 정책변동 유형

유형	내용
정책혁신	정부가 과거에 관여하지 않고 있던 분야에 개입하기 위해 새로운 정책을 결정하는 것
정책종결	현존하는 정책 자체와 정책수단이 되는 사업들을 지원하는 예산이 완전히 소멸되고, 다른 정책으로 대체되지도 않아 정책당국의 개입이 전면적으로 중단되는 것(구조적 종결 + 기능적 종결)
정책승계	• 정책의 근본적 수정을 통해 기본적 성격을 바꾸는 것으로, 기존 정책의 목표는 변경시키지 않고 내용의 일부 또는 전부를 변경시키는 것 • 정책공간의 과밀화로 인해 완전히 새로운 정책의 등장은 거의 불가능하다는 점에서 정책승계는 정책변동 중 가장 중요함
정책유지	본래의 정책목표를 달성하기 위해 정책의 기본적 특성은 그대로 유지하면서 상황의 변화에 능동적으로 대처하기 위해 약간의 수정·변경을 가하는 것

답 ④

42 정책승계

정책승계의 유형 중에서 하나의 정책이 다수의 새로운 정책으로 분할되는 형태의 정책승계는 정책분할이다. 부분적 종결이란 정책의 일부를 폐지하는 것을 의미한다.

정책승계의 유형

유형	내용
정책대체	정책목표는 그대로 두고 정책의 내용을 새롭게 바꾸는 것
부분종결	정책의 일부를 폐지하는 것
복합적 정책승계	정책유지, 정책대체, 정책종결, 정책추가 중에서 3개 이상이 복합적으로 나타나는 것
정책통합	두 개의 정책을 하나로 통합하는 것
정책분할	하나의 정책을 둘 이상으로 나누는 것
파생적 승계	다른 새로운 정책의 채택으로 기존 정책의 승계가 파생적·부수적으로 발생하는 것

답 ②

43 □□□

2008년 지방직 7급

정책변동에 대한 설명으로 적절하지 않은 것은?

① 정책승계는 정책이 완전히 대체되는 경우를 포함한다.
② 환류를 둘러싼 정치적 갈등과 이를 해소하는 정치체계가 정책의 변동을 좌우한다.
③ 정책변동론에서의 초점은 정책결정에서 일어나는 수정 · 종결이다.
④ 호그우드(Hogwood)와 피터스(Peters)는 정책혁신을 정책변동의 유형에서 제외하고 있다.

44 □□□

2018년 국가직 7급

호그우드(Hogwood)와 피터스(Peters)의 정책변동에 대한 설명으로 옳지 않은 것은?

① 정책혁신은 기존의 조직과 예산을 활용하여 이전에 관여한 적이 없는 새로운 정책분야에 개입하는 것이다.
② 정책종결은 현존하는 정책을 완전히 소멸시키는 것으로 정책수단이 되는 사업과 지원 예산을 중단하고 이들을 대체할 다른 수단을 결정하지 않은 경우이다.
③ 과속차량 단속이라는 목표를 변경하지 않고 기존에 경찰관이 현장에서 직접 단속하는 수단을 무인 감시카메라 설치를 통한 단속으로 대체하는 것은 정책승계 중 선형적(linear) 승계에 해당한다.
④ 정책유지는 현재의 정책을 기본적으로 유지하면서 정책수단의 부분적인 변화만 이루어지는 경우를 말한다.

43 정책변동

호그우드(Hogwood)와 피터스(Peters)는 정책변동의 유형을 정책혁신, 정책승계, 정책유지, 정책종결의 네 가지로 분류하였다.

선지분석

① 정책승계는 기존 정책의 목표는 변경시키지 않고 내용의 일부 또는 전부를 변경시키는 것이다.
② 정책변동은 정책과정의 전체적 단계에 걸쳐서 얻게 되는 정보 및 지식을 서로 다른 단계로 환류시켜 정책목표·정책수단·정책대상집단 등과 관련되는 정책내용과 정책집행의 담당조직·정책집행절차와 관련되는 정책집행방법에 변화를 가져오는 것이다.
③ 정책변동은 정책을 독립변수로 파악하고, 정책순환의 최종단계를 중시한다.

답 ④

44 정책변동

정책혁신은 정부가 과거에 관여하지 않고 있던 분야에 개입하기 위하여 새로운 정책을 결정하는 것이다. 완전히 아무 것도 없는 상태에서 새로운 정책을 만들기 때문에 기존의 조직과 예산을 활용하지 않는다.

선지분석

③ 과속차량 단속이라는 목표를 변경하지 않고 기존에 경찰관이 현장에서 직접 단속하는 수단을 무인 감시카메라 설치를 통한 단속으로 대체하는 것은 새로운 정책이 과거의 정책을 대체하여 양자의 관계가 명확하게 나타나는 가장 단순한 형태의 선형적 승계(정책 대체)이다.
④ 정책유지는 본래의 정책목표를 달성하기 위해 정책의 기본적 특성을 그대로 유지하면서 상황의 변화에 능동적으로 대처하기 위해 약간의 수정·변경을 가하는 것이다.

답 ①

기획론

THEME 036 기획의 의의와 과정

01 □□□ 2011년 군무원 9급

다음 중 기획의 과정 나열이 올바르게 이루어진 것은?

① 목표설정 – 상황분석 – 기획전제의 설정 – 대안 탐색 및 평가 – 최적안 선택
② 상황분석 – 기획전제의 설정 – 목표설정 – 대안 탐색 및 평가 – 최적안 선택
③ 상황분석 – 목표설정 – 기획전제의 설정 – 대안 탐색 및 평가 – 최적안 선택
④ 목표설정 – 기획전제의 설정 – 상황분석 – 대안 탐색 및 평가 – 최적안 선택

01 기획의 과정

기획의 일반적 과정은 '목표설정 – 상황의 분석 – 기획전제의 설정 – 대안의 탐색과 비교·평가 – 최적안의 선택'으로 이루어진다.

기획의 일반적 과정

목표 설정	문제에 대한 진단을 통해 궁극적인 목적이 무엇인지를 탐색하여 도출된 결과를 가능한 한 구체적이고 양적으로 제시하여 측정이 가능하며, 여러 가지 제약조건에 비추어 실현가능한 것으로 목표를 설정함
상황분석	현재 및 장래의 상황에 대한 정보의 수집·분석을 통해 목표를 달성하는 데 예상되는 장애요인과 문제점을 규명함
기획전제의 설정	계획을 수립하는 과정에서 기초가 될 주요 가정이나 미래 예측을 의미하는 것으로, 기획에 중대한 영향을 미치는 변수들을 빠짐없이 포함하고 전제의 설정에 있어 이용가능한 정보들을 충분히 수집·분석함
대안 탐색 및 평가	• 대안을 탐색할 때는 실현가능성에 유의하여 창의적인 대안을 찾도록 해야하는데, 복수의 대안이 존재하며 주요 원천은 자신의 과거 경험이나 조직이 취한 선례를 통해 판단함 • 대안을 비교·평가할 때는 그 대안을 채택했을 때 나타날 영향에 초점을 두어 진행하며, 의사결정자가 최선의 선택을 할 수 있는 기초를 제공함
최적안의 선택	최고정책결정자 또는 기획가들의 개인적·주관적 가치판단이 개입되는 단계로, 여러 대안 중 객관적이고 현실적인 대안을 선택함

답 ①

THEME 037 기획의 유형과 제약요인

02 □□□ 2015년 해경간부

다음 중 제시된 〈보기〉에서 설명하고 있는 것은?

〈보기〉

- 점증주의 전략에 입각하여 계획적 이상과 현실을 조화시키려는 것이다.
- 일종의 계속적인 계획으로서 장기계획과 단기계획을 결합시키는 데 이점이 있다.
- 방대한 인적자원과 물적자원이 요구된다.
- 계획 집행상의 신축성을 유지하기 위해 매년 계획 내용을 수정 · 보완하여 계획기간을 계속적으로 1년씩 늦추어 가면서 동일한 연한의 계획기간을 가진다.
- 목표를 명확하게 부각시키기가 어려워 선거공약으로는 적합하지 않다.

① 정책기획(Policy Planning)
② 연동계획(Rolling Plan)
③ 고정계획(Fixed Plan)
④ 운영기획(Program Planning)

02 연동계획

제시된 〈보기〉는 연동계획에 대한 설명이다. 연동계획은 장기계획 혹은 중장기계획을 집행하는 과정에서 계획 집행상의 신축성·융통성을 위해 매년 계획내용을 수정·보완하되 계획기간을 계속해서 1년씩 늦추어가면서 계획을 유지해 나가는 제도이다.

(선지분석)

① 정책기획(Policy Planning)은 정부의 광범위하고 기본적인 최고목표 또는 방침을 형성하는 종합적·목표지향적·질적·이상적 기획으로, 정부가 수립하고 국회가 의결하는 법률의 형태이다.
③ 고정계획(Fixed Plan)은 계획기간이 고정된 계획으로, 목표가 고정되어 성과관리가 용이하지만 여건 변화에 대한 대응성이 부족하다.
④ 운영기획(Program Planning)은 구체적·세부적·현실적·단기적인 행정부 내부의 기획으로, 행정부 내부통제 및 예산편성의 기준이 되며 국회 의결은 불필요하다.

답 ②

PART 3

행정조직론

조직의 기초이론

THEME 038 조직의 의의와 유형

01 □□□

2020년 군무원 9급

파슨스(Parsons)의 조직유형 중 조직체제의 목표달성기능과 관련된 유형으로 옳은 것은?

① 경제적 생산조직
② 정치조직
③ 통합조직
④ 형상유지조직

02 □□□

2019년 서울시 7급

조직의 유형구분에 대한 설명으로 가장 옳지 않은 것은?

① 블라우(Blau)와 스콧(Scott)은 기능을 중심으로 조직의 유형을 분류하였다.
② 블라우(Blau)와 스콧(Scott)은 병원, 학교 등을 봉사조직으로 분류한다.
③ 파슨스(Parsons)는 경찰조직을 사회통합기능을 수행하는 통합조직으로 분류한다.
④ 에치오니(Etzioni)는 민간기업체를 공리적 조직으로 분류한다.

01 파슨스(Parsons)의 조직유형

파슨스(Parsons)의 조직유형 중 조직체제의 목표달성기능과 관련된 조직은 정치조직이다.

파슨스(Parsons)의 체제의 기능과 조직유형(AGIL)

구분	적응기능 (Adaptation)	목표달성기능 (Goal attainment)	통합기능 (Integration)	잠재적 형상유지기능 (Latent pattern maintenance)
내용	환경변화에 적응하기 위하여 외부로부터 자원을 동원하고 체제의 정당성을 확보하는 기능	체제가 추구할 목표를 정하고 목표달성을 위하여 구체적인 활동을 수행하는 기능	체제의 목표를 달성하기 위하여 하위체제의 활동을 조정하는 기능	체제의 기본적인 유형을 유지하고 체제에 정당성을 부여하는 가치, 신념, 규범을 만들어내고 보존하며 전수하는 기능
조직유형	경제적 생산조직	정치적 조직	통합기능적 조직	체제유지적 조직
조직역할	사회가 소비하는 재화나 용역을 생산함	사회자원을 동원하여 사회의 목표달성에 기여함	갈등해결, 협동유도, 동기유발	교육·문화 등의 활동을 통하여 사회의 지속성을 유지함
예	기업, 은행 등	행정기관, 정당 등	법원, 경찰서, 정신병원 등	교육기관, 종교단체 등

답 ②

02 조직의 유형구분

블라우(Blau)와 스콧(Scott)은 기능이 아니라 조직의 수혜자를 중심으로 조직의 유형을 분류하였다.

선지분석

② 블라우(Blau)와 스콧(Scott)은 병원, 학교, 사회복지단체 등을 고객집단이 수혜자인 봉사조직으로 분류하였다.
③ 파슨스(Parsons)는 체제의 기능을 기준으로 조직을 분류하였으며, 경찰조직, 법원 등을 사회통합기능을 수행하는 통합조직으로 분류하였다.
④ 에치오니(Etzioni)는 권력의 양태를 기준으로 조직을 강제적 조직, 공리적 조직, 규범적 조직으로 분류하였으며, 민간기업체를 공리적 조직으로 분류하였다.

답 ①

03 □□□

2020년 서울시 9급

민츠버그(Mintzberg)의 정부관리모형에 대한 설명으로 가장 옳지 않은 것은?

① 기계모형 - 정부는 각종 법령과 규칙, 기준에 의해 중앙통제를 받는다.
② 네트워크모형 - 정부는 사업 단위들의 협동적 연계망으로 구성된다.
③ 성과통제모형 - 정부는 계획 및 통제의 역할을 담당하고 모든 집행 역할은 민영화한다.
④ 규범적 통제모형 - 정부는 규범적 가치와 신념에 의해 통제된다.

04 □□□

2015년 서울시 7급

민츠버그(Mintzberg)는 조직을 단순구조, 기계적 관료제, 전문적 관료제, 할거적 양태(사업부제), 임시체제 등으로 구분하였다. 이 중 전문적 관료제의 특징으로 가장 옳지 않은 것은?

① 높은 수평적 분화 수준
② 복잡하고 불안정적인 환경
③ 낮고 불명확한 공식화 수준
④ 높은 연결 · 연락 수준

03 민츠버그(Mintzberg)의 정부관리모형

민츠버그(Mintzberg)의 정부관리모형은 기계모형, 네트워크모형, 성과통제모형, 가상적 정부모형, 규범적 통제모형 다섯 가지로 분류된다. 무정부가 가장 좋은 정부라는 신념하에 모든 공공영역을 시장에서 수행하도록 하는 것은 성과통제모형이 아니라 가상적 정부모형이다. 성과통제모형은 정부를 기업과 같이 경영하는데 초점을 두고 분권화된 구조를 추구하지만 '집권화를 위한 분권화'는 유연성, 창조성, 독창성을 희생하며, 결국 궁극적인 효과는 기계모형의 강화라고 평가된다.

(선지분석)

① 기계모형은 정부의 개별적인 활동은 독립될 수 있다고 보며 모든 활동을 감시하고 통제하는 방식의 관리모형으로, 정부는 각종 법령과 규칙 등의 기준에 의해서 통제된다.
② 네트워크모형은 정부는 사업 단위들의 협동적 연계망으로 구성되며, 감시와 통제를 배제하고 연결, 의사소통, 협력 등을 중시한다.
④ 규범적 통제모형은 구조보다는 가치와 신념이 중요하다고 보며, 다섯 가지 핵심 요인으로 선택, 사회화, 판단, 지도, 책임 등을 제시한다.

답 ③

04 민츠버그(Mintzberg)의 조직유형

전문적 관료제는 복잡하고 안정적인 환경에 적합하다.

민츠버그(Mintzberg)의 조직유형

구분	단순구조	기계적 관료제	전문적 관료제	사업부제	임시체제
구성 부문	최고 관리층 (전략적 정점)	기술구조	작업계층 (핵심운영)	중간 관리층	지원참모
조정 기제	직접통제	작업 표준화	기술 표준화	산출 표준화	상호조절
환경	단순 · 동태적	단순 · 안정적	복잡 · 안정적	단순 · 안정적	복잡 · 동태적
규모 · 나이	소규모 신생조직	대규모 오래된 조직	다양	대규모 오래된 조직	소규모 신생조직
분화 (전문화)	낮음	높음	수평적 분화 높고 수직적 분화 낮음	중간	수평적 분화 높고 수직적 분화 낮음
공식화	낮음	높음	낮음	높음	낮음
집권화	집권화	제한된 수평적 분권	수평 · 수직적 분권	제한된 수직적 분권	분권
통합 · 조정	낮음	낮음	높음	낮음	높음

답 ②

05 □□□

2019년 서울시 7급(2월 추가)

민츠버그(Mintzberg)의 조직성장 경로모형에 대한 설명으로 가장 옳지 않은 것은?

① 지원 스태프 부문은 기본적인 과업흐름 내에서 발생하는 조직의 문제에 대해 지원하는 모든 전문가로 구성되어 있다.
② 조직은 핵심 운영 부문, 전략 부문, 중간 라인 부문, 기술구조 부문, 지원 스태프 부문으로 구성된다.
③ 전략 부문은 조직을 가장 포괄적인 관점에서 관리하는 최고관리층이 있는 곳으로 조직의 전략을 형성한다.
④ 핵심 운영 부문은 조직의 제품이나 서비스를 생산해내는 기본적인 일들이 발생하는 곳이다.

05 민츠버그(Mintzberg)의 조직성장 경로모형

지원 스태프 부문은 기본적인 작업 외의 문제를 지원하는 전문가로 구성되어 있다.

(선지분석)

② 조직은 전략 부문, 기술구조 부문, 핵심 운영 부문, 중간 라인 부문, 지원 스태프 부문으로 구성된다.
③ 전략 부문은 최고관리층으로, 조직의 포괄적 전략을 형성하는 계층이며 집권화를 지향한다.
④ 핵심 운영 부문은 재화나 서비스를 직접 생산하는 작업계층으로, 기본적인 일들이 발생하며 전문화를 지향한다.

답 ①

06 □□□

2018년 지방직 7급

민츠버그(Mintzberg)의 조직성장 경로모형에 따르면, 조직 내에서 어떤 부문을 강조할 것인가에 따라 조직의 구조(유형)가 달라진다. 강조된 조직구성부문과 이에 상응하는 구조의 연결로 옳지 않은 것은?

① 전략적 정점(strategic apex) - 기계적 관료제구조
② 핵심운영(operating core) - 전문적 관료제구조
③ 중간계선(middle line) - 사업부제구조
④ 지원참모(support staff) - 애드호크라시(adhocracy)

06 민츠버그(Mintzberg)의 조직성장 경로모형

전략적 정점이 강조되는 조직구조는 단순구조이다. 기계적 관료제구조에서는 기술구조부문이 강조된다.

(선지분석)

② 전문적 관료제구조는 전문가들로 구성된 작업계층인 핵심운영부문이 지배적인 구조이다.
③ 사업부제구조는 중간관리층인 중간계선이 지배적인 구조이다.
④ 애드호크라시(adhocracy)는 지원참모가 지배적인 구조이다.

답 ①

07 □□□

2011년 국가직 7급

민츠버그(Mintzberg)의 조직유형론에 대한 설명으로 옳지 않은 것은?

① 단순구조(simple structure)는 집권화되고 유기적인 조직구조로서, 단순하고 동태적인 환경에서 주로 발견된다.
② 기계적 관료제(machine bureaucracy)는 단순하고 안정적인 환경에 적절한 조직형태로서, 주된 조정방법은 작업과정의 표준화이다.
③ 전문적 관료제(professional bureaucracy)는 수평 · 수직적으로 분권화된 조직형태로서, 복잡하고 안정적인 환경에 적합하다.
④ 사업부제조직(divisionalized form)은 기능부서 간의 중복으로 인한 자원낭비를 방지할 수 있으며, 사업부 내 과업의 조정은 산출물의 표준화를 통해 이루어진다.

08 □□□

2011년 지방직 9급

민츠버그(Mintzberg)가 제시한 조직구조 유형에 대한 설명으로 옳은 것은?

① 기계적 관료제(machine bureaucracy)는 막스 베버의 관료제와 유사하다.
② 임시조직(adhocracy)은 대개 단순하고 반복적인 문제를 해결하기 위해 생성된다.
③ 폐쇄체계(closed system)적 관점에서 조직이 수행하는 기능을 기준으로 유형을 분류하였다.
④ 사업부 조직(divisionalized organization)은 기능별 · 서비스별 독립성으로 인해 조직 전체 공통관리비의 감소효과가 크다.

07 민츠버그(Mintzberg)의 조직유형

사업부제조직(divisionalized form)은 중간관리자들이 부서를 독자적으로 관리하므로 관리자 간 업무영역·권한의 마찰이 발생하고, 기능부서 간 중복으로 인한 문제가 발생할 수 있다. 따라서 자원낭비가 초래될 수 있고 규모의 경제 실현이 어렵다.

선지분석

① 단순구조(simple structure)는 단순·동태적 환경하의 소규모 신생조직으로, 최고관리층이 지배적으로 집권화된 구조이다.
② 기계적 관료제(machine structure)는 단순·안정적 환경하의 전통적 대규모 조직으로, 기술구조가 지배적이지만 최고관리층도 강한 권력을 행사하는 구조이다.
③ 전문적 관료제(professional bureaucracy)는 복잡·안정적인 환경하에서 전문가들로 구성된 작업계층이 지배적인 구조로, 조직의 역사와 규모는 다양하다.

답 ④

08 민츠버그(Mintzberg)의 조직유형

기계적 관료제는 전형적인 고전적 조직으로서 막스 베버(Weber)의 관료제와 유사하다.

선지분석

② 임시조직은 복잡하고 비정형적인 문제를 해결하는 데 적합하다.
③ 민츠버그(Mintzberg)는 핵심구성부문, 조정기제, 상황요인 등을 기준으로 개방체제적 관점에서 조직을 단순구조, 기계적 관료제, 전문적 관료제, 사업부제, 임시특별구조로 유형화하였다.
④ 사업부 조직은 독립성으로 인한 중복적인 기능 수행으로 규모의 경제를 실현하기 힘들어 조직 전체의 공통관리비를 절감하기 어렵다.

답 ①

09 □□□

2016년 서울시 7급

조직구조에 있어 기능구조와 사업구조의 장단점에 대한 설명으로 가장 옳지 않은 것은?

① 기능구조는 중복과 낭비를 예방하고 기능 내에서 규모의 경제를 구현할 수 있다.
② 기능구조는 각 기능부서들 간의 조정과 협력이 요구되는 환경에 적응하기 곤란할 수 있다.
③ 사업구조는 의사결정의 상위 집중화로 최고관리층의 업무부담이 증가될 수 있다.
④ 사업구조는 성과책임의 소재가 분명해 성과관리체제에 유리하다.

10 □□□

2015년 서울시 7급

조직구조의 유형 중에서 기능별 구조(functional structure)와 비교하여 사업별 구조(divisional structure)가 가지는 장점으로 보기 어려운 것은?

① 사업부서 내의 기능 간 조정이 용이하고 변화하는 환경에 신속하게 대응할 수 있다.
② 성과책임의 소재가 분명해 성과관리체제에 유리하다.
③ 특정 산출물별로 운영되기 때문에 고객만족도를 제고할 수 있다.
④ 중복과 낭비를 예방하고 기능 내에서 규모의 경제를 구현할 수 있다.

09 기능구조와 사업구조

의사결정의 상위 집중화로 인해 최고관리층의 업무부담이 증가될 수 있는 것은 기능구조의 단점이다.

정부규제의 영역별 분류

구분	기능구조	사업구조
의의	조직의 전체업무를 공동기능별로 부서화한 조직구조	각 부서들이 산출물별로 자율적으로 운영되는 조직구조
장점	• 특정 기능과 관련된 구성원들의 지식과 기술이 통합적으로 활용되어 전문성 제고와 중복방지 • 같은 기능적 업무를 묶어 규모의 경제 구현	• 기능 간 조정이 용이하여 환경변화에 신축적 대응 가능 • 불확실한 환경에서 비전형적 기술을 사용하는 경우, 부서 간 상호의존성이 높은 경우, 외부지향적인 목표를 가진 경우에 유리
단점	기능이 다른 부서 간 수평적 조정 곤란	• 기술적 전문성 저하 • 기능 간 중복으로 인한 비효율성(규모의 불경제) • 부서 간 갈등

답 ③

10 사업별 구조

사업별 구조의 장점이 아니라 기능별 구조의 장점이다. 기능별 구조는 조직의 전체 업무를 공동기능별로 부서화한 조직구조로서, 같은 기능적 업무를 묶어 조직하기 때문에 규모의 경제를 구현할 수 있다.

선지분석

① 사업별 구조는 사업부서가 준독립적으로 운영되기 때문에 사업부서 내의 기능 간 조정이 용이하고 변화하는 환경에 신속하게 대응할 수 있다.
② 사업별 구조는 준독립적으로 운영되는 사업부서별 성과파악이 용이하여 성과책임의 소재가 분명해지고 성과관리체제에 유리하다.
③ 사업부서는 특정 산출물별로 운영되기 때문에 고객의 요구에 직접적으로 대응하여 고객만족도를 제고할 수 있다.

답 ④

11 □□□

2019년 국가직 7급

애드호크라시(adhocracy)에 대한 설명으로 옳지 않은 것은?

① 대표적인 예로는 네트워크조직, 매트릭스조직 등을 들 수 있다.
② 변화에 신속하게 대응할 수 있다는 장점으로 인해 최근에는 전통적 관료제 조직모형을 대체할 정도로 많이 활용되고 있다.
③ 구조적으로 수평적 분화는 높은 반면 수직적 분화는 낮고, 공식화 및 집권화의 수준이 낮다.
④ 과업의 표준화나 공식화 정도가 상대적으로 낮기 때문에 구성원 간 업무상 갈등이 일어날 우려가 있다.

12 □□□

2019년 서울시 9급(2월 추가)

대프트(Daft)가 제시한 조직구조 유형에 해당하지 않는 것은?

① 기능구조(functional structure)
② 매트릭스구조(matrix structure)
③ 단순구조(simple structure)
④ 사업구조(divisional structure)

11 애드호크라시

애드호크라시(adhocracy)가 변화에 신속하게 대응할 수 있다는 장점은 있으나, 전통적 관료제 조직모형을 대체할 정도로 많이 활용되고 있다고 보기는 어려우며, 전통적 관료제 조직모형은 여전히 많은 조직에서 주된 모형으로 활용되고 있다.

선지분석

① 애드호크라시(adhocracy)의 예로는 네트워크조직, 매트릭스조직, 가상조직, 학습조직, 하이퍼텍스트조직 등이 있다.
③ 수직적 분화는 낮지만 수평적 분화는 높고, 낮은 공식성과 낮은 집권성을 특징으로 한다.
④ 규칙화·표준화의 정도가 낮고 상황적응성을 강조하므로 갈등과 혼련이 유발될 우려가 있다.

답 ②

12 대프트(Daft)의 조직유형

단순구조(simple structure)는 민츠버그(Mintzberg)가 제시한 조직구조 유형이다. 대프트(Daft)는 조직의 구조적·기능적 특징을 기준으로 조직구조 유형을 기능구조, 사업구조, 매트릭스구조, 수평구조, 네트워크구조로 제시하였다.

대프트(Daft)의 조직유형

기계적 구조	고전적·전형적인 관료제조직
기능구조	조직의 전체업무를 공동기능별로 부서화한 조직구조
사업구조	각 부서들이 산출물별로 자율적으로 운영되는 조직구조
매트릭스구조	기능구조와 사업구조를 화학적으로 결합하여 이중적 권한구조를 가지며, 기능구조의 전문성과 사업구조의 신속한 대응성을 결합한 조직
수평구조	조직구성원이 핵심업무과정을 중심으로 조직화된 구조
네트워크구조	조직의 자체기능은 핵심역량 위주로 합리화하고 여타 부수적인 기능은 외부기관들과 계약위탁을 통해 연계·수행하는 유기적인 조직
유기적 구조	가장 유기적인 조직으로 학습조직이 대표적

답 ③

13 □□□

2012년 국가직 7급

조직구조모형을 유기적인 성격이 약한 것에서부터 강한 것의 순서로 바르게 배열한 것은?

① 네트워크구조 < 매트릭스구조 < 수평구조 < 사업구조 < 기능구조
② 기능구조 < 사업구조 < 수평구조 < 매트릭스구조 < 네트워크구조
③ 기능구조 < 사업구조 < 매트릭스구조 < 수평구조 < 네트워크구조
④ 기능구조 < 매트릭스구조 < 사업구조 < 수평구조 < 네트워크구조

14 □□□

2017년 사회복지직 9급

다음 조직구조의 유형들을 수직적 계층을 강조하는 구조에서 수평적 조정을 강조하는 구조로 옳게 배열한 것은?

ㄱ. 네트워크조직
ㄴ. 매트릭스조직
ㄷ. 사업부제구조
ㄹ. 수평구조
ㅁ. 관료제

① ㄷ - ㅁ - ㄴ - ㄹ - ㄱ
② ㄷ - ㅁ - ㄹ - ㄱ - ㄴ
③ ㅁ - ㄷ - ㄴ - ㄹ - ㄱ
④ ㅁ - ㄷ - ㄹ - ㄴ - ㄱ

13 조직구조모형

대프트(Daft)의 조직유형에서는 기능구조 < 사업구조 < 매트릭스구조 < 수평구조 < 네트워크구조의 순으로 유기적 성격을 강하게 지니고 있다고 본다.

대프트(Daft)의 조직유형

기계적 구조 [기능 구조] - [사업 구조] - [매트릭스 구조] - [수평 구조] - [네트워크 구조] 유기적 구조

← 수직적 / 안정성·능률성·신뢰성·통제

수평적 → / 학습성·조정성·혁신성·신축성

답 ③

14 조직구조의 유형

대프트(Daft)는 기계적 구조와 유기적 구조 사이에 5가지의 조직구조를 추가하여 7개의 조직모형을 제시하였다. 기계적 구조(관료제) - 기능구조 - 사업구조 - 매트릭스구조 - 수평구조 - 네트워크구조 - 유기적 구조의 순으로 수직적 계층을 강조하는 구조에서 수평적 조정을 강조하는 구조로 제시하였다. 따라서 옳게 배열한 것은 ㅁ - ㄷ - ㄴ - ㄹ - ㄱ이다.

답 ③

15 □□□

2012년 국가직 9급

조직구조의 모형에 대한 설명으로 바르게 연결된 것은?

ㄱ. 수평적 조정의 필요성이 낮을 때 효과적인 조직구조로서 규모의 경제를 제고할 수 있다.
ㄴ. 자기완결적 기능을 단위로 기능 간 조정이 용이하여 환경변화에 대한 대응이 신축적이다.
ㄷ. 조직 구성원을 핵심업무 과정 중심으로 조직화하는 방식이다.
ㄹ. 조직 자체 기능은 핵심역량 위주로 하고 여타 기능은 외부계약관계를 통해서 수행한다.

① ㄱ - 사업구조
② ㄴ - 매트릭스구조
③ ㄷ - 수직구조
④ ㄹ - 네트워크구조

15 조직구조의 모형

네트워크구조는 조직 자체 기능은 핵심역량 위주로 합리화하고 여타 부수적인 기능은 외부 계약·위탁관계를 통해서 수행하는 유기적인 조직이다.

(선지분석)

① ㄱ은 기능구조에 대한 설명이다.
② ㄴ은 사업구조에 대한 설명이다.
③ ㄷ은 수평구조(팀조직)에 대한 설명이다.

답 ④

16 □□□

2010년 지방직 7급

학자와 조직유형 간 관계를 연결한 것으로 옳지 않은 것은?

① 파슨스(Parsons) - 강압적 조직, 공리적 조직, 규범적 조직
② 민츠버그(Mintzberg) - 단순구조, 기계적 관료제, 전문적 관료제, 할거적 구조, 임시체제
③ 블라우와 스콧(Blau & Scott) - 호혜적 조직, 기업조직, 봉사조직, 공익조직
④ 콕스(Cox) - 획일적 조직, 다원적 조직, 다문화적 조직

16 조직유형

파슨스(Parsons)는 체제의 기능(AGIL)을 기준으로 경제조직, 정치조직, 통합조직 및 형상유지조직으로 구분하였다. 에치오니(Etzioni)가 권력과 관여에 따라 강압적 조직, 공리적 조직, 규범적 조직으로 구분하였다.

(선지분석)

② 민츠버그(Mintzberg)는 상황론적 접근으로서 조직의 5가지 구성부문의 복수국면적 접근방법을 통하여 조직의 유형을 단순구조, 기계적 관료제, 전문적 관료제, 할거적 구조, 임시체제로 구분하였다.
③ 블라우와 스콧(Blau & Scott)은 수혜자가 누구인가에 따라 호혜적 조직, 기업조직, 봉사조직, 공익조직으로 구분하였다.
④ 콕스(Cox)는 문화적 다양성을 기준으로 획일적 조직, 다원적 조직, 다문화적 조직으로 구분하였다.

답 ①

17 □□□

2010년 국가직 7급

조직구조에 대한 특징 중 옳지 않은 것으로만 연결된 것은?

구분		기계적 구조	유기적 구조
장점	ㄱ	예측가능성	적응성
조직 특성	ㄴ	좁은 직무범위	넓은 직무범위
	ㄷ	적은 규칙 · 절차	표준운영절차
	ㄹ	분명한 책임관계	모호한 책임관계
	ㅁ	분화된 채널	계층제
	ㅂ	비공식적 · 인간적 대면관계	공식적 · 몰인간적 대면관계
상황 조건	ㅅ	명확한 조직목표와 과제	모호한 조직목표와 과제
	ㅇ	분업적 과제	분업이 어려운 과제
	ㅈ	단순한 과제	복합적 과제
	ㅊ	성과측정이 어려움	성과측정이 가능
	ㅋ	금전적 동기부여	복합적 동기부여
	ㅌ	권위의 정당성 확보	도전받는 권위

① ㄱ, ㄷ
② ㄷ, ㅁ
③ ㅁ, ㅅ
④ ㅅ, ㅈ

18 □□□

2015년 국가직 9급

외부환경의 불확실성에 대응하는 조직구조상의 특징에 따라 기계적 조직과 유기적 조직으로 구분하는 경우에, 유기적 조직의 특성에 해당하는 것만을 모두 고른 것은?

ㄱ. 넓은 직무범위
ㄴ. 분명한 책임관계
ㄷ. 몰인간적 대면관계
ㄹ. 다원화된 의사소통채널
ㅁ. 높은 공식화 수준
ㅂ. 모호한 책임관계

① ㄱ, ㄹ, ㅂ
② ㄴ, ㄷ, ㅁ
③ ㄴ, ㄹ, ㅁ
④ ㄱ, ㄷ, ㅂ

17 조직구조

ㄷ, ㅁ, ㅂ, ㅊ이 옳지 않다. 이들은 각각 기계적 구조와 유기적 구조의 설명이 서로 바뀌었다.

구분		기계적 구조	유기적 구조
장점	ㄱ	예측가능성	적응성
조직 특성	ㄴ	좁은 직무범위	넓은 직무범위
	ㄷ	표준운영절차	적은 규칙·절차
	ㄹ	분명한 책임관계	모호한 책임관계
	ㅁ	계층제	분화된 채널
	ㅂ	공식적·몰인간적 대면관계	비공식적·인간적 대면관계
상황 조건	ㅅ	명확한 조직목표와 과제	모호한 조직목표와 과제
	ㅇ	분업적 과제	분업이 어려운 과제
	ㅈ	단순한 과제	복합적 과제
	ㅊ	성과측정이 가능	성과측정이 어려움
	ㅋ	금전적 동기부여	복합적 동기부여
	ㅌ	권위의 정당성 확보	도전받는 권위

답 ②

18 유기적 조직

넓은 직무범위(ㄱ), 다원화된 의사소통채널(ㄹ), 모호한 책임관계(ㅂ)가 유기적 조직의 특성에 해당한다.

선지분석

분명한 책임관계(ㄴ), 몰인간적 대면관계(ㄷ), 높은 공식화 수준(ㅁ) 모두 기계적 조직의 특성에 해당한다.

기계적 조직과 유기적 조직 비교

구분	기계적 조직	유기적 조직
직무범위	좁음	넓음
절차	표준운영절차	규칙과 절차가 적음
책임소재	책임관계가 분명함	책임관계가 모호함
성질	공식적	비공식적
조직목표	명확한 조직목표	명확하지 않은 조직목표
동기부여	경제적, 금전적	복합적인 동기부여

답 ①

THEME 039 조직이론의 변천

19 □□□

2014년 국가직 9급

조직이론에 대한 설명 중 옳지 않은 것은?

① 고전적 조직이론에서는 조직 내부의 효율성과 합리성이 중요한 논의대상이었다.
② 신고전적 조직이론은 인간에 대한 관심을 불러 일으켰고 조직행태론 연구의 출발점이 되었다.
③ 신고전적 조직이론은 인간의 조직 내 사회적 관계와 더불어 조직과 환경의 관계를 중점적으로 다루었다.
④ 현대적 조직이론은 동태적이고 유기체적인 조직을 상정하며 조직발전(OD)을 중시해 왔다.

19 | 조직이론

신고전적 조직이론은 고전적 조직이론과 마찬가지로 폐쇄적인 환경관을 가진다. 신고전적 조직이론의 대표이론인 인간관계론은 인간의 조직 내 사회적 관계를 중시하였으나, 이를 지나치게 중시한 나머지 조직과 환경과의 관계를 다루지 못한 한계가 있다.

고전적 · 신고전적 · 현대적 조직이론 비교

구분	고전적 조직이론	신고전적 조직이론	현대적 조직이론
인간관	합리적·경제적 인간	사회적 인간	• 자기실현적 인간 (후기인간관계론) • 복잡한 인간 (상황적응이론)
가치	기계적 능률성	사회적 능률성	다원적목표·가치·이념
주요연구 대상	공식적 구조	비공식적 구조	유기적·동태적 구조
주요변수	구조	인간(행태)	환경
환경과의 관계	폐쇄적	대체로 폐쇄적 (환경유관론적 입장)	개방적
관련이론	• 과학적 관리론 • 관료제이론 • 행정관리설	• 인간관계론 • 행정행태론	• 후기관료제이론 • 신행정론 • 상황적응이론
연구방법	원리접근법 (형식적 과학성)	경험적 접근 (경험적 과학성)	복합적 접근 (경험과학 등 관련 과학 활용)

답 ③

20 □□□

2015년 국회직 9급

다음 중 고전적 조직이론(classic organization theory)의 특징에 대한 설명으로 가장 옳지 않은 것은?

① 기계론적 조직관에 입각하고 있다.
② 공조직과 사조직의 관리는 완전히 다르다는 공사행정이원론에 입각하고 있다.
③ 공식적인 조직구조를 강조한다.
④ 과학적 관리론과 밀접한 관련을 가지고 있다.
⑤ Taylor와 Gulick 등은 고전적 조직이론자들이다.

20 | 고전적 조직이론

고전적 조직이론은 공조직과 사조직의 관리는 유사하다는 공사행정일원론에 입각하고 있다.

선지분석

① 고전적 조직이론은 (기계적)능률성을 극대화하고자 하는 기계론적 조직관에 입각하고 있다.
③ 고전적 조직이론의 주요 변수는 조직의 구조이다.
④ 고전적 조직이론은 경영(학)의 과학적 관리론의 영향을 받았다.
⑤ 과학적 관리론을 주장한 테일러(Taylor)와 원리주의 행정학을 주장한 귤릭(Gulick) 등은 고전적 조직이론자로 볼 수 있다.

답 ②

21 □□□

2015년 서울시 9급

신고전 조직이론의 특징으로 가장 옳지 않은 것은?

① 사회적 능력과 사회적 규범에 의한 생산성 결정
② 계층적 구조와 분업의 중시
③ 비경제적 요인과 비공식집단의 중시
④ 의사소통과 참여의 중시

21 신고전 조직이론

계층적 구조와 분업의 중시는 고전적 조직이론의 특징이다.

신고전 조직이론의 특징

구분	내용
비공식적 구조 중시	조직 내의 비공식적 대인관계를 연구함
사회적 능률성 지향	기계적 능률성을 중시하는 고전적 조직이론을 비판하고, 구성원의 인간적인 가치의 실현 등을 내용으로 하는 사회적 능률성을 지향함
경험적 접근법	고전적 조직이론의 형식적 과학성을 비판하고, 경험적 사실을 연구대상으로 하는 과학적 연구방법을 추구함
사회적·민주적 인간관	애정, 우정, 소속감 등 인간의 사회적·심리적 측면에 초점을 맞추고 민주적 관리를 중시함
환경유관론적 입장	외부환경과의 상호작용에 관심을 가졌으나 환경의 복잡한 변수를 본격적으로 연구하지는 않았다는 점에서 대체로 폐쇄적인 조직관임

답 ②

THEME 040 조직의 일반적 원리

22 □□□

2020년 지방직 9급

조직구성 원리에 대한 설명으로 옳지 않은 것은?

① 분업의 원리 - 일은 가능한 한 세분해야 한다.
② 통솔범위의 원리 - 한 명의 상관이 감독하는 부하의 수는 상관의 통제능력 범위 내로 한정해야 한다.
③ 명령통일의 원리 - 여러 상관이 지시한 명령이 서로 다를 경우 내용이 통일될 때까지 명령을 따르지 않아야 한다.
④ 조정의 원리 - 권한 배분의 구조를 통해 분화된 활동들을 통합해야 한다.

22 조직구성 원리

명령통일의 원리는 조직구성원은 한 사람의 직속상관에게만 보고하고 명령받아야 한다는 것으로, 내용이 통일될 때까지 명령을 따르지 않아야 한다는 것은 아니다.

조직의 원리

구분	원리	내용
분업	분업의 원리 (전문화의 원리)	업무를 성질별로 나누어 한 사람이 한 가지 업무를 분담
	부성화의 원리 (부처편성의 원리)	부처별 목표(기능), 과정(절차), 취급대상(수혜자), 지역(장소)에 의한 분류
조정	조정의 원리	조직의 목표달성을 위해 체계 간 노력을 통합·조정
	계층제의 원리	조직 내 권한과 책임, 의무 정도에 따라 등급설정
	명령통일의 원리	조직구성원은 한사람의 직속상관에게만 보고하고 명령받아야 함
	통솔범위의 원리	한 사람의 상관이 감독하는 부하의 수는 상관의 통제능력 범위 내 한정

답 ③

23 □□□

2017년 지방직 9급(6월 시행)

분업에 대한 설명으로 옳지 않은 것은?

① 분업의 심화는 작업도구 · 기계와 그 사용방법을 개선하는 데 기여할 수 있다.
② 작업전환에 드는 시간(change-over time)을 단축할 수 있다.
③ 분업이 고도화되면 조직 구성원에게 심리적 소외감이 생길 수 있다.
④ 분업은 업무량의 변동이 심하거나 원자재의 공급이 불안정한 경우에 더 잘 유지된다.

24 □□□

2013년 국가직 7급

수평적 전문화와 수직적 전문화에 대한 설명으로 옳지 않은 것은?

① 전문가적 직무는 수평적 전문화와 수직적 전문화의 수준이 모두 높은 경우에 효과적이다.
② 직무확장(job enlargement)은 기존의 직무에 수평적으로 연관된 직무요소 또는 기능들을 추가하는 수평적 직무재설계의 방법으로서, 수평적 전문화의 수준이 낮아지는 것이다.
③ 고위관리직무는 수평적 전문화와 수직적 전문화의 수준이 모두 낮은 경우에 효과적이다.
④ 직무풍요화(job enrichment)는 직무를 맡는 사람의 책임성과 자율성을 높이고, 직무수행에 관한 환류가 원활히 이루어지도록 직무를 재설계하는 방법으로서, 수직적 전문화의 수준이 낮아지는 것이다.

23 분업

분업은 업무량의 변동이 없는 안정된 상황에서, 역할 분담이 정해지고 표준화된 업무를 처리하고자 할 때 더 잘 유지된다. 업무량의 변동이 심하거나 원자재의 공급이 불안정한 경우는 불확실한 상황을 의미하는데, 이러한 경우에는 분업보다 통합적 업무수행이 더욱 필요하다.

선지분석

① 분업이 심화될 경우 담당업무가 전문화되므로, 작업도구·기계와 그 사용방법이 해당 업무별로 변경되어 개선하는 데에 기여할 수 있다.
② 분업은 직업의 전문화로 인하여 작업전환에 소요되는 시간을 단축시킬 수 있다.
③ 분업이 고도화되면 인간소외 현상이 발생할 수 있다.

답 ④

24 수평적 전문화와 수직적 전문화

전문가적 직무는 수직적 전문화는 낮으나 수평적 전문화의 수준이 높은 경우에 효과적이다.

수평적 · 수직적 분화와 직무의 효과성 간의 관계

구분		수평적 전문화	
		높음	낮음
수직적 전문화	높음	비숙련직무	일선관리직무
	낮음	전문가적 직무	고위관리직무

답 ①

PART 3

2021 해커스공무원 11개년 기출문제집 쉬운 행정학

25 □□□

2013년 서울시 9급

조직구조에 대한 설명 중 가장 알맞은 것은?

① 매트릭스조직은 수평적인 팀제와 유사하다.
② 정보통신기술의 발달로 통솔의 범위는 과거보다 좁아졌다고 판단된다.
③ 기계적 조직구조는 직무의 범위가 넓다.
④ 유기적인 조직은 안정적인 행정환경에서 성과가 상대적으로 높다.
⑤ 수평적 전문화 수준이 높을수록 업무는 단순해진다.

26 □□□

2016년 국가직 7급

귤릭(Gulick)의 조직 설계의 고전적 원리에 대한 설명으로 옳지 않은 것은?

① 전문화의 원리란 전문화가 되면 될수록 행정능률은 올라간다는 것을 의미한다.
② 명령통일의 원리는 명령을 내리고 보고를 받는 사람이 한 사람이어야 한다는 것을 의미한다.
③ 통솔범위의 원리는 부하들을 효과적으로 통솔하기 위해 부하의 수가 한정되어야 한다는 것을 의미한다.
④ 부서편성의 원리는 조직편성의 기준을 제시하며 그 기준은 목적, 성과, 자원 및 환경의 네 가지이다.

25 조직구조

수평적 전문화는 직무의 범위(scope)가 분업화되어 있는 정도로, 수평적 전문화의 수준이 높을수록 업무는 단순해진다.

선지분석

① 팀제와 유사한 조직으로는 수평조직이 있다. 매트릭스조직은 기능구조와 사업구조를 화학적으로 결합한 이원적 구조의 조직이다.
② 정보통신기술의 발달로 통솔의 범위는 과거보다 확대되었다.
③ 기계적 조직구조는 직무의 범위가 좁다.
④ 안정적인 행정환경에서 성과가 상대적으로 높은 조직은 기계적 조직이다. 유기적인 조직은 환경의 변화에 신속하고 유연하게 적응할 수 있도록 설계되었다.

답 ⑤

26 조직 설계의 고전적 원리

부서편성의 원리는 조직편성의 기준을 제시하며 그 기준은 목적(기능), 과정(절차), 대상, 지역(장소)의 네 가지이다.

답 ④

27 □□□

2017년 지방직 9급(6월 시행)

조직의 원리에 대한 설명으로 옳지 않은 것은?

① 계층제의 원리는 조직 내의 권한과 책임 및 의무의 정도가 상하의 계층에 따라 달라지도록 조직을 설계하는 것이다.
② 통솔범위란 한 사람의 상관 또는 감독자가 효과적으로 통솔할 수 있는 부하 또는 조직단위의 수를 말하며, 감독자의 능력, 업무의 난이도, 돌발상황의 발생가능성 등 다양한 요소를 고려하여 정해진다.
③ 분업의 원리에 따라 조직 전체의 업무를 종류와 성질별로 나누어 조직 구성원이 가급적 한 가지의 주된 업무만을 전담하게 하면, 부서 간 의사소통과 조정의 필요성이 없어진다.
④ 부성화의 원리는 한 조직 내에서 유사한 업무를 묶어 여러 개의 하위기구를 만들 때 활용되는 것으로 기능부서화, 사업부서화, 지역부서화, 혼합부서화 등의 방식이 있다.

27 조직의 원리

분업의 원리란 업무를 성질별로 나누어 한 사람에게 한 가지 주된 업무를 분담하도록 하는 원리이다. 분업의 결과로 개인 또는 부서 간 의사소통이나 조정이 저해됨에 따라 할거주의를 초래한다는 문제점이 있는데, 이러한 문제점은 부서 간 의사소통과 조정의 필요성을 높여준다.

답 ③

28 □□□

2013년 교육행정직 9급

조직구조에 대한 다음 설명 중 틀린 것은?

① 조직구조는 복잡성, 공식성, 집권성 등 구조변수와 조직의 문화를 고려하여 설계된 결과이다.
② 수평구조라 함은 조직을 핵심과정 중심으로 설계한 팀제를 말한다.
③ 수평적 전문화는 업무의 단순화를 초래한다.
④ 직무충실(job enrichment)은 수직적 전문화를 강화시키려는 것이다.

28 조직구조

직무충실(job enrichment)은 직무를 맡는 사람의 책임성과 자율성을 높이고, 직무수행에 관한 환류가 원활히 이루어지도록 직무를 재설계하는 방법으로서 수직적 전문화의 수준을 완화시키는 것이다. 직무확대(job enlargement)는 기존의 직무에 수평적으로 연관된 직무요소 또는 기능들을 추구하는 수평적 직무재설계의 방법으로서 수평적 전문화의 수준을 완화시키는 것이다.

(선지분석)

① 조직구조는 기본변수인 복잡성, 공식성, 집권성 등의 구조변수와 조직의 문화 등을 총체적으로 고려하여 설계된 결과이다.
② 수평구조는 계층제를 축소하고 조직을 핵심 업무 과정 중심으로 설계한 팀제를 말한다.
③ 수평적 전문화는 분업의 심화를 야기하여 업무의 단순화를 초래한다.

답 ④

29 □□□

2017년 지방직 9급(12월 추가)

조직의 원리에 대한 설명으로 옳지 않은 것은?

① 부성화(部省化)의 원리는 조정에 관한 원리에 해당한다.
② 통솔범위를 좁게 잡으면 계층의 수가 늘어난다.
③ 계선과 참모를 구분하는 것은 분업의 한 형태로 볼 수 있다.
④ 매트릭스조직은 명령통일의 원리를 위반한 것이다.

30 □□□

2018년 국가직 9급

조직구조의 설계에 있어서 '조정의 원리'에 대한 설명으로 옳지 않은 것은?

① 수직적 연결은 상위 계층의 관리자가 하위 계층의 관리자를 통제하고 하위 계층 간 활동을 조정하는 것을 목적으로 한다.
② 수직적 연결방법으로는 임시적으로 조직 내의 인적·물적 자원을 결합하는 프로젝트 팀(project team)의 설치 등이 있다.
③ 수평적 연결은 동일한 계층의 부서 간 조정과 의사소통을 목적으로 한다.
④ 수평적 연결방법으로는 다수 부서 간의 긴밀한 연결과 조정을 위한 태스크포스(task force)의 설치 등이 있다.

29 조직의 원리

부성화(部省化)의 원리는 기본적으로 부처를 어떤 기준에 의하여 편성할 것인지에 관한 부처편성의 원리로, 조정이 아니라 분업의 원리에 해당한다.

(선지분석)

② 통솔범위와 계층의 수는 반비례 관계이다. 통솔범위가 좁을수록 계층의 수가 커져 고층구조가 형성되고, 통솔범위가 넓을수록 계층의 수가 적어져 수평적인 구조가 형성된다.
③ 참모조직의 원리는 분업의 원리이다.
④ 매트릭스조직은 이원적인 명령계층을 가지고 있으므로 명령통일의 원리의 예외에 해당한다.

답 ①

30 조정의 원리

프로젝트 팀(project team)은 수직적 연결기제가 아니라 수평적 연결기제에 해당한다.

수평적 연결기제와 수직적 연결기제

구분	수직적 연결기제	수평적 연결기제
의의	상위 계층이 하위 계층을 통제하고 조정하는 방법	동일한 계층의 부서 간 조정과 의사소통방법
방법	계층제, 규칙과 계획, 계층직위의 추가, 수직정보시스템 등	정보시스템, 직접접촉, 임시작업단(TF), 프로젝트 매니저, 프로젝트 팀 등

답 ②

31 □□□

2013년 국가직 7급

조직관리에서 수직적 연결을 위한 조정기제가 아닌 것은?

① 계층제
② 규칙과 작업
③ 수직정보시스템
④ 임시작업단(task force)

32 □□□

2016년 국가직 9급

조직의 통합 및 조정방법에 대한 설명으로 옳지 않은 것은?

① 민츠버그(Mintzberg)에 의하면 연락 역할 담당자는 상당한 공식적 권한을 부여받아 조직 내 부문 간 의사전달 문제를 처리한다.
② 태스크포스는 여러 부서에서 차출된 직원들로 구성되며 특정 과업이 해결된 후에는 해체된다.
③ 리커트(Likert)의 연결핀모형에 의하면 관리자는 연결핀으로서 자신이 관리하는 집단의 구성원인 동시에 상사에게 보고하는 관리자 집단의 구성원이다.
④ 차관회의는 조직 간 조정방법 중 하나이다.

31 임시작업단

임시작업단은 수직적 연결이 아닌 수평적 연결을 위한 조정기제이다.

조직의 수직적 조정기제 - 대프트(Daft)

구분	내용
계층제	수직적 조정기제의 기본
규칙	조직구성원들이 의사소통을 하지 않아도 업무가 조정될 수 있도록 하는 역할을 함
계획	조직구성원들에게 조금 더 장기적인 표준정보를 제공함
계층 직위의 추가	통솔범위를 줄이고 의사소통과 통제를 가능하게 함
수직정보 시스템	상관에 대한 보고서, 문서화된 정보 등 상하 간 수직적 의사소통을 강화함

답 ④

32 조직의 통합 및 조정방법

연락 역할 담당자는 공식적인 권한은 없지만 비공식적인 권한을 상당히 부여받아 조직 내 부문 간 의사전달 문제를 처리한다.

(선지분석)

② 태스크포스는 특정 과업(임무)이 종료되면 해체되는 임시작업단이다.
③ 리커트(Likert)의 연결핀모형은 조직의 여러 부서 간에 연결핀의 역할을 하는 자를 두어 그를 통해 조정능력과 적응력을 높이는 모형으로, 한 사람이 둘 이상의 부서에 중복 소속되게 하는 방식 또는 T/F, 위원회 등 각종 수직적·수평적 연결장치가 이에 해당한다.
④ 차관회의는 정부 각 부처의 수평적 조정방법 중 하나이다.

답 ①

33 □□□

2016년 지방직 9급

계층제에 대한 설명으로 옳지 않은 것은?

① 조직의 수직적 분화가 많이 이루어졌을 때 고층구조라 하고 수직적 분화가 적을 때 저층구조라 한다.
② 조직 내의 권한과 책임 및 의무의 정도가 상하의 계층에 따라 달라지도록 조직을 설계하는 것을 말한다.
③ 조직에서 지휘명령 등 의사소통, 특히 상의하달의 통로가 확보되는 순기능이 있다.
④ 엄격한 명령계통에 따라 상명하복의 관계 유지를 위해서는 통솔범위를 넓게 설정한다.

34 □□□

2009년 지방직 7급

조직에 관한 원리를 설명한 것 중에서 옳지 않은 것은?

① 계층제의 원리는 직무를 권한과 책임의 정도에 따라 등급화하고 상하계층 간에 지휘와 명령복종관계를 확립하여 구성원의 귀속감과 참여감을 증진시키는 순기능을 가지고 있다.
② 전문화(분업)의 원리는 업무를 종류와 성질별로 구분하여 구성원에게 가급적 한 가지의 주된 업무를 분담시켜 조직의 능률을 향상시키려는 것이나 업무수행에 대한 흥미상실과 비인간화라는 역기능을 가지고 있다.
③ 조정의 원리는 공동목적을 달성하기 위하여 구성원의 행동통일을 기하도록 집단적 노력을 질서 있게 배열하는 과정이며 전문화에 의한 할거주의, 비협조 등을 해소하는 순기능을 가지고 있다.
④ 통솔범위의 원리는 1인의 상관 또는 감독자가 효과적으로 직접 감독할 수 있는 부하의 수에 관한 원리로서 계층의 수가 많아지면 통솔범위가 축소된다.

33 계층제

엄격한 명령계통에 따라 상명하복의 관계 유지를 위해서는 통솔범위가 좁게 설정되어야 한다.

선지분석

① 기계적 조직구조는 고층구조를 나타내고, 유기적 조직구조는 저층구조를 나타낸다.
② 계층제의 원리란 권한과 책임의 정도에 따라 직무를 등급화하고 상하계층 간 지휘·감독 관계를 설정하는 것이다.
③ 계층제는 지휘, 권한위임 및 상하 간 의사전달의 통로가 된다는 장점이 있다.

답 ④

34 계층제의 원리

계층제는 하의상달의 제한으로 소속감, 귀속감이나 참여감을 저해한다는 단점을 가지고 있다.

선지분석

② 전문화(분업)의 원리는 사람마다 관심·능력·기술의 차이가 있으므로 분업을 통하여 능률성을 제고할 수 있으나, 기계적·반복적 업무로 인해 비인간화 및 인간부품화를 초래할 우려가 있다.
③ 조정의 원리는 조직의 목표달성을 위해 집단적 노력을 질서 있게 배열하고 분화된 여러 활동을 동기화(synchronization)하여 통합시키는 원리이다. 조직의 규모가 커지고 행정이 고도로 전문화·분업화되면서 할거주의가 발생하고 이해관계의 차이 등을 극복하기 위해서는 조정이 필요하다.
④ 통솔범위의 원리는 한 사람의 상관이 감독하는 부하의 수는 상관의 통제 능력 범위 내에 한정되어야 한다는 원리로, 통솔범위는 계층의 수·통제 강도와 반비례한다.

답 ①

조직구조론

THEME 041 조직구조의 기본이론

01 □□□

2019년 서울시 9급

조직의 규모에 대한 설명으로 가장 옳은 것은?

① 조직의 규모가 클수록 공식화 수준이 낮아진다.
② 조직의 규모가 클수록 조직 내 구성원의 응집력이 강해진다.
③ 조직의 규모가 클수록 분권화되는 경향이 있다.
④ 조직의 규모가 클수록 복잡성이 낮아진다.

01 조직의 규모

조직의 규모가 커지면 최고집권자는 중간관리자들과 권한을 분산하여 소유하게 되므로 조직의 규모가 클수록 분권화되는 경향이 있다.

(선지분석)
① 조직의 규모가 클수록 공식화 수준은 높아진다.
② 조직의 규모가 클수록 조직 내 구성원의 응집력이 약화된다.
④ 조직의 규모가 클수록 복잡성(분화)이 높아진다.

답 ③

02 □□□

2015년 교육행정직 9급

조직의 구조적 특성을 나타내는 지표로서 거리가 먼 것은?

① 의사결정권한의 분산 정도
② 수직적 · 수평적 · 지리적 분화의 정도
③ 행동을 표준화하는 문서화 · 규정화의 정도
④ 조직의 투입을 산출로 전환하는 데 필요한 지식 및 기술(skills)의 정도

02 조직의 구조적 특성

조직의 구조적 특성을 나타내는 대표적인 구조변수는 일반적으로 조직구조 형성에 직접적으로 영향을 미치는 기본변수를 의미한다. 기본변수에는 복잡성, 공식성, 집권성이 있으며, 기술이나 규모 등은 상황변수로서 기본변수에 영향을 미치는 이차적이고 간접적인 변수에 해당한다.

조직의 구조변수

기본변수	복잡성	조직 내 분화의 정도
	공식성	조직 내의 직무가 정형화·표준화된 정도
	집권성	조직 내 권한이 상층부에 집중되는 정도
상황변수	규모	• 조직의 크기 • 구성원 수, 예산, 투입·산출, 자원 등과 관련됨
	기술	투입을 산출로 바꾸는 데 이용되는 모든 활동
	환경	• 조직 경계 밖의 모든 영역 • 조직에 영향을 미칠 수 있는 모든 요소

답 ④

03 □□□

2017년 국가직 7급(8월 시행)

조직구조에 대한 설명으로 옳은 것은?

① 복잡성은 '조직이 얼마나 나누어지고 흩어져 있는가'의 분화 정도를 말한다.
② 고객에 대한 신속한 서비스 제공 요구는 집권화를 촉진한다.
③ 통솔범위가 넓은 조직은 일반적으로 고층구조를 갖는다.
④ 공식화의 수준이 높을수록 조직 구성원들의 재량이 증가한다.

04 □□□

2016년 국가직 7급

조직구조에 대한 설명으로 옳지 않은 것은?

① 수평적 분화가 심할수록 전문성을 가진 부서 간 커뮤니케이션과 업무협조가 용이하다.
② 수직적 분화는 조직의 종적인 분화로서 책임과 권한의 계층적 분화를 말한다.
③ 공간적(장소적) 분화는 조직의 구성원과 물리적인 시설이 지역적으로 분산되어 있는 정도를 말한다.
④ 조직구조의 복잡성은 조직이 얼마나 나누어지고 흩어져 있는가의 분화 정도를 말한다.

03 조직구조

복잡성은 조직 내 분화의 정도를 의미하는 것으로 수직적 분화, 수평적 분화, 장소적 분화가 있다.

(선지분석)

② 고객에 대한 신속한 서비스 제공 요구는 분권화를 추구한다.
③ 통솔범위가 넓은 조직은 일반적으로 저층구조를 갖는다.
④ 공식화의 수준이 낮을수록 조직 구성원들의 재량이 증가한다.

답 ①

04 조직구조

수평적 분화가 심할수록 전문성을 가진 부서 간 커뮤니케이션과 업무협조가 어렵다.

복잡성의 유형

구분	내용
수직적 분화	• 직무의 난이도와 책임에 따른 계층화의 정도 • 통솔범위가 좁은 고전적인 기계적 구조(관료제)는 수직적 분화의 수준이 높고, 유기적 구조(탈관료제)는 수직적 분화의 수준이 낮음
수평적 분화	• 조직의 업무를 그 특성에 따라 세분화하여 수행하는 정도로, 업무의 전문화와 사람의 전문화가 있음 • 인적·물적·시설자원이 공간적으로 분산된 정도 • 장소가 넓어지면 감독과 조정이 어려워 분권화가 이루어지므로 복잡성이 증가하는데, 현대에는 정보통신기술 발달로 장소적 분산이 복잡성을 증가시키지 않는 경우가 많아짐

답 ①

05 □□□

2015년 지방직 7급

조직의 구조적 특성에 대한 설명으로 옳지 않은 것은?

① 복잡성은 조직의 분화 정도를 의미하며, 단위 부서 간에 업무를 세분화하는 것을 수직적 분화라고 한다.
② 공간적 분화는 조직의 시설과 구성원이 물리적으로 분리되어 있는 정도를 의미한다.
③ 공식화는 일반적으로 업무수행방식에 대한 공식적 규정의 수준을 의미한다.
④ 집권화는 의사결정권한이 조직의 고위층에 집중되어 있는 정도를 의미한다.

06 □□□

2013년 지방직 9급

조직구조에 대한 설명으로 옳지 않은 것은?

① 공식화(formalization)의 수준이 높을수록 조직 구성원들의 재량이 증가한다.
② 통솔범위(span of control)가 넓은 조직은 일반적으로 저층구조의 형태를 보인다.
③ 집권화(centralization)의 수준이 높은 조직의 의사결정권한은 조직의 상층부에 집중된다.
④ 명령체계(chain of command)는 조직 내 구성원을 연결하는 연속된 권한의 흐름으로, 누가 누구에게 보고하는지를 결정한다.

05 조직의 구조적 특성

복잡성은 조직 내 분화 정도를 의미한다. 단위 부서 간 업무를 세분화하는 것은 수평적 분화이고, 직무의 난이도와 책임에 따른 계층화 정도는 수직적 분화이다. 통솔범위가 좁은 고전적인 기계적 구조는 수직적 분화의 수준이 높은 반면, 유기적 구조는 수직적 분화의 수준이 낮다.

(선지분석)

② 공간적 분화는 조직의 시설과 구성원이 물리적으로 분리되어 있는 정도를 의미하며, 장소적 분산이라고도 한다.
③ 공식화는 일반적으로 업무수행방식에 대한 표준운영절차(SOP), 업무매뉴얼 등 공식적 규정의 수준을 의미한다.
④ 집권화는 의사결정권한이 조직 상부의 고위층이나 중앙부에 집중되어 있는 정도를 의미한다.

답 ①

06 조직구조

공식화의 수준이 높을수록 조직 구성원들의 재량은 줄어든다. 공식화의 수준이 높다는 것은 곧 하나의 직무를 수행할 때 지켜야하는 규칙이 늘어난다는 것을 의미하는데, 지나친 표준화는 구성원의 재량권을 감소시키고 창의력을 저해한다.

(선지분석)

② 통솔범위가 넓은 조직은 일반적으로 저층구조의 형태를 보이고, 통솔범위가 좁은 조직은 일반적으로 고층구조의 형태를 보인다. 즉, 통솔범위와 조직의 계층정도는 반비례한다.
③ 집권화의 수준이 높은 조직의 의사결정권은 조직 상부의 고위층이나 중앙부에 집중된다.
④ 명령체계는 조직 내 구성원을 연결하는 연속된 권한의 흐름으로, 누가 누구에게 명령하고 보고하는지를 결정한다.

답 ①

07 □□□

2014년 국가직 7급

조직구조 및 유형의 특성에 대한 설명으로 옳은 것은?

① 애드호크라시는 공식화 정도가 높고 분권화되어 있으며, 수직적 분화가 심한 특징을 보여주고 있다.
② 공식화는 자원배분을 포함한 의사결정권한이 조직의 상하 직위 간에 어떻게 분배되어 있는가를 의미한다.
③ 복잡성은 조직이 얼마나 나누어지고 흩어져 있는가의 분화 정도를 말하며, 수평적 · 수직적 · 공간적 분화 등으로 세분화할 수 있다.
④ 집권화는 업무수행방식이나 절차가 표준화되어 있는 정도를 의미하며 직무기술서, 내부규칙, 보고체계 등의 명문화 정도로 측정할 수 있다.

08 □□□

2018년 서울시 7급(6월 시행)

조직구조의 상황요인에 대한 설명으로 〈보기〉에서 모두 고른 것은?

〈보기〉

ㄱ. 비일상적 기술일 경우 공식화가 높아질 것이다.
ㄴ. 조직 규모가 커짐에 따라 공식화가 높아질 것이다.
ㄷ. 환경의 불확실성이 높을수록 집권화가 높아질 것이다.
ㄹ. 비일상적 기술일수록 집권화가 낮아질 것이다.
ㅁ. 환경의 불확실성이 높을수록 공식화가 낮아질 것이다.

① ㄱ, ㄷ, ㄹ
② ㄴ, ㄹ, ㅁ
③ ㄷ, ㄹ, ㅁ
④ ㄱ, ㄴ, ㅁ

07 조직구조 및 유형의 특성

복잡성은 조직구조의 분화 정도를 의미하며 수직적 분화, 수평적 분화, 공간적 분화로 구분할 수 있다.

선지분석

① 애드호크라시는 공식화 정도가 낮고 수직적 분화 정도가 적은 특징을 가진다. 공식화 정도가 높고, 수직적 분화가 심한 조직은 관료제이다.
② 의사결정에 있어 의사결정의 권한이 조직의 상하 직위 간에 어떻게 분배되어 있는가를 의미하는 것은 집권화이다.
④ 조직 내의 직무가 정형화·표준화되어 있는 정도로서 업무절차 및 규범 등이 명문화된 규정을 갖춘 정도가 그 지표가 되는 것은 공식화이다.

답 ③

08 조직구조의 상황요인

조직구조의 상황요인으로는 ㄴ, ㄹ, ㅁ이 옳다.

선지분석

ㄱ. 비일상적인 기술일 경우 공식화가 낮아질 것이다.
ㄷ. 환경의 불확실성이 높을수록 집권화가 낮아질 것이다.

답 ②

09 □□□

2016년 교육행정직 9급

조직상황요인과 조직구조 간의 관계를 설명한 것으로 옳지 않은 것은?

① 조직규모가 커질수록, 분권화 정도가 높은 조직구조가 적합하다.

② 조직환경이 불확실할수록, 분권화 정도는 높고 공식화 정도는 낮은 조직구조가 적합하다.

③ 조직이 방어적(저비용) 전략을 추구할수록, 공식화 정도는 낮고 분권화 정도는 높은 조직구조가 적합하다.

④ 조직이 비일상적인 기술을 사용할수록, 분권화 정도는 높고 공식화 정도는 낮은 조직구조가 적합하다.

10 □□□

2013년 서울시 7급

조직구조의 상황요인에 대한 설명 중 옳은 것은?

① 비일상적 기술일수록 공식화가 높아질 것이다.

② 환경의 불확실성이 높을수록 집권화가 높아질 것이다.

③ 비일상적 기술일수록 집권화가 높아질 것이다.

④ 환경의 불확실성이 높을수록 공식화가 높아질 것이다.

⑤ 조직의 규모가 커짐에 따라 공식화가 높아질 것이다.

09 조직상황요인과 조직구조 간의 관계

방어적 전략은 저비용 전략이라고도 한다. 이는 업무수행을 공식화에 의존하는 기계적 구조에서 사용하는 소극적·폐쇄적인 전략으로서 공식화의 정도는 높고, 분권화의 정도는 낮은 조직구조에 적합하다. 유기적 구조에서 사용하는 탐색형 전략이 적극적·개방적인 대응전략으로, 공식화의 정도는 낮고 분권화의 정도는 높은 조직구조에 적합하다.

선지분석

① 조직규모가 커지면 복잡성과 공식성은 높아지고 집권화는 낮아진다. 따라서 조직규모가 커질수록 분권화 정도가 높은 조직구조가 적합하다.

② 조직환경이 불확실할수록 환경변화에 신속히 대응하여야 하므로, 분권화 정도는 높고 공식화 정도는 낮은 유기적 조직구조가 적합하다.

④ 조직이 비일상적 기술을 사용할수록 유기적 조직구조가 적합하므로, 분권화 정도는 높고 공식화 정도는 낮은 조직구조가 적합하다.

답 ③

10 조직구조의 상황요인

공식성은 조직의 규모에 비례하므로 규모가 큰 조직에서는 공식화도 높아진다.

선지분석

① 비일상적인 기술일수록 공식화는 낮아진다.

② 환경의 불확실성이 높을수록 집권화는 낮아진다.

③ 비일상적 기술일수록 집권화는 낮아진다.

④ 환경의 불확실성이 높을수록 공식화는 낮아진다.

답 ⑤

11 □□□

2015년 국회직 8급

조직의 상황적 요인과 구조적 특성의 관계에 대한 설명 중 옳은 것은?

① 조직의 규모가 커짐에 따라 복잡성이 감소할 것이다.
② 환경의 불확실성이 높아질수록 조직의 공식화 수준은 높아질 것이다.
③ 조직의 규모가 커짐에 따라 조직의 공식화 수준은 낮아질 것이다.
④ 일상적 기술일수록 분화의 필요성이 높아져서 조직의 복잡성이 높아질 것이다.
⑤ 조직의 규모가 커짐에 따라 조직의 분권화가 촉진될 것이다.

11 조직의 상황적 요인과 구조적 특성의 관계

조직의 규모와 집권성은 반비례하므로 조직의 규모가 커지면 조직의 분권화가 촉진된다.

선지분석

① 조직의 규모가 커질수록 복잡성이 증가한다.
② 환경의 불확실성이 높아질수록 조직의 공식화 수준은 낮아진다.
③ 조직의 규모가 커지면 조직의 공식화 수준은 높아진다.
④ 일상적 기술일수록 분화의 필요성이 낮아져 조직의 복잡성도 낮아진다.

답 ⑤

12 □□□

2020년 지방직 9급

기술과 조직구조의 관계에 대한 페로(Perrow)의 설명으로 옳지 않은 것은?

① 정형화된(routine) 기술은 공식성 및 집권성이 높은 조직구조와 부합한다.
② 비정형화된(non-routine) 기술은 부하들에 대한 상사의 통솔범위를 넓힐 수밖에 없을 것이다.
③ 공학적(engineering) 기술은 문제의 분석가능성이 높다.
④ 기예적(craft) 기술은 대체로 유기적 조직구조와 부합한다.

12 기술과 조직구조의 관계

단순·일상적이고 공식화·표준화가 높은 업무(일상적 기술)인 경우 통솔범위가 넓다. 반면, 비정형화된(non-routine) 기술(비일상적 기술)은 부하들에 대한 상사의 통솔범위가 좁다.

페로우(Perrow)의 기술유형

구분		과업의 다양성: 낮음(소수의 예외)	과업의 다양성: 높음(다수의 예외)
문제의 분석 가능성	낮음(불가)	<장인기술> • 조직구조: 다소 유기적 • 공식화·집권화: 중간 • 스탭 자격: 작업경험 • 통솔범위: 중간 • 의사소통: 수평적·언어 • 정보: 소량의 풍성한 정보 • 조정·통제: 개인적 관찰, 면접회의, 하이터치 예 도예가	<비일상적 기술> • 조직구조: 유기적 • 공식화·집권화: 낮음 • 스탭 자격: 훈련·경험 • 통솔범위: 좁음 • 의사소통: 수평적·회의 • 정보: 다량의 풍성한 정보 • 조정·통제: 하이테크·하이터치(면접회의, MIS, DSS) 예 핵연료 추진장치
	높음(가능)	<일상적 기술> • 조직구조: 기계적 • 공식화·집권화: 높음 • 스탭 자격: 적은 훈련·경험 • 통솔범위: 넓음 • 의사소통: 수직적·문서 • 정보: 소량의 계량적 정보 • 조정·통제: 보고서, 규정집, 계획표, TPS 예 건재용 철근, 생산 컨베이어 벨트	<공학기술> • 조직구조: 다소 기계적 • 공식화·집권화: 중간 • 스탭 자격: 공식훈련 • 통솔범위: 중간 • 의사소통: 문서·언어 • 정보: 다량의 계량적 정보 • 조정·통제: 하이테크(DB, MIS, DSS) 예 엔지니어링

답 ②

13 □□□ 2019년 국가직 7급

페로우(Perrow)의 기술유형 중 과업의 다양성과 문제의 분석가능성이 모두 높은 경우에 해당하는 기술은?

① 장인 기술
② 비일상적 기술
③ 공학적 기술
④ 일상적 기술

14 □□□ 2016년 서울시 7급

다음 상황론적 조직이론(contingent theory)에 대한 설명 중 가장 옳은 것은?

① 우드워드(Woodward)는 제조업체의 생산기술에 따라 조직이 사용하는 기술의 유형을 구분하고, 대량생산기술에는 관료제와 같은 기계적 구조가 효과적이지 않다고 주장하였다.
② 톰슨(Thompson)은 업무처리과정에서 일어나는 조직 간 · 개인 간 상호 의존도를 기준으로 기술을 분류하고, 종합병원처럼 집약기술이 필요한 조직은 수직적 조정이 중요하다고 주장하였다.
③ 페로우(Perrow)는 조직원이 업무를 처리하는 과정에서 발생하는 예외적인 사건의 정도와 업무 처리가 표준화된 절차에 의해 수행되는 정도를 기준으로 조직의 기술을 장인 기술, 비일상적 기술, 일상적 기술, 공학적 기술로 유형을 구분하였다.
④ 상황론적 조직이론에서는 정책결정자가 환경에 대해 충분한 정보를 갖지 못하므로 환경이 조직구조에 영향을 미치지 않는다고 본다.

13 | 페로우(Perrow)의 기술유형

페로우(Perrow)의 기술유형 중 과업의 다양성과 문제의 분석가능성이 모두 높은 것은 공학적 기술이다.

답 ③

14 | 상황론적 조직이론

페로우(Perrow)는 과업의 다양성과 문제의 분석가능성을 기준으로 기술의 유형을 구분하였다.

선지분석

① 우드워드(Woodward)는 대량생산체제와 같은 기술에서는 기계적 조직구조가 효과적이라고 주장하였다.
② 톰슨(Thompson)은 집약기술이 필요한 조직은 수평적 조정이 중요하다고 주장하였다.
④ 상황론적 조직이론은 환경이 조직구조에 영향을 미친다고 본다.

답 ③

15 □□□

2015년 국회직 9급

다음 〈보기〉에 제시된 계선기관에 관한 내용 중 옳은 것을 모두 고르면?

〈보기〉

ㄱ. 권한 및 책임의 한계의 명확성, 신속한 결정력, 업무 수행 능률성 등의 장점이 있다.
ㄴ. 각 행정기관의 장의 인격을 연장·보완하는 역할을 하며 지휘·감독의 범위를 넓혀 준다.
ㄷ. 기관장이 주관적·독단적 결정이나 조치를 취할 가능성이 존재하고, 조직의 경직성을 초래한다.
ㄹ. 전문적 지식과 경험으로 행정목표의 달성에 간접적으로 기여한다.

① ㄱ, ㄴ
② ㄱ, ㄷ
③ ㄱ, ㄴ, ㄹ
④ ㄱ, ㄷ, ㄹ
⑤ ㄱ, ㄴ, ㄷ, ㄹ

15 계선기관

ㄱ. 권한과 책임의 한계가 명확하고 신속하며 능률적인 것은 계선조직의 장점이다.
ㄷ. 책임자가 주관적이고 독단적인 결정을 내릴 수 있고, 조직이 경직되는 것은 계선기관의 단점이다.

선지분석

ㄴ. 기관장의 통솔범위 확대는 참모기관의 장점이다.
ㄹ. 업무조정 및 전문지식의 활용은 참모기관의 장점이다.

답 ②

16 □□□

2014년 지방직 7급

보조기관과 보좌기관에 대한 설명으로 옳지 않은 것은?

① 보조기관은 위임·전결권의 범위 내에서 의사결정과 집행의 권한을 가진다.
② 보좌기관은 정책에 대한 최종적인 책임을 지지 않는 경우가 많으며 보조기관과 갈등을 유발할 수도 있다.
③ 보좌기관이 보조기관보다는 더 현실적이고 보수적인 속성을 가질 가능성이 높다.
④ 보좌기관은 목표달성 및 정책수행에 간접적으로 기여한다.

16 보조기관과 보좌기관

보조기관이 보좌기관보다는 더 현실적이고 보수적인 속성을 가질 가능성이 높다.

보조기관과 보좌기관 비교

보조기관 (계선)	행정기관의 의사결정이나 표시를 보조함으로써 기관의 목적달성에 공헌하는 기관 예 차관, 차장, 실장, 국장, 과장 등
보좌기관 (참모, 막료)	행정기관이 그 기능을 원활하게 수행할 수 있도록 기관장이나 보조기관을 보좌함으로써 행정기관의 목적달성에 공헌하는 기관 예 차관보, 담당관, 심의관 등

답 ③

THEME 042 관료제

17 □□□

2020년 서울시 9급

베버(Max Weber)가 관료제의 특징으로 제시한 내용에 해당하지 않는 것은?

① 문서화된 규정 - 조직의 목표달성을 위해 필요한 절차와 방법이 기록된 규정이 존재함
② 계층제 - 피라미드 모양의 계층구조를 가지며, 명령과 통제가 위로부터 아래로 전달됨
③ 전문성 - 업무에 대한 지식을 가진 전문적인 관료가 업무를 담당하며, 직무에의 전념을 요구함
④ 협력적 행동 - 원활한 계층 체계 작동을 위해 구성원은 서로 협력하며, 이를 통해 높은 효율과 성과를 거둘 수 있음

18 □□□

2018년 서울시 7급(6월 시행)

막스 베버(Max Weber)가 말하는 관료제의 이념형(ideal type)에 대한 설명으로 가장 옳은 것은?

① 조직의 목표를 효율적으로 달성하기 위해서 순환근무를 강조한다.
② 법적 · 합리적 권위에 근거한 조직구조이다.
③ 도덕적 이상을 지닌 관료제의 형태를 말한다.
④ 문서화된 법규집보다 전문직업적 판단을 강조한다.

17 | 베버(Weber)의 관료제

베버(Weber)의 관료제는 구성원에게 피라미드형 계층 체계 내에서 엄격하게 규정된 역할을 수행할 것을 요구하며, 구성원 간 비정의성(非情義性)을 특징으로 한다. 따라서 구성원이 서로 협력한다고 보기 어렵다.

근대 관료제의 특징

1. 권한의 명확성과 법규의 지배
2. 계층제(계서제적 구조)
3. 공사의 구별과 비정의성
4. 문서주의
5. 관료의 전문화 · 전임화
6. 고용관계의 자유계약성

답 ④

18 | 베버(Weber)의 관료제

막스 베버(Max Weber)의 관료제의 이념형(ideal type)은 법적 · 합법적 권위에 근거한 근대적 관료제이다.

(선지분석)

① 순환근무가 아닌 분업화(전문화)된 근무를 통해 조직의 목표를 효율적으로 달성할 수 있다고 한다.
③ 도덕적 이상이 아닌 합법적인 형태의 관료제를 말한다.
④ 관료제의 이념형은 전문직업적 판단보다는 법규집을 강조한다.

답 ②

19 □□□

2017년 국가직 9급(10월 추가)

베버(Weber)가 주장한 이념형(ideal type)으로서의 근대 관료제에 대한 설명으로 옳지 않은 것은?

① 관료는 계급과 근무연한에 따라 정해진 금전적 보수를 받는다.
② 관료는 객관적 · 중립적 입장보다는 민원인의 입장에서 판단하고 결정한다.
③ 모든 직위의 권한과 관할범위는 법규에 의하여 규정된다.
④ 관료의 업무 수행은 문서에 의한다.

19 베버(Weber)의 관료제

베버(Weber)가 주장한 이념형(ideal type)에 의하면 관료는 민원인 개인의 사정이나 여건을 고려하기보다는 객관적인 규정과 법규에 따른 중립적인 업무수행을 강조한다.

답 ②

20 □□□

2016년 국가직 7급

관료제에 대한 설명으로 옳지 않은 것은?

① 관료제(bureaucracy)는 관료(bureaucrat)에 의하여 통치(cracy)된다는 의미로서 왕정이나 민주정(民主政)에 비해 관료가 국가정치와 행정의 중심역할을 수행한다는 의미가 있다.
② 관료제는 소수의 상관과 다수의 부하로 구성되는 피라미드 형태를 취하며 과두제(oligarchy)의 철칙이 나타날 수 있다.
③ 관료제의 병리현상으로 과잉동조에 따른 목표대치, 할거주의, 훈련된 무능력 등을 들 수 있다.
④ 베버(Weber)의 이념형 관료제는 성과급제도와 부합한다.

20 관료제

베버(Weber)의 관료제모형은 직업 관료제에 바탕을 두는 모형으로, 봉급이나 승진 등 전반적인 인사나 보수제도가 업무수행 실적보다는 연공서열에 따라 이루어진다. 따라서 성과급제도와는 거리가 있다.

관료제의 병리

구분	내용
동조과잉과 목표의 대치	목표달성을 위한 수단에 불과한 규칙·절차를 지나치게 강조하여 목적과 수단이 뒤바뀔 수 있음
번문욕례 (red tape)	모든 사무를 문서로 처리하므로 절차가 번거롭고 신속한 업무처리가 곤란함
변화에 대한 저항	규칙과 선례에 집착하는 보수적인 특성으로 인해 쇄신에 저항적임
훈련된 무능	고도의 전문화로 인해 특정 분야의 전문성에만 치우쳐서 시야가 좁아지고 포괄적 통찰력을 갖기 어려움
할거주의와 분파주의	자신의 소속 부서만을 생각하고 다른 부서에 대해 무관심하고 적대의식을 갖기도 함
무사안일주의	새로운 일을 하려는 적극성이나 창의성을 발휘하지 못하고 선례만을 따르거나 상급자의 권위에 의존함
몰인간성	집권적인 법규 위주의 통제를 중요시하므로 구성원의 인간적 성장을 저해하고 인간소외가 심화됨
파킨슨의 법칙	공무원의 수가 업무량의 증가와 관계없이 증가하는 비효율이 발생함
피터의 원리	관료제에서 구성원은 그 자신의 역량을 넘는 수준까지 성장하게 된다는 것으로, 신분보장의 특징이 비효율을 초래함
권력구조의 이원화	상급자의 계서적 권한과 부하의 전문적 권력이 이원화되어 조직 내 갈등이 발생함

답 ④

21 □□□

2015년 국가직 7급

베버(Weber)의 관료제모형에 대한 설명으로 옳지 않은 것은?

① 관료에게 지급되는 봉급은 업무수행 실적에 대한 평가에 따라 결정된다.

② 관료제모형은 계층제의 원리를 근간으로 한다.

③ 베버(Weber)는 정당성을 기준으로 권위의 유형을 전통적 권위, 카리스마적 권위, 법적 · 합리적 권위로 나누었는데 근대적 관료제는 법적 · 합리적 권위에 기초를 두고 있다고 주장한다.

④ 관료제모형은 '전문화로 인한 무능(trained incapacity)' 등 역기능을 초래할 수도 있다.

22 □□□

2013년 지방직 7급

베버(Weber)의 관료제이론에 대한 설명으로 옳지 않은 것은?

① 계층제에서 근무하는 관료는 봉사 대상인 국민에게 책임을 져야 한다.

② 관료는 'Sine ira et studio'의 정신으로 업무를 수행하여야 한다.

③ 관료를 승진시킬 때에는 근무연한을 고려할 수 있다.

④ 보수를 받지 않고 봉사하는 사람은 관료라고 볼 수 없다.

21 | 베버(Weber)의 관료제

관료에게 지급되는 봉급은 업무수행 실적에 대한 평가와는 무관하게 계급과 근무연한에 따라 결정된다.

지배의 유형에 따른 관료제의 유형

구분	정당성의 근거	관료제의 유형
전통적 지배	전통이나 관습	가산관료제
카리스마적 지배	특정인물의 초인적 자질	카리스마적 관료제
합법적 지배	법규화된 질서의 합법성	근대관료제

답 ①

22 | 베버(Weber)의 관료제

관료제는 국민에 대한 책임보다 계층에 따른 상급자의 책임을 중요시한다.

(선지분석)

② 'Sine ira et studio'는 '분노와 열정 없이'라는 라틴어로, 관료제의 비정의성을 나타낸다.

③ 베버(Weber)의 관료제는 연공서열을 중시한다.

④ 베버(Weber)의 관료제는 관료의 전임화, 직업화를 전제로 한다.

답 ①

23 □□□

2014년 서울시 7급

베버(Weber)의 관료제론에 대한 설명으로 옳지 않은 것은?

① 개개 직위의 관할 범위는 법규에 의해서 규정된다.
② 이상적 관료제는 비정의성(impersonality)에 따라 움직인다.
③ 이상적인 관료제는 정치적 전문성에 의해 충원되는 제도를 갖는다.
④ 관료제는 일정한 자격 또는 능력에 따라 규정된 기능을 수행하는 분업의 원리에 따른다.
⑤ 조직은 엄격한 계층제의 원리에 따라 운영되고 상명하복의 질서정연한 체제이다.

24 □□□

2014년 국가직 9급

관료제의 여러 병리현상 중 '과잉동조'에 대한 설명으로 옳은 것은?

① 목표달성을 위해 마련된 규정이나 절차에 집착함으로써 결국 수단이 목표를 압도해버리는 현상
② 세분화된 특정 업무에서는 전문적인 능력이 있지만 그 밖의 업무에 대해서는 문외한이 되는 현상
③ 다양한 외부 환경의 변화에 둔감하고 조직목표의 혁신에 적극적으로 저항하는 현상
④ 자신이 소속된 기관이나 부서만을 생각하고 다른 기관이나 부서를 배려하지 않는 현상

23 | 베버(Weber)의 관료제

베버(Weber)의 관료제이론에서 이상적인 관료제는 정치적 전문성이 아니라 기술적 전문성 또는 행정적 전문성에 의해 충원되는 제도를 갖는다.

(선지분석)

① 조직 내의 모든 지위에 관한 권한과 직무범위의 한계가 법규에 의해 명확히 규정된다.
② 상급자와 하급자의 관계는 비인격적 관계이며, 사적인 영역과 공적인 영역이 엄격히 구별된다.
④ 복잡하고 거대한 과업을 세분화하여 전문 인력에게 분담시킴으로써 효율적으로 처리한다.
⑤ 조직이 계층제의 원리에 따라 상하의 계층을 이루고, 상하 간에는 직무상 명령복종 관계가 확립되어 있다.

답 ③

24 | 관료제 병리현상

과잉동조는 목표달성을 위해 마련된 규정이나 절차에 집착함으로써 결국 수단이 목표를 압도해버리는 목표의 전환 현상이다.

(선지분석)

② 세분화된 특정 업무에서는 전문적인 능력이 있지만 그 밖의 업무에 대해서는 문외한이 되는 현상은 '훈련된 무능'이다.
③ 다양한 외부 환경의 변화에 둔감하고 조직목표의 혁신에 적극적으로 저항하는 현상은 '변화에의 저항'이다.
④ 자신이 소속된 기관이나 부서만을 생각하고 다른 기관이나 부서를 배려하지 않는 현상은 '할거주의'이다.

답 ①

25 □□□

2017년 국가직 7급(8월 시행)

미헬스(Michels)의 '과두제의 철칙(iron law of oligarchy)' 현상에 가장 부합하는 조직목표 변동 유형은?

① 목표승계(succession)
② 목표추가(multiplication)
③ 목표확대(expansion)
④ 목표대치(displacement)

26 □□□

2014년 지방직 9급

베버(Weber)의 관료제모형을 설명한 것으로 옳지 않은 것은?

① 조직이 바탕으로 삼는 권한의 유형을 전통적 권한, 카리스마적 권한, 법적 · 합리적 권한으로 나누었다.
② 직위의 권한과 관할범위는 법규에 의하여 규정된다.
③ 인간적 또는 비공식적 요인의 중요성을 간과하였다.
④ 관료제의 긍정적인 측면으로 목표대치현상을 강조하였다.

25 미헬스(Michels)의 과두제의 철칙(iron law of oligarchy)

과두제의 철칙(iron law of oligarchy)이란 조직의 목표를 달성하기 위하여 조직구조는 계서제적 구조를 갖게 되고 결국 소수의 지도자에 의해 지배당하게 되는 현상이다. 소수의 지배라는 특성상 다수의 지배를 원리로 하는 민주주의가 상충되며, 권력이 집중된 소수의 상층부가 공익의 목표를 망각하고 그 수단을 더욱 중시하게 되는 목표대치현상이 나타나게 된다.

답 ④

26 베버(Weber)의 관료제

목표대치현상은 관료제의 병리현상으로, 목표가 아닌 수단에 집착함으로써 목표와 수단이 뒤바뀌는 현상을 의미하며 동조과잉이라고도 한다.

선지분석

① 베버(Weber)는 관료제를 전통적 권한에 근거한 가산관료제, 카리스마적 권한에 근거한 카리스마적 관료제, 법적·합리적 권한에 근거한 근대관료제로 구분하였다.
② 권한이 명확하고 법규의 지배를 받는다.
③ 인간의 비공식적 요인이나 사회적 욕구를 간과하였다.

답 ④

27 □□□

2017년 국가직 9급(4월 시행)

관료제 병리현상에 대한 설명으로 옳지 않은 것은?

① 규칙이나 절차에 지나치게 집착하게 되면 목표와 수단의 대치현상이 발생한다.

② 모든 업무를 문서로 처리하는 문서주의는 번문욕례(繁文縟禮)를 초래한다.

③ 자신의 소속기관만을 중요시함에 따라 타 기관과의 업무 협조나 조정이 어렵게 되는 문제가 나타난다.

④ 법규와 절차 준수의 강조는 관료제 내 구성원들의 비정의성(非情誼性)을 저해한다.

28 □□□

2016년 지방직 7급

관료제 병리현상에 대한 설명으로 옳은 것은?

① 동조과잉과 형식주의로 인해 전문화로 인한 무능 현상이 발생한다.

② 피터의 원리(Peter Principle)가 지적하듯이 무능력자가 승진하게 되는 경우가 생긴다.

③ 상관의 권위에 의존하면서 소극적으로 일을 처리하려는 할거주의가 나타난다.

④ 목표가 아닌 수단으로서의 규칙과 절차에 지나치게 집착하는 번문욕례(red tape) 현상이 나타난다.

27 관료제 병리현상

관료제는 비정의성(非情誼性)을 저해하는 것이 아니라 이를 특징으로 한다. 비정의성은 조직의 구성원이 개인의 특성과 관계없이 모두 똑같이 취급받는 것을 의미한다. 관료제의 지나친 비정의성으로 인해 인간적인 측면을 경시하는 문제점을 야기할 수도 있다.

선지분석

① 규칙이나 절차 등에 지나치게 집착하는 동조과잉현상은 목표와 수단이 대치되는 목적전치현상을 야기한다.

② 번문욕례는 Red tape 라고도 하며, 번잡한 문서, 복잡한 예절 등을 뜻한다.

③ 자신의 소속 부서만을 생각하고 다른 부서에 대해 무관심하며 적대의식을 갖기도 하는 할거주의와 분파주의가 발생할 수 있다.

답 ④

28 관료제 병리현상

피터의 원리(Peter Principle)는 관료제에서 구성원이 그 자신의 역량을 넘는 수준까지 승진하게 된다는 것으로, 관료제의 병리현상 중 하나이다.

선지분석

① 지나친 분업으로 인해 전문화로 인한 무능 현상이 발생한다.

③ 할거주의는 자신의 소속 부서만을 생각하고 다른 부서에 대해 무관심한 것을 말한다.

④ 번문욕례(red tape)는 모든 사무를 문서로 처리하여 절차가 번거롭고 신속한 업무처리가 불가능한 현상을 말한다. 목표가 아닌 수단으로서 규칙과 절차에 지나치게 강조(동조과잉)하여 목적과 수단이 뒤바뀌는 것은 목표대치이다.

답 ②

29 □□□

2015년 국회직 8급

관료제의 병리와 역기능에 대한 설명으로 옳지 않은 것은?

① 셀즈닉(Selznik)에 따르면 최고관리자의 관료에 대한 지나친 통제가 조직의 경직성을 초래하여 관료제의 병리현상이 나타난다.
② 관료들은 상관의 권위에 무조건적으로 의존하는 경향이 있다.
③ 관료들은 보수적이며 변화와 혁신에 저항하는 경향이 있다.
④ 파킨슨의 법칙은 업무량과는 상관없이 기구와 인력을 팽창시키려는 역기능을 의미한다.
⑤ 굴드너(Gouldner)는 관료들의 무사안일주의적 병리현상을 지적한다.

30 □□□

2011년 지방직 7급

베버(Weber)의 관료제에 대한 비판론자들이 있다. 그들이 주장하는 관료제의 병폐에 대한 설명으로 옳은 것을 모두 고른 것은?

> ㄱ. 조직 구성원은 한 가지의 지식 또는 기술에 관하여 훈련받고 기존규칙을 준수하도록 길들여지기 때문에 변동된 조건하에서는 대응이 어렵게 된다.
> ㄴ. 권한과 능력의 괴리, 상위직으로 갈수록 모호해지는 업적평가기준, 조직의 공식적 규범을 엄격하게 준수해야 한다는 압박감 등으로 조직 구성원들이 불안해지므로 더욱 더 권위주의적인 행태를 가지게 된다.
> ㄷ. 상관의 계서적 권한과 부하의 전문적 권력이 이원화됨에 따라 조직 내에서 갈등이 발생하게 되어 조직 구성원들의 불만이 증대된다.
> ㄹ. 집권적이고 권위주의적인 통제와 법규우선주의 그리고 몰인격적(impersonal) 역할관계는 조직 구성원의 사회적 욕구충족을 저해하며 그들의 성장과 성숙을 방해한다.

① ㄱ, ㄹ
② ㄱ, ㄴ, ㄷ
③ ㄴ, ㄷ, ㄹ
④ ㄱ, ㄴ, ㄷ, ㄹ

29 관료제의 병리와 역기능

최고관리자의 관료에 대한 지나친 통제가 조직의 경직성을 초래하여 관료제의 병리현상이 나타난다고 주장한 학자는 머튼(Merton)이다. 셀즈닉(Selznik)은 관료제를 통한 분업은 전문적 능력을 향상시키고 조직의 목표달성에 기여할 수 있지만 할거주의를 발생시킨다고 하였다.

선지분석

② 관료들은 적극성이나 창의성을 발휘하지 못하고 상급자의 권위에 의존하는 경향이 있다.
③ 관료들을 규칙과 선례에 집착하는 보수적인 특성으로 인해 쇄신에 저항적이고 변화에 적응성이 떨어진다.
④ 파킨슨(Parkinson)의 법칙은 공무원의 수가 업무량의 증가와 관계없이 증가하는 비효율을 말한다.
⑤ 굴드너(Gouldner)는 규칙이 구성원들의 조직목표 내면화를 저해하여 관료들이 규칙의 범위 내에서 소극적이고 현상유지적으로 행동하는 무사안일주의를 초래한다며 관료제를 비판하였다.

답 ①

30 관료제의 병폐

ㄱ, ㄴ, ㄷ, ㄹ 모두 관료제의 병폐에 대한 옳은 설명이다.
ㄱ. 훈련된 무능에 대한 설명이다.
ㄴ. 톰슨(Thompson)이 제시한 개인의 심리 불안으로 인한 병리현상에 대한 설명이다.
ㄷ. 권력구조의 이원화에 대한 설명이다.
ㄹ. 인격적 관계의 상실 및 인간의 사회적 욕구와 심리적 욕구의 간과에 대한 설명이다.

답 ④

31 □□□

2011년 서울시 9급

상사의 계서적 권한과 부하의 전문적 권력이 충돌하는 관료제의 역기능과 관련된 요소는?

① 양적 복종
② 훈련된 무능
③ 권력구조의 이원화
④ 국지주의
⑤ 권위주의

32 □□□

2012년 지방직 7급

관료제의 역기능모형에 대한 설명으로 옳지 않은 것은?

① 머튼(Merton)모형은 관료에 대한 최고관리자의 지나친 통제가 관료들의 경직성을 초래한다고 본다.
② 셀즈닉(Selznick)모형은 권한의 위임과 전문화가 조직 하위 체제의 이해관계를 지나치게 분열시킨다고 본다.
③ 맥커디(McCurdy)모형은 계층제적 관료조직 내에서 구성원이 각자의 능력을 넘는 수준까지 승진하게 된다고 본다.
④ 굴드너(Gouldner)모형은 관료들이 규칙의 범위 내에서 최소한 행태만을 추구하여 무사안일주의를 초래한다고 본다.

31 | 관료제의 역기능

상사의 계서적 권한과 지시할 능력 사이에 괴리가 존재하여 그로 인한 갈등이 발생하거나, 상사의 계서적 권한(행정적 권위)과 부하의 전문적 권력(기능적 권위)이 충돌하는 관료제의 역기능은 권력구조의 이원화에 대한 것이다.

답 ③

32 | 관료제의 역기능모형

계층제적 관료조직 내에서 구성원이 각자의 능력을 넘는 수준까지 승진하게 된다고 보는 것은 피터(Peter)의 원리이다. 피터의 원리는 관료들이 연공서열에 따라 승진할 경우에 무능력 수준까지 승진하게 된다는 관료제의 병리현상을 지적한 모형이다. 맥커디(McCurdy)는 관료제의 한계를 비판하면서 유기적 구조의 필요성을 제창한 반관료제(anti-bureaucratism) 모형을 주장하였다.

답 ③

33 □□□

2015년 서울시 9급

관료제 병리에 관한 연구 내용과 학자 간 연결이 옳지 않은 것은?

① 굴드너(Gouldner) - 관료들이 규칙의 범위 내에서 소극적으로 행동하는 무사안일주의를 초래한다.
② 굿셀(Goodsell) - 계층제조직의 구성원이 각자의 능력을 넘는 수준까지 승진하게 되는 병리현상이 나타난다.
③ 머튼(Merton) - 최고관리자의 관료에 대한 지나친 통제가 관료들의 경직성을 초래한다.
④ 셀즈닉(Selznick) - 권한의 위임과 전문화가 조직 하위 체제 간 이해관계의 지나친 분극을 초래한다.

33 | 관료제 병리

계층제조직의 구성원이 각자의 능력을 넘는 수준까지 승진하게 되는 병리현상을 주장한 학자는 피터(Peter)이다. 굿셀(Goodsell)은 관료제에 대한 비판이 과장되었다고 주장한 관료제 옹호론자이다.

(선지분석)
① 굴드너(Gouldner)는 관료제가 관료들의 무사안일주의를 초래한다고 주장하였다.
③ 머튼(Merton)은 관료제가 조직원의 행동에 대한 예측성을 높여주지만 최고관리자의 관료에 대한 지나친 통제가 관료들의 경직성을 초래하고 동조과잉, 목표대치 등 역기능을 발생시킨다고 비판하였다.
④ 셀즈닉(Selznick)은 분업이 전문적 능력을 향상시켜 조직의 목표달성에 기여하지만 할거주의를 발생시킨다고 비판하였다.

답 ②

THEME 043 탈(후기) 관료제

34 □□□

2020년 지방직 9급

기능(functional) 구조와 사업(project) 구조의 통합을 시도하는 조직 형태는?

① 팀제조직
② 위원회조직
③ 매트릭스조직
④ 네트워크조직

34 | 매트릭스조직

매트릭스조직은 조직의 신축성을 확보하기 위해, 전통적인 계서적 특성을 가지는 기능(functional) 구조에 수평적 특성을 가지는 사업(project) 구조를 화학적으로 결합시킨 조직이다.

(선지분석)
① 팀제조직은 상호보완적 기능을 가진 사람들이 공동 목표의 달성을 위해 책임을 공유하고, 문제해결을 위해 공동의 접근방법을 사용하는 조직단위이다.
② 위원회조직은 여러 사람이 결정과정에 대등한 지위로 참여하여 합의에 의해 의사결정을 하고, 그에 대해 책임을 지는 합의제 조직이다.
④ 네트워크조직은 조직의 기능을 전략·계획·통제 등 핵심역량 위주로 합리화하고, 부수적 기능은 외부기관들과의 계약관계를 통해 수행하는 분권화된 공동조직이다.

답 ③

35 □□□

2011년 국가직 7급

테이어(Thayer)가 주장하는 '계서제 없는 조직'의 특징으로 옳지 않은 것은?

① 소집단의 연합체 형성
② 책임과 권한에 따른 보수의 차등화
③ 집단 내 또는 집단 간 협동적 과정을 통한 의사결정
④ 모호하고 유동적인 집단과 조직의 경계

35 | 계서제 없는 조직

책임과 권한에 따른 보수의 차등화는 전통적 관료제(계서제)의 특징이다. 테이어(Thayer)가 주장하는 '계서제 없는 조직'은 탈(후기)관료제를 말한다. 테이어는 계서제를 유지한 상태에서 계서제로 인한 문제를 해결하기 위한 분권화는 미봉책에 불과하다며 계서제의 완전한 타파를 강조하였다. 테이어의 '계서제 없는 조직'은 소집단의 연합체 형성과 협동 과정을 중시하고 의사결정권의 이양, 조직경계의 개방, 보수차등의 철폐 등을 특징으로 한다.

답 ②

36 □□□

2019년 서울시 7급(2월 추가)

커크하트(Kirkhart)는 연합적 이념형이라고 하는 반관료제적 모형을 제시하였는데, 이 모형이 강조하는 조직구조 설계원리의 처방에 해당하지 않는 것은?

① 컴퓨터 활용
② 사회적 층화의 억제
③ 고용관계의 안정성 · 영속성
④ 권한체제의 상황적응성

36 | 반관료제적 모형

커크하트(Kirkhart)가 제시한 연합적 이념형의 특징으로는 조직 간의 자유로운 인력 이동(잠정적 고용관계), 변화에 대한 적응, 조직 내 상호의존적·협조적 관계, 고객집단의 참여, 사회적 계층제의 억제, 권한체제의 상황적응성, 컴퓨터에 의한 기록관리 등이 있다.

답 ③

37 □□□

2008년 국가직 7급

'이음매 없는 행정서비스(seamless service)'에 관한 설명으로 옳지 않은 것은?

① 린덴(Linden)의 '이음매 없는 조직'과의 관련성이 높다.
② 전통적 조직에 비하여 조직 내 역할 구분이 비교적 명확하지 않다.
③ BSC(Balanced Score Card)를 비롯한 신공공관리적 성과관리방식과는 지향성에 있어서 차이가 있다.
④ 행정조직의 구성원들은 시민에게 보다 향상된 서비스를 직접 제공한다.

37 이음매 없는 행정서비스

이음매 없는 행정서비스는 조직의 각 단위와 과정이 통합하여 절차보다는 성과를 높이려는 형태라는 점에서 신공공관리적 성과관리방식과 유사성이 있다.

선지분석

① 린덴(Linden)의 '이음매 없는 조직'은 '이음매 없는 행정서비스'를 제공하기에 적합한 조직이다.
② 행정서비스에 이음매가 없다는 것은 역할 구분을 하는 부분이 모호하다는 의미이다.
④ 이음매 없는 행정서비스에서 행정조직의 구성원들은 시민에게 보다 향상된 서비스를 직접 제공하는 역할을 수행한다.

답 ③

38 □□□

2017년 국회직 8급

다음 중 매트릭스조직에 대한 설명으로 옳지 않은 것은?

① 명령통일의 원리가 배제되고 이중의 명령 및 보고체제가 허용되어야 한다.
② 부서장들 간의 갈등해소를 위해 공개적이고 빈번한 대면기회가 필요하다.
③ 기능부서의 장들과 사업부서의 장들이 자원배분에 관한 권력을 공유할 수 있어야 한다.
④ 조직의 환경 영역이 단순하고 확실한 경우 효과적이다.
⑤ 조직의 성과를 저해하는 권력투쟁을 유발하기 쉽다.

38 매트릭스조직

매트릭스조직은 환경의 불확실성과 복잡성이 높은 경우에 효과적으로 적용할 수 있는 조직구조이다.

매트릭스조직의 장·단점

장점	단점
• 전문지식이나 인적·물적 자원의 효율적 활용 • 의사전달의 활성화 • 조직의 유연화 • 불확실한 환경에 높은 대응성	• 이중적 구조로 인한 역할 갈등 • 이중적 명령체계로 조정 곤란 • 조직의 불안정성으로 인한 심리적 부담과 구성원의 스트레스

답 ④

39 □□□

2014년 지방직 9급

매트릭스(matrix)조직구조의 특징으로 옳지 않은 것은?

① 잦은 대면과 회의를 통해 과업조정이 이루어지기 때문에 신속한 결정이 가능하다.
② 구성원들은 다양한 경험을 통해 전문기술을 개발하면서, 넓은 시야와 목표관을 가질 수 있다.
③ 급변하는 환경 변화에 탄력적으로 대응할 수 있다.
④ 경직화되어 가는 대규모 관료제조직에 융통성을 부여해 줄 수 있다.

40 □□□

2015년 사회복지직 9급

조직구조 형태의 하나인 복합구조(matrix structure)가 유용하게 쓰일 수 있는 조건에 해당하지 않는 것은?

① 조직의 규모가 너무 크거나 너무 작지 않은 중간 정도의 크기일 것
② 기술적 전문성이 높고 산출의 변동도 빈번해야 한다는 이원적 요구가 강력할 것
③ 조직이 사용하는 기술이 일상적일 것
④ 사업부서들이 사람과 장비 등을 함께 사용해야 할 필요가 클 것

39 매트릭스조직구조

매트릭스조직구조는 이원적인 명령체계를 가지고 있어 신속한 결정이 어렵다는 단점이 있다.

선지분석

② 구성원들은 종적인 기술구조에 따라 전문기술을 개발하는 한편, 횡적으로 연결된 사업구조를 통해 넓은 시야와 목표관을 가질 수 있다.
③ 매트릭스조직구조는 사업구조의 장점인 환경 변화에 대한 탄력적 대응성을 특징으로 한다.
④ 매트릭스조직구조는 후기관료제 조직의 일종으로, 경직화되어 가는 기술구조 중심의 대규모 관료제조직에 사업부제조직을 결합시킴으로써 융통성을 부여해줄 수 있다.

답 ①

40 복합구조

복합구조(매트릭스구조, matrix structure)는 복잡성과 불확실성이 높은 경우에 적합하다.

매트릭스조직이 효과적인 상황적 조건

1. 중간규모의 조직인 경우
2. 복잡하고 불확실성이 높은 환경으로, 수평적·수직적 정보처리 및 조정의 필요성이 커지는 경우
3. 기술적 전문성도 높고, 새로운 제품 개발의 압력도 빈번하게 발생하는 이원적 압력으로 인해 기능조직의 장점과 사업부제의 장점이 동시에 필요한 경우
4. 생산라인 간의 부족한 인력과 자원을 공유해야 하고, 신축적인 운영이 필요한 경우

답 ③

41 □□□

2012년 지방직 7급

매트릭스구조에 대한 설명으로 옳지 않은 것은?

① 기능부서의 신속한 대응성과 사업부서의 전문성에 대한 필요에 의해 결합된 조직이다.
② 기능부서 통제권한의 계층은 수직적으로 흐르고, 사업부서 간 조정권한의 계층은 수평적으로 흐르게 된다.
③ 조직 구성원은 동시에 두 명의 상관에게 보고하는 체계를 가진다.
④ 개인들이 다양한 경험을 할 수 있기 때문에 전문기술의 개발과 더불어 넓은 시야를 갖출 수 있는 기회가 된다.

42 □□□

2018년 지방직 7급

매트릭스(Matrix)조직의 특징에 대한 설명으로 옳지 않은 것은?

① 조직활동을 기능 부문으로 전문화하는 동시에 전문화된 부문들을 프로젝트로 통합하기 위한 장치이다.
② 정보화시대에서 팀제가 '규모의 경제'를 구현한 방식이라면, 매트릭스조직은 '스피드의 경제'를 보장한 방식이다.
③ 기존 조직구조 내의 인력을 활용할 수 있기 때문에 인력 사용에서 경제성을 확보할 수 있다.
④ 기능부서와 사업부서 간에 할거주의가 존재할 경우 원만하게 조정하기가 어려운 경우가 많다.

41 매트릭스구조

매트릭스구조는 기능구조와 사업구조를 화학적으로 결합한 이중적 권한구조를 가지는 조직구조로, 기능부서의 전문성과 사업부서의 신속한 대응성을 결합하였다. 기능구조는 전문가의 집합으로 전문성은 살릴 수 있으나 조정이 어렵다는 단점이 있고, 사업구조는 전문가의 조정은 용이하나 비용이 중복된다는 문제가 있다. 매트릭스구조는 이러한 두 조직의 장점을 채택한 조직구조이다.

선지분석

③ 조직 구성원은 기능부서의 상관과 사업부서의 상관 모두에게 보고하는 체계를 가진다. 예를 들어 기획재정부에서 대사관으로 파견된 재무관은 기획재정부 장관에게도 보고하고, 대사에게도 보고하게 된다.
④ 매트릭스구조의 구성원은 사업부서 간 조정을 통하여 다양한 경험을 할 수 있기 때문에 기능구조 내에서 전문기술의 개발과 더불어 사업부서의 조정을 통한 넓은 시야를 갖출 수 있는 기회를 가질 수 있다.

답 ①

42 매트릭스조직의 특징

정보화시대에서 팀제가 '스피드의 경제'를 구현한 것이라면, 매트릭스조직은 '규모의 경제'와 외부환경 변화에 대한 신속한 대응을 추구한 것이다.

선지분석

① 기능구조의 전문성과 사업부제구조의 신속한 대응성을 동시에 충족한다.
③ 새로운 프로젝트를 수행하는 데 있어 기존 인력의 신축적·경제적 활용이 가능하다.
④ 기능구조와 사업부제구조 간의 이원적 조직체계로 인해 원만한 인간관계 형성이 곤란하다.

답 ②

43 □□□ 2013년 국회직 8급

매트릭스구조에 대한 다음 설명 중 옳지 않은 것은 모두 몇 개인가?

> ㄱ. 기능구조와 사업구조의 물리적 결합을 시도하는 조직구조이다.
> ㄴ. 기능부서의 기술적 전문성이 요구되는 동시에 사업부서의 신속한 대응성의 필요가 증대되면서 등장하였다.
> ㄷ. 기능부서 통제권한의 계층은 수평적으로 흐르고, 사업부서 간 조정권한의 계층은 수직적으로 흐르게 된다.
> ㄹ. 일원적 권한체계를 갖는 데 그 기본적 특성이 있다.

① 0개
② 1개
③ 2개
④ 3개
⑤ 4개

44 □□□ 2019년 서울시 9급

네트워크조직구조가 가지는 일반적인 장점에 대한 설명으로 가장 옳지 않은 것은?

① 조직의 유연성과 자율성 강화를 통해 창의력을 발휘할 수 있다.
② 통합과 학습을 통해 경쟁력을 제고할 수 있다.
③ 조직의 네트워크화를 통해 환경 변화에 따른 불확실성을 감소시킬 수 있다.
④ 조직의 정체성과 응집력을 강화시킬 수 있다.

43 | 매트릭스구조

ㄱ, ㄷ, ㄹ이 옳지 않은 설명으로 3개이다.
ㄱ. 기능구조와 사업구조의 물리적 결합이 아닌 화학적 결합을 시도하는 조직구조이다.
ㄷ. 기능부서 통제권한의 계층은 수직적으로 흐르고, 사업부서 간 조정권한의 계층은 수평적으로 흐르게 된다.
ㄹ. 이원적 권한체계를 갖는 데 그 기본적 특성이 있다.

답 ④

44 | 네트워크조직

네트워크조직은 분권화된 조직으로, 조직의 기능을 전략·계획·통제 등 핵심역량 위주로 합리화하고, 부수적인 기능은 외부기관들과의 계약관계를 통해 수행한다. 따라서 경계가 유동적이고 모호하여 조직의 정체성과 응집력이 약화될 우려가 있다.

선지분석
② 네트워크조직은 학습조직의 일종이다.
③ 조직의 네트워크화를 통해 불확실한 환경에의 대응성을 높일 수 있다.

네트워크조직의 장·단점

장점	단점
• 조직의 개방화·슬림화·분권화 • 혁신을 통한 경쟁력 배양 • 정보통신기술 활용 • 환경변화에 신속·신축적 대응 • 신제품 출시에 거대한 초기투자 불필요	• 행동의 제약 • 네트워크의 폐쇄화 • 네트워크 간 경쟁 • 대리인문제 발생 • 응집력있는 조직문화 형성 곤란

답 ④

45 □□□

2009년 국가직 7급

네트워크조직의 특징을 설명한 것으로 가장 거리가 먼 것은?

① 수평적 · 공개적 의사전달이 강조된다.
② 고도의 적응성과 유연성을 가진 유기적 구조를 가진다.
③ 외부기관과의 협력이 강화되기 때문에 대리인 문제의 발생가능성이 낮다.
④ 의사결정체계는 분권적이며 동시에 집권적이다.

46 □□□

2015년 국가직 9급

네트워크조직에 대한 설명으로 옳은 것만을 모두 고른 것은?

ㄱ. 구조의 유연성이 강조된다.
ㄴ. 조직 간 연계장치는 수직적인 협력관계에 바탕을 둔다.
ㄷ. 개방적 의사전달과 참여보다는 타율적 관리가 강조된다.
ㄹ. 조직의 경계는 유동적이며 모호하다.

① ㄱ, ㄴ
② ㄱ, ㄹ
③ ㄴ, ㄷ
④ ㄷ, ㄹ

45 네트워크조직

네트워크조직은 핵심 기술을 조직 내부에서 담당하고 나머지를 외부기관에 맡기는 구조이다. 따라서 조직 외부기관을 직접 통제하기 어렵기 때문에 대리인 문제가 빈번하게 발생한다.

네트워크조직의 특징

1. 관련된 연계조직 간에 공동목적을 지닌다.
2. 독립적이고 자율적인 구성원이 협력적으로 연결되며, 업무수행의 자율성이 높고 밀접한 감독과 통제보다는 자율규제적·결과지향적 통제가 이루어진다.
3. 느슨하고 자발적으로 다방면의 연결이 이루어지며, 각 구성원은 자율성을 가지므로 네트워크에 진입하거나 탈퇴하는 것이 자유롭다.
4. 절대적인 권한을 가진 지도자는 없으나, 역량 있는 다수의 지도자가 존재한다.
5. 상·하 구별이 분명하지 않으며 수평적 분업도 약하고, 정보화에 의해 지리적 분산을 극복한다.
6. 수평적 의사전달이 강조된다.
7. 의사결정체제가 분권적·집권적이다.
8. 전자매체를 통한 가상공간에서 교호작용이 이루어지고 조직의 규모는 인원수나 물적 요소가 아닌 네트워크 크기로 파악된다.
9. 느슨하게 연계된 구성단위들과 환경의 교호작용은 다원적·분산적이고, 조직의 경계는 유동적이며 모호하다.

답 ③

46 네트워크조직

네트워크조직은 구조의 유연성을 강조하고 조직의 경계가 유동적이다.

선지분석

ㄴ. 수직적인 협력관계가 아니라 수평적인 협력관계에 바탕을 둔다.
ㄷ. 개방적 의사전달과 참여, 자율적 관리가 강조된다.

답 ②

47 □□□

2008년 지방직 7급

최근 증가 추세에 있는 네트워크구조(network structure)에 대한 설명으로 적절하지 않은 것은?

① 네트워크구조는 유기적 조직 유형의 하나라고 할 수 있다.
② 정보통신기술의 확산으로 채택된 새로운 조직구조접근법이라고 할 수 있다.
③ 네트워크구조에서는 조직의 정체성이 약해 응집성 있는 조직문화를 가지기 어렵다.
④ 네트워크구조는 수평적 · 공개적 의사전달을 강조하기 때문에 수직적 통합과는 거리가 있다.

48 □□□

2014년 국가직 7급

네트워크조직의 특성에 대한 설명으로 옳지 않은 것은?

① 응집력 있는 조직문화를 만드는 데 유리하다.
② 업무처리의 신속성과 유연성을 확보하는 데 유리하다.
③ 네트워크 기관과 구성원들 간의 교류를 통한 신뢰관계 형성이 중요하다.
④ 각기 높은 독자성을 지닌 조직단위나 조직들 간에 협력적 연계장치로 구성된 조직이다.

47 네트워크조직

네트워크구조는 자발적 협력관계와 비공식적 의사전달체계의 결합으로 융통성과 창의성이 매우 높은 조직구조이며, 상·하층 모두가 의사결정에 참여할 수 있는 체계를 가지고 있어 수평적 통합을 기본으로 수직적 통합도 가능하다는 특징이 있다.

선지분석

① 네트워크구조는 후기 관료제형태의 조직인 유기적 조직 유형의 하나이다.
② 정보통신기술의 확산으로 온라인을 통한 네트워크 구조가 발생·확대되었다.
③ 네트워크구조는 네트워크를 통한 조직 간 연결을 전제로 하는 구조로, 조직의 정체성이나 응집성이 떨어지는 단점이 있다.

답 ④

48 네트워크조직

네트워크조직의 각 구성원은 자율성을 가지고 네트워크에 진입하거나 탈퇴하는 것이 자유롭기 때문에 응집력 있는 조직문화를 만드는 데 불리하다.

선지분석

② 네트워크조직은 가변적 네트워크를 통해 외부환경 변화에 신속하게 대응할 수 있으며, 유연성을 확보하는 데 유리하다.
③ 네트워크조직은 네트워크 기관과 구성원들 간의 교류를 통한 신뢰관계 형성이 중요하며, 신뢰관계가 형성되지 않을 경우 대리손실 문제가 발생할 우려가 있다.
④ 네트워크조직을 형성하는 조직은 각기 높은 독자성을 지니고 있다.

답 ①

49 □□□

2015년 서울시 7급

애드호크라시(adhocracy)에 대한 설명으로 가장 옳지 않은 것은?

① 애드호크라시는 특정 업무를 수행하기 위해 다양한 분야의 전문가가 일시적으로 구성된 후 업무가 끝나면 해체되는 경우가 많다.
② 애드호크라시는 문제해결 지향적인 체계이다.
③ 애드호크라시는 변화가 심하고 적응력이 강한 임시적인 체계이다.
④ 애드호크라시는 수평적 조직형태를 갖추고 있기 때문에 권한과 책임을 둘러싼 갈등은 발생하지 않는다.

50 □□□

2017년 사회복지직 9급

애드호크라시(adhocracy)에 대한 설명 중 가장 옳지 않은 것은?

① 일상적 업무 수행의 내부 효율성을 제고한다.
② 구성원의 능력을 최대한 발휘하게 하여 혁신을 촉진할 수 있다.
③ 동태적이고 복잡한 환경에 적합한 조직구조이다.
④ 낮은 수준의 공식화를 특징으로 하는 유기적 조직구조이다.

49 애드호크라시

애드호크라시(adhocracy)는 수평적 조직으로서 권한과 책임이 모호하여 갈등이 발생할 수 있다.

애드호크라시(adhocracy)의 특징

1. 복잡·동태적 환경하의 소규모 신생조직으로, 지원참모가 지배적이고 수평적으로 분화된 구조이다. 예 연구소, 광고회사 등
2. 동태적 환경에서 표준화가 곤란하고 분권적 구조에서 직접감독이 적합하지 않아 상호조절을 통해 조정한다.
3. 표준화를 거부하므로 창의성을 바탕으로 불확실한 업무에 적합하고 적응성이 높다.
4. 책임소재가 불분명하여 갈등과 혼동이 유발될 수 있다.

답 ④

50 애드호크라시

일상적 업무 수행의 내부 효율성을 제고하는 구조는 기계적 구조이다. 애드호크라시(adhocracy)는 일상적인 업무보다는 비일상적이고 창의적인 업무를 신축적으로 처리하는 데 적합하다.

선지분석

② 애드호크라시는 고정되어 있는 역할이 아닌 임무 중심의 학습지향적·탈관료제적 조직으로, 구성원의 능력을 최대한 발휘하게 하여 혁신을 촉진할 수 있다.
③ 애드호크라시는 불안정적이고 복잡한 환경에 유연하고 신축적으로 대응할 수 있는 조직구조이다.
④ 애드호크라시는 낮은 수준의 공식화와 비정형성을 특징으로 하는 유기적 조직구조이다.

답 ①

51 □□□

2016년 국가직 7급

애드호크라시(Adhocracy)에 대한 설명으로 옳지 않은 것은?

① 구조적으로 복잡성, 공식화, 집권화의 정도가 낮은 수준이다.

② 고도의 창의성과 환경적응성이 필요한 상황에서 유효한 임시조직이다.

③ 다양한 전문가들로 구성된 집합으로 조직화와 표준화가 신속하게 이루어진다.

④ 업무처리 과정에서 갈등과 비협조가 일어나고, 창의적 업무수행 과정에서 심적 스트레스를 많이 받는다.

52 □□□

2020년 국가직 7급

학습조직에 대한 설명으로 옳지 않은 것은?

① 개방체제와 자아실현적 인간관을 바탕으로 새로운 지식을 창출하고자 한다.

② 연결된 체계 간의 상호작용을 이해하고, 이를 효과적으로 활용하기 위한 체계적 사고(systems thinking)를 강조한다.

③ 조직구성원들의 비전 공유를 중시한다.

④ 조직구성원의 합이 조직이 된다는 점에서, 조직 내 구성원 각자의 개인적 학습을 강조한다.

51 애드호크라시

애드호크라시(Adhocracy)는 다양한 전문기술을 가진 이질적 전문가들이 프로젝트를 중심으로 결합된 집단으로서, 복잡성·공식성·집권성의 정도가 낮아 조직화·표준화가 신속하게 이루어지지 않으며, 변화에 적응이 빠른 특성을 가진다.

선지분석

① 복잡성, 공식성, 집권성이 모두 낮은 구조적 특징이 있다.

② 문제해결능력을 중시하고, 창의성·상황적응성을 강조한다.

④ 임시적 조직 성격으로 인해 업무처리 과정에서 갈등이 발생할 가능성이 높다.

답 ③

52 학습조직

학습조직은 조직의 유기적 속성을 강조하고, 개인적 학습이 아닌 구성원들 간 상호작용을 통해 학습의 질을 이끌어내는 집단적 학습과정을 중시한다.

선지분석

① 학습조직은 환경에의 개방성 및 구성원의 자아실현적 인간관을 바탕으로 학습자의 주체성과 자발성을 존중하고, 이를 통한 새로운 지식 창조, 획득, 공유를 지향한다.

② 학습조직은 학습조직 체계 간의 연결과 이를 통한 상호작용을 이해하고, 이를 효과적으로 활용하기 위한 시스템 중심의 사고 즉, 부분이 아닌 전체를 인지하고 부분들 사이의 순환적·역동적 관계를 이해할 수 있게 하는 사고의 틀을 강조한다.

③ 학습조직은 조직구성원들이 공동으로 추구하는 목표와 원칙에 관한 공감대 형성을 통한 비전 공유를 중시한다.

답 ④

53 □□□

2016년 교육행정직 9급

학습조직과 관련된 설명으로 옳지 않은 것은?

① 개방체계와 자아실현적 인간관에 기반한다.
② 자극 · 반응적 학습을 주된 방법으로 활용한다.
③ 역량기반 교육훈련제도의 대표적 방식으로 활용되고 있다.
④ 핵심가치는 의사소통과 수평적 협력을 통한 조직의 문제 해결이다.

53 | 학습조직

자극·반응적 학습이란 조건화된 자극으로 조건화된 반응을 이끌어내는 고전적인 학습이론이다(예 파블로프의 사극반응실험). 학습조직은 이와 달리 구성원 모두가 스스로 시행착오나 실험적 행동을 통해 문제를 해결해 나가는 자아실현적 학습주체임을 강조한다.

선지분석

① 학습조직은 환경에의 개방성과 구성원의 자아실현 추구를 기반으로 한다.
③ 조직 구성원의 역량에 적합한 교육훈련제도는 개별 구성원의 성향을 고려하는 학습조직의 대표적 방식이다.
④ 학습조직의 핵심가치는 구성원 간 의사소통과 비계층적이고 수평적인 협력을 통한 문제해결 능력 증진이다.

답 ②

54 □□□

2013년 지방직 7급

학습조직에 대한 설명으로 부적절한 것은?

① 관료제모형의 대안을 등장하였다.
② 조직 능력보다는 개인 능력을 제고하는 데 초점을 맞춘다.
③ 능률성보다는 문제해결을 필수적 가치로 추구한다.
④ 성공하기 위해서는 사려깊은 리더십이 필요하다.

54 | 학습조직

학습조직은 집단학습, 공동의 과업을 통해 조직 능력을 제고하는 데 초점을 맞춘다.

선지분석

① 학습조직은 후기산업사회에 들어 전통적 관료제의 한계가 지적되면서 정보화시대에 적합한 조직구조로서 등장한 탈후기관료제 조직이다.
③ 효율성을 핵심가치로 하는 전통적인 조직과는 달리 문제해결을 핵심가치로 한다.
④ 리더는 조직의 목표·핵심가치를 설정하고 구성원이 공유하는 비전 등을 창조하며, 조직 제일의 봉사인으로서 조직의 임무와 구성원 지원에 헌신하는 사려깊은 리더십이 필요하다.

답 ②

55 □□□

2011년 국가직 9급

학습조직의 특성으로 옳지 않은 것은?

① 엄격하게 구분된 부서 간의 경쟁을 통한 학습가능성이 강조된다.
② 전략수립 과정에서 일선조직 구성원의 참여가 중요한 역할을 담당한다.
③ 구성원의 권한 강화가 강조된다.
④ 조직 리더의 사려 깊은 리더십이 요구된다.

56 □□□

2014년 사회복지직 9급

전통적인 기계적 조직과 구별되는 학습조직의 특징에 대한 설명으로 옳지 않은 것은?

① 기능보다 업무 프로세스 중심으로 조직을 구조화한다.
② 위계적 통제보다 구성원 간의 수평적 협력을 중시한다.
③ 학습조직 활성화에 리더의 역할이 상대적으로 중요하지 않다.
④ 조직의 목표달성을 위하여 구성원의 권한 강화(empowerment)를 강조한다.

55 학습조직

엄격하게 구분된 부서 간의 경쟁을 통한 학습은 학습조직의 특성에 해당하지 않는다. 학습조직은 이들 부서 간의 경계를 타파하고, 협력을 유도해 나가는 유기적 구조이다.

(선지분석)

② 일선조직 구성원의 참여가 중요한 역할을 담당하는 분권적·상향적 조직이다.
③ 학습조직은 학습을 통한 구성원의 권한 강화(empowerment)가 강조된다.
④ 학습조직에서는 거래적·기계적 리더십이 아닌 사려깊은 리더십이 요구된다.

답 ①

56 학습조직

학습조직에서는 협력과 상호작용을 중요시하기 때문에 리더의 역할이 매우 중요하며, 이때 필요한 리더십은 사려깊은 리더십이다.

(선지분석)

① 전통적인 기계적 조직이 기능을 위주로 구조화 되어 있는 반면, 학습조직은 실제 업무가 진행되는 프로세스(절차)를 중심으로 조직을 구조화한다.
② 전통적 조직이 위계적 통제를 중시하는 반면, 학습조직은 조직 구성원의 수평적 협력을 중시한다.
④ 학습조직은 학습을 통한 구성원의 권한 강화(empowerment)를 강조한다.

답 ③

57 □□□

2009년 국가직 7급

학습조직에 대한 설명으로 옳지 않은 것은?

① 학습조직은 유기적 조직의 한 유형으로서 전통적 조직 유형의 대안으로 나타났다.
② 학습조직의 보상체계는 개인별 성과급 위주로 구성되어 있다.
③ 학습조직은 조직 구성원에게 충분한 학습 기회를 제공할 수 있는 훈련을 강조한다.
④ 학습조직은 부분보다 전체를 중시하고 경계를 최소화하려는 조직문화가 필요하다.

58 □□□

2010년 지방직 9급

계층제적 조직구조의 한계를 극복하고자 다양하게 시도되고 있는 조직모형에 대한 설명으로 옳지 않은 것은?

① 사업구조는 각 기능의 조정이 사업부서 내에서 이루어지므로 기능구조보다 분권적인 조직구조를 갖고 있다.
② 매트릭스구조는 단일의 권한체계를 통하여 불안정하고 급변하는 조직환경에 대응하고자 고안된 조직구조이다.
③ 팀구조는 특정한 업무과정에서 일하는 개인을 팀으로 모아 의사소통과 조정을 쉽게 하는 조직구조이다.
④ 네트워크구조는 핵심기능을 제외한 기능들을 외부기관과의 계약관계를 통하여 수행하는 조직구조이다.

57 | 학습조직

학습조직에서는 개인보다 조직을 중시하기 때문에 보상체계는 집단별 성과급으로 이루어진다.

선지분석

① 학습조직은 탈후기관료제 조직이다.
③ 학습조직은 조직의 구성원에게 충분한 학습 기회를 제공할 수 있는 훈련을 강조하고, 학습조직의 구성원은 스스로 새로운 지식의 창조·획득·공유 등의 활동을 통해 새로운 환경에 적응할 수 있도록 끊임없이 자기변신을 할 수 있다.
④ 학습조직은 조직 내 개별 부분보다 전체를 중시하고, 조직 부분 간, 조직 내의 경계를 최소화한다.

답 ②

58 | 매트릭스구조

매트릭스구조는 기능구조와 사업부제를 화학적으로 결합한 조직구조로서 이중적 권한체계를 통하여 불확실한 환경에 대응하고자 고안된 조직구조이다.

선지분석

① 사업구조는 각 부서들이 산출물별로 자율적으로 운영되며 분권적인 조직구조이다.
③ 팀구조는 수직적 계층과 부서 간 경계를 제거하여 의사소통과 학습 및 조정이 용이하고 서비스를 신속하게 제공할 수 있다.
④ 네트워크구조는 조직의 자체기능은 핵심역량 위주로 합리화하고 여타 부수적인 기능은 외부기관들과 계약위탁을 한다.

답 ②

59 □□□

2014년 국회직 9급

다음 조직에 관한 설명 중 가장 옳지 않은 것은?

① 교차기능조직은 행정체제 전반에 걸쳐 관리작용을 분담하여 수행하는 참모조직을 의미한다.
② 독립통제기관은 일반행정계선, 대통령, 외부 통제주체들의 중간에 위치하여 상당한 수준의 독자성과 자율성을 지닌 통제기관이다.
③ 태스크 포스는 특수한 과업의 달성을 목표로 기존의 서로 다른 부서에서 사람들을 선발하여 구성한 팀으로, 목적을 달성하면 해체되는 임시조직이다.
④ 네트워크 조직은 기능 중심의 수직적 분화가 되어 있는 기존의 지시 감독 라인에 횡적으로 연결된 또 하나의 지시 감독 라인을 인정하는 조직이다.
⑤ 위원회 조직은 결정권한이 모든 위원들에게 분산되어 있고 위원들 간 합의를 통해 의사결정을 하는 조직유형이다.

60 □□□

2017년 국가직 9급(10월 추가)

조직 유형에 대한 설명으로 옳지 않은 것은?

① 태스크 포스(task force)는 특수한 과업 완수를 목표로 기존의 서로 다른 부서에서 사람들을 선발하여 구성한 팀으로서, 본래 목적을 달성하면 해체되는 임시조직이다.
② 프로젝트 팀(project team)은 전략적으로 중요하거나 창의성이 요구되는 프로젝트를 진행하기 위하여 여러 부서에서 적합한 사람들을 선발하여 구성한 조직이다.
③ 매트릭스조직(matrix organization)은 기능 중심의 수직조직과 프로젝트 중심의 수평조직을 결합한 구조로서, 명령통일의 원리에 따라 책임과 권한의 한계가 명확하다.
④ 네트워크조직(network organization)은 핵심기능을 수행하는 소규모의 조직을 중심에 두고 다수의 협력업체를 네트워크로 묶어 과업을 수행한다.

59 조직 유형

네트워크 조직은 조직의 기능을 전략·계획·통제 등 핵심역량 위주로 합리화하고, 부수적 기능은 외부기관들과의 계약관계를 통해 수행하는 분권화된 공동조직이다. 기능 중심의 수직적 분화가 되어 있는 기존의 지시 감독 라인에 횡적으로 연결된 또 하나의 지시 감독 라인을 인정하는 조직은 매트릭스 조직이다.

선지분석

① 교차기능조직은 행정체제 전반에 걸쳐 관리작용을 분담하여 수행하는 참모적 조직단위로, 조직과 인사, 재무 등의 관리 기능을 담당하는 행정자치부, 인사혁신처, 기획재정부 등이 이에 해당한다.
② 중앙선거관리위원회가 대표적인 독립통제기관이다.
③ 태스크 포스는 특별한 임무를 수행하기 위하여 편성되는 임시조직이며, 전문가조직이다.
⑤ 위원회 조직은 계층적 단독제와 상반하는 개념으로 여러 사람이 결정과정에 대등한 지위로 참여하여 합의에 의하여 의사결정을 하고 그에 대해 책임을 지는 합의제 조직이다.

답 ④

60 조직 유형

매트릭스조직(matrix organization)은 기능구조와 사업구조를 화학적으로 결합한 이중적 권한구조를 가지는 조직구조로, 기능구조의 전문성과 사업구조의 신속한 대응성을 결합하였다. 이는 다원적 명령계통으로 인한 갈등과 책임, 권한의 불명확성이 단점으로 지적된다.

선지분석

① 태스크 포스(task force)는 특수한 과업의 완수나 임무의 수행을 목표로, 기존의 서로 다른 부서에서 사람들을 선발하여 태스크 포스팀을 구성하여 과업이나 임무를 진행하고, 당초 추구하던 목적이 달성되면 해체되는 일시적·임시적 조직이다.
② 프로젝트 팀(project team)은 전략적으로 중요하거나 창의성이 요구되는 프로젝트를 집행하기 위하여 여러 부서에서 적합한 사람들을 선발하여 구성한 조직으로, 수평적 연결성이 태스크 포스(task force)에 비하여 보다 강력하다.
④ 네트워크조직(network organization)은 전략의 수립, 기획 등 핵심기능만을 수행하는 소규모 조직이 생산, 서비스 공급 등 여타의 기능은 네트워크를 통하여 외부업체와 협력하는 조직형태이다.

답 ③

61 □□□

2017년 지방직 9급(12월 추가)

조직구조의 유형에 대한 설명으로 옳은 것은?

① 수평구조는 수직적 계층과 부서 간 경계를 제거하여 의사소통을 원활하게 만든 구조이다.
② 기계적 조직에서는 효율적인 조직운영을 위해 권한과 책임이 분산되어 있다.
③ 위원회조직은 위원장에 의해 최종 의사결정이 이루어진다는 면에서 독임제로 운영되는 계층제와 유사성이 있다.
④ 애드호크라시는 변화에 신속하게 대응할 수 있다는 장점으로 인해 전통적인 관료제구조를 대체하기에 이르렀다.

THEME 044 위원회(합의제 행정기관)

62 □□□

2019년 국가직 9급

정부의 위원회조직에 대한 설명으로 옳지 않은 것은?

① 결정에 대한 책임의 공유와 분산이 특징이다.
② 특수인으로 구성된 합의형 조직의 한 형태이다.
③ 국민권익위원회는 의사결정의 권한이 없는 자문위원회에 해당된다.
④ 소청심사위원회는 행정관청적 성격을 지닌 행정위원회에 해당된다.

61 조직구조의 유형

수평구조는 개인을 팀 단위로 모아 수직적 계층과 부서 간 경계를 제거하고, 의사소통과 조정을 원활하게 하는 유기적 구조이다.

선지분석

② 기계적 조직은 엄격한 분업과 계층제, 명확히 규정된 직무, 권한과 책임의 명확성을 특징으로 한다.
③ 위원회조직은 위원들 간의 합의에 의한 결정을 내리기 때문에 독임제로 운영되는 계층제와 차이가 있다.
④ 애드호크라시는 전통적인 관료제에 비해 변화에 신속하게 대응할 수 있다는 장점이 있지만 권한과 책임소재의 모호함 때문에 갈등이 발생하기도 한다. 따라서 애드호크라시가 전통적인 관료제구조를 대체하기보다는 보완과 공존의 관계가 되는 것이 바람직하다.

답 ①

62 위원회조직

국민권익위원회는 부패방지위원회, 국민고충처리위원회, 행정심판위원회가 결합하여 형성된 행정관청으로 의사결정의 권한을 보유한 행정위원회이다.

선지분석

① 위원회는 위원들이 대등한 권한으로 결정에 참여하여 그 책임이 공유·분산되는데, 다수의 위원이 관여하므로 책임의 소재를 명백히 하기 어렵고 책임을 전가하는 현상이 발생할 우려가 있다.
② 위원회는 계층적 단독제와 상반되는 개념으로, 여러 사람이 결정과정에 대등한 지위로 참여하여 합의를 통해 의사결정을 하고 그에 대해 책임을 지는 합의제 조직이다.
④ 소청심사위원회는 인사혁신처 소속의 상설 합의제 기관이다.

답 ③

63 □□□

2017년 국회직 8급

다음 중 위원회조직에 대한 설명으로 옳지 않은 것은?

① 의결위원회는 의사결정의 구속력과 집행력을 가진다.
② 자문위원회는 의사결정의 구속력이 없다.
③ 토론과 타협을 통해 운영되기 때문에 상호 협력과 조정이 가능하다.
④ 위원 간 책임이 분산되기 때문에 무책임한 의사결정이 발생할 수 있다.
⑤ 다양한 정책전문가들의 지식을 활용할 수 있으며 이해관계자들의 의견 개진이 비교적 용이하다.

64 □□□

2018년 서울시 9급

정부의 각종 위원회에 대한 설명으로 가장 옳은 것은?

① 의결위원회는 의사결정의 구속력은 있지만 집행권이 없다.
② 행정위원회의 대표적인 예로 공정거래위원회, 공직자윤리위원회 등을 들 수 있다.
③ 행정위원회는 독립지위를 가진 행정관청으로 결정권은 없고 집행권만 갖는다.
④ 자문위원회는 계선기관으로서 사안에 따라 조사 · 분석 등의 기능을 수행한다.

63 | 위원회조직

의결위원회는 의결만 담당하는 위원회로 의사결정의 구속력은 지니지만 집행력은 가지지 않는다. 의사결정의 구속력과 집행력 모두를 가지는 것은 행정위원회의 특징이다.

선지분석

② 자문위원회의 결정은 정치적 영향력은 있으나 구속력은 없다.
③ 이해관계가 다른 여러 사람들의 협의를 통한 의사결정을 하므로 조정이 증진된다.
④ 다수의 위원이 관여하여 책임 소재가 불명확하고 책임을 전가하는 현상이 발생할 수 있다.
⑤ 위원회는 공직 내외의 다양한 전문가들의 지식을 활용할 수 있고, 수평적 조직구조의 특성상 이해관계자의 의견 개진이 상대적으로 용이하다.

답 ①

64 | 위원회

의결위원회는 의결권(의사결정의 구속력)은 있지만 집행권은 없는 위원회이다. 이와 더불어 자문위원회는 의결권과 집행권이 모두 없는 위원회이며, 행정위원회는 의결권과 집행권이 모두 있는 위원회이다.

선지분석

② 공정거래위원회는 대표적인 행정위원회의 예에 해당하지만, 공직자윤리위원회는 공직자의 재산등록 및 취업제한 등을 심사하고 결정하기 위하여 국회·대법원·헌법재판소·중앙선거관리위원회·정부·지방자치단체 및 교육청에 설치하는 의결위원회에 해당한다.
③ 행정위원회는 결정권과 집행권 모두를 가진다.
④ 자문위원회는 계선기관이 아니라 막료기관으로서 조사·분석 등의 기능을 수행하는 합의제 행정기관이다.

답 ①

65 □□□

2015년 지방직 9급

우리나라 행정기관 소속 위원회에 대한 설명으로 옳지 않은 것은?

① 행정위원회와 자문위원회 등으로 크게 구분할 수 있다.
② 방송통신위원회, 금융위원회, 국민권익위원회는 행정위원회에 해당된다.
③ 관련분야 전문지식이 있는 외부전문가만으로 구성하여야 한다.
④ 자문위원회의 의사결정은 일반적으로 구속력을 갖지 않는다.

65 | 우리나라 행정기관 소속 위원회

위원회는 외부전문가뿐만 아니라 내부의 공무원들도 참여한다.

(선지분석)

① 이론적으로는 위원회의 유형을 자문위원회, 조정위원회, 행정위원회, 독립규제위원회로 구분하기도 하지만「행정기관 소속 위원회의 설치·운영에 관한 법률」에 따르면 자문위원회와 행정위원회로 이원화된다.
② 행정위원회는 어느 정도의 중립성과 독립성을 부여받고 설치되는 행정관청적 성격의 합의제 기관으로, 소청심사위원회, 방송통신위원회, 국민권익위원회, 중앙국세심사위원회, 해양안전심판원 등이 있다.
④ 자문위원회의 결정은 정치적 영향은 있으나 법적 구속력을 갖지 않으며, 독립성이 미흡하다.

답 ③

66 □□□

2013년 국가직 7급

위원회의 유형과 우리나라 정부조직을 바르게 연결한 것은?

① 자문위원회 - 공정거래위원회
② 조정위원회 - 중앙선거관리위원회
③ 행정위원회 - 소청심사위원회
④ 독립규제위원회 - 경제관계장관회의

66 | 위원회의 유형과 우리나라 정부조직

소청심사위원회, 방송통신위원회, 국민권익위원회 등은 행정위원회에 해당한다.

(선지분석)

① 공정거래위원회는 행정위원회에 해당한다.
② 중앙선거관리위원회는 행정위원회에 해당한다.
④ 경제관계장관회의는 정부의 경제정책을 총괄하는 기구로 조정위원회에 해당한다.

답 ③

THEME 045 우리나라 정부조직

67 □□□

2020년 서울시 9급

「정부조직법」에서 규정하고 있는 관장 사무에 관한 설명으로 가장 옳지 않은 것은?

① 교육부장관은 인적자원개발정책 등에 관한 사무를 관장한다.
② 산업통상자원부장관은 창업 · 벤처기업의 지원 등에 관한 사무를 관장한다.
③ 법무부장관은 출입국관리 등에 관한 사무를 관장한다.
④ 과학기술정보통신부장관은 우편 · 우편환 및 우편대체 등에 관한 사무를 관장한다.

68 □□□

2019년 지방직 9급

2016년 이후 정부조직의 변화에 대한 설명으로 옳지 않은 것은?

① 중소기업, 벤처기업 등에 관한 사무를 관장하는 중소벤처기업부를 신설하였다.
② 행정안전부의 외청으로 소방청을 신설하였다.
③ 국가보훈처가 차관급에서 장관급으로 격상되었다.
④ 한국수자원공사에 대한 관할권을 환경부에서 국토교통부로 이관하였다.

67 「정부조직법」상 관장 사무

창업·벤처기업의 지원 등에 관한 사무의 소관부처는 중소벤처기업부이다. 산업통상자원부 소관은 중견기업 업무이다.

선지분석

③ 출입국관리 업무는 법무부의 출입국외국인정책본부 소관이다.
④ 우편·우편환 및 우편대체 사무는 과학기술정보통신부의 우정사업본부 소관이다.

답 ②

68 정부조직의 변화

문재인 정부에서는 물관리 부처의 일원화로 2018년 한국수자원공사에 대한 관할권을 국토교통부에서 환경부로 이관하였다.

선지분석

② 행정안전부의 외청은 소방방재청이 아닌 소방청이다. 방재 업무는 행정안전부의 소관이다.
③ 국가보훈처를 제외한 처는 모두 차관급이다.

문재인 정부(2017.5.~)의 행정개혁 주요내용

1. 대통령 경호실을 대통령 경호처로 변경하였다.
2. 행정자치부와 국민안전처의 안전정책·재난관리·비상대비·민방위 및 특수재난업무를 통합하여 행정안전부로 개편하였다.
3. 소방청과 해양경찰청이 각각 행정안전부 소속과 해양수산부 소속으로 독립되었다.
4. 국가보훈처를 장관급 기구로 격상하였다.
5. 중소벤처기업부를 신설하였다.
6. 산업통상부 내에 통상교섭본부를 설치하였다.
7. 환경부로 수자원 관리를 위한 물관리 업무를 일원화하였다.

답 ④

69 □□□

2018년 국가직 9급

행정기관에 대하여 관계법령에 규정된 내용으로 옳은 것은?

① 부속기관이란 행정권의 직접적인 행사를 임무로 하는 기관에 부속하여 그 기관을 지원하는 행정기관을 말한다.
② 보조기관이란 행정기관이 그 기능을 원활하게 수행할 수 있도록 그 기관장을 보좌함으로써 행정기관의 목적달성에 공헌하는 기관을 말한다.
③ 하부기관이란 중앙행정기관에 소속된 기관으로서, 특별지방행정기관과 부속기관을 말한다.
④ 방송통신위원회, 공정거래위원회, 소청심사위원회 등은 행정기관의 소관 사무에 관하여 자문에 응하거나 조정·협의·심의 또는 의결 등을 하기 위해 복수의 구성원으로 이루어진 합의제 기관으로서 행정기관이 아니다.

69	행정기관

부속기관이란 중앙행정기관 등에 부속하여 그 기관을 지원하는 기관(시험연구기관, 교육훈련기관, 자문기관 등)을 의미한다.

(선지분석)

② 보조기관이 아니라 보좌기관에 대한 설명이다. 보조기관이란 행정기관의 의사결정이나 표시를 보조함으로써 행성기관의 목석달성에 공헌하는 기관이다.
③ 하부기관이 아니라 소속기관에 대한 설명이다.
④ 방송통신위원회, 공정거래위원회, 소청심사위원회 등은 행정위원회로서 행정기관이다.

답 ①

70 □□□

2008년 국가직 7급

우리나라 행정조직에 관한 설명으로 옳지 않은 것은?

① 중앙행정기관의 차관·차관보·실장·국장은 보조기관이다.
② 특별지방행정기관은 중앙행정기관의 일선기관으로서 기능을 담당하고 있다.
③ 지방병무청, 경찰서, 보훈지청, 세무서 등은 특별지방행정기관이다.
④ 시험연구기관·교육훈련기관·문화기관·의료기관·제조기관 및 자문기관은 부속기관이다.

70	우리나라 행정조직

차관·실장·국장은 중앙행정기관의 보조기관에 해당하지만, 차관보는 보좌기관에 해당한다.

(선지분석)

② 특별지방행정기관은 특정한 중앙행정기관에 소속되어 당해 관할지역 내의 소속 중앙행정기관사무를 담당하는 지방행정기관으로, 중간일선기관과 최일선기관이 있다.
④ 부속기관은 본부조직에 부속하여 그 기관을 지원하는 행정기관으로, 시험연구기관, 교육훈련기관, 자문기관 등이 있다.

답 ①

71 □□□

2018년 국가직 7급

중앙행정기관의 소속기관으로만 묶은 것은?

ㄱ. 지방자치인재개발원
ㄴ. 공정거래위원회
ㄷ. 특허청
ㄹ. 국가기록원
ㅁ. 국립중앙박물관
ㅂ. 문화재청

① ㄱ, ㅂ
② ㄴ, ㄹ
③ ㄷ, ㅁ
④ ㄹ, ㅁ

72 □□□

2014년 국가직 7급 변형

우리나라 정부조직에 대한 설명으로 옳지 않은 것은?

① 국무총리는 국무회의의 부의장이다.
② 국가보훈처의 차장은 일반직공무원이다.
③ 서울지방국세청은 특별지방행정기관이다.
④ 각 부처의 차관과 실장은 중앙행정기관의 보조기관이다.

71 중앙행정기관의 소속기관

중앙행정기관의 소속기관으로는 ㄱ. 지방자치인재개발원(행정안전부 소속기관), ㄹ. 국가기록원(행정안전부 소속기관), ㅁ. 국립중앙박물관(문화체육관광부 소속기관)이 있다.

선지분석

ㄴ. 공정거래위원회는 국무총리 소속의 중앙행정기관이다.
ㄷ. 특허청은 산업통상자원부 소속 외청으로 중앙행정기관이다.
ㅂ. 문화재청은 문화체육관광부 소속 외청으로 중앙행정기관이다.

답 ④

72 우리나라 정부조직

일반적으로 장차관은 정무직공무원에 해당한다. 국가보훈처의 처장은 장관급이고, 차장은 차관급이므로 국가보훈처의 차장은 정무직공무원이다.

선지분석

① 국무회의의 의장은 대통령이다.
③ 서울지방국세청은 국세청의 중간 일선기관인 특별지방행정기관이다.
④ 차관은 보조기관이며, 차관보는 보좌기관이다.

답 ②

73 □□□

2018년 지방직 9급

「정부조직법」상 행정기관의 소속으로 옳지 않은 것은?

① 법제처 - 국무총리
② 국가정보원 - 대통령
③ 소방청 - 행정안전부장관
④ 특허청 - 기획재정부장관

74 □□□

2017년 국가직 9급(4월 시행)

정부조직에 대한 설명으로 옳은 것은?

① 감사원은 「정부조직법」에서 정하는 합의제 행정기관에 해당한다.
② 금융감독원은 「정부조직법」에 따라 설치된 중앙행정기관이다.
③ 소청심사위원회는 행정안전부 소속으로 행정기관 소속 공무원의 징계처분에 관한 사무를 관장한다.
④ 특허청은 행정 및 재정상의 자율성이 부여되고 성과에 대해 책임을 지도록 하는 책임운영기관에 해당한다.

73 「정부조직법」상 행정기관

특허청은 기획재정부장관 소속이 아니라 산업통상자원부 소속 외청이다. 기획재정부 소속 외청으로는 국세청, 조달청, 통계청, 관세청이 있다.

답 ④

74 정부조직

특허청은 2006년 책임운영기관으로 전환되었다(1977년 당시 상공부 - 現 산업통상자원부의 외청으로 개청). 「책임운영기관의 설치·운영에 관한 법률 시행령」상의 구분에 따르면 특허청은 중앙행정기관의 소속책임운영기관이 아닌 중앙책임운영기관에 해당하며, 중앙책임운영기관으로는 유일하다.

선지분석

① 감사원은 「정부조직법」상 기관이 아닌 헌법상 기관이다. 「정부조직법」상 합의제 행정기관에는 방송통신위원회, 금융위원회, 공정거래위원회 등이 있다.
② 금융감독원은 「정부조직법」상 중앙행정기관에 해당하지 않는다. 금융감독원은 「금융위원회의 설치 등에 관한 법률」에 따른 무자본 특수법인에 해당한다.
③ 소청심사위원회는 행정안전부 소속이 아닌 인사혁신처에 두는 것으로 규정되어 있다.

답 ④

THEME 046 책임운영기관

75 □□□

2020년 국가직 9급

책임운영기관에 대한 설명으로 옳지 않은 것은?

① 기관장에게 기관 운영의 자율성을 보장하고, 기관 운영 성과에 대해 책임을 지도록 한다.
② 공공성이 크기 때문에 민영화하기 어려운 업무를 정부가 직접 수행하기 위해 고안된 것이다.
③ 객관적이고 신뢰할 수 있는 성과평가 시스템 구축은 책임운영기관의 성공 여부를 결정짓는 요건 중의 하나이다.
④ 1970년대 영국에서 집행기관(executive agency)이라는 이름으로 처음 도입되었고, 우리나라는 1990년부터 운영하고 있다.

76 □□□

2019년 국가직 9급

「책임운영기관의 설치·운영에 관한 법률」상 책임운영기관에 대한 설명으로 옳지 않은 것은?

① 책임운영기관은 기관장에게 재정상의 자율성을 부여하고 그 운영성과에 대해 책임을 지도록 하는 행정기관의 특성을 갖는다.
② 소속책임운영기관에 두는 공무원의 총 정원 한도는 총리령으로 정하며, 이 경우 고위공무원단에 속하는 공무원의 정원은 부령으로 정한다.
③ 소속책임운영기관 소속 공무원의 임용시험은 기관장이 실시함을 원칙으로 한다.
④ 기관장의 근무기간은 5년의 범위에서 소속중앙행정기관의 장이 정하되, 최소한 2년 이상으로 하여야 한다.

75 | 책임운영기관

책임운영기관은 1980년대 영국 대처(Thatcher) 행정부에서 '책임집행기관'이라는 이름으로 처음 도입되었고, 우리나라는 1999년 김대중 정부부터 운영하고 있다.

(선지분석)

① 책임운영기관은 기관장에게 기관 운영의 인사·조직·재무 분야에서 자율성을 보장하고, 기관 운영 성과에 대해 책임을 지도록 하는 기관이다.
② 공공성이 크기 때문에 즉각적으로 민영화하기 어려운 업무를 내부 민영화 방식을 도입하여 정부의 책임하에 직접 수행하기 위해 고안된 것이다.
③ 책임운영기관은 성과지향적 기관이기 때문에, 객관적이고 신뢰할 수 있는 성과평가 시스템 구축은 책임운영기관의 성공 여부를 결정짓는 요건 중 하나이다.

답 ④

76 | 책임운영기관

소속책임운영기관에 두는 공무원의 총 정원의 한도는 대통령령으로 정하며, 이 경우 고위공무원단에 속하는 공무원의 정원은 총리령 또는 부령으로 정하되, 대통령령으로 정하는 바에 따라 통합하여 관리할 수 있다.

> **「책임운영기관의 설치·운영에 관한 법률」 제16조【공무원의 정원】**
> ① 소속책임운영기관에 두는 공무원의 총 정원 한도는 대통령령으로 정한다. 이 경우 다음 각 호의 정원은 총리령 또는 부령으로 정하되, 대통령령으로 정하는 바에 따라 통합하여 관리할 수 있다.
> 1. 공무원의 종류별·계급별 정원
> 2. 고위공무원단에 속하는 공무원의 정원

답 ②

77 □□□

2019년 서울시 9급

우리나라의 책임운영기관(Executive Agency)에 대한 설명으로 가장 옳지 않은 것은?

① 신공공관리론(NPM)의 조직원리에 따라 등장한 성과중심 정부 실현의 한 방안으로 도입되었다.
② 책임운영기관의 장에게 행정 및 재정상의 자율성을 부여하고 그 운영성과에 대하여 책임을 지도록 하는 행정기관을 말한다.
③ 책임운영기관은 사무성격에 따라 조사연구형, 교육훈련형, 문화형, 의료형, 시설관리형, 그 밖에 대통령령으로 정하는 기타 유형으로 구분된다.
④ 「책임운영기관의 설치 · 운영에 관한 법률」에 근거하여 1995년부터 제도가 시행되었다.

78 □□□

2013년 서울시 9급

책임운영기관에 대한 설명으로 옳지 않은 것은?

① 책임운영기관은 집행기능 중심의 조직이다.
② 책임운영기관의 성격은 정부기관이며 구성원은 공무원이다.
③ 책임운영기관은 융통성과 책임성을 조화시킬 수 있다.
④ 책임운영기관은 공공성이 강하고 성과관리가 어려운 분야에 적용할 필요가 있다.
⑤ 책임운영기관은 정부팽창의 은폐수단 혹은 민영화의 회피수단으로 사용될 가능성이 있다.

77 책임운영기관

김대중 정부인 1999년 「책임운영기관의 설치 · 운영에 관한 법률」이 시행되었다.

선지분석

① 책임운영기관은 신공공관리론(NPM)의 조직원리에 따라 등장한 성과지향적 정부조직이다.
② 책임운영기관은 공공성이 필요하면서도 성과관리가 필요한 분야에 적용한다.
③ 우리나라의 책임운영기관은 사무의 성격에 따라 조사연구형, 교육훈련형, 문화형, 의료형, 시설관리형 등으로 구분된다.

우리나라의 책임운영기관

유형	소속책임운영기관	중앙책임운영기관
조사연구형	국립종자원, 지방통계청, 국립과학수사연구원, 국립수산과학원 등	-
교육훈련형	국립국제교육원, 한국농수산대학 등	
문화형	국립중앙과학관, 국립중앙극장, 국립현대미술관 등	
의료형	국립서울병원, 경찰병원, 국립재활원 등	
시설관리형	지방해양수산청, 해양경비안전정비창, 국립자연휴양림관리소 등	
기타	국세청 고객만족센터, 고용노동부 고객상담센터 등	특허청

답 ④

78 책임운영기관

책임운영기관은 정책기능으로부터 분리된 집행 및 서비스 기능을 수행하는 기관을 말한다. 주로 경쟁원리에 따라 움직일 수 있고 성과관리가 용이한 분야에서 이루어지며, 기관운영상에 상당한 자율권을 부여한다는 것이 특징이다.

선지분석

① 책임운영기관은 정책의 결정기능과 집행기능의 분리가 가능한 영역에서 정책의 집행기능을 수행하는 기관이다.
② 책임운영기관은 정부조직에 해당하며 소속직원의 신분도 공무원이다.
③ 책임운영기관은 성과관리라는 융통성과 공공성이라는 책임성을 조화시킬 수 있다.

답 ④

79 □□□

2016년 국회직 8급

다음 중 우리나라 소속책임운영기관에 대한 설명으로 옳지 않은 것은?

① 기관의 사업성과를 평가하기 위해 소속된 중앙행정기관에 심의회를 둔다.
② 기관의 하부조직과 분장사무는 기본운영규정으로 정한다.
③ 소속중앙행정기관과 소속책임운영기관 소속공무원 간의 전보, 개인별 상여금 차등 지급 등이 가능하다.
④ 기관운영의 독립성과 자율성을 강조한다.
⑤ 기관장은 임기를 정하지 않고 임명한다.

80 □□□

2015년 국회직 8급

우리나라 책임운영기관에 대한 설명 중 옳지 않은 것은?

① 행정안전부장관은 5년 단위로 책임운영기관의 관리 및 운영 전반에 관한 기본계획을 수립하여야 한다.
② 책임운영기관은 기관의 지위에 따라 소속책임운영기관과 중앙책임운영기관으로 구분된다.
③ 중앙책임운영기관의 장의 임기는 2년으로 하되, 한 차례만 연임할 수 있다.
④ 소속책임운영기관의 장의 채용기간은 2년의 범위에서 소속중앙행정기관의 장이 정한다.
⑤ 책임운영기관운영위원회는 위원장 및 부위원장 각 1명을 포함한 15명 이내의 위원으로 구성한다.

79 우리나라 소속책임운영기관

기관장의 근무기간은 5년의 범위에서 소속중앙행정기관의 장이 정하되, 최소한 2년 이상으로 하여야 한다. 이 경우 소속책임운영기관의 사업성과의 평가 결과가 우수하다고 인정되는 때에는 총 근무기간이 5년을 넘지 아니하는 범위에서 대통령령으로 정하는 바에 따라 근무기간을 연장할 수 있다(「책임운영기관의 설치·운영에 관한 법률」 제7조 제3항).

답 ⑤

80 우리나라 책임운영기관

소속책임운영기관의 장의 채용기간은 5년의 범위에서 소속중앙행정기관의 장이 정하되, 최소한 2년 이상으로 하여야 한다.

선지분석

② 우리나라의 책임운영기관은 기관의 지위에 따라 중앙책임운영기관과 소속책임운영기관으로 구분되며, 현재 중앙책임운영기관은 특허청이 유일하다.
③ 중앙책임운영기관장은 정무직공무원이며, 임기는 2년이고 1차에 한해 연임이 가능하다.

답 ④

THEME 047 공기업

81 □□□

2008년 지방직 7급

공기업의 기능으로 적절하지 않은 것은?

① 국가안보기능
② 재정적 수요억제기능
③ 독과점 억제기능
④ 낙후지역 등 특수지역 개발기능

82 □□□

2019년 국가직 9급

공공서비스의 공급 주체 중 정부 부처 형태의 공기업에 해당하는 것은?

① 한국철도공사
② 한국소비자원
③ 국립중앙극장
④ 한국연구재단

81 공기업의 기능

공기업은 재정적 수요를 억제하는 것이 아니라 재정적 수요를 충족시키는 기능이 있다.

공기업의 발달요인

민간자본의 부족	초기에 대규모 자본이 투입되는 사업은 민간기업이 감당하기 어려워 공적 수요 충족을 위해 공기업을 설립함
국방·전략상 고려	군수품의 효율적 조달, 기밀유지 등 국방 전략상의 요인으로 공기업을 설립함
독과점에 대한 대응	철도사업, 통신사업, 전력사업 등 규모의 경제로 인해 자연독점적인 사업의 경우 독점의 폐해를 방지하기 위해 공기업을 설립함
정치적 신조	정당의 정강정책이나 최고지도자의 정치적 신념에 따라서 공기업을 설립함

답 ②

82 공공서비스의 공급 주체

국립중앙극장은 특별회계가 적용되는 책임운영기관으로서 「책임운영기관 설치·운영에 관한 법률」 제30조 제1항에 따라 「정부기업예산법」 제2조에도 불구하고 정부기업으로 본다.

(선지분석)
① 한국철도공사는 공공기관 중 준시장형 공기업이다.
② 한국소비자원은 공공기관 중 위탁집행형 준정부기관이다.
④ 한국연구재단은 공공기관 중 위탁집행형 준정부기관이다.

답 ③

83 □□□

2017년 사회복지직 9급

「공공기관의 운영에 관한 법률」에 따른 공공기관의 유형에 속하지 않는 것은?

① 기금관리형 준정부기관
② 준시장형 공기업
③ 위탁집행형 공기업
④ 기타 공공기관

84 □□□

2014년 서울시 9급

「공공기관의 운영에 관한 법률」에 따른 기관 유형과 그 사례가 바르게 연결된 것은?

① 시장형 공기업 - 한국조폐공사
② 준시장형 공기업 - 한국마사회
③ 기금관리형 준정부기관 - 한국농어촌공사
④ 위탁집행형 준정부기관 - 국민연금공단
⑤ 기타 공공기관 - 한국연구재단

83 공공기관의 유형

「공공기관의 운영에 관한 법률」에 의하면 공공기관은 공기업(시장형 공기업, 준시장형 공기업), 준정부기관(기금관리형 준정부기관, 위탁집행형 준정부기관), 기타 공공기관 등으로 구분되어 있다.

공공기관의 구분

1. 공기업

구분	내용
시장형	자산규모와 총수입액 중 자체수입액이 대통령령으로 정하는 기준 이상인 기관 예 한국가스공사, 한국전력공사, 인천국제공항공사, 한국공항공사, 부산항만공사, 한국지역난방공사, 한국석유공사, 한국광물자원공사, 한국중부발전, 한국수력원자력, 한국서부발전, 한국동서발전, 한국남부발전, 한국남동발전, 주식회사 강원랜드 등
준시장형	시장형 공기업이 아닌 공기업 예 한국마사회, 한국조폐공사, 한국방송광고진흥공사, 대한석탄공사, 한국토지주택공사, 한국도로공사, 한국수자원공사, 한국철도공사, 인천항만공사 등

2. 준정부기관

구분	내용
기금관리형	「국가재정법」에 따라 기금을 관리 또는 관리를 위탁받은 준정부기관 예 기술신용보증기금, 예금보험공사, 한국무역보험공사, 국민연금공단, 근로복지공단, 공무원연금공단 등
위탁집행형	기금관리형 준정부기관이 아닌 준정부기관 예 한국가스안전공사, 한국수자원관리공단, 한국농어촌공사, 한국연구재단, 한국정보화진흥원, 한국고용정보원, 한국소비자원, 대한무역투자진흥공사, 한국사업인력공단, 한국관광공사 등

3. 기타공공기관: 공기업과 준정부기관을 제외한 공공기관으로 이사회 설치, 임원임면, 경영실적평가, 예산, 감사 등 규정을 적용하지 않는다.

답 ③

84 「공공기관의 운영에 관한 법률」에 따른 기관 유형

한국마사회는 농림축산식품부 산하의 준시장형 공기업에 해당한다.

선지분석

① 한국조폐공사는 준시장형 공기업에 해당한다.
③ 한국농어촌공사는 위탁집행형 준정부기관에 해당한다.
④ 국민연금공단은 기금관리형 준정부기관에 해당한다.
⑤ 한국연구재단은 위탁집행형 준정부기관에 해당한다.

답 ②

85 □□□

2016년 국회직 8급

다음 공공기관 중 위탁집행형으로 구분되지 않는 것은?

① 한국가스안전공사
② 한국산업인력공단
③ 대한무역투자진흥공사
④ 한국고용정보원
⑤ 국민연금공단

86 □□□

2017년 국가직 7급(8월 시행)

「공공기관의 운영에 관한 법률」의 내용에 대한 설명으로 옳지 않은 것은?

① 공공기관의 자율경영 및 책임경영체제의 확립, 경영합리화, 투명성 제고를 목적으로 한다.
② 기획재정부장관은 매년 직원 정원 100인 이상의 공공기관 중에서 공기업과 준정부기관을 지정한다.
③ 공기업은 시장형과 준시장형으로, 준정부기관은 위탁집행형과 기금관리형으로 구분된다.
④ 공기업과 준정부기관은 신규 지정된 해를 제외하고 매년 경영실적 평가를 받는다.

85 위탁집행형

국민연금공단은 기금관리형 준정부기관으로 구분된다.

선지분석

①, ②, ③, ④ 한국가스안전공사, 한국산업인력공단, 대한무역투자진흥공사, 한국고용정보원은 위탁집행형 준정부기관에 해당한다.

답 ⑤

86 「공공기관의 운영에 관한 법률」

기획재정부장관은 공공기관 중 직원 정원, 수입액 및 자산규모가 대통령령으로 정하는 기준에 해당하는 공공기관을 공기업·준정부기관으로 지정한다(「공공기관의 운영에 관한 법률」 제5조 제1항 제1호).

답 ②

87 □□□

2013년 국회직 8급

다음 중 「공공기관의 운영에 관한 법률」에서 규정하고 있는 내용으로 옳지 않은 것은?

① 공기업 · 준정부기관은 매년 3월 20일까지 전년도의 경영실적보고서와 기관장이 체결한 이행에 관한 보고서를 작성하여 기획재정부장관과 주무기관의 장에게 제출하여야 한다.

② 기획재정부장관과 주무기관의 장은 매년 5월 10일까지 위 법에 따라 확정된 공기업 · 준정부기관의 결산서 등을 감사원에 제출하여야 한다.

③ 자산규모가 2조 원 이상인 공기업 · 준정부기관 등의 장은 매년 해당 연도를 포함한 5회계연도 이상의 중장기재무관리계획을 수립하고, 이사회의 의결을 거쳐 확정한 후 6월 30일까지 기획재정부장관과 주무기관의 장에게 제출하여야 한다.

④ 기획재정부장관은 결산서 등에 감사원의 검사 결과를 첨부하여 이를 국무회의에 보고하고, 8월 20일까지 국회에 제출하여야 한다.

⑤ 공기업 및 준정부기관의 기관장은 다음 연도를 포함한 5회계연도 이상의 중장기 경영목표를 설정하고, 이사회의 의결을 거쳐 확정한 후 매년 9월 30일까지 기획재정부장관과 주무기관의 장에게 제출하여야 한다.

87 「공공기관의 운영에 관한 법률」

「공공기관의 운영에 관한 법률」에 의하여 기관장은 다음 연도를 포함한 5회계연도 이상의 중장기 경영목표를 설정하고, 이사회의 의결을 거쳐 확정한 후 매년 10월 31일까지 기획재정부장관과 주무기관의 장에게 제출하여야 한다.

답 ⑤

88 □□□

2018년 국가직 7급 변형

「공공기관의 운영에 관한 법률」상 공공기관에 대한 설명으로 옳지 않은 것은?

① 위탁집행형 준정부기관은 기금관리형 준정부기관이 아닌 준정부기관을 의미한다.

② 기금관리형 준정부기관은 「국가재정법」에 따라 기금을 관리하거나 기금의 관리를 위탁받은 준정부기관을 의미한다.

③ 기획재정부장관은 공공기관 중 직원 정원, 수입액 및 자산규모가 대통령령으로 정하는 기준에 해당하는 공공기관을 공기업 · 준정부기관으로 지정한다.

④ 기획재정부장관은 지방자치단체가 설립하고 그 운영에 관여하는 기관을 공공기관으로 지정할 수 있다.

88 「공공기관의 운영에 관한 법률」

지방자치단체가 설립하고 그 운영에 관여하는 공공기관은 지방공공기관으로, 기획재정부장관은 이를 공공기관으로 지정할 수 없다.

답 ④

89 □□□

2011년 지방직 9급

「공공기관의 운영에 관한 법률」의 적용을 받는 공기업의 상임이사(상임감사위원 제외)에 대한 원칙적 임명권자는?

① 대통령
② 주무기관의 장
③ 해당 공기업의 장
④ 기획재정부장관

90 □□□

2019년 국회직 8급 변형

우리나라 공공기관에 대한 설명으로 옳은 것은?

① 정부기업은 정부가 소유권을 가지고 운영하는 공기업으로서 정부조직에 해당되지 않는다.
② 국가공기업과 지방공기업은 「공공기관의 운영에 관한 법률」의 적용을 받는다.
③ 기획재정부장관은 공기업과 준정부기관을 지정하는 경우 총수입액 중 자체수입액이 차지하는 비중이 대통령령으로 정하는 기준 이상인 기관은 공기업으로 지정하고, 공기업이 아닌 공공기관은 준정부기관으로 지정한다.
④ 위탁집행형 준정부기관의 사례로는 도로교통공단이 있다.
⑤ 공기업의 기관장은 인사 및 조직운영의 자율성이 없으며 관할 행정부처의 통제를 받는다.

89 「공공기관의 운영에 관한 법률」

공기업의 상임이사는 원칙적으로 해당 공기업의 장(기관장)이 임명한다. 준정부기관도 해당 준정부기관의 장(기관장)이 상임이사를 임명한다.

공공기관의 이사회와 임원

<table>
<tr><th colspan="3" rowspan="2">구분</th><th rowspan="2">이사회 의장</th><th rowspan="2">감사 위원회</th><th rowspan="2">기관장</th><th colspan="2">이사</th><th rowspan="2">감사</th></tr>
<tr><th>상임이사</th><th>비상임 이사</th></tr>
<tr><td rowspan="3">공기업</td><td colspan="2">시장형</td><td>선임 비상임 이사</td><td>설치 의무</td><td rowspan="3">주무기관장의 제청, 대통령이 임명 (소규모 기관은 주무관장이 임명)</td><td rowspan="3">공기업의 장이 임명</td><td rowspan="3">기획 재정부 장관이 임명</td><td rowspan="3">기획 재징부 장관의 제청, 대통령이 임명</td></tr>
<tr><td rowspan="2">준시장형</td><td>2조 이상</td><td rowspan="3">기관장</td><td rowspan="3">설치 임의</td></tr>
<tr><td>2조 미만</td></tr>
<tr><td colspan="3">준정부기관</td><td>주무기관장이 임명</td><td>준정부 기관의 장이 임명</td><td>주무 기관 장이 임명</td><td>기획 재정부 장관이 임명 (대규모 기관은 대통령이 임명)</td></tr>
</table>

답 ③

90 우리나라 공공기관

위탁집행형은 기금관리형 기관이 아닌 준정부기관으로, 도로교통공단, 한국가스안전공사, 한국수자원관리공단, 한국농어촌공사, 한국연구재단, 한국정보화진흥원, 한국고용정보원, 한국소비자원, 대한무역투자진흥공사, 한국사업인력공단 등이 이에 해당한다.

선지분석

① 정부기업은 정부가 소유권을 가지고 운영하는 공기업으로서 정부조직에 해당하며, 정부부처형 공기업을 의미한다.
② 국가공기업은 「공공기관의 운영에 관한 법률」의 적용을 받으나, 지방공기업은 「지방공기업법」의 적용을 받는다.

> **「공공기관의 운영에 관한 법률」 제3조 【자율적 운영의 보장】** 정부는 공공기관의 책임경영체제를 확립하기 위하여 공공기관의 자율적 운영을 보장하여야 한다.
> **「지방공기업법」 제1조 【목적】** 이 법은 지방자치단체가 직접 설치·경영하거나, 법인을 설립하여 경영하는 기업의 운영에 필요한 사항을 정하여 그 경영을 합리화함으로써 지방자치의 발전과 주민복리의 증진에 이바지함을 목적으로 한다.

⑤ 공기업의 기관장은 감독관청의 감독과 통제를 받지만, 인사 및 조직운영에 자율성이 없는 것은 아니다.

답 ④

91 □□□

2017년 지방직 9급(6월 시행)

공기업 민영화에 대한 설명으로 옳지 않은 것은?

① 공공기관 경영평가에서 3년 연속으로 최하등급을 받은 공기업은 「공공기관의 운영에 관한 법률」상 민영화하여야 한다.

② 공공영역을 일정 부분 축소하는 것으로 볼 수 있다.

③ 공기업은 민영화하면 국민에 대한 보편적 서비스의 제공이 약화될 수 있다.

④ 공기업 매각방식의 민영화를 통해 공공재정의 확충이 가능하다.

92 □□□

2015년 국가직 7급

공기업 민영화 과정에서 발생할 수 있는 문제점에 대한 설명으로 옳지 않은 것은?

① 민영화 과정에서 특혜, 정경유착 등의 부패가 발생할 수 있다.

② 공기업에서 제공하던 공공서비스가 사적 서비스로 변환되기 때문에 서비스 배분의 형평성 문제가 제기될 수 있다.

③ 민영화를 통해 정부의 지분이 다수 국민에게 지나치게 분산되면 대주주는 없고 다수의 소액주주만 있어서 공기업에 대한 효과적인 감시가 어려워질 수 있다.

④ 시장성이 큰 서비스를 다루는 공기업을 민영화하게 되면 지나친 경쟁체제에 노출되기 때문에 민영화의 실익이 없다.

91 공기업 민영화

공공기관 경영평가에서 3년 연속 최하등급을 받았다고 하여 바로 법률상 민영화의 대상에 해당되는 것은 아니다. 기획재정부장관은 공공기관의 경영실적평가 결과, 경영실적이 부진한 공기업·준정부기관에 대하여 운영위원회의 심의·의결을 거쳐 기관장·상임이사의 임명권자에게 그 해임을 건의하거나 요구할 수 있다.

(선지분석)

② 공기업 민영화는 정부실패에 대한 대응으로, 공공영역을 일정 부분 축소하는 것이다.

③ 공기업을 민영화 할 경우, 국민에 대한 보편적 서비스를 민간기업이 제공하게 되어 그 서비스 제공이 약화될 우려가 있다.

④ 공기업을 매각함으로써 발생한 수익으로 공공재정을 확충할 수 있다.

답 ①

92 공기업 민영화

민영화를 통해 서비스 공급의 경쟁을 촉진시켜 가격을 낮추고, 소비자들에게 선택의 기회를 넓힐 수 있다는 장점에서 민영화의 실익이 있다.

민영화의 문제점

1. 정부의 책임성 약화 및 책임전가
2. 크림스키밍(cream skimming) 현상 발생
3. 공익성의 훼손
4. 서비스공급의 불안정성
5. 형평성 저해
6. 역대리인이론 및 불공정거래의 위험

답 ④

93 □□□

2012년 국가직 7급

공기업 민영화와 관련해 '역대리인'이론이 제기하는 문제점으로 가장 적합한 것은?

① '주인 - 대리인' 문제가 반복됨으로써 대리인 문제나 비효율의 문제가 반복된다.
② 민간이 흑자 공기업만 인수하려고 하기 때문에 적자 공기업은 매각되지 않고, 흑자 공기업만 매각된다.
③ 민영화 이후에 공공서비스가 제대로 공급되지 못하는 경우가 나타난다.
④ 민영화의 과정에서 정부가 일부 지분을 계속 유지하려고 한다.

94 □□□

2017년 서울시 7급

다음 중 사바스(Savas)의 공공서비스 제공방식에 대한 유형별 설명으로 가장 옳지 않은 것은?

① 공공부문이 생산자(productor)인 동시에 배열자(arranger)인 경우의 예로 정부 간 협약을 통해 한 정부가 또 다른 정부의 공공서비스를 구매하는 방식이 있다.
② 공공부문이 생산자이고 민간부문이 배열자인 경우의 예로 정부응찰방식을 통해 민간부문이 정부가 생산한 공공서비스를 선별 · 구매하고 대가를 지불하는 방식이 있다.
③ 민간부문이 생산자이고 정부가 배열자인 경우의 예로 민간위탁, 바우처(voucher)를 통한 서비스 제공 등이 있다.
④ 민간부문이 생산자인 동시에 배열자인 경우의 예로 임대형 민자사업(BTL), 보조금에 의한 서비스 제공 등을 들 수 있다.

93 역대리인이론

정부가 민간 생산자·공급자를 선정할 때 정보 부족으로 올바른 선택을 하지 못하거나 민영화 후 민간업자의 도덕적 해이로 인해 공공서비스가 제대로 공급되지 못하는 현상을 역대리인 이론이라고 한다.

선지분석

① 복대리인 문제에 대한 설명이다.
② 크림스키밍(cream skimming)현상에 대한 설명이다.
④ 황금주(golden share)와 관련이 있는 설명이다. 황금주는 주식의 보유수나 보유 비율에 관계없이 합병 등 특정한 주주총회 안건에 대해 거부권을 가진 주식을 말한다.

답 ③

94 사바스(Savas)의 공공서비스 제공방식

임대형 민자사업(BTL), 보조금에 의한 서비스 제공 등은 민간부문이 생산자이며 정부가 배열자인 경우이다.

사바스(Savas)의 공공서비스 제공방식

구분		배열자(공급 책임)	
		정부	민간
생산자(생산 담당)	정부	• 정부의 직접 공급 • 정부 간 계약	정부서비스 판매
	민간	• 이용권 지급(이견이 있음) • 계약(contracting-out) • 허가(franchise) • 보조금 지급(grants) • BLT	• 이용권 지급(voucher) • 시장공급 • 자조활동(self-service) • 자원봉사자(volunteer)

답 ④

95 □□□

2016년 국회직 8급

다음 중 민간위탁에 대한 설명으로 옳지 않은 것은?

① 정부기관이 조사 · 검사 · 검정 등 국민의 권리 · 의무와 직접 관계된 사무 일부를 민간부문에 위탁하는 것이다.

② 공공서비스 전달의 비용절감 및 품질개선 등 효율성을 제고하는 성과를 창출할 수 있다.

③ 정치적 관점에서는 관료제가 자기조직의 이익 확대를 추구하는 목적으로 사용된 측면이 있다.

④ 우리나라 지방자치단체의 민간위탁은 정부혁신의 일환으로 중앙정부로부터 수직적으로 추진되었다.

⑤ 면허방식에서는 서비스 제공자들 간의 경쟁이 약할 경우 이용자 고객의 비용부담이 증가할 수 있다.

95 민간위탁

민간위탁은 정부가 경쟁입찰을 통해 선정된 민간기업과 계약을 체결하여 비용을 지불하고, 공공서비스의 생산을 위탁하는 방식이다. 공급에 대한 권한을 완전히 민간에 이양하지 않고, 그 권한과 책임은 여전히 정부가 보유한다. 특히 조사·검정·검사 등 국민의 권리·의무와 직접 관계된 사무는 위탁대상사무에서 제외한다.

(선지분석)

② 민간위탁을 통하여 공공서비스 전달을 민간이 수행함으로써 비용을 절감하고 품질을 개선하는 등 효율성을 제고하는 성과를 창출할 수 있다.

③ 민간위탁을 통하여 특정 기업에게 혜택을 주는 등의 방법으로, 정부 관료제가 조직의 이익 확대를 추구하는 목적으로 사용된 경우도 있다.

④ 우리나라 지방자치단체의 민간위탁은 지방자치단체에서 스스로 추진하였다기보다는, 정부혁신의 일환으로 중앙으로부터 수직적으로 추진된 성격이 강하다.

⑤ 면허방식은 면허를 발급받은 다수의 서비스 제공자가 존재할 수 있으나, 그들 간의 경쟁이 약할 경우 이용자의 비용부담이 증가할 수 있다.

답 ①

96 □□□

2020년 지방직 9급

민간투자사업자가 사회기반시설 준공과 동시에 해당 시설 소유권을 정부로 이전하는 대신 시설관리운영권을 획득하고, 정부는 해당 시설을 임차 사용하여 약정기간 임대료를 민간에게 지급하는 방식은?

① BTO(Build-Transfer-Operate)

② BTL(Build-Transfer-Lease)

③ BOT(Build-Own-Transfer)

④ BOO(Build-Own-Operate)

96 우리나라의 민자유치제도

민간투자사업자가 사회기반시설 준공과 동시에 해당 시설 소유권을 정부로 이전하는 대신 시설관리운영권을 획득하고, 정부는 해당 시설을 임차 사용하여 약정기간 임대료를 민간에게 지급하는 방식은 BTL(Build-Transfer-Lease) 방식이다.

사바스(Savas)의 공공서비스 제공방식

구분	BOO	BOT	BTO	BLT	BTL
개념	민간이 운영 (기업은 시설 대상 자산으로부터 일정 기간 동안 사용료 수익을 소비자로부터 받는 방식)			정부가 운영 (기업은 Lease 대상 자산을 기초로 일정 기간 동안 임대료를 정부로부터 받는 방식)	
사례	투자비 회수가 가능한 수익사업			투자비 회수가 곤란한 비수익사업	
위험부담	분산	민간이 위험부담 (최소 운영수익 보장제는 부작용으로 인해 2009년 폐지)		민간에게 위험부담 거의 없음	
운영 기간 동안의 소유권 주체	민간	민간	정부	민간	정부
소유권 이전 시점	-	운영종료 시점	준공시점	운영종료 시점	준공시점

답 ②

97 □□□

2012년 국가직 9급

새로운 공공서비스 공급방식으로 제시된 BTO(Build-Transfer-Operate)와 BTL(Build-Transfer-Lease)에 대한 설명으로 옳지 않은 것은?

구분	BTO방식	BTL방식
ㄱ. 실제운영의 주체	민간	정부
ㄴ. 운영 시 소유권	정부	민간
ㄷ. 투자비 회수방법	사용료	임대료
ㄹ. 소유권 이전시기	준공	준공

① ㄱ
② ㄴ
③ ㄷ
④ ㄹ

98 □□□

2019년 서울시 9급(2월 추가)

공공서비스 전달방식에 대한 설명으로 가장 옳은 것은?

① 프랜차이즈 방식은 정부가 개인들에게 특정 상품 및 서비스 구입이 가능한 쿠폰을 제공하는 방식이다.
② 공공-민간협력방식(PPP)은 정부가 민간부문에 출자하고 이를 경영하되 위험은 정부가 모두 부담하는 방식이다.
③ 수익형 민자사업(BTO) 방식은 민간이 시설을 건설하고 직접 소유하면서 운영하는 방식이다.
④ 임대형 민자사업(BTL) 방식은 민간이 시설을 건설하고 정부가 소유하며 민간은 정부로부터 임대료 수익을 보장받는 방식이다.

97 BTO와 BTL방식

BTO방식과 BTL방식은 모두 준공과 동시에 소유권이 정부로 이전된다는 점에서 공통점이 있다. 다만, BTO방식은 소유권 이전 후에 민간이 운영하고, BTL방식은 정부가 운영한다.

답 ②

98 공공서비스 전달방식

임대형 민자사업(BTL) 방식은 민간의 자본으로 건설하고 정부에 소유권을 이전한 후 정부로부터 민간이 임대수익을 보장받는 방식이다.

(선지분석)

① 프랜차이즈 방식은 정부가 민간기업에 특정 재화와 서비스를 제공할 수 있도록 독점권을 부여하고 소비자가 서비스의 대가를 지불하는 방식으로, 정부가 일정기간 동안 가격 또는 서비스의 수준과 품질을 규제한다.
② 공공-민간협력방식(PPP)은 정부와 민간이 협력하고 위험을 함께 부담하되 민간의 위험 부담 정도가 큰 방식이다.
③ 수익형 민자사업(BTO) 방식은 민간이 시설을 건설하고 소유는 정부가 하되, 민간이 운영하는 방식이다.

답 ④

99 □□□

2018년 지방직 7급

공공서비스 공급을 확대하는 과정에서 정부예산이 부족한 경우 활용되는 수익형 민자사업(BTO)에 대한 설명으로 옳지 않은 것은?

① BTO는 민간이 자금을 투자해 공공시설을 건설하고 소유권을 정부로 이전하지만, 그 대가로 민간사업자는 일정 기간 사용수익권을 인정받게 된다.

② BTO의 경우 민간사업자는 시설을 운영하면서 사용료 징수로 투자비를 회수하는데, 주로 도로 · 철도 등 수익창출이 가능한 영역에 적용된다.

③ BTO의 경우 시설에 대한 수요변동 위험은 정부에서 부담하며, 정부는 사전에 약정한 수익률을 포함한 리스료를 민간사업자에게 지출한다.

④ BTO는 일반적으로 임대형 민자사업(BTL)에 비해 사업리스크와 수익률이 상대적으로 더 높고, 사업기간도 상대적으로 더 길다.

99 | 수익형 민자사업(BTO)

BTO가 아닌 BTL에 대한 설명이다. BTL의 경우 시설에 대한 수요변동 위험은 정부에서 부담하며, 정부는 사전에 약정한 수익률을 포함한 리스료를 민간사업자에게 지출한다. BTO의 경우 민간사업자가 민간자본으로 건설한 후 소유권이 정부에 귀속되는 방식으로 일정 기간 민간사업자가 시설을 운영하고 이용자의 사용료로 투자비를 회수한다. 따라서 시설에 대한 수요변동 위험은 민간에서 부담한다.

답 ③

100 □□□

2009년 국가직 7급

민간위탁방식에 대한 설명으로 옳지 않은 것은?

① 자원봉사자방식은 서비스의 생산과 관련된 현금지출에 대해서만 보상받고 직접적인 보수는 받지 않는 방식이다.

② 보조금방식은 민간조직 또는 개인의 서비스 제공활동에 대하여 재정 또는 현물로 지원하는 방식이다.

③ 구입증서방식은 시민들의 서비스 구입 부담을 완화시키기 위해 금전적 가치가 있는 쿠폰을 제공하는 방식이다.

④ 계약방식은 민간조직에게 일정구역 내에서 공공서비스를 제공하는 권리를 인정하는 방식이다.

100 | 민간위탁방식

계약방식이 아니라 면허방식에 대한 설명이다. 계약방식은 기업 간 경쟁 입찰을 통해 서비스 생산 주체를 결정하는 것이 일반적인 방법이다.

민간위탁의 방식

계약	정부의 책임하에 민간이 서비스를 생산하는 방식
면허	• 민간조직에게 일정한 구역 내에서 공공서비스를 제공하는 권리를 인정하는 협정을 체결하는 방식 • 시민 · 이용자는 서비스 제공자에게 비용을 지불함 • 정부는 서비스 수준과 질을 규제함
보조금	요건을 구체적으로 명시하기 곤란하거나, 기술적으로 복잡하고, 목표달성방법이 불확실한 경우 사용하는 방식
바우처	금전적 가치가 있는 쿠폰 또는 카드를 제공하는 방식
자원봉사	직접적인 보수를 받지 않으면서 정부를 위해 봉사하는 사람들을 활용하는 방식
자조활동	공공서비스의 수혜자와 제공자가 같은 집단에 소속되어 서로 돕는 형식으로 활동하는 방식

답 ④

101 □□□

2017년 국가직 9급(10월 추가)

바우처(voucher)제도에 대한 설명으로 옳지 않은 것은?

① 저소득층 및 특수계층을 대상으로 하는 복지 분야에서 많이 활용되고 있다.
② 수혜자에게 현금을 지원하는 대신 특정 재화나 서비스를 구매할 수 있는 쿠폰이나 포인트를 제공하는 제도이다.
③ 전자바우처의 도입을 통해 행정비용을 절감할 수 있다.
④ 살라몬(Salamon)의 행정수단 유형분류에 있어서 민간위탁과 같이 직접성이 매우 높은 행정수단이다.

102 □□□

2016년 국회직 8급

다음 중 정책집행수단으로서 바우처(voucher)제도의 특징에 대한 설명으로 옳지 않은 것은?

① 주민 대응성을 제고하고 저소득층을 지원하는 성격이 강하다.
② 시장에 존재하는 다양한 공급주체를 활용한다.
③ 소비자가 아닌 공급자에게 서비스의 선택권을 부여한다.
④ 공급자 간 경쟁을 촉진시켜 서비스의 질을 제고한다.
⑤ 민간부문을 활용하지만 여전히 최종적인 책임은 정부에 있다.

101 바우처(voucher)제도

살라몬(Salamon)의 행정수단 유형분류에 있어서 바우처는 직접성의 정도가 낮은 행정수단으로 분류되었다.

선지분석

① 바우처제도는 정부보조금 대신 저소득층이나 임산부와 같은 특정계층의 소비자에게 특정재화나 서비스를 구매할 수 있는 권리증서(쿠폰)을 제공하는 방식으로 복지 분야에서 많이 활용된다.
② 직접 쿠폰을 주는 방식은 명시적 바우처이고, 포인트를 주는 방식은 묵시적 바우처의 일종으로 볼 수 있다.
③ 전자바우처의 도입은 행정의 직접적 비용을 절감할 수 있다는 장점이 있다.

답 ④

102 바우처(voucher)제도

바우처제도는 공급자가 아닌 소비자에게 서비스의 선택권을 부여한다.

바우처(voucher)제도의 장·단점

장점	단점
• 공급자가 아닌 소비자에게 서비스의 선택권을 부여하여 공급자 간 경쟁을 통한 서비스의 질 제고 • 공급자가 다수인 경우 선택의 폭 확대됨 • 전자바우처의 경우 실시간 모니터링으로 바우처 관리·운영의 효율성 및 투명성 제고 가능	• 서비스가 다른 용도로 전용될 가능성이 있음 • 공급자가 소수인 경우 선택의 폭이 제한됨 • 민간공급자 측에서 서비스 수요량의 예측과 파악 곤란

답 ③

103 □□□

2016년 지방직 7급

민간부문의 자율성을 높이고 그 역할을 확대하는 민간화(privatization)방법과 거리가 먼 것은?

① 진입규제 강화
② 바우처 제공
③ 정부계약(contracting out) 활용
④ 공동생산(co-production)

104 □□□

2015년 서울시 7급

민영화의 유형에 대한 설명으로 가장 옳지 않은 것은?

① 민영화의 계약방식(contracting-out)은 일반적으로 경쟁입찰을 통해 서비스 생산주체가 결정되므로 정부재정 부담을 경감시킬 수 있다.
② 민영화의 프랜차이즈(franchise)방식은 정부가 서비스 제공자에게 서비스 비용을 직접 지불하여 이용자의 비용 부담을 경감시키는 장점이 있다.
③ 전자바우처(vouchers)방식은 개별적인 바우처 사용행태를 분석하여 실제 이용자의 실시간 모니터링이 가능하다.
④ 자조활동(self-help)방식은 공공서비스 수혜자와 제공자가 같은 집단에 소속되어 서로 돕는 형식이다.

103 민간화(privatization)방법

민간화(privatization)는 정부의 진입규제를 완화하는 것과 관련이 있고, 진입규제를 강화하는 것은 오히려 민간부문의 자율성을 낮추는 것이다.

선지분석

② 바우처는 정부보조금 대신 특정계층의 소비자에게 특정재화나 서비스를 구매할 수 있는 권리증서(쿠폰)을 제공하는 방식이다.
③ 정부계약(contracting out)은 정부가 경쟁입찰을 통해 선정된 민간 기업과 계약을 체결하여 비용을 지불하고, 공공서비스의 생산을 위탁하는 방식이다.
④ 공동생산에는 공공·민간협력방식(PPP) 등이 있다.

답 ①

104 민영화의 유형

프랜차이즈(franchise)방식이 아니라 계약방식은 정부가 서비스 제공자에게 서비스 비용을 직접 지불하여 이용자의 비용부담을 경감시킨다는 장점이 있다. 프랜차이즈(franchise, 특허권)방식은 정부가 기업에 특정 재화·서비스를 제공할 수 있도록 독점권을 부여하는 방식으로, 규모의 경제를 실현할 수 있다는 장점이 있다.

선지분석

① 계약방식(contracting-out)은 경쟁 입찰을 통해 서비스 생산주체가 결정되므로 정부재정 부담을 경감시킬 수 있다. 지방자치단체에서 청소용역업체와 계약을 맺는 경우 등이 그 사례이다.
③ 전자바우처(vouchers)방식은 개별적인 바우처 사용행태를 분석하여 바우처 개선에 활용하는 한편, 바우처가 다른 용도로 전용되는 것을 방지할 수 있다.
④ 자조활동(self-help)방식은 공공서비스 수혜자와 제공자가 같은 집단에 소속되어 서로 돕는 형식으로, 마을 야간 순찰대 등이 그 사례이다.

답 ②

105 □□□

2014년 서울시 9급

정부는 공공서비스를 효율적으로 공급하기 위한 방법의 하나로서 민간위탁방식을 사용하기도 하는데, 민간위탁방식에 해당하지 않는 것은?

① 면허방식
② 이용권(바우처)방식
③ 보조금방식
④ 책임경영방식
⑤ 자조활동방식

106 □□□

2012년 지방직 9급

민간위탁방식에 대한 설명으로 옳지 않은 것은?

① 자조활동(self-help)방식은 서비스의 생산과 관련된 현금지출에 대해서만 보상받고 직접적인 보수는 받지 않으면서 공익을 위해 봉사하는 사람들을 활용하는 것이다.
② 보조금방식은 민간조직 또는 개인이 제공한 서비스 활동에 대해 정부가 재정 또는 현물을 지원하는 것이다.
③ 바우처(voucher)방식은 공공서비스의 생산을 민간부문에 위탁하면서 시민들의 구입부담을 완화시키기 위해 금전적 가치가 있는 쿠폰(coupon)을 제공하는 것이다.
④ 면허방식은 민간조직에게 일정한 구역 내에서 공공서비스를 제공하는 권리를 인정하는 것이다.

105 민간위탁방식

책임경영방식은 정부가 시장화된 방식을 이용하여 직접 공급하는 것을 의미한다.

선지분석

① 면허방식은 민간에게 지정된 구역 내에서 공공서비스를 제공할 수 있는 운영권을 부여하는 것으로 민간위탁방식에 해당한다.
② 이용권(바우처)방식은 정부보조금 대신 저소득층이나 임산부와 같은 특정계층의 소비자에게 특정재화나 서비스를 구매할 수 있는 권리증서(쿠폰)을 제공하는 방식으로 민간위탁방식에 해당한다.
③ 보조금방식은 서비스 성격자체는 공공성을 가지고 있으나, 공공부문만으로는 서비스나 재화의 생산과 공급이 수요에 미치지 못할 경우 이와 유사한 서비스를 제공하는 민간부문의 생산자에게 재정지원·실물지원을 제공함으로써 이에 기여하게 하는 방식으로, 민간위탁방식에 해당한다.
⑤ 자조활동방식은 공공서비스의 수혜자와 제공자가 같은 집단에 소속되어 서로 돕는 방식으로, 민간위탁방식에 해당한다.

답 ④

106 민간위탁방식

자조활동(self-help)이 아니라 자원봉사(volunteer)방식에 해당한다. 자조활동이란 공공서비스의 수혜자와 제공자가 같은 집단에 소속되어 서로 돕는 방식이다.

선지분석

② 보조금방식은 민간조직 또는 개인이 제공한 서비스 활동에 정부가 재정 등을 지원하는 방식으로, 어린이집 보조금 지원 등이 있다.
③ 바우처(voucher)방식은 공공서비스의 생산을 민간부문에 위탁하면서 시민들의 구입부담을 완화시키기 위해 금전적 가치가 있는 쿠폰을 제공하는 것으로, 저소득층 방과 후 교육 바우처 등이 그 사례이다.
④ 면허방식은 민간조직에게 일정한 구역 내에서 공공서비스를 제공하는 권리를 인정하는 것으로, 지방자치단체의 견인면허 발급 등이 그 사례이다.

답 ①

조직행태론

THEME 048 인간관의 변화

01 □□□

2019년 국가직 9급

다음 설명에 해당하는 조직의 인간관은?

- 인간을 자신의 이익을 극대화하기 위해 행동하는 존재로 본다.
- 인간은 조직에 의해 통제 · 동기화되는 수동적 존재이며, 조직은 인간의 감정과 같은 주관적 요소를 통제할 수 있도록 설계돼야 한다.

① 합리적 · 경제적 인간관
② 사회적 인간관
③ 자아실현적 인간관
④ 복잡한 인간관

02 □□□

2019년 국가직 7급

후기 인간관계론에 대한 설명으로 옳지 않은 것은?

① 합리적 · 경제적 인간관보다는 자아실현적 인간관과 더 부합한다.
② 개인은 다양한 차원에서 다양한 특성을 지니고 있으므로 상황에 따라 개인을 다양한 시각으로 이해할 필요가 있다.
③ 대표하는 이론으로는 맥그리거(McGregor)의 Y이론, 아지리스(Argyris)의 성숙인 등을 들 수 있다.
④ 의사결정 과정에 개인을 참여시키는 관리전략이 필요하다.

01 합리적 · 경제적 인간관

제시문은 고전적 관점에서 인간을 파악한 이론으로, 고전적 조직에서는 인간을 합리적이고 경제적인 존재로 인식하였다.

(선지분석)
② 사회적 인간관은 인간을 수동적인 존재로 보지만, 비공식적인 집단 및 사회심리적 요인을 중시한 신고전적 관점의 인간관이다.
③ 자아실현적 인간관은 현대적 인간관이다.
④ 샤인(Schein)은 복잡한 인간관을 주장하였다.

답 ①

02 후기 인간관계론

개인은 다양한 차원에서 다양한 특성을 지니고 있으므로 상황에 따라 개인을 다양한 시각으로 이해할 필요가 있는 것은 샤인(Schien)의 복잡한 인간관이다.

(선지분석)
① 인간을 직무를 통해 성숙, 자아실현, 자아성취 등에 의해 내재적 동기가 부여되는 능동적 존재로 파악하는 자아실현적 인간관이 후기 인간관계론에 더 부합한다.
③ 일을 좋아하고 스스로 책임지며 자기실현을 추구하는 적극적 · 능동적 인간을 가정하는 맥그리거(McGregor)의 Y이론과, 능동적 · 독립적이며 다양한 행동능력을 가지고 있고 자아의식의 통제가 가능하다고 보는 아지리스(Argyris)의 성숙인은 대표적인 후기 인간관계론에 해당한다.
④ 후기 인간관계론적 입장에서는 MBO, TQM 등의 관리전략이 필요하다.

답 ②

03 □□□

2005년 울산시 9급

다음 샤인(Schein)이 제기한 복잡인관과 조직관리전략에 대한 설명이다. 틀린 것은?

① 인간은 다양한 욕구와 잠재력을 지닌 복잡한 존재이다.
② 조직관리는 구성원에 대한 지시와 통제보다는 개인과 조직의 목표를 통합시킬 수 있는 전략을 우선적으로 취하여야 한다.
③ 부하들의 욕구와 동기가 서로 다르기 때문에 서로 다른 전략에 따라 융통성이 있는 관리형태를 견지하여야 한다.
④ 조직 구성원들의 개인적 차이를 존중하고 이를 발견하는 진단과정이 중요하다.
⑤ 인간은 조직생활을 통하여 새로운 욕구를 계속 터득해 간다.

03 | 복잡인관과 조직관리전략

샤인(Schein)의 복잡인관은 인간을 현실적으로 단순하게 일반화하거나 유형화할 수 없는 복잡한 존재로 정의한다. 따라서 조직 구성원의 변전성과 개인차를 파악하고 인정·존중하는 다원적인 관리전략을 우선적으로 취하여야 한다.

(선지분석)
① 인간은 일률적으로 정의내릴 수 없고 매우 다양한 욕구와 잠재력을 지닌 복잡한 존재이다.
⑤ 인간의 욕구는 고정되어 있는 것이 아니며, 조직생활을 통하여 새로운 욕구를 계속 터득해 간다.

답 ②

THEME 049 동기부여이론

04 □□□

2019년 서울시 9급(2월 추가)

동기이론 중 내용이론에 해당하지 않는 것은?

① 앨더퍼(Alderfer)의 ERG이론
② 허즈버그(Herzberg)의 욕구충족요인이원론
③ 맥클리랜드(McClelland)의 성취동기이론
④ 브룸(Vroom)의 기대이론

04 | 브룸(Vroom)의 기대이론

브룸(Vroom)의 기대이론은 대표적인 과정이론이다.

동기이론의 구분

구분	이론
내용이론	• 매슬로우(Maslow)의 욕구단계이론 • 앨더퍼(Alderfer)의 ERG이론 • 맥그리거(McGregor)의 X·Y이론 • 아지리스(Argyris)의 성숙·미성숙이론 • 맥클리랜드(McClelland)의 성취동기이론 • 허즈버그(Herzberg)의 욕구충족요인 이원론 • 리커트(Likert)의 관리체제이론 • 핵크만과 올드햄(Hakman & Oldham)의 직무특성이론(과정이론으로 보기도 함)
과정이론	• 브룸(Vroom)의 기대이론 • 아담스(Adams)의 형평성이론 • 포터와 로러(Porter & Lawler)의 성과만족이론 • 조고풀러스(Georgopoulos)의 통로목표이론 • 로크(Locke)의 목표설정이론

답 ④

05 □□□

2013년 서울시 9급

동기부여와 관련된 이론을 내용이론과 과정이론으로 나누어 볼 때, 다음 중에서 과정이론에 해당하는 것은?

① 욕구계층이론
② 기대이론
③ 욕구충족요인 이원론
④ 성취동기이론
⑤ X · Y이론

06 □□□

2018년 국가직 7급

동기이론 중 과정이론에 해당하는 것만을 모두 고르면?

> ㄱ. 동기부여의 강도를 산정하는 기본개념으로 유인가(valence), 수단성(instrumentality), 기대감(expectancy)을 제시하였다.
> ㄴ. 직무가 조직화되는 방법에 따라 조직원의 노력 정도가 달라진다는 점에 착안하여 모든 직무를 다섯 가지 핵심 직무 차원으로 구분했다.
> ㄷ. 개인은 업적에 따라 보상을 받게 되며 이때 주어지는 보상은 공평한 것으로 지각되어야 하는데, 개인이 불공평하다고 인식하면 만족을 줄 수 없게 된다고 본다.
> ㄹ. 인간의 욕구를 존재, 관계, 성장의 3단계로 나누고 '좌절-퇴행' 접근법을 주장한다.
> ㅁ. 인간은 미성숙상태에서 성숙상태로 발전하는 과정에서 성격 변화를 경험한다고 주장한다.

① ㄱ, ㄴ, ㄷ
② ㄱ, ㄹ, ㅁ
③ ㄴ, ㄷ, ㄹ
④ ㄴ, ㄷ, ㅁ

05 과정이론

기대이론은 과정이론에 해당하는 동기부여이론으로서 구성원 개인의 성과에 대한 기대성, 수단성, 유의성을 종합적으로 고려하여 구성원에 대한 동기부여의 정도를 결정하는 이론이다.

선지분석

욕구계층이론, 욕구충족요인 이원론, 성취동기이론, X·Y이론 모두 동기부여이론 중 내용이론에 속한다.

답 ②

06 과정이론

동기이론 중 과정이론은 동기부여의 과정에 초점을 맞추는 이론이다.
ㄱ. 브룸(Vroom)의 기대이론에 대한 설명이다.
ㄴ. 핵크만과 올드햄(Hakman & Oldham)의 직무특성이론에 대한 설명이다. 직무특성이론은 내용이론으로 분류하기도 한다.
ㄷ. 아담스(Adams)의 형평성이론에 대한 설명이다.

선지분석

ㄹ. 앨더퍼(Alderfer)의 ERG이론은 동기이론 중 욕구이론에 해당한다.
ㅁ. 아지리스(Argyris)의 성숙-미성숙이론은 동기이론 중 욕구이론에 해당한다.

답 ①

07 □□□

2014년 지방직 9급

다음 중 동기부여에 대한 과정이론만을 모두 고른 것은?

ㄱ. 애덤스(Adams)의 형평성이론
ㄴ. 브룸(Vroom)의 기대이론
ㄷ. 맥클리랜드(McClelland)의 성취동기이론
ㄹ. 로크(Locke)의 목표설정이론

① ㄱ, ㄴ
② ㄱ, ㄴ, ㄹ
③ ㄴ, ㄷ, ㄹ
④ ㄷ, ㄹ

08 □□□

2017년 국가직 7급(8월 시행)

매슬로우(Maslow)의 욕구단계이론에 대한 설명으로 옳은 것은?

① 가장 낮은 안전의 욕구부터 시작하여 다섯 가지의 위계적 욕구단계가 존재한다.
② 안전의 욕구와 사회적 욕구는 앨더퍼(Alderfer)의 ERG이론의 첫 번째 욕구단계인 존재욕구에 해당한다.
③ 어느 한 단계의 욕구가 완전히 충족되어야만 다음 단계의 욕구를 추구하게 되는 것은 아니다.
④ 사회적 욕구는 어떤 일을 행함으로써 느끼게 되는 자신감, 성취감 등을 의미한다.

07 과정이론

ㄱ. 애덤스(Adams)의 형평성이론은 개인이 준거인(비교대상)과 비교하여 자신의 투입(노력)과 산출(보상) 간에 불일치를 자각하면 이를 제거하는 방향으로 동기가 부여된다고 주장하여 공정한 보상의 중요성을 인식시키는 이론으로, 과정이론에 해당한다.
ㄴ. 브룸(Vroom)의 기대이론은 동기부여의 정도(M)가 기대감(E), 수단성(I), 유인가(V)에 의해 결정된다고 보는 이론으로, 과정이론에 해당한다.
ㄹ. 로크(Locke)의 목표설정이론은 인간의 행동이 의식적인 목표와 성취의 도에 의하여 결정되며 욕구의 내용이 아니라 구체성이나 난이도 등 목표의 성격에 따라 개인의 성과가 결정된다고 보는 이론으로, 과정이론에 해당한다.

선지분석

ㄷ. 맥클리랜드(McClelland)의 성취동기이론은 내용이론에 해당한다.

맥클리랜드(McClelland)의 성취동기이론

권력욕구	타인의 행동에 영향력을 미치거나 통제하려는 욕구
친교욕구	타인과 따뜻하고 친근한 관계를 유지하려는 욕구
성취욕구	우수한 결과를 얻기 위하여 높은 기준을 설정하고 이를 달성하려는 욕구

답 ②

08 매슬로우(Maslow)의 욕구단계이론

매슬로우(Maslow)는 동기의 중요성에 따라 욕구를 다섯 가지 계층으로 분류하고, 각 단계의 욕구가 순차적으로 유발된다고 보았는데 모든 욕구의 완전한 충족은 있을 수 없으므로 한 단계의 욕구가 완전히 달성되는 것이 아니라 어느 정도 충족되면 그 욕구의 강도는 약화되고 다음 단계의 욕구가 발생된다고 본다.

선지분석

① 가장 낮은 욕구는 안전의 욕구가 아니라 생리적 욕구이다.
② 앨더퍼(Alderfer)의 ERG이론의 첫 번째 욕구단계인 존재욕구에 해당하는 것은 생리적 욕구와 안전의 욕구이다.
④ 어떤 일을 행함으로써 느끼게 되는 자신감이나 성취감 등을 의미하는 것은 자아실현욕구이다. 사회적 욕구는 집단 속에서 소속감을 느끼고 동료들과 관계를 유지하고 싶은 욕구이다.

답 ③

09 □□□

2014년 서울시 7급

맥그리거(McGregor)의 X이론 측면에서 조직의 관리전략에 적합하지 않은 것은?

① 경제적 보상체계의 강화
② 권위주의적 리더십의 확립
③ 목표에 의한 관리체계의 구축
④ 상부책임제도의 강화
⑤ 고층적 · 계층적 조직구조의 확립

10 □□□

2018년 서울시 7급(6월 시행)

다음 이론의 내용과 잘 부합하는 조직관리전략으로 가장 옳지 않은 것은?

> 대부분의 사람들은 본질적으로 일을 싫어하며 가능하면 일을 하지 않으려고 한다. 또한 안전을 원하고 변화에 저항적이다.

① 정확한 업무지시와 감독을 강화해야 한다.
② 의사결정 시 부하직원을 참여시키고 권한을 확대해서 자율적으로 업무를 수행할 수 있게 한다.
③ 업무 평가 결과에 따른 엄격한 상벌의 원칙을 제시한다.
④ 관리자가 조직 구성원에게 적절한 업무량을 부과하여 업무를 수행하게 해야 한다.

09 맥그리거(McGregor)의 X이론

목표에 의한 관리체계의 구축은 참여에 의한 관리로 목표관리제(MBO)에 해당하며, 목표관리제(MBO)는 맥그리거의 X·Y이론에서 Y이론 측면의 조직관리전략에 해당한다.

맥그리거(McGregor)의 X · Y이론

구분	X이론	Y이론
인간관	일을 싫어하고 게으른 소극적·수동적인 인간 가정(성악설)	일을 좋아하고 스스로 책임지며 자기실현을 추구하는 적극적·능동적 인간 가정(성선설)
관리 전략	• 당근(부드러운 관리)과 채찍(강경한 관리) • 교환모형: 경제적 보상에 의한 유인 • 강제와 통제, 명령과 처벌, 계층구조 및 상부책임제도 • 거래적·권위주의적 리더십	• 목표에 의한 관리체계 구축 • 통합모형: 개인과 조직의 목적 통합 • 자율성과 자기통제·평가, 참여와 분권 • 민주적 리더십

답 ③

10 맥그리거(McGregor)의 X·Y이론

제시문은 맥그리거(McGregor)의 X·Y이론에서 X이론적 인간을 설명하고 있다. 의사결정 시 부하직원을 참여시키고 권한을 확대하여 자율적으로 업무를 수행할 수 있게 하는 것은 Y이론적 관리전략이다. X이론적 인간은 정확한 업무지시와 감독 강화, 업무평가 결과에 따른 엄격한 상벌의 원칙 제시, 관리자가 조직 구성원에게 적절한 업무량을 부과하여 업무를 수행하게 함 등의 관리전략을 선택할 수 있다.

답 ②

11 □□□

2015년 지방직 9급

다음 내용이 설명하는 인간관에 부합하는 조직관리전략은?

> 대부분의 사람들은 본질적으로 일을 싫어하는 것이 아니다. 사람들에게 일이란 작업조건만 제대로 정비되면 놀이를 하거나 쉬는 것과 같이 극히 자연스러운 것이며, 인간이 물리적 · 사회적 환경에 도전하는 여러 방법 중의 하나이다.

① 업무 지시를 정확하게 하고 엄격한 상벌 원칙을 제시해야 한다.
② 업무 평가 하위 10%에 해당하는 직원에 대한 20%의 급여 삭감 계획은 더욱 많은 업무 노력을 이끌어 낼 수 있는 방법이다.
③ 의사결정 시 부하직원을 참여시키고 자율적으로 업무를 수행할 수 있도록 해야 한다.
④ 관리자가 조직 구성원에게 적절한 업무량을 부과하여 수행하게 해야 한다.

12 □□□

2017년 국가직 9급(4월 시행)

허즈버그(Herzberg)의 욕구충족요인 이원론에 대한 설명으로 옳지 않은 것은?

① 욕구의 계층화를 시도한 점에서 매슬로우(Maslow)의 욕구단계이론과 유사하다.
② 불만을 주는 요인과 만족을 주는 요인은 서로 다르다고 주장한다.
③ 무엇이 동기를 유발하는가에 초점을 두는 내용이론으로 분류된다.
④ 작업조건에 대한 불만을 해소한다고 하더라도 근무태도에 장기적인 영향을 미치지는 않는다고 본다.

11 맥그리거(McGregor)의 Y이론

제시문은 맥그리거(McGregor)의 Y이론 인간관에 대한 설명이다. 맥그리거(McGregor)의 Y이론에서 인간관은 일을 좋아하고 스스로 책임지며 자기실현을 추구하는 적극적이고 능동적인 인간을 전제로 한다. 그리고 목표에 의한 관리체계를 구축하고 자율성과 자기통제, 평가, 참여와 분권을 통한 관리전략을 제시한다.

선지분석

① 엄격한 상벌 원칙은 X이론의 인간관이다.
② 경제적 보상과 페널티는 X이론의 인간관이다.

답 ③

12 허즈버그(Herzberg)의 욕구충족요인 이원론

허즈버그(Herzberg)의 욕구충족요인 이원론은 욕구의 계층화를 시도한 이론에 해당하지 않는다. 매슬로우(Maslow)의 욕구단계이론과 앨더퍼(Alderfer)의 ERG이론은 욕구를 계층화하고, 계층에 따라 욕구의 발로가 이루어진다고 보는 공통적인 이론이다.

선지분석

② 불만을 주는 요인은 위생요인이고, 만족을 주는 요인은 동기요인이다.
③ 허즈버그(Herzberg)의 욕구충족요인 이원론은 욕구의 충족과 동기부여 간에 직접적인 인과관계를 인정하고 어떤 욕구가 동기를 유발하는지 그 내용을 설명하는 내용이론에 해당한다.
④ 위생요인(불만요인)과 동기요인(만족요인)은 상호 영향을 미치지 않는다.

답 ①

13 □□□

2010년 국가직 9급

허즈버그(Herzberg)의 욕구충족요인 이원론에서 제시하는 동기요인(motivator) 내지 만족요인(satisfier)과 가장 거리가 먼 것은?

① 보다 많은 책임을 부여받는다.
② 상사로부터 직무성취에 대한 인정을 받는다.
③ 보다 많은 개인적 성장과 발전을 경험하고 있다.
④ 원만한 대인관계를 유지하고 있다.

14 □□□

2011년 지방직 9급

해크먼(Hackman)과 올드햄(Oldham)의 직무특성모델에 대한 설명으로 옳지 않은 것은?

① 잠재적 동기지수(Motivating Potential Score: MPS) 공식에 의하면 제시된 직무특성들 중 직무정체성과 직무중요성이 동기부여에 가장 중요한 역할을 한다.
② 허즈버그의 욕구충족요인 이원론보다 진일보한 것으로 이해할 수 있다.
③ 직무정체성이란 주어진 직무의 내용이 하나의 제품 혹은 서비스를 처음부터 끝까지 완성시킬 수 있도록 구성되어 있는지에 관한 것이다.
④ 이 모델은 기술다양성, 직무정체성, 직무중요성, 자율성, 환류 등 다섯 가지의 핵심 직무특성을 제시한다.

13 허즈버그(Herzberg)의 욕구충족요인 이원론

원만한 대인관계 등의 대인적 요인은 위생요인(불만요인)에 해당한다.

위생요인과 동기요인

구분	위생요인(불만요인)	동기요인(만족요인)
성격	직무 외적·환경적 요인(경제적, 물리적, 대인적 환경)	직무와 관련된 심리적 요인
예	정책과 관리, 감독, 지위·보수, 안전, 대인관계, 작업조건 등	승진, 성취감, 인정감, 책임감, 직무 자체에 대한 보람, 성장·발전 등

답 ④

14 해크먼(Hackman)과 올드햄(Oldham)의 직무특성모델

직무특성의 다섯 가지(기술다양성, 직무정체성, 직무중요성, 자율성, 환류) 중 동기부여에 가장 중요한 역할을 하는 요소는 기술다양성, 직무정체성, 직무중요성보다도 자율성과 환류라고 한다.

선지분석

② 직무특성모델은 개인의 특성에 따라 도전적인 직무를 부여할지 단순 직무를 부여할지가 달라져야 한다고 보아 허즈버그(Herzberg)의 욕구충족요인 이원론보다 진일보한 이론으로 볼 수 있다.
③ 직무정체성이란 직무가 전체 작업완성에 기여하는 정도를 의미한다.
④ 직무의 특성으로 기술다양성, 직무정체성, 직무중요성, 자율성, 환류를 제시하였고, 다섯 가지 특성 중 동기부여에 가장 중요한 역할을 하는 요소로 자율성과 환류를 강조하였다.

답 ①

15 □□□

2019년 서울시 9급

조직 내에서 구성원 A는 구성원 B와 동일한 정도로 일을 하였음에도 구성원 B에 비하여 보상을 적게 받았다고 느낄 때 아담스(Adams)의 공정성이론에 의거하여 취할 수 있는 구성원 A의 행동 전략으로 가장 옳지 않은 것은?

① 자신의 투입을 변화시킨다.
② 구성원 B의 투입과 산출에 대해 의도적으로 자신의 지각을 변경한다.
③ 이직을 한다.
④ 구성원 B의 투입과 산출의 실제량을 자신의 것과 객관적으로 비교하여 보상의 재산정을 요구한다.

15 | 아담스(Adams)의 공정성이론

아담스(Adams)의 공정성이론은 개인은 준거인(비교대상)과 비교하여 자신의 투입(노력)과 그 산출(보상) 간에 불일치를 지각하면 이를 제거하는 방향으로 동기가 부여된다고 보는 이론이다. 만약 타인에 비하여 과소보상을 받았다고 느끼면 노력을 줄여 투입을 감소하거나 산출을 왜곡하여 지각하거나 조직을 이탈하는 등의 행동 전략을 보인다. 그러나 준거인의 투입과 산출의 실제량을 자신의 것과 객관적으로 비교하여 보상의 재산정을 요구하지는 않는다.

답 ④

16 □□□

2018년 서울시 7급(6월 시행)

공정성(형평성)이론에서 자신(A)과 준거인물(B)을 비교하여 보상이 불공정하다고 느낄 때, 이를 해소하기 위한 자신(A)의 전략적 대응에 대한 추론으로 가장 옳지 않은 것은?

① 일을 열심히 하지 않는다.
② 준거인물(B)의 업무방식을 참고하여 배울 점을 찾는다.
③ 준거인물(B)이 자신(A)보다 훨씬 더 많은 시간을 일했을 것이라고 생각을 바꾼다.
④ 다른 비교대상을 찾는다.

16 | 공정성(형평성)이론

아담스(Adams)의 공정성이론에서 인간이 불공정성을 지각하게 되면 ① 투입의 감소, ③ 본인의 지각 변경, ④ 준거인물의 변경 등의 행태를 보인다. 따라서 ② 준거인물(B)의 업무방식을 참고하여 배울 점을 찾는다는 것은 해당하지 않는다.

불형평성 해소를 위한 행동

구분	내용
형평감 (자신의 산출 / 투입 = 준거인의 산출 / 투입)	만족 → 행동유발 없음
과소보상 (자신의 산출 / 투입 < 준거인의 산출 / 투입)	불만 → 급료인상 등 편익증대 요구, 노력을 줄여 투입을 감소, 투입과 산출의 지각 왜곡, 준거인물의 변경, 조직 이탈 등의 행동을 유발
과다보상 (자신의 산출 / 투입 > 준거인의 산출 / 투입)	부담 → 편익감소를 요청, 노력을 더해 투입을 증대하는 등의 행동을 유발

답 ②

17 □□□

2017년 지방직 9급(6월 시행)

브룸(Vroom)의 기대이론에 따를 경우 조직 구성원의 직무수행 동기를 유발하기 위한 조건이 아닌 것은?

① 내가 노력하면 높은 등급의 실적평가를 받을 수 있다는 기대치(expectancy)가 충족되어야 한다.
② 내가 높은 등급의 실적평가를 받으면 많은 보상을 받을 수 있다는 수단치(instrumentality)가 충족되어야 한다.
③ 내가 받을 보상은 나에게 가치 있는 것이라는 유인가(valence)가 충족되어야 한다.
④ 내가 투입한 노력과 그로 인하여 받은 보상의 비율이 다른 사람과 비교하여 공평해야 한다는 균형성(balance)이 충족되어야 한다.

18 □□□

2010년 서울시 9급

팀의 주요 사업에 기여도가 약한 사람에게는 팀에 주어지는 성과포인트를 배정하지 않음으로써 성실한 참여를 유도하는 방식은 다음 중 어디에 해당하는가?

① 긍정적 강화
② 소거
③ 처벌
④ 부정적 강화
⑤ 타산적 몰입

17 브룸(Vroom)의 기대이론

브룸(Vroom)의 기대이론이 아닌 아담스(Adams)의 공정성이론에 대한 설명이다. 브룸(Vroom)은 기대이론에서 동기부여의 정도는 기대치(E), 수단치(I), 유인가(V)에 의해 결정된다고 주장하였다.

브룸(Vroom)의 기대이론 - V.I.E.이론

기대감 (E: Expectancy)	일정한 노력을 기울이면 성과를 가져올 수 있다는 성공확률에 대한 주관적인 믿음
수단성 (I: Instrumentality)	성과를 달성했을 때 바람직한 보상이 주어지리라는 보상확률에 대한 주관적인 믿음
유인가 (V: Valence)	특정한 보상에 대한 주관적인 선호의 강도(보상에 대해 개인이 느끼는 중요성, 매력)

답 ④

18 소거

소거는 바람직한 결과를 제거하는 것으로서, 그 예로는 승진·급여인상 철회 등이 있다.

(선지분석)
① 긍정적 강화는 바람직한 결과를 제공하는 것이다.
③ 처벌은 바람직하지 않은 결과를 제공하는 것이다.
④ 부정적 강화는 바람직하지 않은 결과를 제거하는 것이다.

학습기제의 유형

구분	의미	목적	예
적극적 강화	바람직한 결과 제공	바람직한 행동 유도	승진, 급료인상
소극적 강화	바람직하지 않은 결과 제거		벌칙 면제
처벌	바람직하지 않은 결과 제공	바람직하지 않은 행동 제거	강등
소거	바람직한 결과 제거		승진, 급료인상 철회

답 ②

19 □□□

2008년 지방직 7급

동기유발과 관련된 학습이론의 접근방법과 그 설명의 연결이 적절하지 않은 것은?

① 고전적 조건화이론 – 조건화된 자극의 제시에 의하여 조건화된 반응을 이끌어 낸다.

② 조작적 조건화이론 – 행동의 결과를 조건화함으로써 행태적 반응을 유발하는 과정을 설명한다.

③ 인식론적 학습이론 – 행동을 결정하는 데 외적 선행 자극이나 결과로서의 자극뿐만 아니라 내면적 욕구, 만족, 기대 등도 함께 영향을 미친다.

④ 잠재적 학습이론 – 학습에는 강화작용이 필요 없지만 행동야기에는 강화작용이 필요하다.

20 □□□

2019년 서울시 7급(2월 추가)

동기이론에 대한 설명으로 가장 옳은 것은?

① 매슬로우(Maslow)는 욕구를 하위 욕구부터 상위욕구까지 총 5단계로 분류하면서, 하위욕구를 충족하게 되면 상위욕구를 추구하게 되나, 하위욕구인 생리적 욕구와 안전욕구는 충족되더라도 필수적 욕구로 동기유발이 지속된다고 주장하였다.

② 허즈버그(Herzberg)의 욕구충족요인 이원론은 불만요인(위생요인)은 개인의 불만족을 방지하는 효과를 가져오는 요인으로 충족이 되지 않으면 심한 불만을 일으키지만 충족이 되면 강한 동기요인이 되기 때문에 개인의 불만에 대하여 관심을 갖고 관리해야 한다고 주장하였다.

③ 앨더퍼(Alderfer)의 ERG이론은 머슬로의 욕구 5단계이론과 달리, 욕구 추구는 분절적으로 일어날 수도 있지만, 두 가지 이상의 욕구를 동시에 추구하기도 한다고 주장하였다.

④ 매클랜드(McClelland)는 성취동기이론에서 공식조직이 개인의 행태에 미치는 영향 연구를 통하여 미성숙 상태에서 성숙 상태로 발전하는 성격 변화의 경험이 성취동기의 기본이 된다고 주장하였다.

19 학습이론의 접근방법

행동을 결정하는 데 외적 선행 자극이나 결과로서의 자극뿐만 아니라 내면적 욕구, 만족, 기대 등도 함께 영향을 미친다는 이론은 사회적 학습이론이다. 인식론적 학습이론이란 인간 내면의 기대, 욕구 및 만족 등 인간의 심리가 표면상 드러나는 행태 및 외부 자극보다 학습에 영향을 더 미친다는 이론이다.

답 ③

20 동기이론

앨더퍼(Alderfer)는 인간의 욕구를 생존욕구(E : Existence), 관계욕구(R: Relatedness), 성장욕구(G : Growth)의 3가지 계층으로 분류하고 계층에 따라 욕구의 발로가 이루어진다고 규정한 점에서 매슬로우(Maslow)의 욕구단계이론과 유사하나, 좌절·퇴행하는 경우를 제시하여 매슬로우(Maslow) 이론의 한계를 보완하였다. EGR이론은 욕구 추구는 분절적으로 일어날 수도 있지만, 두 가지 이상의 욕구가 복합적으로 동시 작용하여 하나의 행동을 유발할 수도 있다고 주장하였다.

선지분석

① 매슬로우(Maslow)는 하위욕구를 충족하게 되면 상위 욕구를 추구하게 되며, 하위욕구는 어느 정도 충족이 될 경우 동기 부여의 효과가 약해지고 다음 단계의 욕구를 추구하게 된다고 주장하였다.

② 허즈버그(Herzberg)의 욕구충족요인 이원론은 불만요인(위생요인)이 충족되지 않으면 심한 불만을 일으키지만 충족이 되더라도 동기요인으로 작용하지는 않는다고 주장하였다.

④ 공식조직이 개인의 행태에 미치는 영향 연구를 통하여 미성숙 상태에서 성숙 상태로 발전하는 성격 변화의 경험이 성취동기의 기본이 된다고 주장한 이론은 아지리스(Argyris)의 성숙 – 미성숙 이론이다.

답 ③

21 □□□

2019년 국가직 9급

동기이론에 대한 설명으로 옳지 않은 것은?

① 매슬로우(Maslow)는 충족된 욕구는 동기부여의 역할이 약화되고 그 다음 단계의 욕구가 새로운 동기요인이 된다고 하였다.
② 앨더퍼(Alderfer)는 매슬로우(Maslow)의 5단계 욕구이론을 수정해서 인간의 욕구를 3단계로 나누었다.
③ 허즈버그(Herzberg)는 불만요인(위생요인)을 없앤다고 해서 적극적으로 만족감을 느끼는 것은 아니라고 했다.
④ 브룸(Vroom)의 기대이론에서 수단성(instrumentality)은 특정한 결과에 대한 선호의 강도를 의미한다.

22 □□□

2019년 지방직 7급

동기이론에 대한 설명으로 옳은 것은?

① 매슬로우(Maslow)의 욕구 5단계론은 욕구가 상위 수준에서 하위 수준으로 후퇴할 수도 있다고 본다.
② 앨더퍼(Alderfer)의 ERG이론은 상위 욕구가 만족되지 않으면, 하위 욕구를 더욱 충족시키고자 한다고 주장한다.
③ 허즈버그(Herzberg)의 욕구충족 이원론은 '감독자와 부하의 관계'를 만족 요인 중 하나로 제시한다.
④ 포터와 롤러(Porter & Lawler)의 업적 · 만족이론은 성과보다는 구성원의 만족이 직무성취를 가져온다고 지적한다.

21 동기이론

특정한 결과에 대한 선호의 강도를 나타내는 것은 유의성(valence)이다. 기대감(expectancy)은 노력을 투입하면 성과가 나오리라는 주관적 기대감이고, 수단성(instrumentality)은 성과가 바람직한 보상을 가져다줄 것이라고 믿는 주관적인 정도를 뜻한다.

선지분석

① 매슬로우(Maslow)는 한 단계의 욕구가 완전히 달성되어야 다음단계로 진행되는 것은 아니며, 어느 정도 충족되면 그 욕구의 강도는 약화되고 다음단계의 욕구가 발생한다고 보았다.
② 앨더퍼(Alderfer)는 매슬로우(Maslow)의 이론을 보완하였고, 인간의 욕구를 생존욕구, 관계욕구, 성장욕구로 분류하였다.
③ 허즈버그(Herzberg)는 만족을 주는 동기요인과 불만을 제거하는 위생요인이 별개의 차원으로 상호 독립되어있다고 주장하였다.

답 ④

22 동기이론

앨더퍼(Alderfer)의 ERG이론은 욕구의 좌절과 퇴행현상을 주장한다.

선지분석

① 매슬로우(Maslow)의 욕구 5단계론은 욕구가 상위 수준에서 하위 수준으로 후퇴하지 않는다고 본다.
③ 허즈버그(Herzberg)의 욕구충족 이원론에 따르면 대인관계는 위생 요인에 해당한다.
④ 기존의 기대이론이 욕구의 충족이 업적의 달성을 가져온다고 보았던 것에 반해, 포터와 롤러(Porter & Lawler)는 업적의 달성이 만족을 가져온다는 인과관계를 상정한다.

답 ②

23 □□□

2019년 서울시 7급

동기이론에 대한 설명으로 가장 옳지 않은 것은?

① 브룸(Vroom)의 기대이론 – 개인은 투입한 노력 대비 결과의 비율을 준거 인물의 그것과 비교하여 불균형이 발생했을 때 이를 조정하려 한다.

② 앨더퍼(Alderfer)의 ERG이론 – 개인의 욕구 동기는 생존욕구, 관계욕구, 성장요구 세 단계로 구분된다.

③ 맥클랜드(McClelland)의 성취동기이론 – 개인의 욕구는 성취욕구, 친교욕구, 권력욕구로 구분되며, 성취욕구의 중요성을 강조한다.

④ 허즈버그(Herzberg)의 2요인이론 – 개인은 서로 별개인 만족과 불만족의 감정을 가지는데, 위생요인은 개인의 불만족을 방지해주는 요인이며, 동기요인은 개인의 만족을 제고하는 요인이다.

24 □□□

2016년 지방직 9급

동기이론에 대한 설명으로 옳지 않은 것은?

① 매슬로우(Maslow)는 상위 차원의 욕구가 충족되지 못하거나 좌절될 경우, 하위 욕구를 더욱 더 충족시키고자 한다고 주장하였다.

② 앨더퍼(Alderfer)는 ERG이론에서 매슬로우의 욕구 5단계를 줄여서 생존욕구, 대인관계욕구, 성장욕구의 세 단계를 제시하였다.

③ 허츠버그(Herzberg)는 욕구충족요인 이원론에서 불만족요인(위생요인)을 제거한다고 해서 만족을 보장하는 것은 아니라고 주장하였다.

④ 애덤스(Adams)는 형평성이론에서 자신의 노력과 그 결과로 얻어지는 보상과의 관계를 다른 사람의 것과 비교해 상대적으로 느끼는 공평한 정도가 행동동기에 영향을 준다고 본다.

23 동기이론

개인이 투입한 노력 대비 결과의 비율이 준거 인물의 그것과 비교하여 불균형이 발생했을 때 이를 조정하려 한다는 이론은 아담스(Adams)의 공정성이론이다.

선지분석

② 앨더퍼(Alderfer)의 ERG이론은 인간의 욕구를 생존욕구, 관계욕구, 성장욕구로 분류하고 계층에 따라 욕구의 발로가 이루어진다고 규정한다.

③ 맥클랜드(McClelland)를 욕구를 권력욕구, 친교욕구, 성취욕구로 분류하고 권력욕구에서 성취욕구로 갈수록 더 상위 차원의 욕구라고 보며 특히 성취욕구의 중요성을 강조한다.

④ 허즈버그(Herzberg)는 동기유발 관련 요인을 위생(불만)요인과 동기(만족)요인으로 이원화하였다. 위생요인의 충족은 불만을 제거해주는 소극적·단기적 효과이고 동기를 유발하지는 못하는 반면, 동기요인의 충족은 직무 자체에 만족을 주고 동기를 유발하는 적극적 효과이고 충족되지 않더라도 불만을 초래하지 않는다고 본다.

답 ①

24 동기이론

매슬로우(Maslow)는 상위 차원의 욕구가 충족되지 못하거나 좌절될 경우에 욕구가 역순으로 진행될 수 있다는 것을 고려하지 못하였다. 다섯 가지의 기본적 욕구(생리 – 안전 – 사회적 – 존경 – 자아실현)는 우선순위의 계층을 이루고, 욕구가 충족이 되면 그 욕구의 강도가 약해지며 동기유발요인으로서의 의미를 상실한다고 보았다.

선지분석

③ 허즈버그(Herzberg)는 욕구충족요인 이원론에서 불만족요인과 만족요인은 상호 독립적으로 작용하기 때문에, 불만족요인을 제거한다고 해서 만족을 보장하는 것은 아니라고 주장하였다.

④ 애덤스(Adams)의 형평성이론에 따르면, 자신의 노력과 그 결과로 얻어지는 보상과의 관계를 준거인물과 비교해 상대적으로 불공평하다고 느낀다면 그 불공평한 상태를 해소하는 방향으로 동기가 유발된다고 보았다.

답 ①

25 □□□

2015년 서울시 7급

신고전적 조직이론을 태동시킨 인간관계론 주창자들에 대한 설명 중 가장 옳지 않은 것은?

① 메이요(Mayo) 등은 호손(hawthorne) 공장 실험을 통해 조직의 생산성에 대한 구성원들 간의 사회적 관계의 중요성을 확인하였다.
② 맥그리거(McGregor)는 전통적 조직이론의 인간관을 위생이론(hygene theory), 새로운 조직이론의 인간관을 동기이론(motivation theory)으로 구분하였다.
③ 리커트(Likert)는 지원적 관계의 원리와 참여관리의 가치에 따라 구성원의 참여를 통해 조직의 효과성을 제고할 수 있다고 주장하였다.
④ 아지리스(Argyris)는 개인의 성격은 미성숙한 상태에서 성숙한 상태로 변하며 이러한 성격 변화는 하나의 연속선상에 있다고 주장하였다.

26 □□□

2010년 국가직 7급

동기부여이론에 대한 설명으로 옳지 않은 것은?

① 매슬로우(Maslow)는 개인의 욕구는 학습되는 것이므로 개인마다 그 욕구의 계층에 차이가 많이 난다고 주장했다.
② 앨더퍼(Alderfer)의 ERG이론은 Maslow와는 달리 순차적인 욕구발로뿐만 아니라 욕구좌절로 인한 욕구발로의 후진적 · 하향적 퇴행을 제시하고 있다.
③ 허즈버그(Herzberg)의 욕구충족요인 이원론에 대해 직무요소와 동기 및 성과 간의 관계가 충분히 분석되어 있지 않다는 비판이 있다.
④ 로크(Locke)의 목표설정이론은 인간의 행동이 의식적인 목표와 성취의도에 의해 결정된다고 가정한다.

25 인간관계론

전통적 조직이론의 인간관을 위생이론(hygene theory), 새로운 조직이론의 인간관을 동기이론(motivation theory)으로 구분한 것은 허즈버그(Herzberg)이다. 맥그리거(McGregor)는 전통적 조직이론의 피동적 인간관을 X이론, 새로운 조직이론의 능동적 인간관을 Y이론으로 구분하였다.

선지분석

① 메이요(Mayo)는 호손(hawthorne) 공장 실험을 통해 조직의 생산성에 대한 구성원들 간의 사회적 관계와 심리적 만족 감등의 중요성을 확인하여, 사회적 능률성을 중시하는 인간관계론을 주장하였다.
③ 리커트(Likert)는 맥그리거(McGregor)의 X·Y이론을 세분화하여 관리체제를 네 가지로 분류하고 관리자들의 관리전략을 조사하였는데, 구성원의 참여가 높을수록 조직의 효과성을 제고할 수 있다고 보았다.
④ 아지리스(Argyris)는 개인의 성격은 미성숙한 상태에서 성숙한 상태로 변하며 이러한 성격 변화는 하나의 연속선상에 있다고 주장하였다. 아지리스는 미성숙을 조장하는 고전적 관리전략을 대체할 관리전략으로 조직원이 조직의 성공을 위한 성장지향적 욕구를 충족할 수 있도록 성장의 기회를 부여해야 함을 강조하였다.

답 ②

26 동기부여이론

매슬로우(Maslow)는 중요성에 따라 욕구를 다섯 가지 계층(생리 - 안전 - 소속 - 존경 - 자아실현)으로 분류하고, 각 단계의 욕구가 순차적으로 유발된다고 보았다. 다섯 가지의 기본적인 욕구는 우선순위의 계층을 이루고 하위 욕구가 충족되면 다음 단계로 진행된다. 매슬로우(Maslow)는 모든 사람이 공통적으로 유사한 욕구의 계층을 가지고 있다고 주장하였다. 이러한 매슬로우(Maslow)의 욕구계층이론을 비판하며 등장한 맥클리랜드(McClelland)의 성취동기이론은 욕구를 사회문화와 상호작용하는 과정에서 학습되는 것으로 보고, 개인마다 욕구의 계층에 차이가 있다고 주장하였다.

선지분석

② 앨더퍼(Alderfer)의 ERG이론은 이른바 좌절-퇴행이론으로, 추구하던 욕구가 좌절하게 되면 욕구발로가 후진적으로 퇴행하여 하위욕구를 추구하게 된다고 본다.
③ 허즈버그(Herzberg)의 욕구충족요인 이원론은 직무요소와 동기 및 성과 간의 인과관계의 분석이 미흡하며, 특정 전문직 계층을 대상으로 하여 중요사건 기록법으로 연구를 진행하였다는 한계가 있다.
④ 로크(Locke)의 목표설정이론은 인간의 행동이 의식적인 목표와 성취의도에 의해 결정된다고 가정하고, 목표가 도전적이고 명확할 때 동기가 유발된다고 보았다.

답 ①

27 □□□

2013년 국가직 9급

동기부여이론가들과 그 주장에 바탕을 둔 관리방식을 연결한 것이다. 이들 중 동기부여 효과가 가장 낮다고 판단되는 것은?

① 매슬로우(Maslow) - 근로자의 자아실현욕구를 일깨워 준다.
② 허즈버그(Herzberg) - 근로 환경 가운데 위생요인을 제거해 준다.
③ 맥그리거(McGregor) - 근로자들은 작업을 놀이처럼 즐기고 스스로 통제할 줄 아는 존재이므로 자율성을 부여한다.
④ 앨더퍼(Alderfer) - 개인의 능력개발과 창의적 성취감을 북돋운다.

28 □□□

2015년 국회직 8급

조직 구성원의 동기유발이론에 대한 다음 설명 중 옳지 않은 것은?

① 허즈버그(Herzberg)의 이론은 실제의 동기유발과 만족 자체에 중점을 두고 있기 때문에 하위 욕구를 추구하는 계층에 적용하기가 용이하다.
② 앨더퍼(Alderfer)의 이론은 두 가지 이상의 욕구가 동시에 작용되기도 한다는 복합연결형의 욕구 단계를 설명한다.
③ 브룸(Vroom)의 이론은 동기부여의 방안을 구체적으로 제시하지 못하는 한계가 있다.
④ 맥그리거(McGregor)의 이론에서 X이론은 하위 욕구를, Y이론은 상위 욕구를 중시한다.
⑤ 매슬로(Maslow)의 이론은 인간의 동기가 생리적 욕구, 안전의 욕구, 소속의 욕구, 존경의 욕구, 자아실현의 욕구라는 순서에 따라 순차적으로 유발된다고 본다.

27 동기부여이론

허즈버그(Herzberg)는 불만을 제거해주는 위생요인과 만족을 주는 동기요인은 별개이고, 위생요인의 제거가 곧 동기부여를 가지고 오는 것은 아니라고 보았다. 동기를 부여하고 생산성을 높일 수 있는 방법은 만족요인의 충족이다.

(선지분석)

① 매슬로우(Maslow)의 욕구 단계 중 자아실현 욕구는 가장 높은 단계의 욕구이다.
③ 맥그리거(McGregor)는 매슬로우(Maslow)의 이론을 토대로 인간관에 따라 X이론과 Y이론으로 분류하였고, Y이론은 인간이 일을 좋아하고 스스로 책임지며 자기실현을 추구하는 적극적·능동적 인간이라고 가정하였다.
④ 앨더퍼(Alderfer)의 ERG이론에서 능력개발과 창의적 성취감은 성장욕구(G)이다.

답 ②

28 조직 구성원의 동기유발이론

허즈버그(Herzberg)의 이론은 동기유발에 관심을 두는 것이 아니라 만족 그 자체에 중점을 두고 있기 때문에 하위 욕구를 추구하는 계층에게는 적용하기가 곤란하다.

(선지분석)

② 앨더퍼(Alderfer)는 두 가지 이상의 욕구가 복합적으로 동시 작용하여 하나의 행동을 유발한다고 주장하였다.
③ 브룸(Vroom)은 내용이론이 제시하지 못한 동기부여의 과정적 차원을 설명하고 있으나, 동기부여 방안을 구체적으로 제시하지 못했다는 한계가 있다.
④ 맥그리거(McGregor)는 매슬로우(Maslow)의 이론을 토대로 인간관에 따라 X이론과 Y이론으로 분류하고, X이론은 하위 욕구를 중시하고 Y이론은 상위 욕구를 중시한다고 주장하였다.
⑤ 매슬로우(Maslow)는 동기의 중요성에 따라 욕구를 다섯 가지 단계(생리 - 안전 - 소속 - 존경 - 자아실현)로 분류하고, 각 단계의 욕구가 순차적으로 유발된다고 보았다.

답 ①

29 □□□

2017년 국회직 8급

다음 조직이론 중 동기부여이론에 대한 설명으로 옳지 않은 것은?

① 앨더퍼(Alderfer)의 ERG이론 – 상위욕구가 만족되지 않거나 좌절될 때 하위 욕구를 더욱 충족시키고자 한다는 좌절-퇴행 접근법을 주장한다.

② 아담스(Adams)의 형평성이론 – 자신의 노력과 그 결과로 얻어지는 보상과의 관계를 다른 사람의 것과 비교해 상대적으로 느끼는 공평한 정도가 행동동기에 영향을 준다고 주장한다.

③ 맥클리랜드(McClelland)의 성취동기이론 – 동기는 학습보다는 개인의 본능적 특성이 중요하게 작용하며 사회문화와 상호작용하는 과정에서 취득되는 것으로 친교욕구, 성취욕구, 성장욕구가 있다고 보았다.

④ 브룸(Vroom)의 기대이론 – 동기부여의 정도는 사람들이 선호하는 결과를 가져올 때, 자신의 특정한 행동이 그 결과를 가져오는 수단이 된다고 믿는 정도에 따라 달라진다고 본다.

⑤ 로크(Locke)의 목표설정이론 – 구체적이고 어려운 목표의 설정과 목표성취도에 대한 환류의 제공이 업무담당자의 동기를 유발하고 업무성취를 향상시킨다고 본다.

30 □□□

2016년 서울시 7급

조직인의 동기이론에 대한 설명으로 가장 옳지 않은 것은?

① 핵맨과 올드햄(Hackman & Oldham)의 직무특성이론에 의하면 직무특성을 결정하는 변수로 기술다양성, 직무정체성, 직무중요성, 자율성, 환류를 들고 있다.

② 앨더퍼(Alderfer)의 ERG이론에 의하면 상위 욕구가 만족되지 않거나 좌절될 때 하위 욕구를 더욱 충족시키고자 한다는 좌절 – 퇴행법을 주장하였다.

③ 허즈버그(Herzberg)의 욕구충족요인 이원론에서 불만요인은 개인의 불만족을 방지하는 효과를 가져오는 요인으로서, 충족되면 만족감을 갖게 되어 동기가 유발된다.

④ 맥클리랜드(McClelland)의 성취동기이론에 의하면 성취욕구는 행운을 바라는 대신 우수한 결과를 얻기 위해 높은 기준을 설정하고 이를 달성하려는 욕구이다.

29 동기부여이론

맥클리랜드(McClelland)는 인간의 욕구는 사회문화적으로 학습되는 것이라고 규정하면서 욕구를 권력욕구, 친교욕구, 성취욕구로 분류하였다.

선지분석

① 앨더퍼(Alderfer)는 욕구만족 시 욕구발로의 전진적·상향적인 진행뿐만 아니라 욕구좌절로 인한 욕구발로의 후진적·하향적인 퇴행을 제시하였다.

② 아담스(Adams)는 개인은 준거인(비교대상)과 비교하여 자신의 투입(노력)과 산출(보상) 간에 불일치를 지각하면, 이를 제거하는 방향으로 동기가 부여된다고 주장하여 공정한 보상의 중요성을 인식시켰다.

④ 브룸(Vroom)은 동기부여의 정도는 기대감(E), 수단성(I), 유인가(V)에 의해 결정된다고 주장하였다.

⑤ 로크(Locke)는 인간의 행동이 의식적인 목표와 성취의도에 의하여 결정된다고 보고, 목표의 난이도가 높아 도전적이고 구체적이며 명확할 때 동기가 유발된다고 주장하였다.

답 ③

30 조직인의 동기이론

허즈버그(Herzberg)는 동기유발과 관련된 요인을 불만요인과 만족요인으로 이원화하였다. 불만요인의 충족은 불만을 제거해주는 소극적이고 단기적인 효과이고, 만족요인의 충족은 직무 자체에 만족을 주고 동기를 유발하는 적극적인 효과이다. 두 요인은 상호 독립적이기 때문에 불만요인의 제거가 곧 만족요인의 충족은 아니며, 동기유발을 위해서는 만족요인의 충족이 필요하다.

선지분석

① 핵맨과 올드햄(Hackman & Oldham)의 직무특성이론에 의하면 직무특성을 결정하는 다섯 가지 변수는 기술다양성, 직무정체성, 직무중요성, 자율성, 환류이고, 이 중 자율성과 환류는 다른 변수보다 더 중요하다.

② 앨더퍼(Alderfer)는 ERG이론에서 상위 욕구가 만족되지 않거나 좌절될 때 하위 욕구를 더욱 충족시키고자 하위 욕구로 욕구의 발로가 퇴행하게 된다는 좌절 – 퇴행법을 주장하였다.

④ 맥클리랜드(McClelland)의 성취동기이론에 의하면 욕구에는 권력욕구, 친교욕구, 성취욕구가 있고, 성취욕구는 행운을 바라는 대신 우수한 결과를 얻기 위해 높은 기준을 설정하고 이를 달성하려는 욕구이다. 한편 맥클리랜드는 욕구가 사회문화와 상호작용하는 과정에서 학습되므로, 개인마다 추구하는 욕구의 계층에 차이가 존재한다고 주장하였다.

답 ③

31 □□□

2016년 사회복지직 9급

동기이론에 대한 설명으로 옳지 않은 것은?

① 매슬로우(Maslow)의 욕구계층론에 대하여는 각 욕구 단계가 명확히 구분되지 않는다는 비판이 있다.
② 앨더퍼(Alderfer)는 ERG이론에서 두 가지 이상의 욕구가 동시에 작용되기도 한다고 주장한다.
③ 허즈버그(Herzberg)의 욕구충족요인 이원론에 대하여는 개인의 욕구 차이에 대한 충분한 고려가 없다는 비판이 있다.
④ 맥클리랜드(McClelland)의 성취동기이론은 개인의 욕구를 성취욕구, 친교욕구, 권력욕구로 분류하고 권력욕구가 높을수록 생산성이 높아진다고 주장한다.

31 동기이론

맥클리랜드(McClelland)의 성취동기이론에 의하면 성취욕구가 높을수록 생산성이 높아진다고 본다.

선지분석

① 매슬로우(Maslow)는 욕구를 다섯 가지 단계로 분류하였으나, 각 욕구 단계가 명확하게 구분되지 않는다는 비판을 받는다.
② 앨더퍼(Alderfer)는 두 가지 이상의 욕구가 복합적으로 동시 작용하여 하나의 행동을 유발한다고 주장하였다.
③ 허즈버그(Herzberg)는 개인의 연령, 지위 등에 따라 위생·동기요인이 개인에게 미치는 영향이 다를 수 있음을 간과하였다는 비판을 받는다.

답 ④

32 □□□

2011년 서울시 9급

조직 내 인간의 행동은 여러 가지 개인 수준의 변수의 영향으로 인해 다양하게 나타난다. 다음 동기이론에 대한 설명 중 적절한 것은?

① 매슬로우(Maslow)는 두 가지 이상의 복합적인 욕구가 하나의 행동을 유발할 수 있다고 보았다.
② 앨더퍼(Alderfer)도 매슬로우(Maslow)와 같이 욕구 만족 시 욕구 발로의 점진적 · 상향적 진행만을 강조하는 공통점이 있다.
③ 맥클리랜드(McClelland)는 개인의 행동을 동기화시키는 잠재력을 지니고 있는 욕구는 학습되는 것이므로 개인마다 욕구의 계층에 차이가 있다고 주장하였다.
④ 샤인(Schein)의 복잡한 인간관은 연구자료가 중요사건기록법을 근거로 수집되었다는 한계를 갖는다.
⑤ 허즈버그(Herzberg)는 직무수행자의 성장욕구가 낮은 경우에는 단순한 직무를 제공하는 동기유발전략이 필요하다고 한다.

32 동기이론

맥클리랜드(McClelland)는 모든 사람이 공통적으로 유사한 욕구의 계층을 가지고 있다고 주장한 매슬로우(Maslow)의 이론을 비판하며, 욕구는 사회문화와 상호작용하는 과정에서 학습되는 것이므로 개인마다 욕구의 계층에 차이가 있다고 주장하면서 욕구를 권력욕구, 친교욕구, 성취욕구로 분류하였다.

선지분석

① 두 가지 이상의 복합적인 욕구가 하나의 행동을 유발할 수 있다고 본 이론은 앨더퍼(Alderfer)의 ERG이론이다.
② 앨더퍼(Alderfer)는 매슬로우(Maslow)와 다르게 욕구의 하향적 진행(퇴행)을 강조하였다.
④ 연구자료가 중요사건기록법을 근거로 수집되었다는 한계를 갖는 이론은 허즈버그(Herzberg)의 욕구충족요인 이원론이다.
⑤ 직무수행자의 성장욕구가 낮은 경우에는 단순한 직무를 제공하는 동기유발전략이 필요하다고 본 것은 핵크만과 올드햄(Hackman & Oldham)의 직무특성이론이다.

답 ③

33 □□□

2008년 지방직 7급

동기이론에 대한 설명으로 옳지 않은 것은?

① 맥클리랜드(McClelland)는 성공적인 기업가가 되게 하는 요인이 어떤 물질적인 것이 아닌 성취욕구라는 점을 입증하고자 하였다.

② 직무특성이론은 직무의 특성이 직무수행자의 성장욕구 수준에 부합될 때 동기유발에 긍정적인 성과를 내게 된다고 본다.

③ 허즈버그(Herzberg)의 욕구충족이론은 조직 구성원에게 불만족을 주는 요인과 만족을 주는 요인은 상호 독립되어 있다고 제시한다.

④ 기대이론에 의하면 인간은 자신의 투입에 대한 산출의 비율보다 비교대상의 투입에 대한 산출의 비율이 크거나 작다고 지각하면 이에 따른 긴장을 해소하기 위한 방향으로 동기가 유발된다.

34 □□□

2013년 국회직 8급

다음 중 동기부여이론에 대한 설명으로 옳지 않은 것은?

① 매슬로우(Maslow)의 욕구계층론에 의하면 인간의 욕구는 생리적 욕구, 안전욕구, 사회적 욕구, 존중욕구, 자기실현욕구의 5개로 나누어져 있으며, 하위 계층의 욕구가 충족되어야 상위 계층의 욕구가 나타난다.

② 허즈버그(Herzberg)의 동기 - 위생이론에 따르면 욕구가 충족되었다고 해서 모두 동기부여로 이어지는 것은 아니고, 어떤 욕구는 충족되어도 단순히 불만을 예방하는 효과밖에 없다. 이러한 불만 예방효과만 가져오는 요인을 위생요인이라고 설명한다.

③ 애덤스(Adams)의 형평성이론에 의하면 인간은 자신의 투입에 대한 산출의 비율이 비교 대상의 투입에 대한 산출의 비율보다 크거나 작다고 지각하면 불형평성을 느끼게 되고, 이에 따른 심리적 불균형을 해소하기 위하여 형평성 추구의 행동을 작동시키는 동기가 유발된다고 본다.

④ 앨더퍼(Alderfer)는 마슬로우(Maslow)의 욕구계층론을 받아들여 한 계층의 욕구가 만족되어야 다음 계층의 욕구를 중요시한다고 본다. 그리고 이에 더하여 한 계층의 욕구가 충분히 채워지지 않는 상태에서는 바로 하위 욕구의 중요성이 훨씬 커진다고 주장한다.

⑤ 브룸(Vroom)의 기대이론에 의하면 동기의 정도는 노력을 통해 얻게 될 주관적 믿음에 의하여 결정되는데, 특히 성과와 보상 간의 관계에 대한 인식인 기대치의 정도가 동기부여의 중요한 요인이다.

33 동기이론

기대이론이 아니라 아담스(Adams)의 형평성이론에 의하면, 인간은 자신의 투입에 대한 산출의 비율보다 비교대상의 투입에 대한 산출의 비율이 크거나 작다고 지각하면, 이에 따른 긴장을 해소하기 위한 방향으로 동기가 유발된다. 기대이론은 동기의 크기는 결과에 부여하는 가치(결과를 얻으려는 욕구의 크기)와 특정한 행동이 그것을 가져다줄 것이라는 기대를 곱한 것의 합계라고 가정하는 것이다.

선지분석

① 맥클리랜드(McClelland)는 욕구는 사회문화와 상호작용하는 과정에서 학습되는 것으로, 성공적인 기업가가 되게 하는 요인은 성취욕구라고 주장하였다.

② 핵크만과 올드햄(Hackman & Oldham)의 직무특성이론에 따르면 직무의 특성이 직무수행자의 성장욕구 수준에 부합될 때 동기가 유발된다고 보았다. 직무수행자의 성장욕구 수준이 높은 경우 더 많은 자율성을 부여하고 직무수행의 결과를 즉각 알 수 있게 하면 내재적 동기가 유발된다. 반면, 직무수행자의 성장욕구 수준이 낮으면 정형화된 단순 직무를 부여하여야 동기가 유발된다.

답 ④

34 동기부여이론

성과와 보상 간의 관계에 대한 인식은 수단성에 대한 것이다. 기대감(기대치)은 일정한 노력을 기울이면 성과를 가져올 수 있다는 성공확률에 대한 주관적인 믿음이며, 유인가는 특정한 보상에 대한 주관적인 선호의 강도를 뜻한다. 브룸(Vroom)의 기대이론에 의하면 동기의 강도는 이러한 유인가, 수단성, 기대감에 의하여 결정된다.

답 ⑤

35 □□□

2013년 서울시 7급

동기부여이론에 대한 설명 중 옳은 것은?

① 허즈버그(Herzberg)의 욕구충족요인 이원론에 따르면 보수는 매우 중요한 동기요인이다.
② 내용이론에는 형평성이론과 기대이론이 있다.
③ 동기부여란 개인과 조직이 욕구의 결핍을 충족하기 위한 수단을 탐색하는 과정지향적 행동을 의미한다.
④ 포터(Peter)와 롤러(Lawler)는 보상의 공정성에 대한 개인의 만족감을 주요변수로 삼아 기대이론을 보완하였다.
⑤ 매슬로우(Maslow)에 따르면 자기실현욕구는 사람마다 큰 차이가 없다.

36 □□□

2017년 서울시 7급

주요 동기부여이론과 그로부터 도출할 수 있는 올바른 동기부여 방안이 가장 바르게 연결된 것은?

① 브룸(Vroom)의 기대이론 – 개인의 선호에 부합하는 결과물을 유인으로 제시한다.
② 로크(Locke)의 목표설정이론 – 평이하고 구체적인 목표를 제시한다.
③ 허즈버그(Herzberg)의 2요인이론 – 낮은 보수를 인상한다.
④ 아담스(Adams)의 형평성이론 – 프로젝트에 참여한 모든 사람에게 동일한 보상을 한다.

35 동기부여이론

포터(Poter)와 롤러(Lawler)의 성과 – 만족이론은 보상의 공정성에 대한 개인의 만족감을 주요변수로 삼아 기대이론을 보완·발전시켰다.

선지분석

① 허즈버그(Herzberg)는 동기유발과 관련된 요인을 불만(위생)요인과 만족요인으로 이원화하였고 보수는 이 중 위생요인이다. 위생요인의 충족은 불만을 제거해주는 소극적이고 단기적인 효과로 동기를 유발하지 못한다.
② 아담스(Adams)의 형평성이론과 기대이론은 과정이론에 해당한다. 과정이론은 욕구의 충족과 동기부여 사이에 직접적인 인과관계를 인정하지 않고 인간행동의 동기유발이 어떤 과정(How)을 거쳐서 이루어지는가를 설명하는 이론으로 내용이론을 보완하는 데 중점을 둔다.
③ 동기부여란 개인과 조직이 욕구의 결핍을 충족하기 위한 수단을 탐색하는 목적지향적 행동을 의미한다.
⑤ 매슬로우(Maslow)에 따르면 자기실현욕구는 사람마다 큰 차이가 있다.

답 ④

36 동기부여이론

브룸(Vroom)은 동기부여의 정도가 기대감(E), 수단성(I), 유인가(V)에 의해 결정된다고 주장하였으므로, 개인의 선호에 부합하는 결과물을 제시하여 유인가를 높이는 것은 올바른 동기부여의 방안이 될 수 있다.

선지분석

② 로크(Locke)의 목표설정이론은 목표가 도전적이고 명확할 때 동기가 유발된다고 본다.
③ 허즈버그(Herzberg)의 2요인이론은 자아실현 등 동기요인이 충족되면 동기가 유발된다고 본다.
④ 아담스(Adams)의 형평성이론은 준거인과 비교하여 자신의 노력과 그 산출 간 불일치를 지각하면 이를 제거하는 방향으로 동기가 부여된다고 본다.

답 ①

37 □□□

2014년 서울시 9급

조직 구성원의 인간관에 따른 조직관리와 동기부여에 관한 이론들로서 바르게 설명한 것을 모두 고른 것은?

> ㄱ. 허즈버그의 욕구충족요인 이원론에 의하면, 불만요인을 제거해야 조직원의 만족감을 높이고 동기가 유발된다는 것이다.
> ㄴ. 로크의 목표설정이론에 의하면, 동기유발을 위해서는 구체성이 높고 난이도가 높은 목표가 채택되어야 한다는 것이다.
> ㄷ. 합리적 · 경제적 인간관은 테일러의 과학적 관리론, 맥그리거의 X이론, 아지리스의 미성숙인이론의 기반을 이룬다.
> ㄹ. 자아실현적 인간관은 호손실험을 바탕으로 해서 비공식적 집단의 중요성을 강조하며, 자율적으로 문제를 해결하도록 한다.

① ㄱ, ㄴ, ㄷ, ㄹ
② ㄱ, ㄴ, ㄷ
③ ㄱ, ㄴ, ㄹ
④ ㄴ, ㄷ
⑤ ㄷ, ㄹ

38 □□□

2015년 사회복지직 9급

다음의 동기부여이론과 학자에 대한 내용 중 옳은 것만을 모두 고른 것은?

> ㄱ. 인간의 욕구에는 존재, 관계, 성장 등의 욕구가 있으며, 두 가지 이상의 욕구가 복합적으로 작용하여 하나의 행동을 유발한다고 주장한 학자는 앨더퍼(Alderfer)이다.
> ㄴ. 욕구는 학습되는 것이므로 개인마다 욕구 계층에 차이가 있고, 학습된 욕구들은 성취 · 권력 · 친교욕구 등으로 구분할 수 있다고 주장한 학자는 맥클리랜드(McClelland)이다.
> ㄷ. 동기유발은 과업에 대한 개인의 기대감, 수단성, 보상의 유의미성에 의해 결정된다고 주장한 학자는 샤인(Schein)이다.
> ㄹ. 인간의 욕구체계는 매우 복잡하고 때와 장소, 조직생활의 경험, 직무 등 여러 상황에 따라서 달라진다고 주장한 학자는 핵맨(Hackman)과 올드햄(Oldham)이다.

① ㄱ, ㄴ
② ㄱ, ㄹ
③ ㄴ, ㄷ
④ ㄷ, ㄹ

37 조직관리와 동기부여

ㄴ. 로크(Locke)는 목표의 난이도가 높아 도전적이고 구체적이며 명확할 때 동기가 유발된다고 보았다.
ㄷ. 합리적·경제적 인간관과 관련이 있는 이론으로는 맥그리거(McGregor)의 X이론, 매슬로우(Maslow)의 생리적·안전욕구, 아지리스(Agyris)의 미성숙인, 앨더퍼(Alderfer)의 생존욕구, 과학적 관리론과 고전적 관료제론 등이 있다.

선지분석

ㄱ. 허즈버그(Herzberg)의 욕구충족요인 이원론에 의하면, 불만요인의 제거가 아니라 만족요인의 충족을 통해 조직원의 만족감을 높이고 동기가 유발될 수 있다.
ㄹ. 호손실험을 바탕으로 하는 인간관은 사회적 인간관이다.

답 ④

38 동기부여이론

ㄱ. 앨더퍼(Alderfer)의 ERG이론에 대한 설명이다.
ㄴ. 맥클리랜드(McClelland)는 학습에 따른 욕구의 차이를 주장하였다.

선지분석

ㄷ. 샤인이 아니라 브룸(Vroom)이다. 브룸(Vroom)은 동기부여의 정도를 기대감, 수단성, 보상의 유의미성에 의해 결정된다고 주장하였다.
ㄹ. 샤인(Schein)의 복잡인모형에 대한 설명이다. 샤인(Schein)은 인간의 욕구체계는 매우 복잡하고 때와 장소, 조직생활의 경험, 직무 등 여러 상황에 따라서 달라진다고 주장하였다. 핵맨(Hackman)과 올드햄(Oldham)은 직무의 특성이 개인의 심리상태와 결합하여 직무수행자의 욕구수준에 부합될 때 그 직무가 구성원에게 더 큰 의미와 책임감을 주고, 이로 인해 동기가 유발된다는 직무특성이론을 주장하였다.

답 ①

39 □□□

2014년 국가직 9급

조직 구성원들의 동기이론에 대한 설명 중 옳은 것만을 모두 고르면?

ㄱ. ERG이론: 앨더퍼(Alderfer)는 욕구를 존재욕구, 관계욕구, 성장욕구로 구분한 후 상위 욕구와 하위 욕구 간에 '좌절-퇴행' 관계를 주장하였다.
ㄴ. X · Y이론: 맥그리거(McGregor)의 X이론은 매슬로우(Mslow)가 주장했던 욕구계층 중에서 주로 상위 욕구를, Y이론은 주로 하위 욕구를 중요시하였다.
ㄷ. 형평이론: 아담스(Adams)는 자기의 노력과 그 결과로 얻어지는 보상을 준거인물과 비교하여 공정하다고 인식할 때 동기가 유발된다고 주장하였다.
ㄹ. 기대이론: 브룸(Vroom)은 보상에 대한 매력성, 결과에 따른 보상 그리고 결과발생에 대한 기대감에 의해 동기유발의 강도가 좌우된다고 보았다.

① ㄱ, ㄷ
② ㄱ, ㄹ
③ ㄴ, ㄷ
④ ㄷ, ㄹ

39 동기이론

ㄱ. 앨더퍼(Alderfer)는 인간의 욕구를 생존욕구(E), 관계욕구(R), 성장욕구(G)의 세 가지 계층으로 분류하고, 욕구의 좌절과 퇴행을 설명하였다.
ㄹ. 브룸(Vroom)의 기대이론은 기대감, 수단성, 유인가에 의해 동기 유발의 강도가 좌우된다고 보았다.

(선지분석)
ㄴ. 맥그리거(McGregor)의 X·Y이론에 따르면 매슬로우(Maslow)가 주장했던 욕구계층 중에 X이론은 주로 하위 욕구를, Y이론은 주로 상위 욕구를 중요시하였다.
ㄷ. 형평이론은 자기의 노력과 그 결과로 얻어지는 보상을 준거인물과 비교하여 불공정하다고 인식할 때 동기가 유발된다고 주장하였다.

답 ②

THEME 050 조직인의 성격형과 행정문화

40 □□□

2012년 서울시 9급

행정문화의 특성에 대한 설명으로 옳지 않은 것은?

① 구성원의 사고와 행동을 결정하는 요인이다.
② 개인에 의해 표현되지만 문화는 집합적이고 공유적이다.
③ 통합성을 유지하면서 하위문화를 포용한다.
④ 인간의 본능이 아니라 학습을 통해서 익힌 것이다.
⑤ 시간이 흘러도 변하지 않는 지속성을 지닌다.

40 행정문화의 특성

행정문화는 쉽게 변하지 않는 지속성·안정성 및 변동저항성, 지연성을 지니지만 시간이 흐르면 다양한 요인에 의하여 변화한다. 따라서 행정문화의 지속성은 시간이 흘러도 변하지 않는 절대적인 것을 의미하지는 않는다.

(선지분석)
① 행정문화는 구성원인 행정관료의 사고와 행동을 결정하는 요인이다.
② 행정문화는 구성원 간에 공유되는 집합적이고 공유적 특성을 지닌다.
③ 행정문화는 행정문화의 하위문화를 포용한다.
④ 행정문화는 학습성을 띤다.

답 ⑤

41 □□□

2015년 국가직 7급

행정문화란 행정체제의 구성원들이 공유하는 가치와 신념, 그리고 태도와 행동양식의 총체라고 할 수 있다. 호프스테드(Hofstede)의 문화차원을 근거로 하였을 때 한국문화의 특성으로 보기 어려운 것은?

① 개인주의
② 온정주의
③ 권위주의
④ 안정주의

42 □□□

2018년 서울시 9급

조직문화의 일반적 기능에 관한 설명으로 가장 옳지 않은 것은?

① 조직문화는 조직 구성원들에게 소속 조직원으로서의 정체성을 제공한다.
② 조직문화는 조직 구성원들의 행동을 형성시킨다.
③ 조직이 처음 형성되면 조직문화는 조직을 묶어 주는 접착제 역할을 한다.
④ 조직이 성숙 및 쇠퇴 단계에 이르면 조직문화는 조직혁신을 촉진하는 요인이 된다.

41 행정문화

우리나라는 혈연, 지연, 학연 등 특수 관계를 다른 요소보다 중시하는 집단주의의 특성을 갖는다. 개인주의는 선진국의 행정문화의 특성에 해당한다.

(선지분석)

② 온정주의는 인정, 의리 등 정(情)적인 유대관계를 중시하는 문화로, 한국문화의 특성에 해당한다.
③ 권위주의는 조직 내 관계를 불평등한 수직적 관계로 인식하고 위계질서와 지배 복종을 중시하는 문화로, 한국문화의 특성에 해당한다.
④ 한국문화는 변화와 혁신을 추구하기보다 안정지향적이다.

답 ①

42 조직문화의 일반적 기능

조직문화는 쉽게 변화되지 않고 유지·전달되는 지속성을 특징으로 하기 때문에 조직이 성숙 및 쇠퇴 단계에 이르러도 조직문화는 조직의 혁신, 개혁, 변동을 저해한다는 역기능을 가지고 있다.

조직문화의 순기능과 역기능

순기능	역기능
• 조직의 안정성과 계속성 유지 • 행동규범으로서 기능 • 구성원들의 사회화 및 일탈 통제 • 조직의 갈등과 분쟁 최소화	• 개혁과 변동에 장애요소로 작용 • 조직 구성원의 유연성과 창의력을 저하시킴

답 ④

조직과 환경

THEME 051 조직의 환경

01 □□□

2005년 서울시 7급

에밀리(Emery)와 트리스트(Trist)는 조직환경의 복잡성과 변화율을 중심으로 환경유형을 분류하였다. 이에 관한 내용으로 가장 옳은 것은?

① 평온 - 집합적 환경은 변화의 속도는 느리지만, 조직에게 유리한 요소와 위협적인 요소들이 무리를 지어 집합적으로 존재하는 환경이다.

② 교란 - 반응적 환경에서는 조직은 환경에 크게 구애받지 않고 조직에 유리한 환경요소를 선택하여 조직의 계획을 수행해 나갈 수 있다.

③ 평온 - 무작위적 환경에서는 조직은 좀더 장기적인 안목으로 전략을 수립하여 환경에 대응해 나가야 한다.

④ 격변적 환경은 비슷한 목표를 추구하는 경쟁조직들이 많이 존재하는 환경이다.

⑤ 평온 - 무작위적 환경에서는 환경의 구성요소들의 상호 관련성이 매우 높다.

01 환경유형

평온 - 집합적 환경은 환경 변화는 미미하지만 일정한 유형에 따라 군집되어있는 환경으로, 환경요인에 대한 인과관계가 어느 정도 예측이 가능하다.

에밀리(Emily)와 트리스트(Trist)의 환경의 유형과 조직전략

유형	내용
평온·무작위적 환경	• 환경 변화가 미미하고 환경의 구성요소들이 상호 관련성 없이 분포된 환경으로 가장 단순한 유형 • 환경요인의 무작위성은 예측 곤란
평온·집합적 환경	• 환경 변화는 미미하지만 일정한 유형에 따라 군집되어있는 환경 • 유리한 요소와 위협적 요소가 집합적으로 존재 • 환경요인에 대한 인과관계가 어느 정도 예측 가능
교란·반응적 환경	• 유사한 목표를 추구하는 조직들이 많이 등장하여 경쟁적으로 상호작용하는 환경 • 조직은 환경에 크게 영향을 받음 • 조직은 다른 체제의 반응을 고려하여 경쟁하기 위한 전략적 방안을 강구함
격동의 장	• 격동적이고 예측이 어려운 소용돌이 환경 • 조직은 생존을 위해 신제품 개발과 외부요소들과의 관계에 대한 지속적 재평가 필요

답 ①

THEME 052 거시조직이론

02 □□□

2020년 군무원 7급

상황론적 조직이론에 대한 설명으로 옳지 않은 것은?

① 경험적 조직이론으로서 관료제이론과 행정원리론에서 추구한 보편적인 조직원리를 비판하면서 등장하였다.

② 중범위라는 제한된 수준 내에서 일반성과 규칙성의 발견을 추구한다.

③ 상대적인 입장을 취해 조직설계와 관리방식의 융통성을 꾀한다.

④ 독립변수나 상황적 조건들을 한정하거나 유형화 하지 않는 유연한 분석을 통해 문제에 대한 처방을 추구한다.

02 상황론적 조직이론

상황론적 조직이론은 경험적·실증적 연구를 중시하며 과학성을 추구한다. 문제에 대한 처방을 추구하는 이론은 후기 행태론이다.

(선지분석)

① 상황론적 조직이론은 모든 상황에 적용되는 유일·최선의 조직구조나 관리방법은 없다고 보므로, 관료제이론과 행정원리론에서 추구한 보편적인 조직원리를 비판한다.

② 상황론적 조직이론은 중범위라는 제한된 수준 내에서 경험적·실증적 연구를 통하여 일반성과 규칙성의 발견을 추구한다.

③ 상황론적 조직이론은 조직이 처해있는 상황에 따라 조직설계 및 관리방식도 달라져야 한다고 주장한다.

답 ④

03 □□□

2019년 서울시 7급

거시조직이론에 대한 설명으로 가장 옳은 것은?

① 공동체 생태학이론은 조직의 내적 논리를 강조한다.
② 자원의존이론은 환경에 피동적인 조직의 특성을 강조한다.
③ 구조적 상황이론은 환경에 적응하는 조직의 구조 설계를 강조한다.
④ 조직군 생태학이론은 조직의 주도적 선택을 강조한다.

03 | 거시조직이론

구조적 상황이론은 결정론적 입장으로, 상황에 따라 적절하게 적응할 수 있는 조직의 구조 설계를 강조한다.

(선지분석)

① 공동체 생태학이론은 조직을 생태학적 공동체 속에서 상호의존적 관계를 맺고 있는 조직군의 한 구성원으로 파악하는 이론이다. 조직 간의 관계에 초점을 두고 환경에 능동적으로 대처해가는 조직들의 공통된 노력을 설명하며, 다수의 조직들은 상호 호혜적 관계를 형성함으로써 외부환경에 공동으로 대응한다고 보는 이론으로, 조직의 내적 논리를 강조한다고 볼 수 없다.
② 자원의존이론은 자원을 획득하고 유지할 수 있는 능력을 조직생존의 핵심요인으로 보는 전략적 선택이론의 일종이다.
③ 조직군 생태학이론은 환경의 절대적 영향력을 강조한다.

거시조직이론

구분	결정론(환경 → 조직)	임의론(자발론, 환경 ⇄ 조직)
분석수준	조직의 환경에 적응적·수동적인 적응·반응을 중요시하는 입장	조직환경에 대하여 자율적·적극적으로 환경을 형성한다고 보는 입장
개별조직	<체제구조적 관점> 구조적 상황이론(상황적응론)	<전략적 선택관점> 전략적 선택이론, 자원의존이론
조직군	<자연적 선택관점> 조직군생태학이론, 조직경제학이론(주인대리인이론, 거래비용경제학), 제도화이론	<집단적 행동관점> 공동체생태학이론

답 ③

04 □□□

2018년 국가직 9급

상황적응적 접근방법(contingency approach)에 대한 설명으로 옳지 않은 것은?

① 체제이론의 거시적 관점에 따라 모든 상황에 적합한 유일 최선의 관리방법을 모색한다.
② 체제이론에서와 같이 조직은 일정한 경계를 가지고 환경과 구분되는 체제의 하나로 본다.
③ 조직을 구성하고 운영하는 방법의 효율성은 그것이 처한 상황에 의존한다고 가정한다.
④ 연구대상이 될 변수를 한정하고 복잡한 상황적 조건들을 유형화함으로써 거대이론보다 분석의 틀을 단순화한다.

04 | 상황적응적 접근방법

상황적응적 접근방법은 모든 상황에 적용되는 유일·최선의 조직구조나 관리방법은 없으며, 조직이 처해 있는 상황에 따라 조직설계 및 관리방법이 달라져야 한다는 이론이다.

(선지분석)

② 체제이론과 같이 조직을 체제의 하나로 인식한다.
③ 조직을 환경에 대한 종속변수로 이해하는 환경결정론적 이론이다.
④ 상황적응적 이론은 미시이론보다는 확장되었고, 거시이론보다는 축소된 중범위이론에 해당한다.

답 ①

05 □□□

2012년 지방직 7급

조직군생태이론에 대한 설명으로 옳지 않은 것은?

① 조직은 환경을 선택하는 능동적인 존재이다.
② 조직 변화는 종단적 분석에 의해서만 검증 가능하다고 전제한다.
③ 조직이 생겨나고 없어지는 원인을 환경적 적합도에서 찾는다.
④ 전략적 선택이나 집단적 행동의 중요성을 경시한다.

06 □□□

2020년 국가직 7급

다음 상황과 관련 있는 이론은?

- A 보험회사는 보험 가입 대상자의 건강 상태 및 사고 확률에 대한 특수정보를 가지고 있지 않다.
- A 보험회사는 질병 확률 및 사고 확률이 높은 B를 보험에 가입시켜 회사의 보험재정이 악화되었다.

① 카오스 이론
② 상황조건 적합이론
③ 자원의존 이론
④ 대리인 이론

05 조직군생태이론

조직군생태이론은 조직군의 생성과 소멸 과정에 초점을 두고, 조직구조는 환경과의 적합도 수준에 따라 도태되거나 선택된다는 이론이다. 조직군생태이론은 조직이 환경에 적응하는 것이 아니라 환경이 조직을 선택한다고 보는 극단적인 환경결정론 관점의 이론에 해당한다.

조직군생태학이론의 특징

1. 조직이 환경에 적응하는 것이 아니라 환경이 조직을 선택한다는 극단적 환경결정론적 관점의 이론으로, 조직이 환경에 적응한다고 보는 상황이론을 비판한다.
2. 생물학의 자연도태이론, 적자생존의 법칙을 사회현상에 적용한다.

변이	계획적이고 우연한 변화
선택	환경으로부터 선택되거나 도태
보존	선택된 특정조직이 환경에 제도화되고 유지·존속

3. 분석수준을 개별조직에서 조직군으로 전환한다.
4. 조직이 특정 환경에 적합하게 변화해가는 것을 관찰하기 위해 종단적 연구방법을 채택한다.
5. 관리자의 전략적 선택이나 집단적 행동의 중요성을 경시한다.

답 ①

06 대리인 이론

다음 상황은 대리인 이론과 관련된 상황이다. A 보험회사와 B의 정보의 비대칭상황에서, 정보를 알고 있는 B가 정보의 비대칭상황을 이용하여 계약관계의 상대방인 A 보험회사에 대리 손실을 발생시킨 상황이다.

선지분석

① 카오스 이론은 세계가 질서, 혼돈(카오스), 무질서의 세 가지 영역의 교호과정하에 있다고 전제하고 혼돈의 긍정적 측면을 파악하며, 비선형적이고 역동적인 혼돈의 배후에 감추어진 규칙성을 찾고 혼돈의 미래를 예측하고자 하는 이론이다.
② 상황조건 적합이론(상황적응론)은 관료제이론과 행정원리론에서 추구하는 보편적인 조직원리란 존재하지 않는다고 비판하면서 등장한 조직이론으로, 모든 상황에 적용되는 유일·최선의 조직구조나 관리방법은 없으며, 조직이 처해 있는 상황에 따라 조직설계 및 관리방법도 달라져야 한다고 주장하는 이론이다.
③ 자원의존 이론은 자원을 획득하고 유지할 수 있는 능력을 조직 생존의 핵심요인으로 보는 전략적 선택 이론의 일종이다.

답 ④

07 □□□

2020년 지방직 7급

대리인이론에서 주인-대리인 관계의 효율성을 제약하는 요인이 아닌 것은?

① 인간의 인지적 한계와 정보 부족 등으로 인한 합리성 제약
② 정보 비대칭성 혹은 정보 불균형
③ 대리인의 기회주의적 행동 성향
④ 대리인 관계를 설정할 수 있는 다수의 잠재적 당사자(대리인) 존재

08 □□□

2014년 사회복지직 9급

주인과 대리인 관계에서 나타나는 여러 문제를 다루기 위하여 제기된 대리인이론(Agency Theory)에 대한 설명과 가장 거리가 먼 것은?

① 주인과 대리인 모두 자신의 이익을 극대화하려는 합리적 행위자이다.
② 대리인의 선호가 주인의 선호와 일치하지 않을 수 있다.
③ 대리인에게 불리한 선택으로 인한 문제해결에 초점을 둔다.
④ 주인과 대리인 간에는 정보의 비대칭성이 존재한다.

07 대리인이론

대리인 관계를 설정할 수 있는 다수의 잠재적 당사자(대리인)가 존재하면 상호 통제 및 경쟁을 하게 되므로 주인-대리인 관계의 효율성을 증가시킨다.

선지분석

①, ②, ③ 인간의 인지적 한계와 정보 부족 등으로 인한 합리성의 제약, 정보 비대칭성 혹은 정보 불균형, 대리인의 기회주의적 행동 성향 등은 주인-대리인 관계의 효율성을 제약하는 요인으로 대리손실을 유발한다.

답 ④

08 대리인이론

대리인이론은 주인의 시간과 정보의 부족으로 대리인을 완전히 감시·통제하지 못하여 무능력자나 부적격자를 대리인으로 선택하는 등의 주인에게 불리한 선택으로 인한 문제에 초점을 둔다.

선지분석

① 주인과 대리인은 모두 이기적인 존재이고 주인과 대리인 간에 상충적 이해관계가 존재한다.
②, ④ 주인과 대리인 간 정보의 비대칭성, 상황조건의 불확실성이 존재하며 주인과 대리인의 선호가 일치하지 않을 수 있다.

답 ③

09 □□□

2014년 국회직 8급

다음 중 주인-대리인이론에 대한 설명으로 옳은 것은?

① 관료들이 피규제집단의 입장을 옹호하는 소위 관료포획현상은 역선택의 사례이다.
② 도덕적 해이는 주인이 대리인의 업무처리 능력과 지식을 충분히 알지 못해 기준 미달의 대리인을 선택하는 현상이다.
③ 공기업의 민영화는 시장의 경쟁요소를 도입함으로써 역선택을 방지하고자 하는 노력의 일환이다.
④ 정보비대칭을 줄이기 위한 방안으로는 주민참여, 내부고발자 보호제도, 입법예고제도 등이 있다.
⑤ 주인-대리인이론은 대리인의 책임성을 확보할 수 있는 방안을 주로 내부통제에서 찾고 있다.

10 □□□

2017년 서울시 7급

주인-대리인이론(principle-agent theory)에 대한 설명으로 가장 옳지 않은 것은?

① 주인(principal)과 대리인(agent) 모두를 자신의 효용을 극대화시키는 합리적인 인간으로 가정하며 주인이 대리인보다 전문적인 지식이 부족하다고 간주한다.
② 주인이 대리인을 통제하고 감시하는 데 발생하는 비용을 거래비용(transaction cost)이라고 한다.
③ 대리인에 의한 도덕적 해이(moral hazard)는 대리인에게 지급한 성과급이 거래비용보다 클 때 나타난다.
④ 주인과 대리인 간의 정보의 비대칭(information asymmetry)으로 인하여 역선택(adverse selection)이 발생한다.

09 주인-대리인이론

정보의 비대칭을 감소시키기 위해서는 주인인 주민이 직접 참여하거나 내부고발자 보호제도와 같은 감시·통제장치를 마련하고, 인센티브를 제공하는 등의 방안이 있다.

선지분석

① 도덕적 해이의 사례이다.
② 역선택에 대한 설명이다.
③ 시장의 경쟁요소를 도입함으로써 공기업의 방만한 경영을 막고자 하는 것은 도덕적 해이를 방지하고자 하는 노력의 일환이다.
⑤ 주인보다 많은 정보를 보유하고 있는 대리인의 책임성을 확보할 수 있는 방안은 주로 외부통제에서 찾는다.

답 ④

10 주인-대리인이론

대리인에 의한 도덕적 해이(moral hazard)는 대리인에게 지급한 성과급이 거래비용보다 작을 때 나타난다.

대리인문제(역선택, 도덕적 해이) 발생

1. 주인과 대리인은 모두 이기적인 존재이고 주인과 대리인 간에 상충적 이해관계로 인해 발생한다.
2. 주인과 대리인 간 정보의 비대칭성과 상황조건의 불확실성이 존재하여 발생한다.
3. 주인의 시간과 정보의 부족으로 인하여 대리인을 완전히 감시하거나 통제하지 못하여 발생한다.

답 ③

11 □□□

2011년 국가직 9급

윌리암슨(Williamson)의 거래비용이론 관점에서 계층제가 시장보다 효율적일 수 있는 근거로 옳지 않은 것은?

① 계층제는 연속적 의사결정을 용이하게 함으로써 인간의 제한된 합리성을 완화한다.
② 계층제는 집합적 의사결정의 외부비용을 감소시킨다.
③ 계층제는 불확실성을 감소시킨다.
④ 계층제는 정보밀집성의 문제를 극복할 수 있다.

12 □□□

2014년 서울시 7급

현대조직이론의 하나인 거래비용이론에 대한 설명으로 옳은 것은?

① 거래비용의 최소화를 위해서는 거래를 외부화(outsourcing)하는 것이 효율적이다.
② 생산보다는 비용에 관심을 가지며 조직을 거래비용 감소를 위한 장치로 파악한다.
③ 조직통합이나 내부 조직화는 조정비용이 거래비용보다 클 때 효과적이다.
④ 거래비용에는 거래 상대방의 기회주의적 행동에 대한 탐색비용은 포함되지 않는다.
⑤ 거래비용이론은 민간조직보다는 공공조직에서 적용가능성이 높다.

11 윌리암슨(Williamson)의 거래비용이론

윌리암슨(Williamson)의 거래비용이론의 관점에서는 계층제가 시장보다 효율적이라고 본다. 그 이유는 계층제는 거래가 내부화되어 있기 때문에 참여자가 적어 거래비용(의사결정비용)이 적게 들어간다고 보기 때문이다. 즉, 계층제는 집합적 의사결정에서 외부비용은 늘어나지만, 내부비용(의사결정비용)은 감소하게 된다.

선지분석

① 계층제는 정형화된 계층을 통해 연속적 의사결정을 용이하게 함으로써 인간의 제한된 합리성의 문제를 완화할 수 있다.
③ 계층제는 시장에서의 거래에서 발생하게 되는 불확실성을 감소시킨다.
④ 계층제(관료제)는 거래를 내부화함으로써 다양한 정보들이 밀집되어서 발생하는 선택상의 문제를 완화시켜준다.

답 ②

12 거래비용이론

거래비용이론에서 조직은 생존에 필요한 자원을 조직 내부에서 모두 확보할 수 없기 때문에 외부조직들과 거래관계를 형성하게 된다. 여기에서 조직은 거래비용의 감소를 위한 장치이고 조직구조의 효율성은 거래비용의 최소화가 관건이라고 본다.

선지분석

① 거래비용의 최소화를 위해서는 거래의 내부화가 효율적이다.
③ 거래비용이 관료제적 조정비용보다 크면 거래비용의 최소화를 위해 거래의 내부화가 효과적이다. 즉, 조직통합이나 내부 조직화는 조정비용이 거래비용보다 작을 때 이루어진다.
④ 거래비용에는 탐색비용, 정보이용비용 등이 모두 포함된다.
⑤ 거래비용이론은 효율성만을 고려한 이론이므로 공공성이나 형평성을 고려해야 하는 공공조직보다 민간조직에서의 적용가능성이 더 높다.

답 ②

13 □□□

2010년 국회직 8급

〈보기〉에서 설명하는 조직이론은?

> 〈보기〉
> 일의 흐름에 따라 편제된 수평적 조직구조의 강조, 정보의 균형화, 성과 중심의 대리인 통제, 인센티브의 제공에 의한 대리손실의 최소화를 강조한다.

① 구조적 상황적응이론
② 조직경제학이론
③ 제도화이론
④ 카오스이론
⑤ 지식정보사회 조직이론

14 □□□

2011년 지방직 9급

혼돈이론(chaos theory)에 대한 설명으로 옳지 않은 것은?

① 현실의 복잡성과 불확실성을 극복하기 위해 단순화 · 정형화를 추구한다.
② 비선형적 · 역동적 체제에서의 불규칙성을 중시한다.
③ 전통적 관료제조직의 통제 중심적 성향을 타파하도록 처방한다.
④ 조직의 자생적 학습 능력과 자기조직화 능력을 전제한다.

13 조직경제학이론

〈보기〉는 주인 - 대리인이론 및 거래비용경제학에서 제시된 처방을 종합적으로 설명하는 것이다. 주인 - 대리인이론과 거래비용경제학을 합하여 조직경제학이라고 부른다.

선지분석

① 구조적 상황적응이론은 관료제이론과 행정원리론에서 추구한 보편적인 조직원리를 비판하면서 등장한 조직이론으로, 모든 상황에 적용되는 유일·최선의 조직구조나 관리방법은 없으며, 조직이 처해 있는 상황에 따라 조직설계 및 관리방법도 달라져야 한다고 주장한다.
③ 제도화이론은 사회문화적 요인을 강조하는 이론으로, 대부분의 조직은 기술적 환경뿐만 아니라 제도적 환경을 가지고 있음을 설명한다.
④ 카오스이론은 세계가 질서·혼돈·무질서의 세 가지 영역의 교호과정하에 있다고 전제하고 혼돈의 긍정적 측면을 파악하며, 혼돈의 배후에 감추어진 규칙성을 찾고 혼돈의 미래를 예측하고자 한다.

답 ②

14 혼돈이론

혼돈이론은 복잡성과 불확실성을 극복하려고 하지 않는다. 혼돈 자체의 긍정적 측면을 파악하여 그대로 두고 연구하자는 입장이다.

혼돈이론의 주요내용

구분	내용
결정론적 혼돈	혼돈이론의 연구대상인 혼돈은 '질서 있는 무질서' 상태
초기치민감성이 높은 현상(나비효과)	처음에 입력하는 데이터를 조금만 바꾸어도 그 결과가 큰 폭으로 변함
통합적 연구	부정적 환류와 긍정적 환류 등 복잡한 문제를 단순화하지 않고 있는 그대로 파악함
대상체제의 복잡성	대상체제인 행정조직은 개인과 집단, 질서와 무질서, 구조화와 비구조화가 공존하는 복잡한 체제로 인식함
발전의 조건	혼돈을 통제 대상이 아닌 발전의 불가결한 조건으로 이해하고 긍정적 활용대상으로 인식함
자기조직화 능력	조직의 자생적 학습능력과 자기조직화 능력을 전제로 함
반관료주의 처방	창의적 학습과 개혁의 촉진을 위해 제한적 무질서를 허용함

답 ①

PART 3

2021 해커스공무원 11개년 기출문제집 쉬운 행정학

15 □□□

2010년 국가직 7급

행정연구에서 혼돈이론(chaos theory)적 접근에 대한 설명으로 옳지 않은 것은?

① 복잡한 사회문제에 대한 통합적 접근을 시도한다.
② 행정조직은 개인과 집단 그리고 환경적 세력이 상호작용하는 복잡한 체제이다.
③ 행정조직은 혼돈상황을 적절히 회피하고 통제할 수 있는 능력이 요구된다.
④ 행정조직의 자생적 학습 능력과 자기조직화 능력을 전제로 한다.

16 □□□

2011년 지방직 7급

조직의 이중 순환고리 학습(double-loop learning)에 대한 설명으로 옳은 것은?

① 모건(Morgan)의 홀로그래픽(holographic) 조직설계를 위해 개발된 '학습을 위한 학습원칙'과 관련성이 높다.
② 학습 과정의 안정성이 필요하므로 개방적인 조직보다는 폐쇄적인 조직하에서 발생할 가능성이 높다.
③ 학습 과정에서 높은 수준의 통찰력을 요구하지만 학습효과는 빠르고 국소적으로 나타난다.
④ 기존의 운영규범 및 지식체계하에서 오류를 발견하고 수정해나가는 것이다.

15 혼돈이론

혼돈이론(chaos theory)은 혼돈상황을 회피와 통제의 대상으로 보지 않고, 발전의 불가결한 조건이나 기회로 이해하여 긍정적인 활용대상으로 인식하기 때문에 혼돈에 대한 통제 능력이 필요한 것이 아니라 혼돈상황에 적절히 대처할 수 있는 능력이 요구된다.

선지분석

① 부정적 환류와 긍정적 환류 등 복잡한 문제를 단순화하지 않고 있는 그대로 파악하는 통합적 연구이다.
② 대상체제인 행정조직을 개인과 집단, 질서와 무질서, 구조화와 비구조화가 공존하는 복잡한 체제로 인식한다.
④ 행정조직의 자생적 학습 능력과 자기조직화 능력을 전제로 한다.

답 ③

16 이중 순환고리 학습

이중 순환고리 학습은 조직의 기본적 규범, 목표를 수정해 나가는 학습으로 긍정적 환류를 의미하는데, 모건(Morgan)의 홀로그래픽 조직설계를 위해 개발된 '학습을 위한 학습 원칙'이 이에 해당한다.

선지분석

②, ③, ④ 모두 단일 순환고리 학습에 해당한다. 단일 순환고리 학습은 목표와 실적 사이의 격차를 발견하여 수정해 나가는 부정적 환류를 뜻한다.

답 ①

17 □□□

2020년 국가직 7급

조직이론에 관한 설명으로 옳지 않은 것은?

① 전략적 선택론은 조직 설계의 문제를 단순히 상황적응의 차원이 아니라 설계자의 자유재량에 의한 의사결정 산물로 파악한다.
② 번스(Burns)와 스토커(Stalker)는 조직을 둘러싼 환경의 성격 및 특성이 조직구조와 어떻게 관련되는지를 설명한다.
③ 조직군 생태학은 조직을 외부환경의 선택에 영향을 받을 뿐만 아니라 적극적으로 영향을 끼치는 능동적인 존재로 이해한다.
④ 버나드(Barnard)는 조직 내 인간적 · 사회적 측면을 강조한다.

18 □□□

2013년 지방직 9급

조직이론에 대한 설명으로 옳은 것만을 모두 고른 것은?

ㄱ. 베버(Weber)의 관료제론에 따르면, 규칙에 의한 규제는 조직에 계속성과 안정성을 제공한다.
ㄴ. 행정관리론은 효율적 조직관리를 위한 원리들을 강조한다.
ㄷ. 호손(Hawthorne)실험을 통하여 조직 내 비공식집단의 중요성이 부각되었다.
ㄹ. 조직군생태이론(population ecology theory)에서는 조직과 환경의 관계를 분석함에 있어 조직의 주도적 · 능동적 선택과 행동을 강조한다.

① ㄱ, ㄴ
② ㄱ, ㄴ, ㄷ
③ ㄱ, ㄷ, ㄹ
④ ㄴ, ㄷ, ㄹ

17 조직이론

조직군 생태학은 조직군의 생성과 소멸 과정에 초점을 두어, 조직구조는 환경과의 적합도 수준에 따라 도태되거나 선택된다는 이론으로, 조직이 환경에 적응하는 것이 아니라 환경이 조직을 선택한다는 극단적인 환경결정론적 관점의 이론이다.

선지분석

① 전략적 선택론은 효율적인 조직구조는 환경적 상황이 아니라, 재량을 지닌 설계자(관리자)들의 전략에 따른 자율적·능동적인 판단과 선택에 의하여 결정된다는 이론이다.
② 번스(Burns)와 스토커(Stalker)는 비교적 안정된 환경에서는 기계적 조직구조가 적합하고, 변동이 심한 환경에서는 유기적 구조가 적합하다고 주장한다.
④ 버나드(Barnard)는 행태론자로 '경영자의 역할(관리자의 기능)'에서 조직 내 인간적·사회적 측면을 강조한다.

답 ③

18 조직이론

ㄱ. 법규에 의한 지배와 계서제적 구조를 특징으로 하는 관료제는 조직의 계속성과 안정성을 확보할 수 있다.
ㄴ. 행정관리론은 공사행정일원론으로 행정의 효율성을 중시한다.
ㄷ. 호손(Hawthorn)실험은 비공식적 집단을 중시하였고, 특히 비공식적 리더의 역할을 강조하였다.

선지분석

ㄹ. 조직군생태이론은 조직과 환경의 관계에서 조직군이 환경에 의해 수동적으로 결정된다는 환경결정론적 입장을 취한다.

답 ②

19 □□□

2015년 국회직 8급

조직이론에 대한 설명으로 옳지 않은 것은?

① 상황이론은 유일한 최선의 대안이 존재한다는 것을 부정한다.
② 조직군생태론은 횡단적 조직분석을 통하여 조직의 동형화(isomorphism)를 주로 연구한다.
③ 거래비용이론의 조직가설에 따르면, 정보의 비대칭성과 기회주의에 의한 거래비용의 증가 때문에 계층제가 필요하다.
④ 자원의존이론은 조직이 주도적·능동적으로 환경에 대처하며 그 환경을 조직에 유리하도록 관리하려는 존재로 본다.
⑤ 전략적 선택이론은 조직구조의 변화가 외부환경변수보다는 조직 내 정책결정자의 상황판단과 전략에 의해 결정된다고 본다.

20 □□□

2017년 국가직 9급(10월 추가)

조직이론에 대한 설명으로 옳지 않은 것은?

① 자원의존이론에 따르면, 조직은 환경으로부터 필요한 자원을 획득하기 위하여 환경에 피동적으로 순응하여야 한다.
② 주인-대리인이론에 따르면, 주인과 대리인 간에는 정보의 비대칭으로 인해 대리인의 도덕적 해이와 주인의 역선택이 발생할 수 있다.
③ 거래비용이론에 따르면, 시장의 자발적인 교환행위에서 발생하는 거래비용이 관료제의 조정비용보다 클 경우 거래를 내부화하는 것이 효율적이다.
④ 상황론적 조직이론에 따르면, 모든 상황에 적용되는 유일·최선의 조직구조나 관리방법은 없다.

19 조직이론

조직군생태론은 종단적 조직분석을 통하여 조직의 동형화(isomorphism)를 주로 연구한다. 제도적 동형화는 환경에서 살아남기 위해서 조직을 환경에 맞추어서 변화시키는 것으로 조직군생태론에서 강조한다. 종단적 분석은 한 가지 대상을 시간의 변화에 따라 비교 또는 관찰할 때 사용하는 분석이며, 하나의 조직이 특정 환경에 적절하게 변화하는 것을 관찰하기 위해서는 횡단적 분석(특정 시기에 여러 대상을 비교)보다 종단적 분석이 유리하다.

선지분석

① 상황이론은 유일한 최선의 대안이 존재한다는 것을 부정하고 각 상황에 맞는 조직구조는 다르다고 주장한다.
④ 자원의존이론은 임의론적 입장으로서 조직은 환경에 의존하여 자원을 획득하지만, 관리자는 희소자원에 대한 주도적 통제를 통하여 환경에 대하여 어느 정도 능동적으로 대응할 수 있다고 인식하는 이론이다.
⑤ 전략적 선택이론은 정책결정자의 자발성을 매우 강조한 이론으로, 조직구조의 변화는 외부환경변수에 영향을 받지 않고 조직 내 정책결정자의 상황판단과 전략에 의하여 조직구조의 변화가 결정된다고 본다.

답 ②

20 조직이론

자원의존이론은 임의론적 입장으로서 조직은 환경에 의존하여 자원을 획득하지만, 관리자는 희소자원에 대한 통제를 통해 환경에 어느 정도 능동적으로 대응할 수 있다고 인식한다.

답 ①

21 □□□

2016년 서울시 9급

다음 중 거시적 조직이론에 대한 설명으로 가장 옳지 않은 것은?

① 전략적 선택이론은 임의론이다.
② 조직군생태론은 자연선택론을 취한다.
③ 조직군생태론은 결정론적이다.
④ 전략적 선택이론의 분석 단위는 조직군이다.

22 □□□

2015년 서울시 9급

상황론적 조직이론과 자원의존이론에 대한 다음 설명 중 가장 옳지 않은 것은?

① 자원의존이론은 어떤 조직도 필요로 하는 자원을 모두 획득할 수 없다는 것을 전제로 삼는다.
② 상황론적 조직이론은 모든 상황에 적합한 최선의 조직화 방법은 존재하지 않는다고 전제한다.
③ 자원의존이론은 조직이 생존과 발전에 필요한 자원을 환경에 의존하기 때문에 조직을 환경과의 관계에서 피동적 존재로 본다.
④ 상황론적 조직이론은 효과적인 조직설계와 관리방법은 조직환경에 달려 있다고 주장한다.

21 거시적 조직이론

전략적 선택이론의 분석 단위는 조직군이 아니라 개별조직이다.

선지분석

① 전략적 선택이론은 효율적 조직구조가 환경적 상황이 아니라 재량을 지닌 관리자들의 전략에 따른 자율적·능동적 판단과 선택에 의해 결정된다는 이론으로 임의론에 해당한다.
②, ③ 조직군생태론은 조직군의 생성과 소멸과정에 초점을 두어, 조직구조는 환경과의 적합도 수준에 따라 도태되거나 선택된다는 이론으로 자연선택론을 취하며 결정론에 해당한다.

답 ④

22 상황론적 조직이론과 자원의존이론

자원의존이론은 자원을 획득하고 유지할 수 있는 능력을 조직생존의 핵심요인으로 보는 전략적 선택이론의 일종으로, 조직을 환경적 결정에 피동적인 존재로 보지 않고 스스로의 이익을 위해 주도적이고 능동적으로 환경에 대처하는 존재로 인식한다.

선지분석

① 자원의존이론은 어떤 조직도 외부환경으로부터 모든 자원을 획득할 수 없고 자원을 획득하는 데에 그 환경에 의존한다고 본다.
② 상황론적 조직이론은 모든 상황에 적용되는 유일·최선의 조직구조나 관리방법은 없으며, 조직이 처해 있는 상황에 따라 조직설계 및 관리방법도 달라져야 한다고 주장한다.
④ 상황론적 조직이론은 조직구조가 규모, 기술, 환경 등 상황적 특성에 의해 결정되며, 조직의 효과성은 상황적 특성과 조직구조, 관리체계, 관리과정 등 구조적 특성의 적합성 여부에 달려있다고 본다.

답 ③

23 □□□

2008년 지방직 7급

조직이론에 대한 설명으로 옳지 않은 것은?

① 자원의존이론(resource-dependence theory)에서는 조직의 변화가 환경의 선택에 의해서 이루어진다고 설명한다.
② 시스템이론(system theory)은 조직을 하나의 개방체계로 보고 조직과 외부환경과의 상호작용을 강조한다.
③ 구조적 상황이론(structural contingency theory)에서는 조직이 처해있는 상황이 다르면 효과적인 조직설계 및 관리방법도 달라져야 한다고 주장한다.
④ 혼돈이론(chaos theory)은 급격한 환경 변화 속에서 유연하게 대응할 수 있는 체제관리원칙들을 제시하고 있다.

24 □□□

2018년 지방직 9급

조직이론에 대한 설명으로 옳지 않은 것은?

① 구조적 상황이론 - 상황과 조직특성 간의 적합 여부가 조직의 효과성을 결정한다.
② 전략적 선택이론 - 상황이 구조를 결정하기보다는 관리자의 상황 판단과 전략이 구조를 결정한다.
③ 자원의존이론 - 조직의 안정과 생존을 위해서 조직의 주도적 · 능동적 행동을 중시한다.
④ 대리인이론 - 주인 · 대리인의 정보 비대칭 문제를 해결하기 위해 대리인에게 대폭 권한을 위임한다.

23 조직이론

자원의존이론은 조직이 환경적 요인에 대응하여 적극적으로 대처함으로써 환경에 대한 적응을 위한 전략적인 결정을 내린다는 이론이다. 자원의존이론은 조직을 환경적 결정에 피동적인 존재로 보지 않고 스스로의 이익을 위해 주도적이고 능동적으로 환경에 대처하는 존재로 인식한다.

선지분석

② 시스템이론(체제론)은 조직의 외부환경을 인식하게 되었다.
③ 구조적 상황이론은 조직이 처해 있는 상황에 따라 조직설계 및 관리방법도 달라져야 한다고 주장한다.
④ 혼돈이론은 급격한 환경 변화가 발생하는 혼돈 시대에는 분산구조, 자기조직화, 외적 기능, 필요 다양성, 최소한의 표준화, 학습을 위한 학습의 원칙이 필요하다고 본다.

답 ①

24 조직이론

대리인이론은 주인과 대리인 사이의 정보의 비대칭성 때문에 대리의 문제가 발생하고 있다고 보고, 이를 해결하기 위하여 대리인에게 권한을 대폭 위임하기보다는 정보의 공유, 자기선택적 장치를 두는 등의 방법으로 주인이 대리인에 대한 통제를 강화한다.

선지분석

① 구조적 상황이론은 상황에 따라 적합한 조직구조는 상이하므로, 상황에 적합한 조직특성이 조직의 효과성을 결정한다고 본다.
② 전략적 선택이론은 정책결정자의 자발성을 매우 강조한 이론으로, 조직구조의 변화는 외부환경변수에 영향을 받지 않고 조직 내 정책결정자의 상황판단과 전략에 의하여 조직구조의 변화가 결정된다고 본다.
③ 자원의존이론은 임의론적 입장으로서 조직은 환경에 의존하여 자원을 획득하지만, 관리자는 희소자원에 대한 주도적 통제를 통해 환경에 대하여 어느 정도 능동적으로 대응할 수 있다고 인식하는 이론이다.

답 ④

조직관리 및 개혁론

THEME 053 권위와 권력, 갈등

01 □□□

2020년 국가직 9급

프렌치와 레이븐(French & Raven)이 주장하는 권력의 원천에 대한 설명으로 옳지 않은 것은?

① 합법적 권력은 권한과 유사하며 상사가 보유한 직위에 기반한다.
② 강압적 권력은 카리스마 개념과 유사하며 인간의 공포에 기반한다.
③ 전문적 권력은 조직 내 공식적 직위와 항상 일치하는 것은 아니다.
④ 준거적 권력은 자신보다 뛰어나다고 생각하는 사람을 닮고자 할 때 발생한다.

02 □□□

2018년 국가직 9급

프렌치(French)와 레이븐(Raven)의 권력유형분류에서 권력의 원천이 아닌 것은?

① 준거(reference)
② 전문성(expertness)
③ 강제력(coercion)
④ 상징(symbol)

01 프렌치(French)와 레이븐(Raven)의 권력의 유형

프렌치(French)와 레이븐(Raven)의 권력의 유형 중 카리스마 개념과 유사한 권력은 준거적 권력이다.

선지분석

① 합법적 권력은 권한과 유사하며 계층상의 직위에 기반한 권력이다.
③ 전문적 권력은 타인이 필요로 하는 전문적 기술이나 지식에 기반한 권력으로, 조직 내의 공식적 직위와 일치하지 않을 수 있다.
④ 준거적 권력은 자신보다 뛰어나다고 생각하는 사람의 능력과 매력에 대한 존경과 호감을 느끼고, 그를 역할모델로 삼으며 발생하는 권력이다.

답 ②

02 권력유형분류

프렌치(French)와 레이븐(Raven)은 권력의 유형을 권력의 다섯 가지 원천인 합법성, 보상성, 강압성, 전문성, 준거성에 따라 나누었다. 상징은 이에 해당하지 않는다.

프렌치(French)와 레이븐(Raven)의 권력 원천에 따른 권력의 유형

합법적(정당한) 권력	계층상의 직위에 기반한 권력(권한과 유사)
보상적 권력	다른 사람에게 보상을 제공할 수 있는 능력에 기반한 권력
강압적(강제적) 권력	다른 사람을 처벌할 수 있는 능력에 기반한 권력
전문적 권력	다른 사람이 필요로 하는 전문적 기술이나 지식에 기반한 권력
준거적 권력	어떤 사람의 뛰어난 능력·매력에 대하여 존경과 호감을 느끼고 역할모델로 삼으며 발생하는 권력(카리스마와 유사)

답 ④

03 □□□

2020년 국가직 9급

조직 내 갈등에 대한 설명으로 옳지 않은 것은?

① 과업의 상호의존성이 높은 경우 잠재적 갈등이 야기될 수 있다.
② 고전적 관점에서 갈등은 조직 효과성에 부정적인 영향을 끼친다고 가정한다.
③ 의사소통 과정에서 충분한 양의 정보도 갈등을 유발하는 경우가 있다.
④ 진행단계별로 분류할 때 지각된 갈등은 갈등이 야기될 수 있는 상황 또는 조건을 의미한다.

03 갈등

폰디(Pondy)에 따르면 갈등은 진행단계별로 분류할 때 잠재적 갈등, 지각된 갈등, 감정적 갈등, 표면화된 갈등, 갈등의 결과로 분류할 수 있다. 갈등이 야기될 수 있는 상황 또는 조건은 지각된 갈등이 아니라 잠재적 갈등이다. 지각된 갈등은 갈등이 발생함을 당사자가 지각한 경우를 의미한다.

(선지분석)

① 과업의 상호의존성이 높은 경우는 공동의사결정 상황을 초래하므로 갈등이 야기될 수 있다.
② 고전적 관점에서 갈등은 조직 효과성에 부정적인 영향을 끼친다고 가정하여, 갈등제거를 주장한다.
③ 의사소통 과정에서 정보가 과잉될 경우, 과잉된 정보로 인한 갈등이 유발될 수 있다.

답 ④

04 □□□

2019년 국회직 8급

갈등의 조성전략에 대한 설명으로 옳지 않은 것은?

① 표면화된 공식적 및 비공식적 정보전달통로를 의식적으로 변경시킨다.
② 갈등을 일으킨 당사자들에게 공동으로 추구해야 할 상위 목표를 제시한다.
③ 상황에 따라 정보전달을 억제하거나 지나치게 과장한 정보를 전달한다.
④ 조직의 수직적 · 수평적 분화를 통해 조직구조를 변경한다.
⑤ 단위부서들 간에 경쟁상황을 조성한다.

04 갈등의 조성전략

갈등 당사자들에게 공동의 상위목표를 제시하는 것은 갈등을 해소하는 전략이다.

갈등의 조성전략

구분	내용
권력의 재분배	의사전달통로의 변경이나 정보 재분배(억제 또는 과다조성)를 통해 권력의 재분배가 발생하고 그로 인해 갈등이 조성됨
수평적 분화	조직 내의 계층 수, 기능적 조직단위의 수를 늘려 서로 간 경쟁을 유도함
인사정책적 방법	인사이동이나 직무재설계로 새로운 조직환경하에서 갈등을 조성함
충격요법적 방법	외부의 도전·위협이나 중요한 의사결정 등으로 긴장과 갈등을 야기하여 무사안일주의를 타파함
상이한 사람들의 접촉 유도	개방형 임용제 등으로 태도·경력 등이 다른 사람들을 투입하여 긴장을 조성하고 분위기를 쇄신함
경쟁상황 조성	보수·인사 등에 경쟁원리를 도입함 예 성과급

답 ②

05 □□□

2019년 서울시 7급

조직 내부에서 발생하는 갈등에 대한 설명으로 가장 옳지 않은 것은?

① 전통적인 시각에서 갈등은 비용과 비합리성을 초래하는 해로운 것이다.
② 조직 내 하위목표를 강조함으로써 갈등을 해소할 수 있다.
③ 새로운 아이디어 촉발, 문제 해결력 개선 등 순기능이 있다.
④ 행태론적 시각은 조직 내 갈등을 불가피하고 정상적인 것으로 간주한다.

05 갈등

조직 내 하위목표를 강조하면 갈등이 심화되고, 조직 내 상위목표를 강조함으로써 갈등을 해소할 수 있다.

(선지분석)

① 전통적인 시각(신고전적 이론)에서 갈등은 비용과 비합리성을 초래하는 해로운 것이다. 다만, 전통적 시각을 신고전적 이론과 고전적 이론으로 세분화할 경우 고전적 이론에서는 갈등을 인식 조차 하지 못하였다(갈등인식부재론).
③ 상호작용주의적 관점이 현대적 관점에서 갈등은 새로운 아이디어를 촉발하고 문제 해결력을 개선하는 등의 순기능을 가진다.
④ 행태론적 시각은 조직 내 갈등을 불가피하고 정상적인 것으로 간주하는 갈등수용적 입장이다. 한편, 상호주의적 시각에서는 긍정적 갈등을 조장해야 한다고 본다.

갈등관의 변천

고전적 견해 (인식부재론)	갈등에 대한 인식이 없었음
신고전적 견해 (갈등역기능론)	갈등을 부정적으로 인식하며, 갈등제거를 주장함
행태론적 견해 (갈등수용론)	갈등을 필연적 현상으로 인식하며, 갈등수용을 주장하고 갈등의 순기능적 측면을 일부 인정함
상호작용주의적 견해 (갈등조장론)	갈등이 조직발전의 원동력이 될 수 있다고 인식하며, 긍정적 갈등은 조장하고 부정적 갈등은 해소할 것을 주장함

답 ②

06 □□□

2016년 지방직 7급

행정조직의 구조적인 측면에서 발생하는 갈등요인이 아닌 것은?

① 개인의 이기적인 태도
② 기능이나 업무의 특성에 따른 분업구조
③ 제한된 자원의 하위 부서 간 공유
④ 업무의 연계성으로 인한 타인과의 협조 필요성 증가

06 갈등요인

개인의 이기적인 태도는 심리적 요인에서 비롯되는 인적 측면의 갈등요인이다.

갈등의 유형

1. 파괴적 갈등과 생산적 갈등

파괴적 갈등 (소모적 갈등)	조직의 팀워크와 단결을 깨고 사기를 저하시켜 생산성을 떨어뜨리는 역기능적 갈등
생산적 갈등 (건설적 갈등)	조직혁신이나 발전을 촉진하는 건설적 갈등으로 구성원의 능동적 행동 촉진, 창조와 성장, 팀워크와 단결의 촉진 등 조직변동의 원동력으로 기능

2. 수직적 갈등과 수평적 갈등

수직적 갈등	조직의 상하계층 간에 발생하는 갈등으로 권한, 목표, 업무량, 근무조건, 보수 등이 주요 원인
수평적 갈등	동일 계층의 개인이나 부서 간의 갈등으로 목표의 분업구조, 과업의 상호의존성, 자원의 제한, 할거주의 등이 주요 원인

3. 개인 간 갈등과 집단 간 갈등

개인 간 갈등	개인 차원에서 이들이 추구하는 가치나 목표가 충돌하면서 발생하는 것으로 개인의 성격, 가치관, 역할 차이 등이 원인
집단 간 갈등	조직 내의 여러 부서 또는 팀들 간에 발생하는 갈등으로 분업구조와 같은 조직 내 구조적 요인이 원인

답 ①

07 □□□

2013년 국가직 9급

조직 내부에서 발생하는 갈등에 대한 설명으로 옳지 않은 것은?

① 갈등은 양립할 수 없는 둘 이상의 목표를 추구하는 상황에서도 발생한다.
② 고전적 조직이론에서는 갈등을 중요하게 고려하지 않는다.
③ 행태론적 입장에서는 모든 갈등이 조직성과에 부정적 영향을 미치므로 제거되어야 한다고 본다.
④ 현대적 접근방식은 갈등을 정상적인 현상으로 보고 경우에 따라서는 조직발전의 원동력으로 본다.

08 □□□

2017년 서울시 9급

다음 중 의사결정자가 각 대안의 결과를 알고는 있으나 대안 간 비교 결과 어떤 것이 최선의 결과인지를 알 수 없어 발생하는 개인적 갈등의 원인은?

① 비수락성(unacceptability)
② 불확실성(uncertainty)
③ 비비교성(incomparability)
④ 창의성(creativity)

07 갈등

모든 갈등이 조직성과에 부정적 영향을 미치므로 제거되어야 한다고 본 입장은 전통적(신고전적) 견해이다. 행태론적 견해에 따르면 갈등은 필연적이고, 제거가 불가능한 현상이기 때문에 갈등의 순기능적인 측면을 인정하고 수용할 것을 주장하였다.

선지분석

① 행위주체 간 서로 양립할 수 없는 목표를 동시에 추구할 경우 갈등이 발생할 수 있다.
② 고전적 조직이론에서는 갈등에 대한 인식이 없었다.
④ 현대적 접근방식은 갈등이 조직발전의 원동력이 될 수 있다고 인식하며, 긍정적 갈등은 조장하고 부정적 갈등은 해소할 것을 주장한다.

답 ③

08 갈등의 원인

사이먼(Simon)이 제시한 개인적 갈등의 원인 중 비비교성(incomparability)에 해당한다.

사이먼(Simon)의 개인적 갈등

비수락성	• 결정자가 각 대안의 결과를 알고 있지만, 그 만족기준을 충족시키지 못하여 수락할 수 없는 경우 • 새로운 대안의 탐색이 필요
비비교성	• 결정자가 각 대안의 결과를 알고 있지만, 최선의 대안이 어느 것인지 비교할 수 없는 경우 • 비교기준의 명확화가 필요
불확실성	• 대안의 선택과 그것의 결과를 예측할 수 없는 경우 • 탐색활동의 확대를 위한 노력이 필요

답 ③

09 □□□

2016년 서울시 9급

다음 중 조직에서 갈등이 발생할 수 있는 소지가 가장 적은 경우는?

① 자원의 희소성이 강할 때
② 업무의 일방향 집중형 상호 의존성이 강할 때
③ 개인 사이의 가치관 격차가 클 때
④ 분업구조의 성격이 강할 때

10 □□□

2015년 사회복지직 9급

조직 내의 갈등관리에 대한 설명으로 옳지 않은 것은?

① 고전적 갈등관리이론에서는 갈등의 유해성에 주목하고 그 해소방법을 처방하는 데 몰두하였다.
② 행태주의 관점의 갈등관리이론에서는 갈등이 조직발전의 원동력이 된다고 주장하였다.
③ 갈등관리전략으로서 조성전략은 갈등의 순기능적 측면에 입각해 있다.
④ 로빈스(Robbins)는 갈등관리를 전통주의자, 행태주의자, 상호작용주의자의 관점으로 구분하여 접근한다.

09 갈등

업무의 일방향 집중형 상호 의존성이 강할 때가 아니라 업무의 쌍방향, 수평형 상호 의존성이 높을 때 갈등이 발생할 소지가 크다.

선지분석

① 자원이 제한되어 있어 한정된 자원을 누가 차지할 것인가에 대해 행동주체 간 의견 불일치와 경쟁이 발생하는 경우 갈등이 생길 수 있다.
③ 행위주체들의 성향, 가치관, 지각의 차이로 인한 서로 다른 해석이 있을 때 갈등이 발생할 수 있다.
④ 직무의 분화와 전문화가 고도화된 경우 상호의존성이 증대하는데, 이에 비해 책임은 모호한 경우 갈등상황을 유발할 수 있다.

답 ②

10 갈등관리

갈등이 조직발전의 원동력이 된다고 주장하는 견해는 상호작용적 관점이다. 행태주의 관점의 갈등관리에 의하면 갈등은 필연적으로 제거가 불가하다는 측면을 인정하였다.

답 ②

11 □□□

2008년 지방직 7급

갈등관리에 대한 설명으로 옳지 않은 것은?

① 갈등관리란 갈등을 해소하거나 완화하는 것뿐만 아니라 상황에 따라서는 갈등을 용인하고 나아가 조성할 수도 있다는 의미이기도 하다.
② 갈등관리에서의 갈등은 표면적으로 드러나는 것만을 말하는 것이 아니라 당사자들이 느끼는 잠재적 갈등상태까지를 포함한다.
③ 갈등의 유형 중에서 생산적 갈등이란 조직의 팀워크와 단결을 희생하고 조직의 생산성을 중요시하는 유형이다.
④ 갈등의 긍정적인 측면을 고려하는 입장에서는 적정 수준의 갈등은 조직성과에 도움을 줄 수 있다고 주장한다.

11 갈등관리

생산적 갈등은 조직혁신이나 발전을 촉진하는 건설적 갈등으로, 구성원의 능동적 행동 촉진, 창조와 성장, 팀워크와 단결의 촉진 등 조직변동의 원동력으로 기능한다.

선지분석

① 갈등은 행동주체 간 나타나는 대립적 또는 적대적 교호작용으로 일련의 진행단계에 의해 형성·변동하는 동태적 현상이며 조직에 대한 갈등의 기능은 유익할 수도, 해로울 수도 있다.
④ 적정 수준의 갈등이 조직성과에 도움을 줄 수 있다는 입장은 상호작용적 관점이다.

답 ③

12 □□□

2017년 국회직 8급

다음 중 갈등관리에 대한 설명으로 옳지 않은 것은?

① 갈등해소방법으로는 문제해결, 상위 목표의 제시, 자원 증대, 태도 변화 훈련, 완화 등을 들 수 있다.
② 적절한 갈등을 조성하는 방법으로 의사전달통로의 변경, 정보 전달 억제, 구조적 요인의 개편, 리더십 스타일 변경 등을 들 수 있다.
③ 1940년대 말을 기점으로 하여 1970년대 중반까지 널리 받아들여졌던 행태주의적 견해에 의하면 갈등이란 조직 내에서 필연적으로 발생하는 현상으로 보았다.
④ 마치(March)와 사이먼(Simon)은 개인적 갈등의 원인 및 형태를 비수락성, 비비교성, 불확실성으로 구분하였다.
⑤ 유해한 갈등을 해소하기 위해 갈등상황이나 출처를 근본적으로 변동시키지 않고 거기에 적응하도록 하는 전략을 사용하기도 한다.

12 갈등관리

구조적 요인의 개편은 조직 합병, 인사교류 등으로, 이는 갈등의 조성방법이 아니라 해소방법에 해당한다.

선지분석

① 갈등해소의 방법으로는 문제해결, 상위 목표의 제시, 자원 증대, 태도 변화 훈련, 완화, 공동의 적 확인, 회피, 상관의 명령과 억압, 타협, 구조적 요인의 개편 등이 있다.
③ 행태주의적 관점은 갈등을 용인(감수)하는 입장이다.
④ 비수락성이란 각 대안들의 결과를 알고 있으나 기준을 충족하지 못하여 수락할 수 없는 상태, 비비교성은 기준이 정립되지 않아 각 대안들의 결과의 우열을 가릴 수 없는 상태, 불확실성은 그 결과를 제대로 알지 못하는 상태이다.

답 ②

13 □□□

2014년 국회직 8급

다음 중 갈등에 대한 설명으로 옳지 않은 것은?

① 집단 간 갈등의 해결은 구조적 분화와 전문화를 통해서 찾을 필요가 있다.
② 행태주의적 관점은 조직 내 갈등은 필연적이고 완전한 제거가 불가능하기 때문에 갈등을 인정하고 받아들여야 한다는 입장이다.
③ 갈등을 해결하기 위해서는 목표 수준을 차별화할 필요가 있다.
④ 업무의 상호 의존성이 갈등상황을 발생시키는 원인이 될 수 있다.
⑤ 지위부조화는 행동주체 간의 교호작용을 예측 불가능하게 하여 갈등을 야기한다.

13 갈등

구조적 분화와 전문화는 오히려 집단 간 갈등을 야기할 수 있다. 분화된 조직을 통합하거나, 인사교류를 통해서 갈등을 해결할 수 있다.

선지분석

② 행태주의적 관점은 갈등을 필연적 현상으로 인식하며, 갈등수용을 주장하고 갈등의 순기능적 측면을 일부 인정한다.
③ 기존 목표보다 상위 목표의 제시는 갈등 해결 방안이다.
④ 동일 계층의 개인이나 부서 간의 갈등으로 목표의 분업구조, 과업의 상호의존성, 자원의 제한, 할거주의 등이 주요 원인이 되어 수평적 갈등이 발생할 수 있다.
⑤ 구성원의 지위부조화는 그 행동의 예측가능성을 저하시키고 그 결과 갈등 발생 가능성이 증대된다.

답 ①

14 □□□

2016년 교육행정직 9급

조직의 갈등관리에 대한 설명으로 옳지 않은 것은?

① 통합형 협상은 자원이 제한되어 있어 제로섬 방식을 기본 전제로 하는 협상이다.
② 수평적 갈등은 목표의 분업구조, 과업의 상호 의존성, 제한된 자원으로 인해 발생한다.
③ 집단 간 목표의 차이로 인해 발생한 갈등은 상위 목표를 제시하거나 계층제 또는 권위를 이용하여 해결한다.
④ 조직의 불확실성을 높이거나 위기감을 불러일으키는 것과 같이 조직의 갈등을 인위적으로 조성하는 전략은 조직의 생존 · 발전에 필요한 전략 중 하나이다.

14 갈등관리

통합형 협상이 아니라 분배형 협상에 대한 설명이다. 통합형 협상은 자원이 제한되어 있지 않아 제로섬 방식을 할 필요가 없는 상황을 전제로 하는 협상이다.

선지분석

② 수평적 갈등은 분업구조, 과업의 상호의존성, 자원의 제한, 할거주의 등이 주요 원인이다.
③ 상위목표의 제시는 갈등 당사자들에게 공동의 상위목표를 제시하여 유해한 갈등을 해소하는 전략이다.
④ 상호주의적 관점에서는 갈등 조성전략도 필요하다.

답 ①

15 □□□

2013년 서울시 7급

갈등관리에 대한 설명으로 옳지 않은 것은?

① 조직의 분업구조 관련 갈등예방을 위해서는 직급교육과 인사교류가 효과적이다.
② 자원의 희소성 관련 갈등예방을 위해서는 자원배분의 기준을 명확히 하는 것이 필요하다.
③ 조직침체 극복을 위한 갈등조장을 위해서는 불확실성을 높이는 전략이 유효하다.
④ 개인의 특성 관련 갈등예방을 위해서는 다른 사람과의 공감대 형성 능력 개발을 위한 교육이 바람직하다.
⑤ 업무의 상호 의존성에 따른 갈등예방을 위해서는 부서 간 접촉의 필요성을 늘려주는 전략이 유효하다.

16 □□□

2016년 국회직 8급

조직 내 갈등에 대한 설명으로 옳지 않은 것을 〈보기〉에서 모두 고르면?

〈보기〉

ㄱ. 갈등은 조직에 항상 부정적인 영향을 미치므로 적절한 방안을 통해 해소해야 한다.
ㄴ. 갈등관리방안 중 협동(collaboration)은 갈등 당사자들이 서로 양보하여 갈등을 해결하는 것으로 분명한 승자나 패자가 없다.
ㄷ. 업무의 상호 의존성이 높을수록 갈등이 증가할 소지가 크다.
ㄹ. 갈등해소를 위한 경쟁(competition)전략은 신속하고 결단력이 필요한 경우나 구성원들에게 인기 없는 조치를 실행할 경우 사용될 수 있다.
ㅁ. 조직이 무사안일에 빠져있을 경우에는 타협(compromise)을 통해 갈등을 해소할 수 있다.

① ㄱ, ㅁ
② ㄴ, ㄹ
③ ㄱ, ㄴ, ㄹ
④ ㄱ, ㄴ, ㅁ
⑤ ㄷ, ㄹ, ㅁ

15 갈등관리

업무의 상호 의존성에 따른 갈등예방을 위해서는 근본적으로 업무 의존성을 완화시켜, 부서 간 접촉의 필요성을 줄이는 전략이 유효하다.

선지분석

① 조직의 수직적 분업구조 관련 갈등예방을 위해서 직급교육이 필요하며, 수평적 분업구조 관련 갈등예방을 위해서 인사교류가 필요하다.
② 자원의 희소성 관련 갈등예방을 위해서는 희소한 자원을 배분하는 기준을 명확히 할 필요가 있다.
③ 불확실성이 높아질수록 갈등이 조성된다.
④ 개인적 문제로 발생하는 갈등을 예방하기 위해서는 타인과의 공감대 형성 능력 개발을 위한 교육이 필요하다.

답 ⑤

16 갈등

ㄱ. 갈등은 긍정적인 측면도 있기 때문에 항상 부정적이라고는 볼 수 없다. 적정 수준의 갈등은 조직발전의 새로운 계기로 작용할 수 있다.
ㄴ. 갈등방안 중 협동이 아니라 협상(타협)에 대한 설명이다. 협동은 당사자 모두의 만족을 극대화하려는 전략이다.
ㅁ. 무사안일에 빠져있는 경우에는 갈등의 해소보다 갈등의 조성이 필요하다.

답 ④

THEME 054 의사전달과 행정 PR

17 □□□

2016년 지방직 9급

조직의 의사전달에 대한 설명으로 옳지 않은 것은?

① 공식적 의사전달은 의사소통이 객관적이고 책임 소재가 명확하다는 장점이 있다.
② 비공식적 의사전달은 의사소통과정에서의 긴장과 소외감을 극복하고 개인적 욕구를 충족시킨다는 장점이 있다.
③ 공식적 의사전달은 조정과 통제가 곤란하다는 단점이 있다.
④ 참여인원이 적고 접근가능성이 낮은 경우 의사전달체제의 제한성은 높다.

17 조직의 의사전달

공식적 의사전달은 조직의 공식적인 통로와 수단에 의하여 이루어지는 의사전달로서 책임소재가 명확하고, 조정과 통제가 용이하다는 장점이 있다.

공식적 의사전달과 비공식적 의사전달 비교

구분	공식적 의사전달	비공식적 의사전달
장점	• 상급자의 권위 유지 • 책임소재 명확 • 정책결정의 활용에 용이 • 자료 보존 용이 • 의사전달 편리 • 발신자와 수신자의 명확	• 융통성이 높음 • 신속한 의사전달 • 배후사정을 상세히 전달 • 관리자에 대한 조언 가능 • 긴장 및 소외감 극복 • 개인적인 욕구의 충족
단점	• 신축성과 신속성 부족 • 기밀유지 곤란 • 배후사정의 전달 곤란 • 형식화 경향	• 책임소재의 불분명 • 상관의 권위 손상 가능 • 정책결정에의 활용 곤란 • 공식적인 의사소통을 왜곡할 수 있음 • 조정 및 통제 곤란

답 ③

18 □□□

2015년 교육행정직 9급

조직의 의사전달(communication)에 관한 설명으로 옳지 않은 것은?

① 조직구조상 지나친 계층화는 수직적 의사전달을 저해한다.
② 지나친 전문화와 할거주의는 수평적 의사전달을 저해한다.
③ 비공식적 의사전달은 공식적 의사전달에 비해 조정과 통제가 곤란하다.
④ 공식적 의사전달은 비공식적 의사전달에 비해 신속하지만 책임 소재가 불명확하다.

18 조직의 의사전달

공식적 의사전달은 비공식적 의사전달에 비해 책임 소재가 명확하지만, 융통성과 신속성이 낮다.

선지분석

① 조직구조상 지나친 계층화는 의사전달의 왜곡을 초래할 수 있으므로 수직적 의사전달도 저해하게 된다.
② 지나친 전문화는 훈련된 무능을 초래할 수 있다.
③ 비공식적 의사전달은 구성원 간 대인관계에 의해서 자생적으로 형성되는 의사전달로, 조정과 통제가 곤란하다는 단점이 있다.

답 ④

19 □□□

2010년 국가직 7급

의사전달의 장애요인에 대한 설명으로 옳지 않은 것은?

① 어의상 문제, 의사전달기술의 부족 등 매체의 불완전성으로 인해 의사전달의 장애가 발생할 수 있다.
② 수신자의 선입관은 준거틀을 형성하여 발신자의 의도를 왜곡할 수 있다.
③ 환류의 차단은 의사전달의 정확성을 제고할지 모르나 신속성이 우선되는 상황에서는 장애가 될 수 있다.
④ 시간의 압박, 의사전달의 분위기, 계서제적 문화는 의사전달에 영향을 미칠 수 있다.

19 | 의사전달의 장애요인

환류는 의사전달의 정확성을 제고하는 반면, 신속성을 저해하고 의사전달 통로에 추가적인 부담을 줄 수 있다. 그러므로 환류의 차단은 의사전달의 신속성을 제고할지 모르나, 정확성은 낮아지게 된다.

선지분석

① 의사전달 시 사용하는 말의 의미상의 문제, 의사전달의 기술적 측면 등의 문제로 인하여 의사전달의 장애가 발생할 수도 있다.
② 수신자의 선입관이나 고정관념 등은 수신자의 인식의 프레임(준거틀)을 형성하여, 발신자의 본래 의도를 왜곡할 수 있다.
④ 시간의 압박, 의사전달이 이루어질 때의 분위기, 상명하복의 계서제적 문화는 의사전달의 장애요인이다.

답 ③

THEME 055 리더십이론

20 □□□

2020년 국가직 7급

리더십에 대한 설명으로 옳지 않은 것은?

① 변혁적 리더십의 특성에는 영감적 동기부여, 자유방임, 지적 자극, 개별적 배려 등이 있다.
② 진성(authentic) 리더십의 특성은 리더가 정직성, 가치의식, 도덕성을 바탕으로 팔로워들의 믿음을 이끌고, 팔로워들이 리더의 윤리성과 투명성을 믿으며 긍정적 감정을 느낀다는 것이다.
③ 서번트 리더십은 자기 자신보다는 다른 사람에게 초점을 두고, 부하들의 창의성과 잠재력을 발휘할 수 있도록 봉사하는 리더십이다.
④ 거래적 리더십은 적극적 보상이나 소극적 보상을 통해 영향력을 행사한다.

20 | 리더십

변혁적 리더십의 특성에는 카리스마적 리더십, 영감적 동기부여, 지적 자극(촉매적 리더십), 개별적 배려 등이 있다. 자유방임은 변혁적 리더십의 특성이 아니다.

선지분석

② 진성(authentic)리더십이란 리더와 조직구성원들의 긍정적 자기개발 촉진 측면에서 자기인식, 내재화된 도덕적 관점, 정보의 균형된 프로세스 및 관계적 투명성 등을 보다 발전시키기 위해 긍정적 심리와 도덕적인 분위기를 만들어내고 증진하는 리더십이다.
③ 서번트 리더십은 인간존중을 바탕으로 구성원들이 업무 수행에서 잠재력과 기량을 충분히 발휘할 수 있도록 도와주는 섬김의 리더십으로, 리더가 부하에 대해 봉사하는 리더십이다.
④ 거래적 리더십은 전통적 리더십으로 부하의 성과에 대하여 보상을 통해 영향력을 행사한다.

답 ①

21 □□□

2019년 국가직 9급

리더십에 대한 설명으로 옳지 않은 것은?

① 특성론에 대한 비판은 지도자의 자질이 집단의 특성 · 조직목표 · 상황에 따라 완전히 달라질 수 있고, 동일한 자질을 갖는 것은 아니며, 반드시 갖춰야 할 보편적인 자질은 없다는 것이다.
② 행태이론에서는 눈에 보이지 않는 능력 등 리더가 갖춘 속성보다 리더가 실제 어떤 행동을 하는가에 초점을 맞춘다.
③ 상황론에서는 리더십을 특정한 맥락 속에서 발휘되는 것으로 파악해, 상황 유형별로 효율적인 리더의 행태를 찾아내기 위한 연구를 수행하였다.
④ 번스(Burns)의 리더십이론에서 거래적 리더십은 카리스마적 리더십을 기반으로 하므로 카리스마적 리더십과 중첩되는 측면이 있다.

22 □□□

2013년 교육행정직 9급

리더십에 대한 다음 설명 중 올바르지 않은 것은?

① 리더십이란 하급자에게 권력을 행사하면서도 근무의지를 불러일으키는 양면성을 지닌다.
② 카리스마적 리더십은 부하에게 수범을 보이고 존경과 신뢰를 중시하는 신속성론이라는 점에서 변혁적 리더십과 공통점이 있다.
③ 리더십의 행태이론은 배려(consider)와 구조설정(initiate)이라는 두 가지 차원의 변수를 사용하여 리더행동의 다양성과 차별성을 강조한다.
④ 행태론은 실패의 지도자, 성공의 지도자의 차이를 지도자의 자질과 행위에 두었다.

21 리더십

번스(Burns)의 리더십 이론 중 카리스마적 리더십을 기반으로 하는 리더십은 변혁적 리더십이다. 따라서 카리스마적 리더십과 중첩되는 측면이 있는 리더십은 변혁적 리더십이다.

리더십 연구의 발달과정

특성론	• 1차원적 리더십(1920~1930) • 성공적 리더는 그들만의 공통적 특성·자질을 가지고 있다는 전제하에 성공적 리더의 개인적 득성 및 자질을 연구한다. • 리더는 어떤 사람인가?
행태론	• 2차원적 리더십(1940~1950) • 리더의 자질이 아닌 행태적 특성이 조직성과에 직접적 영향을 미친다는 전제하에, 리더와 부하 간의 관계를 중심으로 리더의 행태규명에 초점을 맞춘다. • 리더는 어떤 행동을 하는가?
상황론	• 3차원적 리더십 • 상황적 요건에 관심을 가지고 모든 상황에서 효과적인 단일의 리더십은 없다는 전제하에 상황에 따른 리더십의 효율성을 규명한다. • 리더는 상황에 어떻게 대응하는가?

답 ④

22 리더십

행태론은 실패의 지도자, 성공의 지도자의 차이를 지도자의 자질이 아니라 행위에 중점을 두었다.

(선지분석)

① 리더십이란 리더가 일정한 상황에서 개인이나 집단에 영향을 미쳐 목표달성을 위한 행위를 이끌어내는 능력으로, 하급자에게 권력을 행사하면서도 구성원에게 동기를 부여하고 하위조직을 조정·통합하며 조직의 응집력을 확보하는 기능이 있다.
② 카리스마적 리더십은 리더가 난관을 극복하고 현 상태에 대한 각성을 표명함으로써 부하들에게 자긍심과 신념 부여하고 존경과 신뢰 획득하는 리더십으로, 변혁적 리더십에 해당한다.
③ 배려는 직원의 사기를 고려하고 신뢰감, 상호존경 등 정서적 공감을 조성하는 지도행위이고, 구조설정은 업무조직, 절차마련, 마감기한 설정 등 작업을 감독·평가하는 지도행위이다. 리더십 행태이론은 배려와 구조설정을 기준으로 리더행동의 다양성과 차별성을 강조하였다.

답 ④

23 □□□

2015년 서울시 9급

리더십에 관한 다음 설명 중 가장 옳지 않은 것은?

① 특성론적 접근법은 주로 업무의 특성과 리더십 스타일 사이의 관계에 초점을 맞춘다.

② 행태론적 접근법은 리더의 행동과 효과성 사이의 관계에 관심을 갖는다.

③ 상황론적 접근법에 기초한 이론의 예로 피들러(Fiedler)의 상황적합적 리더십이론, 하우스(House)의 경로-목표모형 등을 들 수 있다.

④ 변혁적(transformational) 리더십이 거래적(transactional) 리더십보다 늘 행정에 유용한 것은 아니다.

24 □□□

2017년 국회직 8급

다음 중 리더십에 대한 설명으로 옳지 않은 것은?

① 행태론적 접근법은 효과적인 리더의 행동은 상황에 따라 다르다는 사실을 간과한다.

② 특성론적 접근법은 성공적인 리더는 그들만의 공통적인 특성이나 자질을 가지고 있다고 전제한다.

③ 상황론적 접근법은 리더의 어떠한 행동이 리더십 효과성과 관계가 있는가를 파악하고자 하는 접근법이다.

④ 거래적 리더십은 합리적 과정이나 교환 과정의 중요성을 강조한다.

⑤ 변혁적 리더십은 카리스마, 개별적 배려, 지적 자극, 영감(inspiration) 등을 강조한다.

23 리더십

업무의 특성과 리더십 스타일 사이의 관계에 초점을 맞추는 것은 행태론적 접근법이다. 특성론적 접근법은 성공적인 리더는 그들만의 공통적인 특성과 자질을 가지고 있다는 전제하에서 성공적인 리더의 개인적 특성과 자질, 즉 리더의 속성을 연구하는 것이다.

선지분석

② 행태론적 접근법은 리더와 부하 간의 관계를 중심으로 리더의 행태규명에 초점을 둔다.

③ 상황론적 접근법의 예로는 탄네바움(Tannebaum)과 슈미트(Schmidt)의 상황이론, 피들러(Fiedler)의 상황적합성이론, 하우스(House)와 에반스(Evans)의 경로, 커와(Kerr) 저미어(Jermier)의 리더십 대체물 접근법 등이 있다.

④ 신속성론에 따르면 리더의 리더로서의 속성과 상황에 맞는 리더십이 필요하다.

답 ①

24 리더십

리더의 어떠한 행동이 리더십 효과성과 관계가 있는가를 파악하고자 하는 접근법은 행태론적 접근법이다. 상황론적 접근법은 상황적 요건에 관심을 가지고 모든 상황에서 효과적인 단일의 리더십은 없다는 전제하에서, 상황에 따른 리더십의 효율성을 규명하려는 접근법이다.

선지분석

① 행태론적 접근법은 효과적인 리더의 행동은 상황에 따라 다르다는 사실을 인지하지 못하였으며, 이후 상황론적 접근법이 도입된다.

② 특성론적 접근법은 성공적인 리더는 그들만의 공통적인 타고난 특성, 속성, 자질을 보유하고 있다고 본다.

④ 거래적 리더십은 리더와 부하와의 관계에서 합리적 과정이나 교환을 통한 거래를 강조한다.

⑤ 바스(Bass)가 제시한 변혁적 리더십은 카리스마적 리더십, 영감적 리더십, 개별적 배려, 지적 자극(촉매적 리더십)을 구성요소로 한다.

답 ③

25 □□□

2020년 서울시 9급

리더십 이론에 대한 설명 중 가장 옳지 않은 것은?

① 피들러(Fiedler)는 상황 요소로 리더의 자질, 과업 구조, 부하의 특성을 들었다.
② 블레이크(Blake)와 머튼(Mouton)의 리더십 격자 모형은 리더의 행태를 사람과 과업(생산)의 두 차원으로 나눈다.
③ 허쉬(Hersey)와 블랜차드(Blanchard)는 리더십의 효과에 영향을 미치는 상황 요소로 부하의 성숙도를 들었다.
④ 아이오와(Iowa) 주립대학의 리더십 연구에서는 리더의 행태를 민주형, 권위형, 방임형으로 분류하였다.

26 □□□

2013년 서울시 9급

리더십이론에 대한 설명으로 옳지 않은 것은?

① 로쉬(Lorsch)와 블랜차드(Blanchard)는 상황변수를 강조하였다.
② 행태론적 접근은 리더의 행위에 초점을 둔다.
③ 리더의 특성론적 접근은 지적 능력을 중요시하지 않는다.
④ 변혁적 리더십은 가치관이 중요하다고 본다.
⑤ 브룸(Vroom)은 규범적 리더십모형을 제시하였다.

25 | 리더십 이론

피들러(Fiedler)는 상황 요소로 리더와 추종자와의 관계, 지위권력, 과업구조를 들었다.

선지분석

② 블레이크(Blake)와 머튼(Mouton)의 리더십 격자 모형(관리망 모형)은 리더의 행태를 사람과 과업(생산)의 두 차원으로 나누고, 두 차원 모두에게 관심이 높은 단합형 리더가 가장 효과적이라고 주장하였다.
③ 허쉬(Hersey)와 블랜차드(Blanchard)는 리더십 상황이론(3차원 모형)에서 리더십의 효과에 영향을 미치는 상황 요소로 부하의 성숙도를 들었다.
④ 10세 아이들을 대상으로 리피트(Lippit)와 화이트(White)가 진행한 아이오와(Iowa) 주립대학의 리더십 연구에서는 리더의 행태를 민주형, 권위형, (자유)방임형으로 분류한 뒤, 생산성 측면에서는 권위형과 민주형이 가장 효과적이고 구성원의 사기 측면에서는 민주형이 가장 효과적이라고 보았다.

답 ①

26 | 리더십이론

리더십의 특성론적 접근법은 성공적 리더의 지적 능력, 성격, 신체적 특성 등 리더의 개인적 특성 및 자질을 연구하였다. 즉, 리더의 자질이 있는 자가 성공적인 리더가 될 수 있다는 것을 전제로 한 이론이다. 따라서 리더의 특성론적 접근법은 리더의 지적 능력을 매우 중요시한다.

선지분석

① 로쉬(Lorsch)와 로렌스(Lawrence)는 환경의 불확실성이라는 상황변수와 리더십의 관계를 연구했고, 허쉬(Hersey)와 블랜차드(Blanchard)는 리더십에 있어서 부하의 성숙도를 중요한 상황변수로 강조하였다.
④ 변혁적 리더십은 거래적 리더십의 교환관계보다 리더의 가치관을 중요하다고 본다.
⑤ 브룸(Vroom)과 예튼(Yetton)은 의사결정규범모형에서 서술적 부분과 규범적 부분으로 분류하여 규범적 리더십 모형을 제시하였다. 서술적 부분은 개인차를 갖는 리더가 어떤 상황에서 부하들을 참여시키는가에 관련되고, 규범적 부분은 특정 상황에서 부하들을 얼마나 참여시켜야 효과적인가와 관련된다.

답 ③

27 □□□

2019년 서울시 7급

리더십 상황이론에 해당하지 않는 것은?

① 블레이크와 머튼의 관리그리드 이론
② 피들러의 상황적응 모형
③ 허쉬와 블랜차드의 삼차원적 모형
④ 하우스와 에반스의 경로-목표이론

28 □□□

2019년 서울시 9급(2월 추가)

피들러(Fiedler)의 상황적합적 리더십이론에서 제시된 상황변수가 아닌 것은?

① 리더와 부하의 관계(leader-member relations)
② 부하의 성숙도(maturity)
③ 직위 권력(position power)
④ 과업 구조(task structure)

27 리더십 상황이론

블레이크(Blake)와 머튼(Mouton)의 관리그리드 이론은 리더십의 유형을 생산에 대한 관심과 인간에 대한 관심의 두 차원으로 나누고, 각각 9등급으로 나누어서 분석한 모형으로, 리더십 행태론에 해당한다.

(선지분석)

② 피들러(Fiedler)의 상황적응 모형은 리더십의 효율성은 상황변수에 따라 결정된다고 보고 '가장 좋아하지 않는 동료'라는 척도를 사용하여 리더십 유형을 두 가지로 분류하는 모형으로, 리더십 상황이론에 해당한다.
③ 허쉬(Hersey)와 블랜차드(Blanchard)의 삼차원적 모형은 리더의 행동을 '인간중심적 행동'과 '과업중심적 행동'으로 구분하고, 리더십의 효율성을 좌우하는 중요한 상황변수로서 부하의 성숙도를 제시하는 모형으로, 리더십 상황이론에 해당한다.
④ 하우스(House)와 에반스(Evans)의 경로-목표이론은 리더가 부하가 바라는 보상(목표)에 도달하게 해주는 행동(경로)이 무엇인지 명확하게 해줌으로써 부하의 성과를 높일 수 있다고 보는 이론으로, 리더십 상황이론에 해당한다.

답 ①

28 피들러(Fiedler)의 상황적합적 리더십이론

부하의 성숙도를 중요 상황변수로 파악한 것은 허쉬(Hersey)와 블랜차드(Blanchard)의 리더십 상황이론이다.

피들러(Fiedler)의 상황적합성이론

1. 의의
   - 리더십의 효율성은 상황변수에 따라 결정된다고 보고 '가장 좋아하지 않는 동료(LPC; Least preferred Co-worker)'라는 척도를 사용하여 리더십 유형을 두 가지(관계중심적 리더십, 과업중심적 리더십)로 분류하였다.
   - 상황변수는 리더와 추종자의 관계, 지위권력, 과업구조이다.
2. 내용

싫어하는 동료를 부정적으로 평가하는 경우	• LPC 점수가 낮은 과업지향형 • 리더십 상황이 리더에게 유리하거나 불리한 경우에는 과업지향적 리더가 효과적임
싫어하는 동료를 긍정적으로 평가하는 경우	• LPC 점수가 높은 관계지향형 • 리더십 상황이 리더에게 유리하지도 불리하지도 않은 상황에서는 관계지향적 리더가 효과적임

답 ②

29 □□□

2019년 서울시 9급

허시(Hersey)와 블랜차드(Blanchard)는 부하의 성숙도(Maturity)에 따른 효과적인 리더십을 제시하였다. 부하가 가장 미성숙한 상황에서 점점 성숙해간다고 할 때, 가장 효과적인 리더십 유형을 〈보기〉에서 골라 순서대로 나열한 것은?

ㄱ. 참여형
ㄴ. 설득형
ㄷ. 위임형
ㄹ. 지시형

① ㄷ → ㄱ → ㄴ → ㄹ
② ㄹ → ㄱ → ㄴ → ㄷ
③ ㄹ → ㄴ → ㄱ → ㄷ
④ ㄹ → ㄴ → ㄷ → ㄱ

30 □□□

2015년 지방직 9급

리더십이론에 대한 설명으로 옳지 않은 것은?

① 피들러(Fiedler)는 리더의 행태에 따라 권위주의형, 민주형, 자유방임형의 세 가지 유형으로 구분하였다.
② 행태이론은 리더의 자질보다 리더의 행태적 특성이 조직성과에 영향을 미친다고 본다.
③ 허시(Hersey)와 블랜차드(Blanchard)는 부하의 성숙도에 따라 리더의 역할이 달라져야 한다고 주장한다.
④ 하우스(House)의 경로-목표이론에 의하면 참여적 리더십은 부하들이 구조화되지 않은 과업을 수행할 때 필요하다.

29 리더십의 성숙도이론

허시(Hersey)와 블랜차드(Blanchard)는 리더십의 성숙도이론에서 구성원의 성숙도에 따라 부하가 가장 미성숙한 상황에서 점점 성숙해갈 경우 효과적인 리더십의 유형을 지시형, 설득형, 참여형, 위임형으로 구분하였다.

부하의 성숙도에 따른 효율적 리더십

낮음	과업지향형 - 부하의 역할이나 목표설정 등을 리더가 직접 지시한다.
중간	관계지향형 - 부하에게 관심을 가지고 문제해결을 지원한다.
높음	분업적 과업지향형 - 부하에게 대폭 권한을 위임하여 스스로 과업을 수행할 수 있도록 한다.

답 ③

30 리더십이론

리더의 행태에 따라 권위주의형, 민주형, 자유방임형의 세 가지 유형으로 구분한 것은 아이오와 대학의 리피트(Lippitt)와 화이트(White)의 연구이다. 피들러(Fiedler)는 리더십의 유형을 과업지향형, 인간관계지향형으로 구분하는 상황적응모형을 제시하였다.

선지분석

② 행태이론은 자질론(속성론)의 한계를 극복하면서 출발한 이론으로, 리더의 타고난 자질보다 리더가 어떻게 행동하는지에 따라 조직성과가 달라진다고 보았다.
③ 허쉬(Hersey)와 블랜차드(Blanchard)의 상황론에서 가장 중요한 상황요인은 부하의 성숙도이다.
④ 하우스(House)의 경로-목표이론에 의하면 부하들이 구조화 되지 않은 과업을 수행할 때는 참여적 리더십 또는 성취지향적 리더십이 적합하며, 부하들의 역할이 모호하고 부하의 경험과 지식이 부족한 상황에서는 지시적 리더십이, 부하들의 자신감이 결여되고 불안감이 높거나 단조롭고 지루한 업무를 수행하는 상황에서는 지원적 리더십이 효과적이다.

답 ①

31 □□□

2008년 지방직 7급

리더십에 대한 연구 중 그 성격이 다른 것은?

① 르윈(Lewin), 리피트(Lippitt), 화이트(White)는 리더십의 유형을 권위형, 민주형, 방임형으로 분류한다.
② 리더십에 대한 미시간대학교(University of Michigan)의 연구에서는 직원중심형과 생산중심형으로 구분한다.
③ 블레이크(Blake)와 무튼(Mouton)은 조직발전에 활용할 목적으로 관리유형도(Managerial Grid)라는 개념적 도구를 사용한다.
④ 허쉬(Hersey)와 블랜차드(Blanchard)는 인간관계중심적 행태와 임무중심적 행태를 기준으로 리더 십유형을 구분한다.

32 □□□

2017년 지방직 7급

리더십에 대한 설명으로 옳은 것은?

① 피들러(Fiedler)는 리더십 유형을 결정하는 조건으로 부하의 성숙도를 중요시한다.
② 번스(Burns)의 거래적 리더십은 영감, 개인적 배려에 치중하고 조직에서 변화를 주도하는 리더십이다.
③ 하우스(House)의 참여적 리더는 부하들과 상담하고 의사결정 전에 부하들의 의견을 반영하려고 한다.
④ 블레이크와 머튼(Blake & Mouton)은 직원지향적 리더십이 가장 이상적인 리더십 유형이라고 규정한다.

31 리더십

허쉬(Hersey)와 블랜차드(Blanchard)는 리더의 행동을 과업지향적 행동과 관계지향적 행동으로 구분하고 부하의 직무상 심리적 성숙도를 상황변수로 채택하여 3차원적인 상황적 리더십이론을 주장하였는데, 이는 리더십의 연구 중 상황론에 해당한다. 나머지는 리더십의 연구 중 행태론의 내용이다.

답 ④

32 리더십

하우스(House)의 참여적 리더는 의사결정에 부하들을 참여시켜 부하들의 의견을 반영하려고 한다.

선지분석

① 리더십 유형을 결정하는 조건으로 부하의 성숙도를 중시한 이론은 허쉬(Hersey)와 블랜차드(Blanchard)가 주장한 이론이다.
② 거래적 리더십이 아니라 변혁적 리더십에 대한 설명이다.
④ 블레이크와 머튼(Blake & Mouton)은 과업과 사람을 모두 중시하는 단합형 리더를 가장 효과적인 관리유형으로 꼽았다.

답 ③

33 □□□

2014년 사회복지직 9급

다음 내용을 모두 특징으로 하는 리더십의 유형은?

- 추종자의 성숙단계에 따라 효율적인 리더십 스타일이 달라진다.
- 리더십은 개인의 속성이나 행태뿐만 아니라 환경의 영향을 받는다.
- 가장 유리하거나 가장 불리한 조건에서는 과업중심적 리더십이 효과적이다.

① 변혁적 리더십
② 거래적 리더십
③ 카리스마적 리더십
④ 상황론적 리더십

34 □□□

2014년 지방직 7급

커와 저미어(Kerr & Jermier)가 주장한 '리더십 대체물 접근법'에 대한 설명으로 옳은 것만을 모두 고른 것은?

ㄱ. 구조화되고, 일상적이며, 애매하지 않은 과업은 리더십의 대체물이다.
ㄴ. 조직이 제공하는 보상에 대한 무관심은 리더십의 대체물이다.
ㄷ. 부하의 경험, 능력, 훈련 수준이 높은 것은 리더십의 중화물이다.
ㄹ. 수행하는 과업의 결과에 대한 환류(feedback)가 빈번한 것은 리더십의 대체물이다.

① ㄱ, ㄷ
② ㄱ, ㄹ
③ ㄴ, ㄷ
④ ㄴ, ㄹ

33 상황론적 리더십

제시된 내용을 특징으로 하는 리더십은 상황론적 리더십이다.

- 허쉬와 블랜차드(Hersey & Blanchard)의 삼차원이론(생애주기이론): 추종자의 성숙단계에 따라 효율적인 리더십의 스타일이 달라진다.
- 상황론적 리더십: 리더십은 개인의 속성이나 행태뿐만 아니라 환경의 영향도 받는다.
- 피들러(Fiedler)의 상황조건론: 상황이 유리하거나 불리한 조건에서는 과업중심적 리더십이 효과적이다.

답 ④

34 리더십 대체물 접근법

ㄱ, ㄹ. 부하의 경험·능력·훈련수준 및 전문지식, 일상적·구조화된 과업, 작업수행 결과에 대한 환류, 직무자체에 대한 만족, 조직 내 명확한 목표·규칙, 높은 응집력 등은 리더십을 불필요하게 만드는 대체물이다.

선지분석

ㄴ. 조직이 제공하는 보상에 대한 무관심은 리더십의 중화물이다.
ㄷ. 부하의 전문지식, 능력, 훈련 수준이 높은 것은 리더십의 대체물이다.

리더십의 대체물과 중화물

구분	내용
대체물	리더의 행동을 필요 없게 만드는 부하의 특성으로, 과업 및 조직의 특성과 같은 상황요인
중화물	리더가 취한 행동의 효과를 약화 내지 중화시키는 상황요인

답 ②

35 □□□

2020년 서울시 9급

〈보기〉에서 리더십에 대한 이론과 설명이 바르게 연결되지 않은 것을 모두 고른 것은?

〈보기〉

ㄱ. 변혁적 리더십: 리더는 부하들에게 영감적 동기를 부여하고 지적 자극 등을 제공하며 조직을 이끈다.
ㄴ. 거래적 리더십: 리더는 부하의 과업을 정확히 이해하고 목표 달성 정도를 평가하여 성과에 대한 적절한 보상을 한다.
ㄷ. 셀프 리더십: 리더는 구성원들이 잠재력을 발휘할 수 있도록 구성원들을 섬기는데 중점을 둔다.

① ㄱ
② ㄴ
③ ㄷ
④ ㄴ, ㄷ

36 □□□

2019년 지방직 9급

'변혁적 리더십(transformational leadership)'에 대한 설명으로 옳지 않은 것은?

① 조직참여의 기대가 적은 경우에 적합하며 예외관리에 초점을 둔다.
② 리더가 부하에게 특별한 관심을 보이거나 자긍심과 신념을 심어준다.
③ 리더가 부하들의 창의성을 계발하는 지적 자극(intellectual stimulation)을 중시한다.
④ 리더가 인본주의, 평화 등 도덕적 가치와 이상을 호소하는 방식으로 부하들의 의식수준을 높인다.

35 리더십

리더가 구성원들이 잠재력을 발휘할 수 있도록 구성원들을 섬기는데 중점을 두는 리더십은 서번트 리더십이다. 셀프 리더십은 리더만이 아니라, 구성원 모두가 스스로를 관리하고 이끌어가는 리더십을 의미한다.

답 ③

36 변혁적 리더십

변혁적 리더십은 카리스마적 리더십, 영감적 리더십, 지적 자극, 개별적 배려를 특징으로 하는 리더십으로 유기적 조직에서 최고관리층에게 적합한 현대적 리더십이다. 변혁적 리더십은 부하들을 개별적으로 배려하는 한편, 부하들에게 지적 자극을 통한 촉매작용으로 부하들이 스스로 행동하게끔 유도하는 리더십이므로 조직참여의 기대가 높은 경우에 적합하다. 또한 문제가 생겼을 때만 리더가 개입하는 예외관리가 아닌 변혁적 관리에 초점을 둔다.

(선지분석)

② 변혁적 리더십에서는 리더가 부하를 개별적으로 배려하여 특별한 관심을 보이거나 자긍심과 신념을 심어준다.
③ 변혁적 리더십에서는 부하들의 창의성을 계발하는 촉매적 리더십으로, 지적 자극을 중시한다.
④ 리더가 도덕적 가치와 이상을 호소하는 방식으로 부하들의 의식수준을 제고하는 것은 영감적 리더십의 일종으로 볼 수 있다.

답 ①

37 □□□

2010년 국가직 9급

바스(Bass) 등이 제시한 변혁적 리더십(Transformational Leadership)의 주된 요인으로 옳지 않은 것은?

① 영감적 리더십
② 합리적 과정
③ 카리스마적 리더십
④ 개별적 배려

38 □□□

2015년 지방직 7급

바스(Bass) 등이 제시한 '변혁적 리더십(transformational leadership)'에 대한 설명으로 옳지 않은 것은?

① 리더는 구성원 개개인의 니즈에 관심을 가지며 잠재력 개발을 돕는다.
② 리더는 성과계약과 같이 교환과 거래에 기반한 관리방식을 활용한다.
③ 리더는 혁신적이고 창조적인 관점에서 해결책을 구하도록 구성원을 자극하고 변화를 유도한다.
④ 리더는 조직이 나아갈 비전을 제시하고 구성원들과의 소통을 통하여 이를 공유하고자 한다.

37 변혁적 리더십

합리적 과정은 전통적인 거래적 리더십의 특징이다. 변혁적 리더십의 구성요소로는 카리스마적 리더십, 영감적 리더십, 개별적 배려, 지적 자극, 촉매적 리더십 등이 있다.

변혁적 리더십의 구성요소

카리스마적 리더십	리더가 난관을 극복하고 현 상태에 대한 각성을 표명함으로써 부하들에게 자긍심과 신념을 부여하고 존경과 신뢰 획득
영감적 리더십	부하가 도전적 목표와 임무, 미래에 대한 비전을 열정적으로 받아들이고 계속 추구하도록 격려
개별적 배려	부하에 대한 특별한 관심을 바탕으로 개인의 특성을 파악·고려함으로써 개인적 존중감 전달
지적 자극	부하들이 형식적 관례를 타파하고 새로운 관념을 촉발하도록 함
촉매적 리더십	연관성이 높은 공공의 문제를 다루는 데 촉매작용을 할 수 있는 리더십

답 ②

38 변혁적 리더십

성과계약과 같이 교환과 거래에 기반한 관리방식을 활용하는 리더십은 거래적 리더십이다. 변혁적 리더십은 거래적·교환적 리더십과 대비되는 개념으로, 조직의 안정보다는 노선과 문화를 변동시키려고 노력하는 최고관리층의 변화추구적·개혁적 리더십을 의미한다.

(선지분석)
① 개별적 배려에 대한 설명이다.
③ 지적 자극에 대한 설명이다.
④ 영감적 리더십에 대한 설명이다.

답 ②

39 □□□

2013년 국가직 7급

변혁적 리더십(transformational leadership)의 특징이 아닌 것은?

① 리더는 부하의 욕구와 직무수행에 필요한 자원을 정확히 파악하여 그에 대한 보상과 지원을 제공하고, 부하는 그에 상응하는 노력을 통하여 리더가 제시한 과업목표를 달성한다.
② 부하의 변화 측면에 초점을 맞추어 재량권을 부여하고 부하를 리더로 키운다.
③ 부하의 자기실현과 존중감 등 높은 수준의 욕구 실현에 관심을 갖는다.
④ 조직이 나아갈 비전을 제시하고 구성원들로 하여금 비전을 공유할 수 있도록 만든다.

40 □□□

2013년 지방직 9급

리더십에 대한 설명으로 옳은 것은?

① 변혁적(transformational) 리더십 - 무엇인가 가치 있는 것을 교환함으로써 추종자에게 영향력을 행사하는 리더십
② 거래적(transactional) 리더십 - 리더가 부하로 하여금 형식적 관례와 사고를 다시 생각하게 함으로써 새로운 관념을 촉발시키는 리더십
③ 카리스마적(charismatic) 리더십 - 리더가 특출한 성격과 능력으로 추종자들의 강한 헌신과 리더와의 일체화를 이끌어내는 리더십
④ 서번트(servant) 리더십 - 과업을 구조화하고 과업요건을 명확히 하는 리더십

39 변혁적 리더십

변혁적 리더십이 아니라 거래적 리더십의 특징에 해당한다.

거래적 리더십과 변혁적 리더십 비교

거래적 리더십	변혁적 리더십
현실의 안정, 유지	변화 및 개혁 강조
현실적 목표	이상적 목표
단기적 전망	장기적 전망
즉각적이고, 가시적인 보상 제공 (교환단계)	높은 수준의 개인적 목표를 동경하도록 유도(통합단계)
규칙과 관례	변화와 도전
해답 제시	질문 제공

답 ①

40 리더십

카리스마적 리더십은 리더의 특출한 성격과 능력 등 대인적 매력에 기초한 리더십으로, 부하들이 리더를 지원하고 수용하도록 만드는 속성을 가지고 있다.

선지분석

① 가치 있는 것과 교환하여 추종자에게 영향력을 미치는 리더십은 거래적 리더십이다.
② 리더가 부하로 하여금 형식적 관례와 사고를 다시 생각하게 함으로써 새로운 관념을 촉발시키는 리더십은 변혁적 리더십의 지적 자극에 대한 설명이다.
④ 과업을 구조화하고 과업요건을 명확히 하는 리더십은 성취지향적 리더십이다. 서번트 리더십은 섬김의 리더십이다.

답 ③

41 □□□

2017년 서울시 9급

리더십에 대한 다음 설명 중 가장 옳지 않은 것은?

① 자질론은 지도자의 자질 · 특성에 따라 리더십이 발휘된다는 가정하에 지도자가 되게 하는 개인의 속성 · 자질을 연구하는 이론이다.

② 행태이론은 눈에 보이지 않는 능력 등 리더가 갖춘 속성보다 리더가 실제 어떤 행동을 하는가에 초점을 맞춘 이론이다.

③ 상황론의 대표적인 예로 피들러(F. Fiedler)의 상황조건론, 하우스(R. J. House)의 경로-목표모형 등이 있다.

④ 변혁적 리더십은 거래적 리더십을 기반으로 하므로 거래적 리더십과 중첩되는 측면이 있다.

41 리더십

변혁적 리더십과 거래적 리더십은 상황이나 인식의 토대가 전혀 다르다. 변혁적 리더십이 불확실성의 시대 변화에 능동적으로 적응하는 최고관리층의 리더십을 의미한다면, 거래적 리더십은 현실의 안정과 유지를 위하여 즉각적이고 가시적인 보상을 제공하고 부하와 상관과의 교환적 거래관계에 기초한 리더십을 의미한다.

선지분석

① 자질론(속성론)은 초기 리더십 연구로 리더의 자질, 속성 특성에 따라 리더십이 발휘된다는 가정하에 리더가 되게 하는 개인의 속성, 자질, 특성을 연구하는 이론이다.

② 행태이론은 자질론(속성론)을 극복하면서 출발한 이론으로, 리더의 속성보다 리더가 실제 어떠한 행동을 하는가에 초점을 맞춘 이론이다.

③ 상황론의 대표적 예로 피들러(Fiedler)의 상황조건론, 하우스(House)의 경로-목표모형, 허쉬(Hersey)와 블랜차드(Blanchard)의 리더십 상황이론, 유클(Yukl)의 다중연결모형, 레딘(Reddin)의 3차원모형 등이 있다.

답 ④

42 □□□

2008년 국가직 7급

리더십이론과 그 특성이 잘못 연결된 것은?

① 특성이론 - 리더의 개인적 자질을 강조

② 행태이론 - 리더 행동의 상대적 차별성을 강조

③ 거래이론 - 리더와 부하 간의 사회적 교환관계를 강조

④ 변혁이론 - 부하에 대한 지시와 지원을 강조

42 리더십이론

변혁적 리더십은 부하에 대한 지시와 지원을 강조하지 않는다. 변혁적 리더십은 부하가 도전적 목표와 임무, 미래에 대한 비전을 열정적으로 받아들이고 계속 추구할 수 있도록 격려한다.

답 ④

43 □□□

2019년 서울시 9급(2월 추가)

〈보기〉 정책의 전략적 관리방안을 단계별 순서대로 바르게 나열한 것은?

〈보기〉
ㄱ. 총체적인 정책 방향과 통용되는 규범적 가치 파악
ㄴ. 전략적 의제 개발
ㄷ. 전략적 정책 집행
ㄹ. 전략적 대안 모색
ㅁ. SWOT 분석을 통한 현재 상황의 파악
ㅂ. 전략적 정책대안의 성공 가능성 평가

① ㄱ → ㄹ → ㅁ → ㅂ → ㄷ → ㄴ
② ㄱ → ㅁ → ㄴ → ㄹ → ㅂ → ㄷ
③ ㄱ → ㄴ → ㄹ → ㅁ → ㄷ → ㅂ
④ ㄱ → ㄷ → ㅂ → ㄴ → ㄹ → ㅁ

44 □□□

2017년 국가직 7급(8월 시행)

SWOT 분석에 대한 설명으로 옳지 않은 것은?

① 조직 내적 특성과 외부 환경의 조합에 따른 맞춤형 대응전략 수립에 도움이 된다.
② 조직 외부 환경은 기회와 위협으로, 조직 내부 자원 · 역량은 강점과 약점으로 구분한다.
③ 다양화 전략은 조직의 강점을 활용하여 위협을 회피하거나 최소화하는 전략이라고 볼 수 있다.
④ 기존 프로그램의 축소 또는 폐지는 약점 - 기회를 고려한 방어적 전략이라고 볼 수 있다.

43 정책의 전략적 관리방안

정책의 전략적 관리방안은 ㄱ. 총체적인 정책 방향과 통용되는 규범적 가치 파악 → ㅁ. SWOT 분석을 통한 현재 상황의 파악 → ㄴ. 전략적 의제 개발 → ㄹ. 전략적 대안 모색 → ㅂ. 전략적 정책대안의 성공 가능성 평가 → ㄷ. 전략적 정책 집행의 순서로 이루어진다.

SWOT 전략

구분	강점	약점
기회	SO전략 강점과 기회를 모두 극대화하는 전략	WO전략 약점은 최소화하고 기회를 최대화하는 전략
위협	ST전략 강점은 극대화하고 위협을 최소화하는 전략	WT전략 약점과 위협을 모두 최소화하는 전략

답 ②

44 SWOT 분석

기존 프로그램의 축소 또는 폐지는 약점 - 위협을 고려한 방어적 전략(WT전략)이라고 볼 수 있다. 방어적 전략(WT전략)은 약점과 위협을 모두 최소화하려는 전략이다.

선지분석

①, ② SWOT분석은 조직 내적 특성을 강점과 약점으로 분류하고 외부 환경을 기회와 위협으로 분류하여, 그 조합에 따른 맞춤형 대응전략을 수립하기 위한 분석이다.
③ 다양화 전략을 차별화 전략이라고도 하며, 조직의 강점을 활용하여 위협을 회피하거나 최소화 하는 전략이다.

답 ④

45 □□□

2010년 지방직 9급

다음 중 목표관리제(MBO)가 성공하기 쉬운 조직은?

① 집권화되어 있고 계층적 질서가 뚜렷하다.
② 성과와 관련 없이 보수를 균등하게 지급한다.
③ 목표를 계량적으로 측정하기가 용이하다.
④ 업무환경이 가변적이고 불확실성이 크다.

46 □□□

2020년 국가직 9급

총체적 품질관리(TQM)에 대한 설명으로 옳은 것만을 모두 고르면?

ㄱ. 고객의 요구를 존중한다.
ㄴ. 무결점을 향한 지속적 개선을 중시한다.
ㄷ. 집권화된 기획과 사후적 통제를 강조한다.
ㄹ. 문제해결의 주된 방법은 집단적 노력에서 개인적 노력으로 옮아 간다.

① ㄱ, ㄴ
② ㄱ, ㄷ
③ ㄴ, ㄹ
④ ㄷ, ㄹ

45 목표관리제(MBO)

목표관리제(MBO)는 계량적·유형적 목표를 중시하기 때문에 목표를 계량적으로 명확히 측정하기가 용이할 때 성공하기 쉽다.

선지분석

① 분권화된 비계층제적 조직에 더 적합하다.
② 목표달성에 따른 보상을 차등적으로 지급한다.
④ 폐쇄모형이기 때문에 가변적이고 불확실한 환경에는 적용가능성이 낮아진다.

답 ③

46 총체적 품질관리(TQM)

ㄱ. 고객의 요구에 부응하는 품질달성이 최우선 목표이고, 품질도 고객이 평가한다.
ㄴ. 결점이 없어질 때까지 개선활동을 되풀이한다.

선지분석

ㄷ. 구성원의 적극적 참여를 기반으로 하는 분권화된 기획과 예방적 통제를 강조한다.
ㄹ. 품질의 결정부터 문제해결까지 조직의 전체 구성원이 참여하는 집단적 과정과 노력을 중시한다.

답 ①

47 □□□

2016년 사회복지직 9급

총체적 품질관리(TQM)에 대한 설명으로 옳지 않은 것은?

① 모든 조직 구성원들은 한편으로 공급자이면서 다른 한편으로는 고객인 이중적 역할을 수행하는 것으로 본다.
② 환경의 불확실성을 통제하기 위하여 단기적 전략과 교정적 · 사후적 통제에 치중한다.
③ 목표관리제(MBO)와 달리 TQM의 관심은 외향적이어서 고객의 필요에 따라 목표를 설정하는 것을 강조한다.
④ 하급직원들에게 힘을 실어주는 일과 분권화를 촉구하지만 계층제의 완전한 폐지를 주장하지는 않는다.

48 □□□

2014년 지방직 7급

총체적 품질관리(TQM)에 대한 설명으로 옳지 않은 것은?

① 품질관리가 서비스 생산 및 공급이 이루어지는 과정의 매 단계에서 이루어진다.
② 계획과 문제해결의 주된 방법은 집단적 과정이다.
③ TQM의 관심은 내향적이어서 고객의 필요에 따라 목표를 설정하는 것을 강조한다.
④ 산출물의 일관성 유지를 위해 과정통제계획과 같은 계량화된 통제수단을 활용한다.

47 총체적 품질관리(TQM)

총체적 품질관리(TQM)는 거시적인 안목을 가지고 장기적인 전략을 세우는 조직관리모형이다. 총체적 품질관리(TQM)는 산출의 초기 단계에서 서비스의 질이 정착된다고 보기 때문에 사전적·예방적 품질관리를 통하여 추후 발생할 수 있는 비효율을 예방한다는 특징을 가지고 있다. 또한 생산 과정의 모든 단계에서 품질관리와 개선이 이루어지게 된다.

MBO와 TQM 비교

구분	MBO	TQM
목표설정	내부적, 상하급자 간 합의	외부적, 고객에 의한 결정
초점	결과 중시	업무에 대한 총체적 관심
관리 과정	사후적 관리	사전적 관리
업무단위	개인별 보상	집단적 노력

답 ②

48 총체적 품질관리(TQM)

총체적 품질관리(TQM)는 고객요구를 존중하고 지속적인 품질향상을 1차적 목표로 하는 관리개선기법이다. 고객중심주의(외부지향적), 즉 고객의 요구에 부응하는 품질달성을 최우선적인 목표로 삼기 때문에 고객의 필요에 따라 목표를 설정하고 품질을 평가한다.

선지분석

④ 총체적 품질관리(TQM)에서는 산출물의 일관성 유지를 위해 산출물을 생성하는 과정을 통제하는 과정통제계획과 같은 계량화된 통제수단을 활용한다. 이에 비하여 목표관리제는 사후적 관리를 중요시하므로 과정통제보다 결과평가를 중시한다.

답 ③

49 □□□

2017년 서울시 9급

총체적 품질관리(TQM)와 목표관리(MBO)에 대한 설명으로 가장 옳은 것은?

① TQM이 X이론적 인간관에 기반하고 있다면, MBO는 Y이론적 인간관에 기반하고 있다.
② TQM이 분권화된 조직관리방식이라고 하면, MBO는 집권화된 조직관리방식이다.
③ TQM이 조직 내부 성과의 효율성에 초점을 둔다면, MBO는 고객만족도 중심의 대응성에 초점을 둔다.
④ TQM이 팀 단위의 활동을 바탕으로 한다면, MBO는 개별 구성원의 활동을 바탕으로 한다.

49 총체적 품질관리(TQM)와 목표관리(MBO)

총체적 품질관리(TQM)는 품질의 결정부터 문제해결, 성과측정, 보상까지 전체 구성원이 참여하는 집단적 과정을 중시하는 반면, 목표관리(MBO)는 목표설정에서부터 환류 과정에 이르기까지 개별 구성원의 활동을 중시한다.

(선지분석)

① TQM과 MBO은 모두 Y이론적 인간관에 기반하고 있다.
② TQM과 MBO 모두 분권화된 조직관리방식이다.
③ TQM이 고객만족도 중심의 대응성에 초점을 둔다면, MBO는 조직 내부 성과의 효율성에 초점을 둔다.

답 ④

50 □□□

2018년 서울시 9급

전통적 관리와 TQM(Total Quality Management)에 대한 설명으로 가장 옳지 않은 것은?

① 전통적 관리체제는 기능을 중심으로 구조화되는 데 비해 TQM은 절차를 중심으로 조직이 구조화된다.
② 전통적 관리체제는 개인의 전문성을 장려하는 분업을 강조하는 데 비해 TQM은 주로 팀 안에서 업무를 수행할 것을 강조한다.
③ 전통적 관리체제는 상위층의 의사결정을 위한 정보체제를 운영하는 데 비해 TQM은 절차 내에서 변화를 이루는 사람들이 적시에 정확한 정보를 소유하는 데 초점을 둔다.
④ 전통적 관리체제는 낮은 성과의 원인을 관리자의 책임으로 간주하는 데 비해 TQM은 낮은 성과를 근로자 개인의 책임으로 간주한다.

50 전통적 관리와 TQM(Total Quality Management)

전통적 관리체제는 낮은 성과를 근로자 개인의 책임으로 간주하는 데 비해 TQM은 낮은 성과의 원인을 관리자의 책임으로 간주한다.

전통적 관리와 TQM 비교

전통적 관리	TQM
• 전문가에 의한 고객수요 결정	• 고객 중심적인 결정과 평가
• 기준범위 내 결점 용인	• 무결점주의
• 직감에 의한 결정	• 과학적 관리기법
• 사후적 통제	• 사전적 통제
• 개인적 노력	• 집단적 노력
• 현상유지	• 지속적 개선
• 계서적 조직구조	• 분권적 조직구조

답 ④

51 □□□

2013년 국가직 9급

정부 성과평가에 대한 설명으로 옳지 않은 것은?

① 성과평가는 개인의 성과를 향상시키기 위한 방법을 모색하기 위해서 사용될 수 있다.
② 총체적 품질관리(Total Quality Management)는 개인의 성과평가를 위한 도구로 도입되었다.
③ 관리자와 구성원의 적극적인 참여는 성과평가의 성공에 있어서 중요한 역할을 한다.
④ 조직목표의 본질은 성과평가제도의 운영과 직접 관련성을 갖는다.

52 □□□

2010년 서울시 7급

영국 시민헌장(Citizen's Charter)의 기본원리와 가장 거리가 먼 것은?

① 선택
② 정보공개
③ 친절과 도움
④ 불만처리절차의 공표
⑤ 다양성의 존중

51 정부 성과평가

개인의 성과평가를 위한 도구로 도입된 것은 목표관리제(MBO)이다. 총체적 품질관리(TQM)는 서비스의 품질은 구성원의 개인적 노력이 아니라 체제 내에서 활동하는 모든 구성원에 의하여 결정된다고 본다.

선지분석

① 성과평가의 결과는 환류되어 개인의 성과 향상을 위한 방법 모색에 사용 가능하다.
③ 성과평가의 성공을 위하여 조직 상하층부 전체의 적극적인 참여가 필요하다.
④ 조직목표는 목표달성도를 기준으로 상과를 평가하는 성과평가제도의 운영과 직접 관련성을 가진다.

답 ②

52 영국 시민헌장

시민헌장(행정서비스헌장)은 기본원칙으로 다양성이 아닌 서비스품질의 표준화를 추구한다.

시민헌장제도의 기본원칙

1. 서비스품질의 표준화
2. 정보와 공개
3. 선택과 상담
4. 친절과 도움
5. 잘못된 서비스의 시정과 보상체계
6. 비용에 대한 인식

답 ⑤

THEME 057 조직변동론

53 □□□
2017년 서울시 7급

조직발전(OD)에 대한 설명으로 가장 옳은 것은?

① 조직 전체의 변화를 추구하는 계획적 · 의도적인 개입방법이다.
② 감수성훈련은 동료 간 · 동료와 상사 간의 상호작용을 진작시키기 위한 실제 근무상황에서 실시하는 기법이다.
③ 블레이크와 머튼(Blake & Mouton)은 과업형 리더를 가장 효과적인 관리유형으로 꼽았다.
④ 변화관리자의 도움으로 단기간에 급진적 조직 변화를 추구한다.

53 조직발전(OD)

조직발전(OD)은 조직 구성원의 행태 변화를 통해 조직의 문제해결능력과 환경적응능력을 향상시키려는 계획적·개방적·지속적·의도적인 관리전략으로, 변동담당자에 의해 조직 전반에 걸쳐 진행된다.

선지분석

② 감수성훈련은 외부환경과 격리된 인위적인 장소에서 낯선 구성원으로 구성된 훈련집단을 형성하여 실시하는 기법이다.
③ 블레이크와 머튼(Blake & Mouton)은 생산과 인간에 대한 관심이 모두 높은 단합형을 가장 이상적인 관리유형으로 꼽았다.
④ 조직발전(OD)은 지속적이고 장기적인 조직 변화를 추구한다.

답 ①

54 □□□
2019년 서울시 7급

조직발전 기법인 감수성 훈련에 대한 설명으로 가장 옳지 않은 것은?

① 구성원 간의 협력적 노력을 향상시켜 팀 성과를 증가시킨다.
② 실험실훈련 혹은 T-집단훈련이라는 명칭으로 불린다.
③ 자신의 행동이 타인에게 미치는 영향을 검토하도록 한다.
④ 갈등과 상호관계에 관련된 능력을 개선할 목적으로 사용된다.

54 조직발전 기법

감수성 훈련은 실험실훈련 혹은 T-집단훈련이라고 불리기도 한다. 외부환경과 격리된 인위적인 장소에서 낯선 구성원으로 구성된 소규모 훈련집단을 형성하고, 구성원 간 비정형적인 접촉을 통해 자신의 행동이 타인에게 미치는 영향을 검토함으로써 그 행동을 평가·개선하고 타인을 이해하는 기회를 갖게 하는 훈련이다. 감수성 훈련은 성과 증가보다는 과정을 중시하며, 조직 구성원의 상호 이해를 통한 협력 도모가 목표이다.

선지분석

③, ④ 감수성 훈련은 낯선 구성원 간의 관계 속에서 자신의 행동이 타인에게 미치는 영향을 검토하여 행동 및 인간관계 개선을 목적으로 하는 훈련방식이다.

답 ①

55 □□□

2010년 국회직 9급

조직발전에 대한 설명 중 옳지 않은 것은?

① 조직의 인간적 측면을 중요시하며 인간의 잠재력을 최대한으로 개발함으로써 조직 전체의 개혁을 도모하려는 체제론적 접근방법이다.
② 실천적인 문제를 해결하려는 응용행태과학의 한 유형이다.
③ 행태과학적 지식과 기술에 조예가 있는 상담자(consultant)를 참여시켜 그로 하여금 개혁추진자의 역할을 맡게 한다.
④ 조직발전은 결과지향적이며 목표를 달성하는 과정보다 결과를 중시한다.
⑤ 실제적인 자료를 중시하는 진단적 과정이며 경험적 자료를 바탕으로 실천계획을 수립한다.

56 □□□

2008년 지방직 7급

조직발전(Organization Development)에 대한 기술 중 잘못된 것으로만 묶인 것은?

ㄱ. 조직발전은 조직의 실속, 효과성, 건강성을 높이기 위한 조직 전반에 걸친 계획된 노력을 의미한다.
ㄴ. 조직발전은 조직 구성원의 행태 변화를 통하여 조직의 생산성과 환경에의 적응능력을 향상시키는 것을 목표로 한다.
ㄷ. 조직발전에서 인간에 대한 가정은 맥그리거(McGregor)의 X이론이다.
ㄹ. 조직발전에서 가정하는 조직은 폐쇄체제 속에서 복합적 인과관계를 가진 유기체이다.
ㅁ. 조직발전에서 추구하는 변화는 조직문화의 변화를 포함한다.

① ㄱ, ㄴ, ㄷ, ㄹ
② ㄴ, ㄷ, ㄹ
③ ㄷ, ㄹ
④ ㄹ, ㅁ

55 조직발전

결과지향적이며 과정보다 결과를 중시하는 조직관리는 목표관리제(MBO)이다. 조직발전(OD)은 목표를 달성하는 과정을 결과보다 더 중시한다.

MBO와 OD 비교

구분		MBO	OD
공통점		• 조직목표와 개인목표의 조화 추구(Y이론적 인간관) • 평가 및 환류를 중시	
차이점	주도자	내부인사	외부전문가
	흐름	상향적	하향적
	초점	목표달성(단기, 결과)	행태변화(장기, 과정)
	활용기술	일반관리기술	행태과학기술

답 ④

56 조직발전

ㄷ. 조직발전에서 인간에 대한 가정은 맥그리거(McGregor)의 Y이론이다.
ㄹ. 조직발전에서 가정하는 조직은 개방체제 속에서 복합적 인과관계를 가진 유기체로 간주한다.

답 ③

합격을 위한 **확실한 해답!**

해커스공무원 교재 시리즈

영어 기초 시리즈

해커스 공무원 영어
기초 영문법/기초 독해

영어 보카 시리즈

해커스공무원
기출 보카

기본서 시리즈

해커스공무원
영어 (세트)

해커스공무원
국어 (세트)

해커스공무원
한국사 (세트)

해커스공무원
이명호 한국사 (세트)

해커스공무원
현 행정학 (세트)

해커스공무원
神행정법총론 (세트)

해커스공무원
세법 (세트)

해커스공무원
회계학 (세트)

해커스공무원
교정학 (세트)

해커스공무원
사회 (세트)

해커스공무원
과학 (세트)

해커스공무원
수학

해커스공무원
교육학 (세트)

해커스공무원
명품 행정학 (세트)

해커스공무원
쉬운 행정학

해커스공무원
하종화 사회 (세트)

해커스공무원
神헌법 (세트)

해커스공무원
박철한 헌법

해커스공무원
局경제학 (세트)

해커스공무원
이명호 올인원 관세법

빈칸노트 시리즈

해커스공무원
이중석 맵핑 한국사
올인원 블랭크노트

해커스공무원
이명호 관세법
뻥령집

필기노트 시리즈

해커스공무원
신민숙 국어 어법
합격생 필기노트

해커스공무원
이중석 맵핑 한국사
합격생 필기노트

핵심정리 시리즈

해커스공무원
단권화 핵심정리
국어

해커스공무원
단권화 핵심정리
한국사

해커스공무원
처음 헌법
조문해설집

해커스공무원
처음 헌법
만화판례집

워크북

해커스공무원
이명호 한국사
암기강화 프로젝트 워크북

넘겨서 해커스공무원 교재 시리즈 더 보기 ▶